LES VOIX
DE LA STRATÉGIE

LUCIEN POIRIER

LES VOIX
DE LA STRATÉGIE

GÉNÉALOGIE DE LA STRATÉGIE MILITAIRE
GUIBERT, JOMINI

Étude réalisée sous l'égide de la Fondation pour les Études de Défense Nationale.

FAYARD

Ce livre réunit trois essais distincts. Le second, sur Guibert, reprend, sans retouche, un texte publié en 1979 dans la collection « Les Sept Épées » de la Fondation pour les Études de Défense Nationale. Les deux autres, qui l'encadrent, furent écrits récemment.

Tous trois procèdent de la même interrogation. La constance d'une recherche, quittant la théorie stratégique pour la stratégie théorique, fait leur unité et justifie leur assemblage. Enquête que résume une question : comment se constitue, opère et se renouvelle la pensée de et sur l'action collective finalisée, conçue, préparée et développée en milieu conflictuel, avec les forces de violence armée – ces prédicats définissant la stratégie militaire.

De là, le titre : *Les voix de la stratégie*. Il s'agit d'apprendre à entendre et à restituer ce qu'ont pu dire hier et ce que disent aujourd'hui les actes et les discours des stratèges à quiconque doit travailler le matériau sociopolitique avec les armes. Toutefois, mon terrain n'est pas celui de l'histoire. Les vrais historiens ne s'y tromperont pas, qui constateront que je détourne abusivement hommes et œuvres pour les asservir à mon propos : ce livre n'est qu'un exercice de la pensée stratégique sur elle-même. J'essaie de comprendre comment « cela fonctionne » dans le cerveau du stratège militaire, acteur opérant ou théoricien positif, prescriptif, critique; comment leurs œuvres naissent, se développent, dépérissent, meurent et, parfois, ressuscitent sous d'autres formes. Pourquoi et comment ce type d'enquête peut éclairer notre propre action, nous aider à déchiffrer sa nature et ses mécanismes, et, qui sait? à la mieux conduire. Théorie de la théorie, en quelque sorte...

Vaste entreprise... On ne s'étonnera donc pas de mon cheminement circulaire – en spirale, plutôt –, des reprises inlassables des mêmes questions tout au long de ces trois essais. « Le perroquet, Messieurs, animal sublime », lançait Foch aux stagiaires de l'École de Guerre. Si je me suis fait une certaine idée de la théorie et de ses exigences, je ne suis jamais assuré de ma prise quand j'essaie l'autre...

Août 1985.

Première partie

GÉNÉALOGIE
DE LA
STRATÉGIE MILITAIRE

> On ne peut pas descendre deux fois dans le même fleuve, ni toucher deux fois une substance périssable dans le même état, car, par la promptitude et la rapidité de sa transformation, elle se disperse et se réunit à nouveau, ou plutôt, ni à nouveau, ni après, c'est en même temps qu'elle se rassemble et qu'elle se retire, qu'elle survient et s'en va.
>
> HÉRACLITE, Fragment 91.

CHAPITRE 1

LA VIE DES FORCES

Naissances

Ils sont nombreux, plus ou moins, mais organisés : horde, tribu, cité, nation, empire... Du collectif constitué pour une commune aventure, par une volonté d'unité et un même sens de l'avenir ayant traversé les accidents de l'histoire. Organisme qui vit et se pense comme système d'éléments hétérogènes : individus sertis dans leurs groupes d'appartenance tirant à hue et à dia, mais s'accordant au moins sur quelque principe unificateur et régulateur associant les diversités pour surmonter les aléas de la vie commune et de l'ouverture sur l'extérieur. Tout autour, en effet, d'autres unités aussi composites; d'autres systèmes installés dans l'histoire, avec leur volonté de durer et d'exprimer leur vocation collective dans le champ des activités humaines.

Chaque collectif découpe ainsi, dans l'étendue géohistorique et dans son environnement, son espace d'identité et d'ordre interne. Espace à la fois fermé sur et par ce qui fonde une singularité, et ouvert aux influences extérieures, à la communication, aux flux d'information et d'énergie. Physique ou abstraite, fixée ou fluide, toujours quelque frontière cadastre les territoires respectifs du Même et de l'Autre, et manifeste les nécessités et les contraintes de leur coexistence. De part et d'autre de cette ligne de partage, qui est *ligne de front,* chacun veut durer, persévérer dans son être; se conserver comme légataire d'une histoire unique et exprimer, selon des fins les unes constantes, les autres conjoncturelles, et sous des modes sans cesse renouvelés par l'action même, sa volonté de création collective sans quoi cette histoire n'aurait ni avenir, ni sens. Se conserver et faire : définitions téléologiques du Même et de l'Autre, du Même par l'Autre. Fonctions par quoi chaque être collectif se pose immortel et se projette transformé, devant chacun et devant tous, dans une relation de coexistence dynamique. Cette relation, qui exprime la polarité des systèmes ouverts Même/Autre, est constituante du *politique*.

Politique se traduit donc en topologie, information et énergétique : Même et Autre sont plus ou moins voisins dans l'étendue géographique, prochains dans la communication et le travail de l'histoire. Durer pour faire et faire pour durer impliquent transformation des états de choses – états du Monde – résultant des activités individuelles et collectives; travail de forces, consommation et conversions d'énergies pour produire et échanger à l'intérieur du système, et avec son environnement; flux d'informations à l'intérieur des et entre les coexistants.

Même et Autre se posent et s'opposent dans une double dimension d'intériorité et d'extériorité, de clôture et d'ouverture, par lesquelles ils se définissent en se déterminant réciproquement comme acteurs politiques communiquant et opérant sur un même théâtre. Là commence la *stratégie,* qui est d'abord action des forces vives de chacun pour se conserver dans l'être devant chacun et devant tous; pour défendre son espace d'identité, découpé dans l'espace englobant, contre toutes les formes d'agression concevables. C'est la conscience d'une différence ontologique devant être préservée des altérations d'origine étrangère, des négations d'autrui, qui fonde la stratégie comme action calculée et nécessaire à la continuelle réaffirmation de l'unité politique toujours menacée, toujours vulnérable aux effets perturbateurs de son ouverture sur l'extérieur.

Simultanément, la stratégie opère aussi pour construire un avenir différent de celui des Autres : *trajectoires projetées* non superposables. Qui doit bouger pour vivre affecte qui vit et bouge dans son voisinage : sauf à se perdre en se dissolvant dans l'Autre ou en s'intégrant à quelque Empire indifférencié, Même est voué à se sentir en désaccord avec les Autres sur quelque visée de leurs projets politiques respectifs, ceux-ci s'accorderaient-ils ailleurs. Construire son futur, s'engager dans une entreprise de transformation de l'état de choses, implique qu'on cherche et exploite en soi d'abord, ailleurs ensuite, les sources d'énergies et exutoires de toute nature nécessaires pour constituer, nourrir et appliquer les forces travaillant à l'exécution du projet. En un même moment historique, les volontés de durer et de faire se croisent, et les actions stratégiques qu'elles sous-tendent concourent et s'opposent dans une étendue géographique qui n'est pas spatialement illimitée – un Monde fermé – et où la matière d'œuvre est inégalement distribuée entre les membres de la société des peuples. Chacun est intéressé à la dévolution, à l'appropriation et à la défense de cela – hommes, espace, richesses, moyens de travail, etc. – qu'il estime utile, voire nécessaire pour devenir ce qu'il est. Si la stratégie naît avec la conscience introvertie d'une identité à affirmer et défendre, elle procède aussi de l'inévitable concurrence et compétition, à l'extérieur, pour le partage et le travail des *instruments de la création continuée* sans laquelle l'énergie de l'unité collective, fermée sur elle-même, se dégraderait entropiquement jusqu'à l'inéluctable mort historique. Un *principe de conflit* gouverne donc, fort logiquement, les relations entre Même et Autre : condamnés au duel de leurs volontés pour « vivre plus », sous peine de ne plus « survivre ».

Que, dans leurs interactions politiques et stratégiques manifestant leur coexistence conflictuelle, Même et Autre se rencontrent en un lieu sensible de leurs domaines d'activité et que, de leur lutte pour accomplir au mieux leurs projets respectifs, émerge un « intérêt », de quelque nature qu'il soit, dont la dévolution affecterait la probabilité de les accomplir, la contestation de cet enjeu de litige ne peut manquer d'aggraver les motifs ordinaires d'inimitié : les tensions conjoncturelles accentuent les différences essentielles. Sans doute, dans la plupart des conflits d'intérêts, l'épreuve des volontés s'achèvera par la négociation, sur une solution de compromis. Mais que la règle des intérêts partagés et le jeu ordinaire de la coexistence conflictuelle butent contre la valeur *incontestable* d'un enjeu, que le conflit menace l'être même de l'un des antagonistes à plus ou moins long terme, la tentation est grande alors de dénouer la crise par l'épreuve de force, épreuve de vérité à la fois pour la valeur attribuée à cet enjeu et pour la volonté de l'affirmer malgré la négation de l'Autre. Nulle autre voie que la violence physique, que la preuve par les armes pour tenter d'imposer sa loi à l'Autre afin de lui interdire de dicter la sienne. La guerre : ultime recours d'une politique et d'une stratégie incapables de résoudre, par les voies usuelles, le conflit des intérêts disputés pour vivre plus, voire pour survivre, pour faire et pour se conserver.

Schéma banal : la dialectique des volontés de création historique se développe dans l'espace sans cesse remembré de la coexistence conflictuelle entre le Même et l'Autre. Ceux-ci ne cessent de coopérer et de rivaliser. Liés par leur statut ambivalent d'adversaires-partenaires que leur confère l'imbrication, dans le même moment, d'intérêts divergents et convergents, ils doivent, parfois, décider de sauter le pas critique des tensions perçues comme irréductibles et qui changent un ami incommode en ennemi déclaré. Ils doivent? Les philosophes politique ou de l'histoire peuvent disputer sur lequel, des états de paix et de guerre, est l'ordinaire, le *naturel* de la coexistence conflictuelle : quelque disciple attardé de Rousseau prétendrait que la culture a perverti la nature... Oui? Non? Question éternellement suspendue comme en témoignent les discours ne décidant rien, et ne le pouvant à l'échelle humaine. Question privée de sens pour qui doit agir et faire, sauf à être *insignifiant*. Le sens commun suffit au constat : il y a eu et il y a encore de la guerre. On voit mal comment l'évacuer dès lors que Même et Autre se sentent irréductibles à quelque unité foncière, métahistorique, réconciliant les différences qui fondent et nourrissent leurs volontés de création. Ici, la philosophie naïve n'est pas la plus bête, et le pessimisme historique a ses raisons. Le problème politique est de transformer ces raisons naturelles en action raisonnée; de trans-muer l'essence du politique, la dualité Même-Autre, en calculs d'une pratique stratégique réconciliant les nécessités de l'identité avec les contraintes de l'altérité.

Qu'on l'accepte ou la récuse, la guerre est donc le référent constant de la pensée politique; la *catastrophe* installée, comme un possible jamais improbable, à l'horizon des décisions qui pilotent l'entreprise politico-stratégique, et vers laquelle les acteurs ne cessent d'être attirés par la puissance même de leurs projections dans l'avenir disputé. Grâce à l'épreuve de force, à l'action ou à la simple menace d'engagement des forces de violence physique – les forces armées – l'épreuve des volontés collectives s'érige en épreuve de vérité sur la valeur, estimée par chacun des duellistes, des enjeux de litige qui conditionnent son avenir devant chacun; sur leurs capacités à soutenir ce jugement – donc sur leurs puissances et vulnérabilités respectives. Que la guerre puisse arbitrer et décider, dans le jeu sans fin de leur coexistence conflictuelle, ne peut manquer d'influencer, dans le quotidien même, les perceptions, les calculs, les jugements et les conduites politiques des uns et des autres.

Schéma banal, en effet : la guerre fut toujours utilisée comme le moyen le plus simple de décider les crises; le moyen s'imposant avec la clarté de l'évidence – celle de la force physique – pour trancher sans équivoque le nœud des tensions qu'engendre le dangereux voisinage d'instincts de faire, trop puissants pour ne pas chercher qui dévorer, et d'instincts de vie refusant de leur céder. Et c'est bien, en fin de compte, à l'unité collective qui ne veut pas renoncer à l'être, tel qu'en lui-même l'histoire l'a constitué, que revient de choisir entre la paix et la guerre : il lui suffirait de capituler devant les exigences de son agresseur pour que la paix se perpétue, mais avec un ordre nouveau... Paradoxe : les pacifiques, qui induisent les puissants en tentation, sont – *doivent être* – un jour ou l'autre, acculés à la guerre : fauteurs de guerre...

Métamorphoses

« Nous savons cela depuis... le néolithique », objecteront les docteurs au discours banalement machiavélien, guibertien ou clausewitzien. Prenons garde : qui, aujourd'hui, dit quoi que ce soit sur la guerre est installé en un poste d'observation où ne se retrouveraient pas ceux qui, hier encore, tentaient de penser la catastrophe et de l'intégrer dans la dynamique politique. Non que la guerre ait changé dans sa fin primitive, qui fut toujours d'appliquer, par système, des effets physiques extra-ordinaires de mort et de destruction à tel Autre qu'il faut dominer par la violence afin de lui interdire de dominer : elle demeure le mode central et la forme pure de la stratégie militaire. Elle exprime, dans sa plénitude, la fonction décisoire et régalienne – *ultima ratio regum* – de la violence collective dans la dynamique sociopolitique. Mais nous savons, aujourd'hui, que la pulsion de domination et son refus, qui s'appellent l'un l'autre et se nouent dans un continuel croisement d'actions de coercition et d'interdictions, *composent* des stratégies militaires ambiguës, hybrides, au regard du mode-guerre. Nous savons que penser et pratiquer la stratégie militaire est irréductible, désormais, à penser et faire la guerre; que celle-ci n'est plus qu'une variété de celle-là. Variété-étalon, certes; mode central marquant le franchissement d'un seuil critique dans le spectre des *états de conflit* [1] entre le Même et l'Autre Mode qui, pour toujours manifester, ici ou là, l'actualisation de la violence armée avec l'emploi réel des appareils militaires, n'évacue pas pour autant ses modes virtuels, son intervention permanente dans la coexistence conflictuelle des unités sociopolitiques.

Nous savons?... Je devrais dire : nous prenons acte d'un changement du centre de perspective, qui relativise l'objet habituel du stratège. Hier encore, il n'était que l'homme de la catastrophe, de la guerre stricto sensu – et cela suffisait amplement à ses talents et à son combat contre l'aléatoire. Désormais, il doit non seulement penser la guerre en elle-même et pour elle-même, comme il la pensait hier puisqu'elle subsiste, actuelle ou possible, mais aussi l'inscrire comme un cas particulier, quoique non aberrant, dans l'ensemble singulièrement plus vaste des états de conflit qui requièrent, eux aussi, un bon usage des forces de violence. Double révolution, dans la théorie et la pratique de cette violence, qui le contraint à changer constamment de posture intellectuelle et de conduite : il doit traiter simultanément la complexité d'une *stratégie militaire du conflit* et la singularité d'une *stratégie de guerre,* elle-même complexe mais d'un ordre subordonné. Dans le même moment d'une politique définie par un projet et une volonté, il doit penser *la non-guerre,* avec la guerre à la limite de ses calculs, et *la guerre,* lorsqu'elle s'est avérée nécessaire, avec le butoir du génocide nucléaire jamais improbable. Aussi accoutumé qu'il soit à opérer dans un climat d'incertitudes et sous contraintes, celles-ci sont telles, aujourd'hui, que le stratège est constamment déchiré entre les antinomies – la

1. Je nomme état de conflit la relation instaurée, entre deux unités sociopolitiques, par l'existence simultanée d'intérêts divergents et convergents, de motifs de désaccord et d'accord, d'inimitié et de connivence, qui engendrent des tensions négatives et positives. L'état de conflit se définit par la résultante de ces tensions.

polarité, plutôt – d'une action de guerre momentanée mais efficace, et d'une action permanente mais retenue, la non-guerre. Il doit penser et faire de telle sorte que la politique trouve, dans l'appareil militaire, l'instrument, non seulement opératoire mais aussi contrôlé, de projets et de volontés qui ne peuvent plus être désormais – ne devraient pas être – abandonnés à leur pente *naturelle*. Nous n'attendons pas seulement, comme hier, que la stratégie nous dise comment penser pour vaincre, mais aussi qu'elle dise comment peser sur la volonté adverse sans vaincre, sans faire la guerre.

Métamorphose de la stratégie militaire. Nouvel avatar d'un mode, parmi d'autres, de l'action finalisée que les unités collectives – les systèmes sociopolitiques – conçoivent, préparent et conduisent en milieu conflictuel pour affirmer et exprimer leur identité dans un environnement fluctuant qui est, à la fois, matériau d'œuvre pour et obstacle à leurs pouvoirs de création historique. Si l'on spécifie la nature des forces opérant dans cette action – forces de violence physique – nous avons là les éléments de la définition la plus générale qu'on puisse donner de la stratégie militaire.

Par ses dimensions, son champ d'application et ses implications dans tous les secteurs de l'activité humaine, cette métamorphose semble autoriser l'observateur à gommer la nature militaire de cette « nouvelle stratégie ». Son extension dans l'espace de la non-guerre et le jeu permanent de capacités de violence non actualisées dans la dynamique sociopolitique, ont incité sociologues et politologues à disjoindre cette action quotidienne des armes – *action par influence* – de la stratégie militaire à l'ancienne. Lorsque Thomas C. Schelling [1] avance le concept de « stratégie du conflit », il précise que « le terme de stratégie s'entend en mettant l'accent sur l'interdépendance des décisions des adversaires et sur leurs anticipations (expectations) de leurs comportements mutuels. Ce n'est pas l'usage militaire ». Posant, à juste titre, « qu'une théorie de la stratégie ne doit pas oublier qu'il existe aussi bien des intérêts communs que des intérêts conflictuels entre les participants » et que, « dans les affaires internationales, il existe autant une dépendance mutuelle qu'une opposition », il poursuit : « Ainsi, la stratégie – dans le sens que j'emploie ici – ne concerne pas l'application efficiente de la force, mais l'exploitation de la force potentielle », et « la plupart des situations de conflit sont essentiellement des situations de marchandage (bargaining) ». Assertions licites; mais en notant que « la guerre totale d'extermination » constitue un « cas spécial », Schelling admet implicitement que, dans les autres modes guerriers – guerre à but restreint du XVIIIᵉ siècle, par exemple – la stratégie de guerre

1. Thomas C. Schelling, *The strategy of conflict*, 1960.

s'inscrivait déjà dans une « stratégie du conflit » supposant des intérêts communs entre les adversaires-partenaires. En outre, comment les anciens stratèges militaires auraient-ils ignoré « l'interdépendance de leurs décisions »? Enfin, pour être « potentielle », la force n'en doit pas moins exister sous les espèces physiques de systèmes d'armes dont la programmation suppose, en amont, une planification des buts et des voies-et-moyens stratégiques qui ne peut évacuer la probabilité de la guerre en cas d'échec du « marchandage » – et c'est là de la stratégie militaire. Quant à « l'exploitation » de cette force virtuelle sous les modes dissuasifs ou persuasifs, ou encore dans la gestion des crises, elle implique le soutien du discours politique par des dispositions et des mouvements qui relèvent, eux aussi, de la stratégie militaire.

Que l'apparition des armes de destruction massive et la peur d'en perdre le contrôle politique aient mobilisé les meilleurs esprits pour l'analyse des états de conflit et des conditions du bon usage de la force armée, rien n'était plus nécessaire. La critique d'une stratégie militaire encline, par nature, à échapper à la tutelle du politique, s'imposait après les désastreuses guerres mondiales et totales conduites dans l'oubli général de l'ordre de paix qu'elles devaient engendrer. Mais cette critique s'égarerait si, pour valoriser le rôle des *acteurs* politiques et restaurer la fonction déterminante de leurs projets et de leurs volontés affrontés, elle réduisait celui des *actants* – les systèmes militaires – à une pure fonction d'opérateurs inertes, sans organisation ni dynamique propres; si elle occultait les buts et caractères spécifiques de l'action, actuelle ou virtuelle, des forces armées. Comme les autres forces, économiques et culturelles, celles-ci travaillent la société des peuples. Les confiner dans quelque *boîte noire* dont il suffirait de connaître les entrées et les sorties, ce serait méconnaître dangereusement en quoi et comment elles « influencent » le cours des choses. Une authentique théorie des systèmes politiques ne devrait donc pas se borner à cette sorte de cinématique de corps sociopolitiques reliés, à laquelle on la réduit trop souvent, mais intégrer aussi les stratégies de tous les systèmes de forces, les actants, que génèrent les activités collectives des acteurs. Sans doute, devons-nous bien des clartés aux politologues sur l'emploi de « la force potentielle » dans le commerce politique. Mais, contrairement à ce qu'ils pensent à la suite de T.C. Schelling, cet emploi relève, lui aussi, de la *stratégie générale militaire* dont la stratégie de guerre n'est plus qu'une variété : on ne saurait constituer une théorie de « la stratégie du conflit » sans passer par la *nouvelle* stratégie militaire.

Prenons garde : la métamorphose de la stratégie militaire, marquée par l'inversion de sa relation avec la guerre – le concept classique de stratégie était inclus dans celui de guerre, alors que le nouveau inclut désormais ce dernier – ne consiste pas dans un bouleversement de la réalité conflictuelle : ce sont la perception, la lecture et l'interprétation de cette réalité qui ont changé. Nos anciens ne nous ont pas attendus pour spéculer politiquement sur les virtualités des forces armées. Toujours, ils ont su jouer de leur seule existence, miser sur leur puissance affichée et leurs postures pour influencer les Autres, acteurs et actants; pour les dissuader ou persuader d'agir conformément à ce qu'on attend d'eux : vieille recette de la menace « subtile » du verbe diplomatique soutenu par la gesticulation « grossière » des armes se gardant bien de pousser l'adversaire-partenaire au défi de l'épreuve de force.

Rien, là, qui ne se réfère à un paradigme de la manœuvre de la force armée aussi *inné,* dans la sensibilité et la conduite politiques, que celui du duel à mort dans les stratégies de guerre d'anéantissement. Mais les modes d'action virtuels n'étaient pas théorisés : jusqu'à la prise de conscience de la déraison nucléaire, le stratège militaire n'officiait qu'après l'ouverture des hostilités. Son travail, producteur d'effets spécifiques *extra-ordinaires,* ne commençait qu'avec la guerre déclarée, le discours diplomatique cédant le pas à celui des armes. Le fait de rupture, à la fois praxéologique et épistémologique, réside donc dans l'émergence, à la conscience claire des décideurs politiques et dans l'opinion, de la *fonction continue* d'une stratégie militaire opérant sous de multiples modes. Chacun perçoit l'action quotidienne des appareils militaires déployés ici et là, et qui, à l'état inerte et par leurs seules capacités – d'ailleurs non vérifiées – sont, autant que par leur engagement dans des épreuves de force, le principe d'une incessante morphogenèse sociopolitique.

Ce n'est pas là le dernier avatar de la force... Voici qu'apparaissent des stratégies militaires construites dans l'imaginaire pur : elles opèrent et induisent des effets *actuels,* dans le champ mental du politique et de l'homo vulgaris, par leurs seules figures d'avenir dont le premier attribut est l'incertitude sur leur probabilité d'actualisation. Tel est le cas de l'initiative de défense stratégique du président Reagan (IDS). Stratégie militaire d'anticipation, projetant son but à l'horizon d'une quinzaine d'années au moins, ses moyens, les appareils militaires, n'ont guère franchi le stade des analyses de faisabilité. Ses prévisions d'emploi supposent une fiabilité technique et une efficacité opérationnelle hors de l'ordinaire et requises par la nature même, exorbitante, du but stratégique affiché : non pas réduire le risque nucléaire à une valeur acceptable, mais l'annuler. Que le débat demeure ouvert sur la validité et le coût du projet, il n'en est pas moins clair que celui-ci porte à sa quasi-perfection la stratégie du virtuel. Elle adopte le mode raffiné d'une vaste spéculation sur une construction théorique, sur le modèle abstrait d'un système militaire sans contenu objectif puisque aucun objet – armement, aux capacités d'effets physiques perceptibles et mesurables par les Autres – ne peut encore *garantir la valeur des signes* constituant le discours stratégique. Tout se passe comme si un acteur dominant pouvait viser certaines fins politiques *actuelles* en montant une opération de stratégie militaire faisant paradoxalement l'économie des nécessaires actants; des opérateurs chargés, habituellement, de fournir la preuve de sa puissance et de sa volonté politiques avec l'affichage de capacités tangibles d'action militaire, avec des systèmes de forces réels ou très probables à échéance. Tout se passe comme s'il suffisait, à cet acteur, de construire une image cohérente et plausible d'une stratégie novatrice et qui marque une suffisante avance sur les pratiques usuelles, pour que le *crédit* (scientifique, technologique, financier, etc.) dont il bénéficie suffise à conférer, à cette *projection d'un modèle théorique dans un futur encore indéterminé,* la prégnance d'un système quasi actualisé et l'efficacité d'une stratégie de persuasion fondée sur des forces réelles [1].

Cette nouvelle métamorphose de la stratégie militaire mérite la plus grande attention. Depuis des millénaires, les forces de violence collective n'ont cessé de muer dans leur nature et leurs modes opératoires. Lentes parfois et parfois accélérées, ces continuelles transformations auraient-elles été guidées par l'instinct de vie de sociétés de plus en plus menacées par l'exaspération du principe de conflit, par leur pulsion de mort? Sans doute, la guerre subsiste. Aucun indice n'autorise à croire qu'elle puisse être prochainement abolie. Plus généralement, la finalité de la stratégie militaire n'a pas changé : elle consiste toujours dans la conception et la manœuvre des systèmes de forces capables de produire des effets physiques calculés pour affecter, dans le sens voulu, le champ mental du politique adverse. Toutefois, sous la pression de la peur nucléaire, tout s'est passé comme si, sans contester l'utilité, voire la nécessité de la violence collective, politique et stratégie s'étaient accordées pour purger l'action des armes des risques majeurs inhérents aux aléas de sa conduite. On lui demande donc de produire *directement* les effets psychologiques requis pour peser sur les projets et la volonté adverses, sans transiter par l'étape, naguère obligatoire, des effets physiques produits par le travail effectif des forces armées. Mais n'est-ce pas là une étape dans une évolution qui tendrait désormais à dévaloriser l'épreuve de force réelle au profit de modes stratégiques plus subtils?

Déjà, la stratégie de dissuasion nucléaire se fonde sur la

1. « L'opération IDS » a déjà atteint, en 1985, des buts stratégiques et des fins politiques tangibles : l'U.R.S.S. a été persuadée de renouer les négociations à Genève; quant aux Alliés, ils sont d'ores et déjà soumis à une intense action psychologique américaine qui, relayée par la clientèle européenne, devrait les persuader de leur impuissance à interférer dans le dialogue Moscou-Washington, et d'accepter nolens volens la tutelle de la puissance « la plus avancée ».

communication, entre les duellistes, des images d'effets physiques possibles et jamais improbables. Information réciproque, échanges de messages dont certains signes sont intelligibles au Même comme à l'Autre puisqu'ils traduisent, en un langage univoque, des réalités objectives : les capacités actuelles et prévisibles de leurs systèmes de forces. Si ce mode stratégique produit directement, sans épreuve de force réelle, les effets psychologiques d'inhibition voulus sur les décideurs politiques, s'il implique l'élision de la stratégie opérationnelle dans son sens classique, la fonction de la stratégie militaire subsiste mais assumée, pour le principal, par sa composante stratégie des moyens : les forces capables de l'effet psychologique direct doivent d'abord exister pour porter le message du risque. Ensuite, chacun des protagonistes doit réaliser des programmes tels que les capacités d'effets physiques qu'ils affichent ne soient pas perçues, par l'Autre, comme signifiant un risque si « inférieur » qu'il se sente autorisé à défier l'interdiction d'agir. De là, entre le Même et l'Autre, un principe de polarité régissant leur stratégie des moyens et les induisant à la course aux armements que l'on sait.

Rien n'interdit de penser que cette élision de la stratégie opérationnelle, au profit de celle des moyens, puisse ne marquer qu'une étape vers une réduction encore plus radicale de la stratégie militaire à sa pure fonction sémiotique. Si, en effet, le mode virtuel qu'est la dissuasion nucléaire suppose au moins une information circulante fournie par des systèmes de forces nucléaires existant, l'initiative de défense stratégique américaine repose sur les progrès accélérés et sur les *espérances* de l'électro-informatique. Elle suggère déjà que, pour induire les effets psychologiques voulus sur un politique adverse, on peut passer à la limite : substituer, aux signes allusifs de la force actuelle et déployée, ceux de forces imaginaires, projetées comme une figure de l'avenir technique, évoquées à l'état de possibles – à l'état naissant? – et dont il suffirait que la probabilité d'existence à terme ne fût pas nulle. *Manœuvre des images* d'une tout autre nature que celle opérant dans l'interdiction dissuasive. Dans le nouveau mode stratégique, non seulement la composante opérationnelle serait évacuée, mais la stratégie des moyens changerait de statut et de forme : elle opérerait sur l'adversaire non plus par ses perceptions et représentations de panoplies existantes ou en cours de développement, mais aussi, et simultanément par les images anticipatrices de systèmes dans les limbes : quasi-objets sur lesquels Même et Autre ne peuvent acquérir que l'information très lacunaire et incertaine de projections techniques. Information dont le flou, paradoxalement, favorise *le traitement spéculatif* et la traduction immédiate, magique, en effets psychologiques affectant les projets et conduites politiques actuels.

C'est que, si le calcul prévisionnel est très aléatoire, des capacités d'effets physiques associés à la projection, dans un avenir indéterminé, d'une innovation qui marquerait une rupture majeure, cette anticipation s'accroche cependant à des données de fait, à des réalités extérieures au domaine de la stratégie militaire. En effet, pour lever une partie de ces incertitudes sur la validité d'un discours pariant sur la réalisation et l'efficacité de forces imaginaires mais possibles, les acteurs politiques n'ont d'autre ressource que d'en appeler à l'information fournie, en amont, par leurs activités naturelles : facteurs économiques, financiers, scientifiques et technologiques de leur puissance et vulnérabilité globales. Ce sont ces facteurs qui, définissant un état de culture, déterminent logiquement les chances de succès d'une stratégie des moyens qui s'annonce comme une stratégie de rupture avec l'actuelle. Ce sont donc la définition et la conduite de la *stratégie intégrale* future qui détermineront la probabilité de réalisation des nouveaux systèmes de force – qui *décideront* de leur existence.

Les implications pratiques et épistémologiques de ce changement de dimension sont d'ores et déjà considérables. Si les résultats politiques de sa stratégie militaire anticipée sont déjà appréciables pour « l'afficheur » américain dès lors qu'il l'a dite et fondée sur son *crédit,* ils ne peuvent qu'induire une réaction de même nature chez les Autres conscients que leur retard, s'ils ne le comblaient, les mettrait un jour à sa merci : réaction haussée, elle aussi, au niveau englobant de la stratégie intégrale. C'est dire que, à travers les formes de rupture d'une stratégie des moyens boulimique, le duel des stratégies militaires en gestation ne peut que contaminer les stratégies intégrales des antagonistes en mobilisant tous leurs secteurs d'activités et consommant leur substance vive. C'est là le germe de la nouvelle métamorphose : jusqu'à maintenant, il fallait un état de guerre totale pour que les duellistes engagent la totalité de leurs activités collectives dans le conflit, pour qu'ils consentent à « militariser » la stratégie intégrale en dépit des risques sociopolitiques inhérents à cette réquisition. Désormais, cette militarisation tend invinciblement à s'appliquer au « temps de paix », à tous les moments de la coexistence conflictuelle et au champ entier du travail collectif. C'est dire que les relations classiques de détermination entre politique, stratégie intégrale et stratégie militaire peuvent être bouleversées.

Déjà, en incitant à différer l'épreuve de force, voire à évacuer une stratégie opérationnelle trop chargée de risques, la révolution nucléaire avait provoqué l'inversion des statuts de la guerre et de la stratégie militaire, le second concept incluant désormais le premier, qui l'incluait dans la théorie classique de la guerre. Et voilà qu'on entrevoit les conséquences de la nouvelle révolution technologique induite, dans la stratégie des moyens, par les progrès foudroyants de l'électronique et de l'informatique intégrées dans les systèmes d'armes. Révolution n'affectant pas, cette fois, l'énergie unitaire des armes, mais les autres paramètres de leurs effets physiques : observation et mesure, contrôle et pilotage, précision et ubiquité, champ d'application et vitesse de production, etc. Révolution affectant les conditions d'amorçage, de développement et d'interruption des processus action-réaction, dans l'espace-temps du duel tactico-technique. Rien ne semble hors de portée de l'acteur politique et de ses actants dans toutes les dimensions de l'action et des forces de violence. Toutefois, le succès de cette seconde révolution suppose, plus encore que l'autre, l'intégration de tous les savoirs et la synergie de tous les pouvoirs des sociétés culturellement et économiquement les plus en pointe – ce que confirment les débats sur les conséquences sociopolitiques des nouvelles projections de la stratégie américaine. Autrement dit, après l'inversion de la relation englobant-englobé entre les concepts de guerre et de stratégie militaire, s'amorce une autre inversion, et d'un autre ordre : de composante de la stratégie intégrale qu'elle était – et devrait être logiquement – la stratégie générale militaire tend à dominer, voire à déterminer cette dernière par l'inflation d'une stratégie des moyens tyranniques.

Epistémologiquement, la stratégie militaire fut la *stratégie-mère*; cela dans la mesure où sa théorie – concepts, méthodes d'analyse et de calcul, etc. – fut un modèle importé, depuis quelques décennies, dans d'autres types d'action. Et voilà qu'elle prétend aussi à l'empire sur les dynamiques globales, internes et externes, des systèmes sociopolitiques les plus avancés; à être la stratégie-mère dans la vie quotidienne de la coexistence conflictuelle; à s'affirmer principe premier de la morphogenèse historique. Héraclite triomphe : le principe de conflit, le *polemos*, est reconnu, dans les faits et non plus dans la seule philosophie première, comme le « père de toutes choses ». Tout se passe comme si le but de la stratégie intégrale, s'identifiant jusqu'à maintenant à la politique-en-acte, consistait désormais, en priorité, à concevoir et projeter, comme une figure d'avenir possible, des moyens militaires, des systèmes de forces tels que les Autres soient conduits à tenter de surpasser leurs capacités afin de n'être pas militairement dominés à échéance. Duel mobilisant et consommant toutes les énergies collectives, et singulièrement les forces culturelles et économiques, au point que le dominant dans ces registres de la puissance puisse espérer l'effondrement interne, l'implosion sociopolitique de son adversaire; et cela en faisant l'économie de l'épreuve de force militaire. Si la guerre était l'épreuve de vérité sur les puissances totales du Même et de l'Autre, il s'agirait désormais de substituer, à la *catastrophe* militaire, une épreuve de vérité de longue haleine d'un autre ordre : une *stratégie intégrale d'attrition* dont les voies-et-moyens seraient la recherche scientifique et l'innovation technologique appliquées aux forces de violence armée.

Principe de peur et violence sublimée

Sans doute, est-ce là une lecture très hasardeuse de l'évolution actuelle des systèmes et stratégies militaires; évolution que l'on devine à quelques indices, tels que le discours reaganien. Au demeurant, ces hypothèses interprétatives ne peuvent être avancées que pour les États dominants dotés de tous les éléments de la puissance requise pour concevoir et pratiquer ce nouveau mode stratégique. En outre, celui-ci ne se substitue pas, mais se superpose aux modes habituels des stratégies de guerre et de non-guerre. Et la problématique de demain devra énoncer, en langage pertinent, les questions posées par la stratégie polymorphe, résultante de la combinatoire de l'ancien et du nouveau. Toutefois, si ces hypothèses devaient un jour se vérifier, elles ne feraient que confirmer l'allure générale de la courbe d'évolution tracée par la stratégie militaire. Le grand secret du bon usage de la violence armée réside dans les calculs naïfs des duellistes : le Même voudrait bien frapper l'Autre et le contraindre à s'avouer vaincu sans qu'il réagisse si violemment que ses coups-réponse fassent, au Même, un « mal » disproportionné au « bien » qu'il convoite. Mieux : Même aurait tout profit à ce que Autre ne réponde pas par la violence, et consente aux exigences de son agresseur avant même que celui-ci ne frappe. Substituer l'effet de persuasion indolore et assuré d'une menace affichée, au résultat toujours aléatoire d'une épreuve de force toujours coûteuse, ce fut l'ambition constante du politique; l'origine, aussi, de ses tensions avec le stratège militaire, même lorsque la même tête assuma les deux fonctions. Rien de plus raisonnable et rationnel, pour qui possède l'initiative : pour lui, la guerre n'est ni nécessaire, ni économique; et il n'est pas faux de dire qu'il revient au défenseur de la décider... s'il refuse de céder [1]. Le politique et le stratège ont donc quelque peine à confesser que leurs décisions, qui illustreront la Grande Histoire et que disséqueront les docteurs, procèdent du

1. Cf. Clausewitz : « La guerre a plutôt une raison d'être pour le défenseur que pour le conquérant, car la guerre ne commence pas avant que l'invasion ait suscité la défense. Un conquérant est constamment ami de la paix, comme Bonaparte le disait de lui-même. Il voudrait bien faire son entrée dans notre État sans opposition. Pour l'en empêcher, nous devons choisir la guerre, et par conséquent faire à l'avance nos préparatifs. En d'autres termes, c'est justement le camp le plus faible, celui qui doit se défendre, qui doit toujours être armé pour ne pas être surpris. Ainsi le veut l'art de la guerre. » *De la guerre*, II, VI, 5. Dans ses *Cahiers*, Lénine annote marginalement ce passage d'un : « Ah! Ah! Spirituel! »

bon sens pragmatique formulé dans le langage d'une évaluation coût-efficacité. Évaluation, simple dans son principe, qui a gouverné les moindres entreprises de l'homo habilis depuis qu'il dut consommer de l'énergie pour s'outiller, et pour agir contre la Nature ou contre un Autre.

Il est donc conforme à la logique des entreprises politico-stratégiques que, dans leurs états de conflit, les duellistes aient constamment tenté de tirer le meilleur parti de leurs panoplies en différant, voire en évacuant l'épreuve de force physique – et d'abord le corps à corps. A défaut, non seulement en réduisant les risques matériels associés aux effets des armes, mais aussi en jouant sur les effets psychologiques qu'ils induisent – leur vraie finalité – à tous les niveaux du duel. Vaincre l'Autre – combattant du rang, chef d'armée ou ultime instance politique – lui imposer une volonté extérieure, ce peut être anéantir ses forces armées et/ou détruire sa substance démo-économique; ou le placer dans une situation militaire si critique qu'il perde tout espérance de l'emporter à un prix acceptable, voire de résister assez longtemps et en conservant assez de forces résiduelles pour persuader l'agresseur de composer; ou, plus économiquement, l'induire à ne pas engager le combat, étant donné sa faible probabilité de succès ou le coût excessif de son entreprise. Dans tous les cas de figure, c'est bien la *peur d'être dominé* – peur de perdre l'enjeu du conflit, ou de l'acheter trop cher, ou d'aventurer leur existence physique et leur être même – qui gouverne, quoique inavouée, les calculs et conduites du Même et de l'Autre. C'est pourquoi, depuis les origines, la dialectique de leurs projets, de leurs volontés et de leurs forces s'est traduite, à tous les niveaux du duel collectif, par celle des voies-et-moyens effecteurs de peur *et* de défense contre cette même peur. Mais, et ceci est fondamental, dialectique privilégiant la défense, par soumission à l'incoercible instinct de vie des individus et des collectivités. Dans la Troie de Giraudoux, Hector ne craint pas de dire, devant Achille, sa peur que la guerre ait lieu...

S'armer pour faire peur, mais s'organiser et se défendre contre la peur, chacun prévenant toute situation critique où sa peur déciderait l'issue du conflit, c'est bien l'un des principes de la métamorphose des forces. Ainsi, l'innovation dans les armes offensives a constamment visé *aussi* – d'abord? – à réduire les effets des réactions de l'adversaire en lui appliquant, du plus loin et avec une plus grande précision, des effets plus vulnérants à l'impact. Dans le domaine de la tactique, la flèche, la balle, l'obus, la bombe, etc., retardent le corps à corps : les armes sont des prothèses éloignant le danger. Dans celui de la stratégie opérationnelle, le grand art consiste à manœuvrer de telle sorte – sur les arrières, par exemple – que, l'ennemi étant moralement désarmé comme à Ulm, les aléas de la bataille soient annulés. Douhet invente le bombardement aérien pour terroriser les populations, mais aussi afin de faire l'économie des sanglantes et indécises batailles terrestres. Les modes dissuasifs actuels se fondent sur la peur du génocide, que l'on espère partagée. L'IDS américaine s'installe dans le droit-fil d'une évolution des voies-et-moyens stratégiques qui, s'ils cherchent à préserver les nécessaires degrés de liberté politique, se conçoivent d'abord comme une organisation contre la peur de l'apocalypse nucléaire. Ardant du Picq a dit tout cela, et nous pouvons légitimement extrapoler, à l'ensemble de la stratégie militaire, les assertions de ses *Études sur le combat* [1].

Une analyse spectrale de tous les modes, formes et styles de la stratégie militaire trouverait là une direction de recherche. Parmi d'autres, certes, mais très féconde : elle prend l'homme, individu et collectif, comme l'instrument premier du duel stratégique, mais soumet celui-ci aux fins, prochaines et dernières, des duellistes. Engendrée par la double volonté de survie et de création qui constitue les systèmes sociopolitiques, l'entreprise politico-stratégique ne cherche sa raison historique et ne peut trouver son sens métahistorique qu'en observant l'éternelle règle du jeu au moins implicite : celle qui procède de la peur raisonnée devant des risques excessifs, comparés aux espérances de gain qu'autorisent des outils de plus en plus efficaces. Ce que doit et peut prescrire la morale ne peut être, ici, qu'additionnel, comme en témoigne la douloureuse généalogie de la stratégie militaire. Et pourtant...

Pourtant, au crépuscule d'un siècle traversé de désastres, tout se passe comme si l'irrépressible progression des savoirs scientifiques et des pouvoirs technologiques, et les avenirs tumultueux qu'ils mûrissent, avaient aiguisé la lucidité des politiques et stratèges devant la fonction métahistorique de la violence collective. Avec la peur de ne pouvoir la contrôler, les sociétés mieux informées sur leur fragilité, qui tient à leur complexité systémique, sont mobilisées sur le thème de plus en plus obsédant de leur sécurité. La stratégie militaire s'est installée dans la conscience collective, non plus comme un objet de pensée pour les temps d'exception, mais comme une activité banalisée. Bonne conseillère, la peur oblige acteurs et actants à inventer des modes d'action réducteurs de risques. Les récentes métamorphoses des forces ébauchent des solutions sans doute lacunaires, mais indicatives d'une nouvelle bifurcation dans la pensée politico-stratégique : les acteurs surpuissants constatent que, sous certaines conditions, *la violence sublimée* peut opérer avec un rendement politique supérieur à

---

1. « L'homme ne va pas au combat pour la lutte, mais pour la victoire. Il fait tout ce qui dépend de lui pour supprimer la première et assurer la seconde » (chap. I). « Le perfectionnement continu de tous les engins de guerre n'a point d'autre cause : anéantir l'ennemi en restant debout » (chap. VI).

celui de l'engagement effectif des forces. Les risques actualisés, inhérents à la stratégie de guerre, sont donc convertis en risques différés et portés par l'imaginaire. Les calculs anticipateurs de stratégies des moyens aux buts très ambitieux, sont projetés si loin dans l'avenir qu'ils mobilisent les puissances totales des candidats à la dominance technique. Pour ces capacités d'action, l'épreuve de vérité est rejetée dans un avenir indéterminé. Pourtant, la peur d'être alors dominé agit dès aujourd'hui sur les Autres, par anticipation. Duel stratégique conçu et développé dans l'abstraction du discours spéculant sur le possible; fondé sur l'émission de signes de puissance – les programmes de recherches – dont la capacité opératoire actuelle s'identifie à une valeur fiduciaire. Il s'agit toujours, bien entendu, de peser sur la volonté de l'Autre, mais en lui communiquant une information plausible, avec ce qu'il faut de flou artistique pour entretenir la peur, sur le capital d'énergies, sous toutes leurs formes, qu'on pourra investir dans les armements hyper-sophistiqués et dépenser sans craindre l'épuisement du corps social. Stratégie spéculant sur l'intelligence scientifique et technologique, sur l'imagination créatrice des bureaux d'études, laboratoires, ateliers, etc. où se livre, dans le silence, la vraie bataille pour la suprématie dans l'avenir; où, dès aujourd'hui, s'opèrent les reclassements, décisifs pour demain, dans la vraie hiérarchie des puissances.

Ce détournement de la stratégie militaire vers des modes d'action sublimant la violence tout en investissant, paradoxalement, de plus en plus d'intelligence et d'imagination dans l'invention de ses moyens, a commencé depuis longtemps. J.F.C. Fuller, l'un des plus lucides, situait le tournant au xvᵉ siècle : « Avec la découverte de la poudre à canon... nous sommes passés dans l'âge technologique de la guerre, le secret motif de cela étant l'élimination de l'élément humain, à la fois physiquement et moralement, l'intellect subsistant seul [1]. » Mais cette évolution n'était-elle pas inscrite, dès l'origine du duel, dans l'invincible tendance des duellistes à prendre de la distance l'un par rapport à l'autre?

La stratégothèque universelle

La nouvelle étape, dans les transformations d'une stratégie qui serait orientée vers l'élision du risque, constitue une innovation majeure si l'on songe à ce que furent les deux guerres mondiales... N'oublions pas toutefois qu'elle ne chasse pas les stratégies à l'ancienne : elle s'ajoute à la gamme des stratégies de guerre et de non-guerre concevables. Pour les États qui en sont capables, elle entre en composition avec elles. Jamais sans doute dans l'histoire,

1. J.F.C. Fuller, *Armament and History*, 1946.

n'ont coexisté conflictuellement des systèmes sociopolitiques aussi différents dans leur nature, aussi inégaux par les dimensions de leurs projets et leurs capacités énergétiques – de travail stratégique. Depuis le terrorisme d'État et la guérilla, en passant par la manœuvre des crises, les guerres limitées et totales, jusqu'aux modes d'interdiction dissuasive et de persuasion par la violence sublimée, notre époque donne à voir le spectre le plus étendu des états de conflit entre les classes de puissances les plus inégales que l'histoire ait jamais offertes à l'analyste. A quoi répondent toutes les variétés de stratégie militaire concevables, avec les panoplies les plus différenciées servant les projets politiques les plus inégalement dimensionnés. Toutes ces variétés sont synchrones et observables simultanément, avec tous leurs écarts, quoique inégalement distribuées, dans l'espace géographique, selon la topologie géopolitique. Information synoptique reçue par tous dans un monde désormais fermé, même si certaines variétés demeurent, dans leurs buts et leurs voies-et-moyens, à jamais hors de portée dans la pratique de la plupart des acteurs. Chacun peut connaître les théories et pratiques de chacun, encore que la précision et le temps de cette information soient inégaux pour qui maîtrise l'espace et pour qui doit s'en tenir aux sources et indices classiques. De là, la fonction décisive de l'information, en temps réel, sur les faits de conflit et les réactions de chacun, et, dans la stratégie des moyens, l'importance des programmes portant sur ses outils d'acquisition (satellites) et de traitement (ordinateurs, intelligence artificielle).

Le dernier avatar de la stratégie achèverait-il la longue série des métamorphoses qu'a connues la violence depuis la première pierre brandie par le poing du premier homme? Pouvons-nous imaginer pour les armes, un mode d'action plus affiné, plus intellectuel que celui de leurs virtualités dans un jeu de stratégies des moyens misant sur la probabilité non nulle de leurs figures d'avenir imaginaires? Mode le plus économique puisqu'il substituerait l'épreuve des pouvoirs d'invention technique à celle des armées engagées; puisque, également, la dialectique des volontés politiques transférerait ses aléas de la stratégie militaire à la stratégie intégrale. En mobilisant les puissances totales des peuples, la dernière métamorphose de la force, ne les contraindrait-elle pas mieux que « le hasard de guerre », à dévoiler, sans équivoque, leurs capacités réelles de création collective et de faire avancer l'histoire?

Quoi qu'on pense de cette interprétation de l'actuel état de choses, il est peu probable que nous observions l'ultime avatar de la stratégie; que nous soyons postés en quelque Point Oméga, avec le privilège de pouvoir récapituler son histoire achevée. Toutefois, pour la première fois dans le monde, tous les acteurs politiques et actants stratégiques disposent du tableau complet des modes,

formes et styles de la stratégie militaire, telle qu'elle s'est
constituée et se manifeste depuis le second conflit mondial.
Répertoire et typologie universels de toutes les pratiques, et de
toutes les théories. Fait de portée considérable : à la diffusion
rapide et universelle d'une information vérifiable sur les états de
conflit et sur les stratégies adoptées ici et là, s'ajoute la communication de leurs diverses interprétations – qui retentissent sur les
conduites – et des formations théoriques qu'elles suscitent. L'Europe a pu, naguère, ignorer les enseignements de la guerre de
Sécession; les Américains, ceux des opérations françaises au
Vietnam. Aujourd'hui, à l'ubiquité de l'œil braqué sur les faits,
répondent leur analyse critique immédiate et la mise en discours
pour demain... La littérature spécialisée, aussi pléthorique qu'inégale, se nourrit de colloques et séminaires où, si les déclarations
péremptoires dispensent parfois des approches rigoureuses, se
rencontrent les curiosités des meilleurs esprits, venus de tous les
horizons, pour les disciplines de l'action. Des disputes entre écoles,
trop souvent gagnées à la défense d'intérêts particuliers, émergent
cependant des experts attachés à la recherche, dégagés de
l'ethnocentrisme culturel, soucieux de vérifier la validité de leurs
inférences et capables de les soumettre à la critique interne.
Jamais, depuis le siècle des Lumières et le début du nôtre, le
terrain stratégique ne fut autant labouré – encore que le discours
sur le bon usage politique de la violence soit trop souvent et
paradoxalement soumis à l'impérialisme des sciences sociales et
politiques. En effet, celles-ci sont tentées de faire bon marché des
attributs de systèmes militaires dont elles répugnent à reconnaître
les mécanismes spécifiques; ceux-là mêmes qui, aujourd'hui,
déterminent pour une large part la dynamique interne des
systèmes sociopolitiques et leur réseau de relations. A défaut d'un
savoir précis, on se satisfait de « balances de forces » et de
gloses-fictions sur les avancées technologiques...

La vision synoptique et la typologie universelle permettent non
seulement de penser chaque état de conflit et chaque pratique
stratégique dans leurs lieu et moment *locaux*, avec leurs déterminations et dynamiques propres, mais aussi d'identifier leurs
connections, leurs relations actuelles et probables dans la société
globale des acteurs et actants; d'éclairer les facteurs de leurs
influences réciproques, avec leurs évolutions prévisibles. Les
instruments d'analyse et d'évaluation, actuelles et prospectives,
circulent entre tous les experts d'un domaine politico-stratégique à
la dimension d'un monde désormais unifié par le langage scientifique et technologique. Les interdépendances de toutes sortes et
l'état global de coexistence conflictuelle affectent, peu ou prou,
des acteurs qui ne peuvent plus s'ignorer malgré la distance et les
différences de classe dans la hiérarchie des puissances. Les
axiomes et présupposés peuvent s'opposer, sur lesquels Même et

Autre, sociétés libérales ou totalitaires, assoient leurs théories et pratiques respectives : au moins, chacun peut-il reconnaître ces différences malgré toutes les distances, en déceler l'origine et, dans le traitement de son information sur les Autres, se garder de l'effet de miroir et des jugements erronés ou viscéraux. Au moins, l'information existe...

Sans doute est-il faux d'avancer que toute stratégie militaire doit être pensée, aujourd'hui, comme globale. Seuls, les acteurs dominants, rares par définition, possèdent les attributs de la puissance les autorisant à distribuer leurs buts stratégiques et leurs forces dans le monde entier. Il est vrai, néanmoins, que les plus modestes des guérilleros disséminés ici et là devinent qu'ils entrent dans les calculs des entreprises impériales et que, aussi étrangères qu'elles leur paraissent, elles commandent l'avenir de la leur, ne serait-ce que par le marché des armes et la voix des médias. Tout se passe donc, pour l'observateur, comme si les stratégies globales des grands premiers rôles unifiaient, à travers elles, les divers types de stratégies locales; comme si, les croisant constamment, elles proposaient un centre de perspective d'où l'ensemble mondial des *stratégies liées par leur influence* devenait intelligible. Ce sont toujours les entreprises impériales, surdéterminantes pour les autres, qui, au cours de l'histoire, fournirent aux analystes « le point de vue d'architecture » permettant d'ordonner et d'articuler, sur l'échiquier, les multiples pièces stratégiques du répertoire de leur temps; de restituer le réseau probable de leurs relations et déterminations mutuelles. Rome constitua le système stratégique de référence pour Polybe; la France révolutionnaire et napoléonienne, celui de Jomini et de Clausewitz. Encore s'agissait-il de répertoires et de typologies élaborés dans un monde compartimenté, et qui négligeaient, comme des cas trop particuliers pour être dignes d'analyse, les pratiques guerrières d'outre-*limes* ou d'outre-Europe. Mais aujourd'hui, pour la première fois dans l'histoire, l'idée semble moins utopique d'une théorie stratégique qui, récapitulant toutes les variétés pratiquées et théorisées dans un monde fini et transparent, serait enfin universelle. Certes, rien ne nous assure que cette *théorie unitaire* soit d'ores et déjà possible. Toutefois, à défaut d'avoir su réunir les instruments intellectuels requis pour interroger la totalité simultanée des stratégies manifestées et pour débrouiller la complexité de leur système d'interactions, au moins possédons-nous les moyens d'acquérir, de mémoriser et de traiter l'information brute sur les faits, événements et phénomènes conflictuels contemporains, sur leurs lectures fragmentaires, et sur les théories positives et pragmatiques ébauchées ici et là. Une polémologie immunisée contre les tentations de l'irénisme, comme l'avait conçue Gaston Bouthoul, serait d'une grande utilité au stratège : il faudrait rajeunir ses méthodes et techniques d'investigation et d'interprétation en lui appliquant les ressources de l'informatique et de la modélisation, en associant des experts venus de toutes les disciplines...

Changement de perspective sans précédent. D'ores et déjà, le *sens de l'universel* a bouleversé les approches et méthodes classiques de la stratégie militaire, comme en témoigne le foisonnement des théories dont l'incomplétude, les incohérences, les énoncés approximatifs sont le prix à payer pour le renouvellement du langage et l'examen critique des fondements. Et c'est sans doute la conscience des carences d'un outillage intellectuel hérité de l'âge des *stratégies locales*, et plus souvent bricolé que réinventé pour travailler sur un matériau neuf et sur d'autres dimensions, qui paradoxalement a incité nos contemporains à rechercher dans le passé des situations aussi inconfortables que l'actuelle; à interroger l'histoire sur les crises et les bifurcations de la pensée stratégique. Comment nos anciens ont-ils reconnu et surmonté leur malaise, voire leur impuissance, devant l'émergence et le développement de nouveaux modes conflictuels et types de guerre? Il ne s'agit pas de leur demander des recettes d'efficacité ou d'économie de l'action, mais de reconstituer le champ et les mécanismes mentaux de tout homme engagé dans l'œuvre de la violence collective – qu'il doive faire ou dire le faire – et qui doit décider, donc comprendre, et changer d'observatoire quand il rencontre un fait de conflit insolite, aberrant au regard de ses habitudes. Comment le politique et le stratège s'y prirent-ils quand, devant l'évidence d'une coupure avec le passé, il leur fallut l'interpréter, déchiffrer ses origines et ses implications, l'intégrer, avec toute sa puissance de transformation, dans leurs procédures décisionnelles? Comment constatèrent-ils les carences de leur boîte à outils familière, et surmontèrent-ils l'obstacle – au sens bachelardien – qu'une pensée ossifiée opposait à l'invention de problématiques et de solutions neuves? En bref, comment conçurent-ils la nécessaire *critique du jugement stratégique?*

C'est pourquoi, l'extension, dans la dimension synchronique, d'un savoir stratégique désormais universel s'est croisée avec la conquête, corrélative, de sa dimension diachronique. Dans l'ombre portée du fait nucléaire, dans la surprise et l'humiliation d'expériences coûteuses, nous découvrions : des guerres de décolonisation, soutenues ou exploitées par des mythes et religions séculiers pilotant les modes subversifs de guerres révolutionnaires; des guerres limitées dans leurs buts et contrôlées dans leurs voies-et-moyens, s'inscrivant dans la coexistence conflictuelle des puissances nucléaires; des stratégies des moyens aussi efficaces, mais plus discrètes, se substituant à des stratégies opérationnelles trop risquées; etc. Typologie stratégique déroutante pour une génération formée par des maîtres qu'obsédait, depuis cent cinquante ans, la conduite la plus efficace, et indifférente aux coûts, des guerres nationales entre les sociétés industrielles; guerres totales à but absolu, misant sur la stratégie d'anéantissement d'armées de masses, et qui mobilisaient toutes les ressources de la science et de la technique, pour culminer dans la stratégie d'attrition de la substance vive des belligérants (bombardements, blocus). Relayé par Moltke, Foch, Ludendorff et les stratèges du second conflit mondial, après avoir été justifié par Jomini, Clausewitz et leurs disciples abusifs, Napoléon imposait le paradigme inaltérable du grand art militaire.

Toutefois, si une rupture avec le proche passé fut imposée par le fait nucléaire, il fallut replonger dans d'autres régions de l'histoire pour mieux comprendre les stratégies exotiques qu'il induit ou qui l'accompagnent. Résurgences et avatars de pratiques anciennes, celles-ci avaient été longtemps négligées par les analystes comme manifestations secondaires de la violence et indignes de leur attention. Inscrites au répertoire universel, il fallait donc les interroger; d'autant plus qu'elles devaient être affectées, voire dénaturées, dans leurs buts surtout, par leur composition avec les stratégies nucléaires. De là, le retour à l'histoire. Non pour y chercher des leçons ou des éléments de modélisation, mais pour retrouver les cheminements obligés des praticiens et théoriciens quand ils sont contraints de réinventer le traitement d'anciennes stratégies ressuscitées sous de jeunes habillages. Retour aux sources de nos variétés stratégiques : leurs formes et styles se sont succédé dans l'étendue géohistorique et nous cherchons, caché dans le vaste registre de leurs variations, quelque module constant et indicateur de sens transhistorique. Retour impliquant qu'on dépasse l'européocentrisme de la pensée militaire classique, et la revendication, par tous les acteurs et actants actuels, de l'héritage universel. Phénomène illustré exemplairement par l'intérêt, dans les années 50, pour les modes guérilla et subversion de la stratégie de guerre révolutionnaire. Sans doute, les fins politiques variaient : messianisme du marxisme-léninisme, restauration de l'identité nationale chez les peuples colonisés, mutations sociales, etc. Cependant, elles rompaient avec les modes usuels, européens, des stratégies de guerre classiquement finalisées. Comme l'ont fait les théoriciens français après la guerre d'Indochine, il fallait sonder le passé pour retrouver les éternelles questions posées au stratège « régulier » quand il devait lutter contre une guérilla, juguler une subversion. La fréquence de ces états de conflit n'était pas passé inaperçue depuis les révoltes contre Rome, mais leur sens s'était obscurci malgré les rappels, au XIXe siècle, de Jomini, Clausewitz, Le Mière de Corvey [1]. Et voici, que du plus loin – la Chine! – Mao-Zedong donnait une tout autre dimension, par la pratique et la théorie, à une variété qui n'avait été que marginale dans la généalogie stratégique des puissances ayant fait l'histoire moder-

---

1. Le Mière de Corvey, *Des partisans et des corps irréguliers*, 1823.

ne. Du même coup, il renvoyait à Polybe, à Salluste [1], à Flavius Josèphe [2]; à tous ceux qui, depuis, avaient écrit, sans être entendus des armées régulières, sur la « petite guerre » qui, autant que la grande, avait infléchi le cours des choses [3].

Pour la première fois dans l'histoire, la théorie en expansion, suggérée par l'universalité du répertoire, requiert la totalité de l'information sur toutes les stratégies qu'ont engendrées tous les états de conflit de toutes les sociétés historiques. Et, à cette nouvelle dimension du savoir nécessaire à l'intelligence et à la maîtrise de la violence de notre temps, répond, pour la première fois aussi, la possibilité de l'acquérir. Aux admirables monographies sur les campagnes modernes établies, depuis un siècle, par les services historiques des armées européennes, se sont ajoutées les résurrections de guerres et d'œuvres étrangères, comme celles de Sun-Tsu : jusqu'alors connues de quelques curieux, elles sont enfin accessibles à tous par la traduction et le commentaire. Des approches nouvelles se sont constituées : englobantes comme la polémologie; sectorielles, comme l'étude des déterminations de la stratégie – sociologique, juridique, économique, technique, etc. – trop longtemps occultées par l'art militaire. Elles ont assuré leurs fondements et affiné leurs concepts en plongeant, elles aussi, dans la mémoire universelle. De même que, par la reproduction et la diffusion de toutes les œuvres naguère inaccessibles, le musée imaginaire a ouvert le domaine universel des arts plastiques au créateur et à son critique, de même la *stratégothèque,* qui se constitue depuis notre entrée dans l'âge nucléaire, ouvre l'espace universel de la stratégie à son apprenti.

Immense inventaire des monuments stratégiques, des traces de la violence collective dans tous les langages de la pensée de et sur l'agir... Inventaire constamment complété et réordonné de documents qui, quel que soit leur support, ont toujours quelque chose à dire sur les œuvres de la force. La Stèle des Vautours de Lagash (première moitié du IIIe millénaire), les Annales de Thoutmosis III gravées à Karnak (– 1450) et le poème de Pentaour, premier communiqué menteur sur un demi-échec (Kadesh, – 1296), rappellent l'éternelle et terrible fonction de la guerre, comme les nécropoles sur les lieux éponymes des grandes batailles. De l'*Enquête* d'Hérodote aux exégèses de la dissuasion nucléaire et aux textes sur le contrôle des armements, que de littérature, lyrique ou positive, pour éclairer l'essence et la pratique du conflit; pour dire les multiples déterminations de la stratégie militaire... Malgré la tyrannie d'une évolution technologique

1. Salluste, *La guerre de Jugurtha.*
2. Flavius Josèphe, *La guerre juive.*
3. Voir Gérard Chaliand, *Stratégies de la guérilla,* 1979, nouvelle édition 1984.

accélérée, l'expérience féconde de résurrections inattendues nous persuade de ne pas jeter par-dessus bord, comme inutile à notre connaissance des aléas de la guerre et à celle des hommes devant la peur, notre savoir acquis dans les atlas de campagnes et de batailles, les épures des traités de poliorcétique et les équations de la balistique : les règles et les combinaisons de la guerre classique sont-elles toutes annulées par la calcul statistique et la logique probabiliste du duel virtuel? La photographie, le film, les archives informatisées complètent les bibliothèques poussiéreuses et les musées des armées...

Sur le seuil de l'ère post-nucléaire et pour la première fois, nous accédons à la *Somme stratégique*. Nous savons qu'elle est réserve de suggestions pour les situations de crise. Mémoire universelle, jamais close et en chaque instant enrichie, la stratégothèque accumule les sédiments des théories et pratiques anciennes; les indices, également, sur les instruments, les uns constants, les autres transitoires, de l'*ars operandi* qui n'en finit pas de se constituer à travers ses métamorphoses.

Vers une généalogie de la stratégie

Les « débris d'on ne sait quel grand jeu » de l'esprit avec les armes ne sont pas si morts qu'une interrogation stratégique urgente, et qui nous laisse muets, ne suggère de secouer ces cendres encore tièdes. Récapitulant tous les moments et manifestations de la vie des forces, la stratégothèque procède de la classique recherche historique : l'ancienne histoire militaire étendue, désormais, à celle de tous les états de conflit et variétés stratégiques. Mais nous ne pouvons plus, aujourd'hui, l'utiliser comme un réservoir d'œuvres marquantes – les actions et les discours sur ces actions – dont la valeur intrinsèque, évidente en leurs lieu et moment, aurait été si justement consacrée par l'admiration universelle que nous devrions leur attribuer les vertus du chef-d'œuvre insurpassable et la puissance pédagogique de modèles transhistoriques. L'interrogation de l'agissant n'est pas celle de l'érudit; sa curiosité, celle d'un visiteur de musée cherchant qui admirer en se référant à quelque grand art stratégique dont les canons se transporteraient, inaltérables, dans la coulée de l'histoire. Pourtant, la critique militaire a périodiquement défini le génie et classé les maîtres selon leur observance des règles de tel style de guerre érigé en paradigme. Celui-ci a varié avec les époques et les écoles; mais toutes ont relu l'histoire pour y redistribuer les brevets de maîtrise selon leurs critères d'élection, et en tirer argument pour leurs doctrines. Ainsi, depuis le début du siècle seulement, avons-nous vu Schlieffen remonter jusqu'à Hannibal pour cautionner son modèle de manœuvre d'enveloppement; Camon ordonner ses analyses critiques autour de la manœuvre sur les arrières, à laquelle il réduit l'invention stratégique de Napoléon, et apprécier Condé, Turenne et Luxembourg parce que précurseurs; Liddell Hart relire l'histoire militaire universelle à travers le filtre de l'approche indirecte; Aron rapporter la littérature militaire des cent cinquante dernières années à un Clausewitz canonisé.

Étrange, ce tropisme mental qui incline praticiens et théoriciens à attendre, de leur descente au passé, quelque clarté sur une complexité réduite au simple, et sur une pluralité ramenée à l'unité... Non que modèles et paradigmes soient inutiles et ne fournissent des éléments de réponse à leurs questions – et je reviendrai sur ce point. Toutefois, nous savons que, en aucune époque, la pratique de la stratégie ne s'ordonna autour d'une seule de ses variétés : la pluralité simultanée est de règle à l'échelle du monde. Que l'une s'avère dominante, dans un espace géohistorique borné, elle ne supprime pas pour autant le jeu synchronique des autres. Le danger est que celles-ci soient occultées, dans les calculs du praticien et la réflexion théorique, au point d'abuser entendement et jugement, avec le risque de redoutables erreurs d'évaluations et de conduite. Ainsi, voit-on l'empire de la dissuasion nucléaire, mode stratégique dominant, offusquer trop fréquemment, en France, les exigences et contraintes d'autres modes simultanément nécessaires.

La pluralité simultanée des variétés stratégiques pose donc, au stratège de notre temps, l'un de ses problèmes majeurs : il doit comprendre la totalité du possible pour inventer ici et maintenant. Les stratégies inactuelles ne sont pas rayées du probable au point que la circonstance, avec ses facteurs imprévus, ne puisse les restaurer. C'est ce phénomène de réincarnation, sous d'autres formes – avec des buts conjoncturels et des voies-et-moyens nouveaux – des constants modes d'interdiction et de coercition, qui justifie de consulter la stratégothèque. Mais – et c'est là un nécessaire changement de posture – non plus pour en extraire, comme naguère, des solutions exemplaires, des recettes éprouvées de succès, fussent-elles transposées dans le langage des déterminations actuelles, mais pour interroger acteurs politiques et actants militaires sur les processus de création stratégique.

La stratégothèque peut constituer l'arsenal de conduites mentales, de problématiques et d'heuristiques déjà expérimentées et critiquées, de réponses indicatives sur la manière d'énoncer les questions premières : quels sont les états de conflit possibles, avec leur indice de probabilité, dans les divers cas de figure concevables pour les interactions entre systèmes sociopolitiques? Que peut-on faire, et ne pas faire, pour les résoudre avec la force armée? Comment opérer, intellectuellement et physiquement, pour faire ce qu'il faut dans telle situation conflictuelle? Comment peuvent ou doivent fonctionner, en traitant quelle information, l'entendement et le jugement aux prises avec une situation politico-stratégique, par nature contingente, pour construire un nouvel état de choses calculé et voulu dans un état de conflit générateur d'incertitudes? Existe-t-il des conditions nécessaires, indépendantes de la circonstance, imposées au travail mental du *stratège quelconque* placé devant l'obligation d'inventer l'agir? Quels disciplines et instruments intellectuels, existants et hérités, peut-il encore utiliser pour traiter et convertir les énergies en forces dirigées? Quelle valeur opératoire conservent-ils, eu égard à la nouveauté des unes et des autres? Doit-il inventer d'autres outils, mieux appropriés à leur complexité et, si oui, comment les constituer? En empruntant à quels savoirs? En bref, rapportant les énoncés des questions actuelles à ceux que répertorie la stratégothèque universelle, ne peut-il espérer rencontrer des analogies entre les conduites mentales de tous les stratèges butant contre l'éternelle interrogation : la contingence de l'action collective est-elle si contingente, les incertitudes entachant tout calcul et toute décision sur l'avenir sont-elles uniformément si incertaines, qu'on ne puisse trouver, en fouillant sous les variations historiques de *la pensée stratégique en acte,* quelque logique de ses opérations à la fois dans l'ordre de la problématique et dans celui de l'invention?

L'activité stratégique est, semble-t-il, assez spécifique – dans la nature du matériau sociopolitique qu'elle transforme comme dans celle des forces utilisées – pour suggérer de poser en axiome, ne serait-il que méthodologique, l'existence d'une structure d'invariants organisationnels et fonctionnels dans les systèmes physiques constitués par les appareils politico-militaires; l'existence, corrélative, de processus invariants dans les systèmes mentaux d'opérateurs devant s'informer, calculer, décider et piloter une action collective; en bref, des régularités, voire des principes et des lois de cet agir.

Supposer ainsi, sous les manifestations de la contingence, des homomorphismes entre les *systèmes politico-stratégiques opérant,* c'est pouvoir demander, à la stratégothèque, d'indiquer à notre entendement comment, aujourd'hui, du logique et de l'historique peuvent se composer dans l'agir. C'est, plus généralement, avancer l'idée d'une *généalogie* de la stratégie militaire. Plus exactement, généalogie des objets de la pensée stratégique : le travail et la production des praticiens, le discours des théoriciens sur ces œuvres.

CHAPIRE 2

LE DÉVELOPPEMENT GÉNÉALOGIQUE

Champ et visée de la généalogie

J'ignore si *une* généalogie de la stratégie est possible : elle se présente comme une intention et une visée. Toutes deux procèdent autant d'une insatisfaction, devant les classiques leçons de l'histoire militaire, que du sentiment d'impuissance devant la complexité actuelle de l'objet stratégie : contre elle, se brisent la plupart des outils d'analyse et de calcul transmis par cette histoire quand l'urgence de l'action contraint d'improviser.

La généalogie suppose que l'on s'accorde sur la définition des objets de la pensée stratégique; sur ce que sont le travail et la production du praticien, les opérations intellectuelles et physiques transformant l'état de chose sociopolitique, et leurs résultats; sur ce qu'est un discours théorique sur cet agir. Que l'on s'entende, enfin, sur les rapports entre l'agir et sa théorie. Supposons provisoirement que nous le sachions : convention méthodologique sur laquelle je reviendrai.

Telle que je l'imagine, la généalogie n'est réductible ni à quelque bilan de l'histoire ni à l'ordre d'apparition, dans l'étendue géohistorique, des pratiques et théories appliquées aux diverses variétés de la stratégie militaire, ni à quelque taxinomie. Elle ne s'identifie pas à l'arbre des familles, au graphe des filiations entre ces objets de notre pensée; objets qui se seraient engendrés l'un l'autre, depuis les origines, par des processus d'évolution globale récapitulant les transformations, synchrones ou non, subies par les multiples déterminations sociologiques, politiques, idéologiques, psychologiques, économiques, techniques, etc., de la stratégie militaire. Il ne s'agit pas de décrire l'arbre des modes, formes et styles stratégiques; arbre figé dans sa plus récente figure historique, depuis ses racines plongeant dans le néolithique (?) jusqu'à ses actuels bourgeons, provisoirement terminaux, que fracturent déjà les pousses futures. Il ne suffit même pas de localiser, dans l'espace et le temps, les passages d'une forme à une autre pour telle variété stratégique; d'identifier les *bifurcations* et *fluctuations* [1] qui, en des moments singuliers de l'évolution globale, ont favorisé l'apparition de formes et de variétés nouvelles, et la disparition d'autres; d'établir les conditions de leur maturation et de leur émergence, de leur développement et de leur conservation, de leur dégénérescence et de leur mort; de définir les relations de causalité linéaire ou circulaire, d'antinomie et d'accumulation, de voisinage et de synchronisme, ou l'inverse, entre les divers facteurs et faits de transformation; en bref, d'éclairer les principes et règles de cette genèse, avec les formes de ses enchaînements, de ses répétitions, de ses discontinuités, voire ses *catastrophes* interrompant des phases de rémission et relançant l'évolution dans une nouvelle direction.

Si cette phylogenèse est nécessaire, qui demeure le travail des historiens spécialisés, elle ne devient généalogie que par l'introduction, dans une analyse qui se veut objective, d'une nouvelle dimension : celle du *sujet-en-acte*, du stratège opérant, immergé dans le flux des faits, événements et phénomènes d'évolution. En quelque lieu et moment qu'il ait agi ou théorisé, il ne fut pas plus désintéressé que nous ne le sommes. Nous nous reconnaissons de la même famille par notre *devoir de faire*, selon ce qu'enjoint le politique, et par notre inconfort intellectuel – entre autres! – devant les conditions précaires d'une œuvre aussi aléatoire qu'obligée. Ce qui nous intéresse, aujourd'hui, ce n'est pas son *action* comme œuvre faite et déposée dans le conservatoire de la stratégothèque, mais son *agir*, l'œuvre-en-acte; le travail d'un esprit aux prises avec des réalités conflictuelles complexes, aussi brouillées dans l'information qu'elles fournissent dans l'instant qu'incertaines dans le sens et les raisons de leur évolution.

Ce qui nous intéresse, par exemple, c'est moins l'histoire des transformations de la guerre provoquées par l'apparition de l'arme à feu, au xvᵉ siècle, que la perception et le sens donné, en Europe, à cette innovation technique. Quelles questions les politiques et militaires du temps durent-ils se poser, et comment les énoncèrent-

---

1. « Lorsqu'un phénomène est caractérisé par un degré élevé de complexité et qu'il est soumis à des forces de changement – ce qui est typiquement le cas des sociétés humaines – la trajectoire de son évolution est représentée par des périodes de continuité interrompues par des bifurcations. Lorsqu'on parvient à un point de bifurcation où plusieurs solutions sont possibles, il suffit qu'un petit phénomène appelé « fluctuation » intervienne pour favoriser préférentiellement l'une des évolutions : celle-ci s'impose alors irréversiblement et s'enfle de sa propre réussite jusqu'à ce qu'elle parvienne à un nouveau point d'inadaptation. » André Dauzin et Ilya Prigogine : « Quelle science pour demain », in *Le Courrier de l'Unesco,* février 1982. Voir également Ilya Prigogine et Isabelle Stengers, *La Nouvelle Alliance,* 1979.

ils [1]? Quels instruments d'analyse et d'évaluation les générations suivantes utilisèrent-elles, pour surmonter quelles pesanteurs, avant de reconnaître, trois siècles plus tard, la primauté du feu sur le choc et de traduire ce fait de rupture dans une organisation, une tactique et une stratégie rénovées? Or, si l'idée peut venir d'interroger des morts sur de lointaines manières de penser, de dire et de faire, cette rétrospection ne peut être gratuite. Notre génération connaît, en effet, les difficultés d'une expérience analogue et les écoles se divisent sur son interprétation, de toute évidence déterminante pour nos décisions et anticipations : vraie ou fausse, la rupture que l'on dit provoquée par le fait nucléaire? Si oui, est-elle radicale ou ses conséquences ne seront-elles que passagères?

Si nous lançons un pont par-dessus les siècles pour rapprocher des questions apparemment similaires, c'est que, si les réponses claires n'ont pas été immédiates, elles ont présenté néanmoins la même urgence et le plus grand intérêt pour les décisions d'hier et d'aujourd'hui. C'est aussi que toutes les problématiques historiquement constituées nous apparaissent, par récurrence, comme les traductions, dans les langages de leur temps, d'une interrogation générale, d'ordre épistémologique, qui s'impose à tout stratège à l'épreuve d'une crise de la pratique et de la théorie : comment reconnaître et identifier une bifurcation dans l'évolution de la stratégie, et la fluctuation aléatoire qui a pu la favoriser en amplifiant la rupture? Comment peut-on penser une coupure assez radicale pour que, marquée dans la pratique, elle induise une révision théorique? Quels outils d'analyse, classiques ou empruntés à d'autres disciplines, utiliser pour déterminer ses origines, ses facteurs, peut-être multiples, sa nature, son champ d'influence et ses implications; pour évaluer, par exemple, l'impact d'une innovation technique majeure sur les buts stratégiques usuels? A quels obstacles, dressés par les tropismes mentaux, les schémas intellectuels et les pesanteurs sociologiques, idéologiques, etc., peuvent se heurter la perception des facteurs de rupture, le tri de l'information signifiante, le choix de la grille de lecture et d'interprétation?

Le statut du stratège, comme celui de tout créateur de formes aux prises avec les résistances de son matériau et l'opacité de son langage, est double : héritier et précurseur. Constamment écartelé

---

1. Confessons que personne ne le sait et ne semble s'en être soucié : question apparemment privée de sens, superfétatoire. Machiavel, le premier, s'interroge sur la fonction de l'artillerie, qu'il minorise; mais il l'accepte comme un fait d'évolution naturelle, qu'il observe et évalue, sans se soucier des origines et du comportement intellectuel des premiers usagers. Cette question n'a donc pas plus de sens pour lui que pour eux. Que nous jugions utile de la poser aujourd'hui, c'est là, me semble-t-il, un fait révélateur d'un changement de posture devant la généalogie.

sur un seuil dont il doit reconnaître la position sur la courbe d'évolution, et la fonction *équivoque* : cependant qu'il ouvre sur l'avenir et contraint d'inventer, il ne peut verrouiller le passé. C'est là un invariant des processus de création stratégique : il faut toujours discriminer les facteurs de transformation des facteurs de conservation, évaluer leurs puissances respectives dans la lutte entre les figures d'avenir possibles. Sous l'apparente continuité d'une action stratégique et d'un travail théorique, sans doute inégal, des enchaînements et des interruptions, des accélérations et des rémissions ont scandé le processus d'évolution de leurs manifestations concrètes. Le repérage, l'identification, l'interprétation des séquences de relaxation et des moments de rupture, avec leurs causes et leurs conséquences, constituent l'un des objets de l'enquête généalogique; également, celui du travail théorique, auquel la lecture récurrente de ces phénomènes fournit les éléments d'une critique comparée de ses opérations et du discours résultant. La vraie leçon de l'histoire doit être cherchée dans les attitudes mentales devant les changements de l'état de choses stratégiques, qui s'accélère avec l'irruption d'un fait nouveau, et dans les constats de carence des connaissances cumulées; dans les motifs du malaise intellectuel provoqué par l'émergence du nouveau dont la lente maturation et les commencements silencieux ont échappé à l'observation et qui, dénoncé par des précurseurs parfois trop pressés de conclure, échappera longtemps encore à la myopie des analystes et à l'expression dans une pratique et un corps théorique rajeunis.

Pour énoncer et ordonner nos problèmes, choisir leurs méthodes de résolution et formuler les réponses, nous demandons également à la généalogie une meilleure connaissance des conditions de cohérence et de validité du discours théorique, de la vie antérieure des concepts utilisés pour constituer le corpus de propositions théoriques et pour assumer, avec la moindre perte d'information, la communication entre tous les actants : l'unité et l'univocité du langage sont facteurs de synergie dans la pratique collective; conditions de la pertinence et de la consistance de la théorie. Or le langage stratégique est aussi instable que les réalités qu'il traque : il se modifie par la multiplication et la raréfaction, l'éclipse et la résurgence, la dérive insensible et la transformation concertée des concepts qui doivent suivre les changements d'états de choses, enregistrer la naissance de nouveaux objets dans tous les domaines sociologiques, idéologiques, techniques, etc., déterminant la stratégie militaire. Naissance et mort, déplacements et métamorphoses dans l'extension et la compréhension, dépérissement dans le flou ou affinement progressif dans la précision, changement dans les règles d'usage, témoignent de la vie des concepts depuis les origines. Leur réorganisation, en énoncés positifs ou prescriptifs plus ou moins rigoureux et rationnels, n'a cessé de s'opérer, anticipant parfois et souvent retardée, avec la prescience ou sous la pression des variations de la réalité.

S'exerçant dans la conceptualisation et l'organisation du discours – sémantique et syntaxe de la théorie – notre volonté de rationalité reconnaîtra les risques d'erreurs et procédera plus économiquement grâce à une connaissance plus assurée des causes et effets de la mobilité, de la labilité du langage stratégique. Grâce, aussi, à la contamination de plus en plus fréquente, jusqu'à devenir aujourd'hui systématique, de son champ spécifique par les langages importés de disciplines étrangères, et dont il faut mesurer la valeur opératoire et les pertes d'information au cours de ces transferts : la séduction d'une métaphore abuse sur la réalité qu'elle prétend circonvenir. Ces règles de sûreté intellectuelle étant observées, le travail d'adaptation et d'invention du langage peut éprouver la validité de ses opérations, et de leurs résultats, en se référant aux crises qui, naguère, ont ébranlé les manières de penser et d'agir des stratèges; qui les ont contraints de soumettre leur savoir à la critique. Ainsi, quand l'analyse de la stratégie de dissuasion nucléaire a suggéré le concept de règle du jeu, pour fonder la logique d'un duel spéculant sur le refus de risques prohibitifs, la validité de cette notion pouvait être confortée par l'analyse récurrente des situations politicostratégiques et des états de conflit – guerres helléniques et du XVIIIᵉ siècle, par exemple – imposant des contraintes similaires aux calculs et décisions des acteurs.

La généalogie de la stratégie n'est donc pas le tableau-bilan des traces de l'action collective dans l'histoire, mais la mise au jour et la récapitulation des processus mentaux de tous les agissants, des actes de l'esprit dont ces témoins ne sont que le résidu visible. Si elle est histoire, elle est celle d'une volonté de rationalité qui, en chaque état de conflit, tenta de réduire le poids des incertitudes et du hasard, d'opérer la transformation finalisée du matériau sociopolitique en affinant progressivement les énoncés des problèmes et les assertions du savoir cumulé; en critiquant et rénovant les instruments intellectuels et physiques de l'agir, avec une exigence croissante de rigueur dans les calculs et d'économie dans les opérations. La généalogie dit comment, à partir de quelles interrogations sur les fondements de son art, se constituent et se transforment les modes de pensée du stratège. Elle décrit le travail d'un *chantier stratégique* sur lequel, en inventant leurs outils sous la pression de l'agir, praticiens et théoriciens tentent d'extraire, du magma des faits et phénomènes contingents, des éléments de régularités et des corrélations répétées, entre les déterminations de l'action stratégique, qui pourraient leur permettre de guider l'entendement et le jugement dans chaque situation, toujours singulière. C'est la grande aventure de l'émergence et des avatars de la raison stratégique, de ses fondements, de sa critique et de son exercice, que tente de restituer une généalogie jamais achevée et qu'enrichissent nos pratiques et théories actuelles qu'elle ne cesse d'irriguer.

Continu et discontinu

L'exercice de la violence armée : un matériau – le système conflictuel des systèmes sociopolitiques coexistants – soumis au travail des forces constituées en appareils militaires. Matériau, forces, conditions et modalités du travail n'ont cessé de changer depuis les origines. Évolution engendrant des stratégies singulières – des modes, formes et styles – historiquement et géographiquement marquées, pour chaque variété que peut produire le spectre des états de conflit.

Fait d'observation banal, ce processus d'évolution formelle. Moins simple qu'il le paraît : il résulte, en effet, du croisement de deux chaînes causales. D'une part, les conditions et les modalités du travail stratégique sont soumises aux variations de ses déterminations sociologiques, politiques, idéologiques, techniques, etc. ; affects que les opérateurs politiques et militaires perçoivent et dont ils mesurent les conséquences en constatant, dans le développement même de leur action, les écarts entre ses résultats et leurs calculs prévisionnels. Imputables à un retard de la pratique décidée sur ses déterminations réelles, ces écarts rétroagissent sur la décision initiale et contraignent à réviser ses buts originels et ses voies-et-moyens, à les réévaluer et réadapter : pilotage de l'action par corrections d'écart. Il faut donc modifier les stratégies usitées, adopter d'autres variétés ou inventer d'autres formes, afin de plier l'agir à ses nouvelles déterminations. Cependant, second facteur de l'évolution globale, souvent occulté, ces causes de transformation ne se traduisent dans les pratiques qu'en passant par une grille de lecture de l'information, par le champ mental des *sujets-opérateurs*. Ceux-ci attribuent un sens à ces facteurs objectifs : ils les évaluent selon leurs critères personnels, les jugent et concluent par un acte libre de volonté, par une décision fixant les nouvelles orientations.

C'est dire que l'évolution des déterminations objectives ne cesse de soumettre l'entendement et le jugement stratégiques à une *épreuve d'opérationalité* portant sur la validité de l'outillage de concepts, principes, règles, critères, etc., utilisé pour penser les facteurs d'évolution, pour les évaluer et en inférer les changements s'imposant à la pratique. Le renouvellement de celle-ci suppose donc la critique interne des instruments de la pensée stratégique – une épistémologie – sans laquelle une théorie positive et prescriptive ne saurait fournir, au praticien, le guide pour agir qui lui est nécessaire. Que la théorie et sa critique interne n'accompagnent pas constamment la pratique, que leurs transformations ne soient pas synchrones, cela est clair. L'observation actuelle et rétrospective de la généalogie montre que la stratégie militaire est toujours en chantier.

Le chantier stratégique se définit comme le domaine de création traversant l'histoire et où se retrouvent les générations successives de praticiens et de théoriciens qui, à l'intérieur et à l'extérieur du système militaire, ont œuvré avec les forces de violence armée. Domaine en continuelle expansion avec les dimensions d'une action mobilisant des secteurs de plus en plus nombreux de l'activité humaine. Domaine qui découpe, dans l'histoire universelle des formes du faire et du dire, celle des processus de création spécifiques au faire et au dire stratégiques constamment interconnectés. Le chantier rassemble donc toutes les *têtes* qui furent et sont en travail de stratégie. Il tisse, à travers la durée historique et l'étendue géographique, le réseau de ces systèmes de pensée inviduels et localisés. Il les constitue en hyper-système englobant et transhistorique, comme si chacun procédait d'un même et vaste champ mental, à la fois collectif et unitaire, n'ayant cessé de fonctionner depuis les origines et qui récapitulerait, en chaque instant de la généalogie, le travail des individus et leurs produits.

Chantier sans âge ni borne, où n'ont cessé de se concevoir et de s'expérimenter, de se transmettre et de s'inventer, les instruments nécessaires pour stocker, traiter et communiquer l'information sur les faits et états de conflit, sur les variations des déterminations de la stratégie et sur leurs lectures, sur les conduites et résultats de l'action, etc. Les outils, également, des procédures décisionnelles, du calcul actuel et prévisionnel requis par la conception et le travail finalisé du système politico-stratégique, par l'analyse des conditions optimales de son organisation fonctionnelle, etc. En bref, chantier où les problèmes de la pratique se convertissent en éléments de théorie qui, à son tour, irrigue la pratique.

Chantier où, simultanément et sous la pression des changements dans les facteurs de l'action, s'opère la critique de consistance et de validité de la théorie, de la valeur opératoire des méthodes d'analyse utilisées pour la pratique et le discours théorique. Fonction majeure qui, à elle seule, définirait le chantier stratégique : les autres opérations, qu'il récapitule, n'ont de sens, dans l'ordre du savoir comme dans celui du pouvoir, que si l'entendement et le jugement – la raison – stratégiques connaissent leurs fondements et leurs conditions d'exercice, seraient-ils précaires et changeants. L'épistémologie stratégique doit élucider et dire les causes, la nature et les implications, pour la pratique comme pour la théorie, des transformations de la boîte à outils. Elle doit déterminer, surtout, ce qui perdure, et pourquoi, à travers ces incessantes mises en question des instruments usuels ou hérités;

définir, s'il existe, le noyau dur d'invariants qui procéderait de quelque principe de continuité, de quelque logique régissant la vie des concepts, principes, règles, critères, etc., utilisés pour penser l'action de violence collective selon ses catégories spécifiques.

La généalogie retrace donc la vie du chantier depuis les origines; non seulement les avatars de la théorie et de la pratique, mais aussi et surtout ceux de la critique épistémologique. Épistémologie d'instinct, pourrait-on dire, voire inexistante tant que la nécessité et la nature de la théorie ne furent pas reconnues. Il fallait même que la stratégie entre en crise, avec le fait nucléaire, et que, par son ampleur, cette crise déroute praticiens et théoriciens comme jamais depuis deux siècles, pour que s'impose la *question de la critique*; pour que la coupure praxéologique, sans précédent, s'accompagne de la prise de conscience d'une coupure épistémologique également exemplaire, d'un moment crucial dans la vie du chantier stratégique. L'observation récurrente révèle la fonction maïeutique de telles crises dans la généalogie et la construction progressive du chantier. Non seulement la généalogie fait l'inventaire de ces crises, mais elle est aussi, nous l'avons vu, le répertoire des postures du stratège devant leur révélation; surtout, la trace de ce qui, à travers la variété des crises, se conserve dans les procédures de leur résolution.

Nous savons aussi, par expérience immédiate et mieux que nos anciens, que toute crise de la pratique et de la théorie éclaire leurs relations de détermination réciproque, la manière dont elles s'enrichissent de leurs apports et critiques mutuels. Aux origines, ce furent sans doute l'éveil de la conscience à la spécificité de l'action de guerre et la nécessité d'organiser la communication de l'information entre les actants, qui engendrèrent un langage commun. Encore fallut-il bien des siècles, depuis les grandes razzias de l'âge du bronze, avant que, à la simple transmission de recettes empiriques et à la codification de procédés éprouvés, s'ajoutât le discours constitué de l'histoire analytique des guerres – celles des Grecs et de Rome – assorti d'un commentaire critique sur les bons et mauvais emplois des armes. Discours annonçant déjà les grandes familles d'esprit qui traiteront l'objet-guerre en adoptant des postes d'observation différents : à l'interface politique-guerre, comme Thucydide; à l'intérieur du système militaire comme Xénophon, Frontin [1], Aelius [2], Végèce [3]; ou embrassant la

1. De Sextus Julius Frontinus (vers 35-103 ap. J.-C.), proconsul d'Asie, on connaît un ouvrage, *Stratagemata* consacré à l'administration militaire et à la conduite des opérations. Il fut peut-être l'auteur d'un *De scentia militari*, aujourd'hui perdu.
2. Aelius ou Elien a composé une *Tactica theoria* à la fin du Ier siècle ap. J.-C.
3. Végèce (entre 383 et 340 de notre ère) a écrit un ouvrage, *Epitomae rei militaris* qui eut une grande fortune, singulièrement à la Renaissance, jusqu'au XVIIIe siècle.

totalité comme Arrien [1], César, Tite-Live, Polybe, Salluste. École exclusivement méditerranéenne à laquelle on n'a pu opposer, très tardivement, que des Chinois apparemment isolés comme Sun-Tsu, ou Tse et Se Mafa. École qui, prolongée par les Byzantins – les empereurs Maurice [2] et Léon VI [3], et les « mécaniciens » de la poliorcétique – constitua longtemps le fonds de la stratégothèque européenne. Le miracle grec et le réalisme romain illuminent la pensée politique et, à travers elle, la philosophie du conflit, la réflexion sur le bon usage de la violence et la règle du jeu. Extension, aux phénomènes conflictuels, d'une volonté de rationalité qui, dès l'origine, reconnut ses limites et la part des dieux; qui pose le rudiment conceptuel et les règles de l'organisation fonctionnelle des forces – phalange, légion, cavalerie – en tenant compte des organisations sociales, des idéologies dominantes, de l'état de l'armement et de la nature humaine.

Désormais, la pratique tirera la théorie qui se constituera, par fragments maladroitement raccordés, avec plus ou moins de retard sur les faits. Elle en fera le bilan, avec le relevé et la mise en ordre d'observations récurrentes, l'énoncé de quelques régularités autorisant des assertions sur les procédés efficaces et la saine pratique. Prescriptions généralement négatives, visant plus à dénoncer et à prévenir les erreurs, et à assurer contre les risques excessifs, qu'à poser les principes positifs de la victoire. Il faudra la grande fracture de la Renaissance, Machiavel et les « ingénieurs » italiens, puis hollandais et français, pour que le discours, tout en continuant d'invoquer l'histoire exemplaire, ose s'en émanciper et pose, à côté d'elle, les premières briques d'un édifice théorique. Le branle est donné : le chantier stratégique va circonscrire son domaine avec une précision croissante et affiner l'outillage transmis par la stratégothèque. Le processus d'édification théorique s'accélérera avec la conscience toujours plus prégnante des problèmes posés par les crises de la pratique, et une sensibilité plus aiguisée aux faits de continuité et de rupture qu'elles révèlent.

Telle que notre stratégothèque la suggère aujourd'hui, la généalogie ne trace pas une ligne d'évolution continue. La conquête de la maîtrise passa par des seuils de savoir qu'il fallut franchir en résolvant, au cours de crises plus ou moins longues, les

---

1. Arrien (95-175), gouverneur de Cappadoce, consul, surtout connu pour son *Histoire d'Alexandre le Grand,* aurait également écrit une *Ars Tactica.*
2. A la fin du VIᵉ siècle, le *Strategicon,* attribué à l'empereur Maurice, eut une influence considérable sur la pensée militaire, jusqu'au XIᵉ siècle. Il portait non seulement sur la tactique, mais aussi sur l'organisation militaire et la conduite des opérations.
3. On ne sait s'il faut attribuer à Léon III l'Isaurien (début du VIIIᵉ siècle) ou à Léon VI le Sage (début du Xᵉ) une révision du *Strategicon* de Maurice, connue sous le titre d'*Extrait tactique.*

tensions entre le confort des idées reçues et les suggestions de l'imagination créatrice. Durant les vingt-cinq siècles d'existence du chantier stratégique, pratiques et théories ne progressèrent pas selon un processus uniforme, par un développement linéaire de leurs acquis. Survolant l'immense panorama généalogique jusqu'aux premiers bégaiements de la protohistoire, de notre observatoire d'où, à cette échelle, sont gommés les détails, nous repérons et identifions des moments de crise de la pratique, ou de la théorie, ou des deux à la fois. Accidents dans la genèse continue, qui surplombent de longues périodes de transformations insensibles. Temps forts dont, à cette distance, nous discernons mal, voire pas du tout, les causes embrouillées dans les discours, rarement objectifs, d'historiens et d'acteurs contemporains en quête d'une improbable vérité sur les interrogations et le savoir-faire des novateurs. Nous relevons des fractures brisant de longs paliers de rémission dans l'évolution des variétés et des formes stratégiques. Après des périodes de relaxation dans la passion de savoir et le souci d'intelligibilité, tout se passe comme si politiques et militaires, travaillés depuis quelque temps par une inquiétude confuse ou informulée, s'éveillaient soudain de leur torpeur.

Coupures praxéologiques et épistémologiques : le faire et le dire consacrés par l'usage, transmis avec la bonne conscience d'esprits confortablement installés dans le respect conservateur de l'héritage, s'avèrent alors dépassés par un nouvel état de chose; incapables de répondre aux questions insolites, voire aberrantes, de l'acteur et de l'expert défiés, dans leur compréhension des phénomènes et leurs calculs de décideurs, par la révélation... d'autre chose. Le germe du changement peut avoir mûri lentement, dans l'obscurité, et la nouvelle situation émergera brusquement dans la conscience claire comme la cristallisation de petits faits de transformation aux effets cumulatifs. Ou bien, le fait de rupture éclatera avec la brutalité d'une mutation que rien, apparemment, n'annonçait. Pour nous, rétrospectivement, la coupure s'est manifestée comme une évidence incontournable dont, dans notre présomption, nous nous étonnons parfois qu'elle ait tant tardé pour s'imposer aux contemporains. Ainsi, en des *moments singuliers* de la généalogie, quelque chose s'est passé, dans le jeu complexe des déterminations de la stratégie militaire, qui a contraint celle-ci à rompre avec ses errements. La ligne d'évolution plate s'est brisée, irréversiblement : une bifurcation, dans les manières d'agir et dans les formations théoriques, marque un avant et un après dans le processus de stratification généalogique. Ce sont les postures mentales des praticiens et des théoriciens dans ces passages entre l'avant et l'après, le travail intellectuel effectué pour franchir le seuil, les obstacles rencontrés et surmontés, qui nous intéressent dans la mesure même où, nous aussi, devons sauter un pas décisif, reconnaître un moment carrefour et choisir

le bon cheminement parmi les diverses branches ouvrant sur une
ère nouvelle.

Facteurs de coupure

Encore faut-il, la crise étant repérée, l'identifier dans ses
origines et dévoiler sa nature vraie sous les apparences, avant que
de passer à ses implications qui doivent indiquer, précisément,
comment le fait coupure fut perçu en son temps, puis traité par la
théorie et la pratique. La notion de cause est ici dangereuse : les
facteurs de fracture sont toujours multiples et enchevêtrés. Même
si l'un d'entre eux s'avère prépondérant, ce sont son poids relatif,
ses relations avec les autres, la manière dont il les affecte −
amplifiant et accélérant leurs effets élémentaires, par synergie, ou
le contraire − qui, avec les pesanteurs de l'héritage confèrent ses
dimensions à la rupture; qui la singularisent et déterminent le sens
de la bifurcation. Ainsi, l'analyste est-il logiquement renvoyé aux
habituelles déterminations sociologiques, politiques, économiques
et financières, psycho-idéologiques, culturelles, scientifiques et
techniques, etc., de la stratégie militaire, et à leurs combinatoires
possibles en un lieu et un moment géohistoriques. On imagine une
matrice de leurs croisements...

Sans doute fut-on souvent tenté, comme J.F.C. Fuller [1] et
Camille Rougeron [2], d'attribuer au facteur scientifico-technique
une fonction sur-déterminante dans l'évolution de l'action de
violence collective. Celle-ci n'est-elle pas fondée sur le duel de
systèmes militaires organisés pour exploiter au mieux toutes les
formes d'énergies, pour le travail de forces − les systèmes d'armes
− conçues et calculées pour produire des effets physiques appliqués à l'adversaire, tout en réduisant les effets dont celui-ci est
capable? On peut toujours effectuer une *coupe* dans l'ensemble
des facteurs du développement généalogique, construire *une*
généalogie en privilégiant telle ou telle des déterminations de la
stratégie militaire. Opération très réductrice, évidemment, d'une
réalité stratégique complexe qu'on ne peut prétendre soumettre à
une vision panoptique et qu'on ne sait approcher qu'en la
rabattant sur les divers *plans auxiliaires* que proposent ses
multiples dimensions. Sous réserve d'opérer ensuite, de la même
manière, avec les autres déterminations, il est clair qu'une analyse
généalogique sectorielle, effectuée sur le seul plan des facteurs
scientifico-techniques, dont l'importance relative est manifeste,

1. J.C.F. Fuller, *Armament and History, op. cit.,* 1946.
2. Camille Rougeron, *L'aviation de bombardement,* 1936; *Les enseignements
aériens de la guerre d'Espagne,* 1939; *La prochaine guerre,* 1948; *Les
enseignements de la guerre de Corée,* 1952; *La guerre nucléaire,* 1962.

peut fournir les éléments d'une méthode applicable aux autres facteurs, sauf à la corriger pour tenir compte de leurs attributs spécifiques.

L'histoire des armements est bien connue. On peut donc l'utiliser, dans la perspective généalogique qui est la nôtre, en repérant les percées techniques et en identifiant les coupures provoquées par une arme dite décisive, ainsi définie : sa possession assure nécessairement l'atteinte de son but stratégique (victoire décisive ou défense insurmontable) et à un faible coût (pertes et dommages), au parti qui en détient le monopole durant un temps. Elle agit par ses propriétés jusqu'alors insoupçonnées, par l'effet de surprise (surprise technique) qui exige donc un minimum de secret (ignorance ou sous-estimation de ses effets) dans son invention, sa mise au point, son déploiement et son emploi. Ses effets sont souvent plus psychologiques que physiques, et elle doit être engagée d'entrée de jeu en nombre suffisant (capacité d'effets physiques) pour faire la décision (positive ou négative). A travers les buts stratégiques qu'elle autorise, elle permet d'accomplir des fins politiques de considérables dimensions, qu'il s'agisse de remembrement territorial, de profits démo-économiques, de domination idéologique ou politique, d'extension d'une aire culturelle ou de civilisation; ou bien, elle interdit à l'adversaire de viser ces mêmes fins malgré les grandes vulnérabilités, en d'autres domaines, du détenteur de l'arme. Sa vie utile est généralement brève, son bénéficiaire pouvant être rattrapé soit par imitation, soit par parade ou dépassement technique, soit par les ressources de l'invention tactique ou opérationnelle, soit encore par une stratégie compensatoire en d'autres domaines (économique, culturel).

Ces attributs de l'arme décisive sont trop nombreux pour que les coupures praxéologiques, imputables à une percée technique, soient très fréquentes dans la généalogie. On relèvera, brièvement : le cheval attelé (char hittite, xve siècle av. J.-C.), puis monté (Assyrie, passage de l'âge du bronze à celui du fer); l'éléphant de guerre (Porus devant Alexandre, les diadoques, Pyrrhus, Hannibal, Philippe V et Persée); le feu grégeois, grâce à quoi Byzance tint longtemps, sur mer, contre ses assaillants successifs; les compositions fusantes des Arabes, venues de Chine. L'arc, connu de toujours, fit la décision dans les mains des Gallois, au début de la guerre de Cent Ans, et l'arbalète lui succéda. L'arme à feu, avec l'artillerie française, très en avance, mit fin à l'occupation anglaise (premier emploi en rase campagne à Castillon et Formigny) dans le moment (1453) que Mahomet II, l'utilisant pour faire brèche dans les murs de Constantinople, bouleversait la poliorcétique – leçon entendue des ingénieurs italiens, bons observateurs de l'artillerie des Valois, qui renouvelèrent la fortification. Dans le même temps, le feu transformait l'infanterie (tercio espagnol), mais il fallait attendre le XVIIIe siècle pour décider sa primauté sur les armes de choc. Deux siècles après, le couple char-avion fut l'instrument de victoires décisives (1939-1942). Puis vint la triplette arme nucléaire, missile balistique, sous-marin nucléaire, conjointement avec les progrès accélérés de l'électro-informatique. Enfin, la conquête de l'espace...

Une lecture de la généalogie avec la grille de la technique n'est pas erronée. On doit, toutefois, la croiser avec une autre, suggérée par des faits de culture et de civilisation plus généraux et qui déterminent l'évolution des armements, donc celle de la stratégie militaire. On peut en effet voir un facteur de coupure, moins immédiat mais plus *puissant,* dans la maîtrise de toutes les formes d'énergies naturelles, successivement apprivoisées et converties en forces de violence armée. Maîtrise progressive, s'accélérant jusqu'à l'entrée des sociétés avancées dans l'ère industrielle, puis scientifique : chaque conquête énergétique s'est ajoutée aux précédentes en modifiant leurs acquis, en accroissant la prise de l'homme sur la nature, et, en retour, leurs applications militaires n'ont pas peu contribué à l'extension des connaissances et à l'accélération des transformations sociopolitiques.

L'énergie humaine, corporelle et psychique – la plus immédiate – demeure fondamentale : le combattant individuel ne fut que le premier avatar du couple homme-machine, élément de base de tous les systèmes militaires. On a multiplié ses capacités de travail par le nombre – les effectifs – par la différenciation fonctionnelle déterminant l'organisation des unités, par leur intégration dans des systèmes de plus en plus complexes; par la constante recherche de la synergie et de l'économie de l'action collective finalisée. De là, l'importance, pour l'évolution de ces systèmes moteurs, consommateurs et convertisseurs d'énergies, des ressources démographiques : nombre et qualités morales. De là, les choix pratiques, tout au long de l'histoire, entre les armées « nationales » et de métier, d'effectifs et de matériel. De là, également, les difficultés de l'analyse théorique, faute de critères universels, pour calculer quelque optimum entre les deux termes, homme et machine, du couple. Les mercenaires d'Hannibal cèdent finalement devant les légions de Scipion. Devant les levées nationales de la France révolutionnaire amalgamées aux restes de l'armée royale, les armées de métier des vieilles dynasties ne tiennent pas jusqu'à ce que, à leur tour, elles adoptent la conscription. Périodiquement, et aujourd'hui encore, les solutions techniquement et sociologiquement concevables, pour convertir l'énergie de collectifs humains en capacités d'effets militaires, sont perçues comme politiquement déterminantes dans les transformations des systèmes armés. A quoi, il faut ajouter un autre facteur multiplicateur de l'énergie humaine : l'aptitude des individus et des groupes à rénover les armements, à les réaliser et à les employer. Le génie militaire, qui ne se manifeste pas seulement dans l'art de la guerre mais aussi dans l'invention technique et l'imagination théorique, fut toujours l'un des facteurs premiers de l'évolution stratégique. Reste à évaluer la part du génie et celle des déterminations objectives...

Toujours à titre d'illustration de la méthode des coupes généalogiques, évoquons l'évolution dans l'histoire, du facteur énergie. Aujourd'hui, l'énergie animale n'est plus utile que sur des théâtres très particuliers par le climat ou le milieu. Mais elle s'avéra naguère déterminante avec le passage du cheval attelé (char) au cheval monté, dont les performances (capacité d'emport et puissance de choc) furent considérablement accrues par la ferrure, la selle à étrier venue d'Asie dans les premiers siècles de notre ère, et le harnachement de la cavalerie lourde. Observons que le cheval, la roue et les armes de métal étaient inconnus des sociétés amérindiennes quand elles durent affronter quelques poignées de conquistadores dotés d'armes à feu : un écart considérable dans les bilans énergétiques a compensé, exemplairement, les faibles effectifs des envahisseurs. Fait de rupture aux conséquences incalculables dans l'histoire d'un continent. Il se répétera, sous d'autres formes, dans les guerres coloniales, en Afrique et en Asie, jusqu'à ce que la maîtrise de la guérilla, soutenue par l'idéologie révolutionnaire ou nationaliste, retourne la situation au profit du faible capable de compenser, par l'exaltation du moral, ses carences dans les autres formes d'énergies.

L'énergie mécanique fut, de tout temps, exploitée. Armes de main et de jet démultiplièrent l'énergie musculaire : tension de cordes (arc, arbalète) et torsion de fibres (névrobalistique). Les qualités croissantes des métaux et des procédés métallurgiques passèrent dans l'armement offensif (armes d'estoc et de taille, tubes des armes à feu) et défensif (depuis la cuirasse du combattant jusqu'à celle du navire et de la fortification) : les passages de l'âge du cuivre à celui du bronze (IIIe millénaire avant notre ère), puis à celui du fer (début du Ier millénaire avant notre ère) et à celui de l'acier (XIXe siècle) déterminèrent de durables transformations techniques, stratégiques, donc sociopolitiques. Nous en mesurons rétrospectivement l'importance à l'intensité, et aux coûts, de nos recherches sur les alliages spéciaux (résistance à la percussion et à la chaleur), à la compétition pour l'acquisition des métaux rares qui, avec le marché des minerais uranifères, détermine des conduites stratégiques et politiques. Observons aussi, parmi les énergies mécaniques, celle du vent utilisée par les navires : leurs capacités manœuvrières et leur rayon d'action furent transformées par le gouvernail d'étambot et la boussole, jusqu'à l'usage de la vapeur au XIXe siècle, d'abord conjointement avec la voile. Vapeur dont l'utilisation fut tardive sur terre : les transports par voie ferrée furent inaugurés pour la concentration des armées françaises, en 1859, et généralisés lors de la guerre de Sécession (1861-65).

L'énergie chimique apparut avec le feu grégeois byzantin (salpêtre, charbon, naphte) brûlant sur l'eau, et les compositions fusantes chinoises, puis arabes (salpêtre, charbon, soufre). Elle s'affirma déterminante, durant des siècles, avec la poudre (noire, puis sans fumée, enfin colloïdale), avec les explosifs (mélinite, dynamite, tolite, plastic, etc.) et les gaz toxiques. Le pétrole provoqua une révolution, dans la mobilité tactique et stratégique des armées terrestres et navales, grâce au moteur à explosion qui permit enfin de conquérir cette troisième dimension qui avait hanté des générations d'ingénieurs depuis Léonard de Vinci. Aux poudres colloïdales s'ajoutèrent les agents propulsifs liquides, mélanges de combustibles et de comburants pour constituer la vaste gamme des engins autopropulsés, depuis les roquettes jusqu'aux missiles de portée intercontinentale, aux lanceurs de satellites et de navettes spatiales.

Si l'énergie électrique s'avère de trop faible rendement pour les moteurs, confinés dans un rôle auxiliaire, l'électronique a bouleversé les télécommunications, l'informatique, la télématique, la détection et la mesure (radar), la commande et le contrôle à distance (pilotage et guidage); et cela, grâce, en particulier, à la compacité croissante des circuits (microprocesseurs). Mutation technique majeure : sans elle, les autres − balisticonucléaire et spatiale − eussent été inachevées, voire impossibles. L'électro-informatique a également transformé les modalités du calcul décisionnel et de la conduite de l'action en réduisant les contraintes de temps (temps réel) : « l'œil du chef » peut tout voir et partout, à tout instant...

Avec l'énergie nucléaire, la capacité de destruction unitaire des armes a été multipliée de telle sorte que le calcul des risques probables, comparés aux espérances de gain concevables, a induit des stratégies de non-guerre. Simultanément, les progrès de la miniaturisation et du guidage et l'introduction de l'arme à effets de radiations renforcés (bombe à neutrons), en accroissant la précision des effets à l'impact, réintroduisent la possibilité de stratégies de guerre nucléaire. Notons enfin l'utilisation directe de l'énergie solaire (piles des satellites) et, surtout, l'émergence des énergies dirigées. Les lasers, déjà, permettent de guider des armes classiques dont les effets vulnérants sont produits avec la plus grande précision sur leurs cibles − ce qui renouvelle les modalités du duel physique, donc la tactique. Ensuite, grâce à leur directivité et à leur vitesse − celle de la lumière − laser et faisceaux de particules peuvent constituer l'arme elle-même avec laquelle on pourrait atteindre, neutraliser ou détruire des cibles extrêmement mobiles comme les missiles balistiques dans leur phase de propulsion ou leur corps de rentrée (défense A.B.M.).

N'omettons pas, enfin, les énergies végétales et animales : l'alimentation de leurs armées fut toujours l'un des soucis majeurs des chefs militaires. Leurs opérations furent souvent tributaires de la nourriture des hommes et du fourrage des chevaux d'arme et de trait. Si le légionnaire romain gagnait en autonomie en portant son froment, ses successeurs furent de plus en plus liés aux approvisionnement stockés : du XVIᵉ siècle à la fin du XVIIIᵉ, les magasins, gardés par les places fortes, constituèrent un maillage des théâtres sur lequel s'articulèrent des opérations incapables de se libérer, surtout en hiver, de leur sujétion. Il fallut la révolution agricole du XVIIIᵉ siècle (assolement triennal, pomme de terre) pour que les armées pussent vivre sur le pays, par prélèvement direct sur des populations désormais préservées des famines endémiques. Révolution capitale, annoncée par Guibert et qui, synchronisée avec celle provoquée, dans l'organisation des armées, par le système divisionnaire, ouvrit le champ aux vastes manœuvres des armées de la Révolution et de l'Empire, et dévalorisa la fortification.

Ces fastidieux – et sommaires – inventaires des panoplies et des ressources énergétiques convertibles en forces armées suggèrent, par leur croisement même, ce que pourrait être une généalogie non réductrice. Elle exigerait des coupes similaires, je l'ai dit, selon les plans démographique, sociologique, politique, social, idéologique, économique, etc.; ce que exige de recourir aux diverses disciplines des sciences humaines et sociales. Ensuite, il faudrait croiser les résultats de ces généalogies sectorielles pour déterminer les poids relatifs des divers facteurs d'évolution dans la genèse des crises, des bifurcations de la pensée et de la pratique stratégiques. De toute évidence, les experts sont toujours tentés de réduire les facteurs crisogènes à ceux que leur discipline a rendu familiers. Si les privilèges consentis aux déterminations scientifiques et techniques, par le stratège contemporain, ne sont que trop conformes à l'esprit du temps, il faudrait se garder de les transférer à toutes les époques du développement généalogique.

D'ailleurs, ce qui précède révèle la difficulté de repérer et dater les moments de rupture imputables aux seuls facteurs scientifico-techniques. La plupart n'interviennent pas successivement et séparément, mais se superposent partiellement dans le temps et interagissent, sommant ou contrariant leurs effets respectifs : le cheval monté est contemporain des armes de fer; l'artillerie n'a son plein effet qu'avec le boulet de fer; le fusil, avec la cartouche et la baïonnette, celle-ci permettant de concilier le feu et le choc dans une même arme; le moteur à explosion révolutionne la stratégie opérationnelle quand il est utilisé à la fois sur terre et dans les airs; les systèmes balistico-nucléaires et spatiaux, comme les technologies émergentes, sont contemporains de la révolution électro-informatique. Les mutations techniques ne résultent donc pas, en général, d'une invention isolée, mais de la convergence de plusieurs, de l'intégration de leurs implications après des phases plus ou moins longues de développements séparés. Phases de plus en plus brèves dans les temps modernes, les progrès dans toutes les branches techniques étant concomitants, aujourd'hui, au point qu'une innovation technique en appelle et suggère nécessairement une autre sans laquelle elle serait ou « infaisable » ou n'atteindrait pas son plein effet. La course qualitative aux armements trouve là l'une de ses causes indépendante de la volonté, politique, des acteurs et actants stratégiques. L'autre résulte du principe de polarité : chacun des duellistes est condamné à tenter de surpasser l'autre dans la course à la dominance technique par crainte d'être, à terme, dominé.

Si le jeu des seuls facteurs techniques est à ce point malaisément déchiffrable dans la genèse d'une crise et d'une rupture, que dire des difficultés qui attendent l'analyste quand il prétendra débrouiller l'enchevêtrement de causes et d'effets résultant du croisement incessant de toutes les déterminations? N'opérant jamais isolément, mais en inter-actions qui freinent ou exaltent, selon le cas, leurs effets particuliers, elle délivrent une information brouillée, opaque, à l'analyse généalogique. Celle-ci est bien incapable, le plus souvent, d'imputer une rupture à l'évolution de telle détermination de la stratégie plutôt qu'à telle autre, quand elles sont historiquement en phase; quand on ne peut dire si l'une est la cause ou la conséquence de l'autre, si l'une aurait pu produire son plein effet sans l'intervention de l'autre; si l'une a été longtemps retardée, avant d'émerger à la conscience claire des actants, par les pesanteurs de telle ou telle autre. Ainsi, la généalogie nous dit qu'une coupure s'est révélée avec l'apparition, en rase campagne, de l'artillerie de Charles VII forgée par les frères Bureau et Bessoneau; que la poursuite de l'effort supposait un pouvoir politique capable de l'assumer financièrement – celui des Valois – et qui, simultanément, en empruntant au système suisse, ébauchait la première armée permanente : Louis XI et les bandes de Picardie. Transformation du système militaire synchrone avec une transformation sociale : dépérissement de la féodalité et des micro-états (principautés italiennes et allemandes) devant les grandes monarchies centralisées. Les deux phénomènes sont si inextricablement noués que l'analyste hésite à imputer, à la seule innovation technique, la première grande coupure praxéologique des temps modernes.

Les origines de la rupture intervenue avec la Révolution et l'Empire présentent de plus grandes difficultés encore d'identification. Facteurs techniques hérités du XVIIIe siècle : la définitive consécration de la puissance du feu et l'organisation divisionnaire des forces valorisent la manœuvre, étendent son champ spatial et autorisent la recherche de la bataille décisive. Cependant celle-ci, et la stratégie à but absolu qu'elle suppose contre la règle du jeu du siècle des Lumières, ne peuvent passer dans les faits qu'avec la révolution sociale – le citoyen-soldat et la levée en masse –, le réservoir démographique de la France et l'idéologie radicalisante s'accordant avec l'esprit de la lutte à mort.

On trouverait aisément d'autres illustrations de facteurs d'évolution imbriqués dans les stratégies des États industriels, depuis un siècle. La généalogie se nourrit d'histoire, de la lecture des incessantes rencontres entre les faits de transformations, et entre leurs effets, affectant les multiples déterminations de la stratégie. Déterminations internes aux systèmes militaires : nature des armements, organisation des forces pour la circulation et le traitement de l'information, et pour la distribution du travail entre leurs divers éléments, etc. Déterminations externes : démographiques, sociales, économiques, idéologiques, politiques, etc. Les unes et les autres ne cessent, évidemment, d'interférer. Et selon que, dans cette perpétuelle interaction, les facteurs de novation s'avèrent plus ou moins convergents et opèrent avec plus ou moins de synergie, selon que leurs effets élémentaires s'intègrent plus ou moins bien, leur résultante se manifestera plus ou moins puissamment ; la coupure praxéologique sera plus ou moins franche et brutale. Évidence rétrospective : la stratégothèque ne révèle que quelques « grandes » coupures, quelques fractures résultant d'une telle intégration. On peut disputer sur leur nombre et leur fiche d'identité selon que l'on privilégie tel ou tel facteur de rupture. Tranchons : antiquité grecque, puis romaine, Renaissance, passage du XVIIIe siècle au XIXe, entrée dans l'âge nucléaire et électro-informatique. Sans doute est-ce là résumer la courbe généalogique à quelques *nœuds* de transformation radicale – de mutation – et négliger le travail obscur de chacun des facteurs qui ne cessent d'opérer entre ces moments d'explosion, de produire leurs effets infinitésimaux et de les accumuler, avec leur gradient de transformation propre et dans l'aveuglement général ; cela jusqu'à ce que, comme par catalyse sous l'effet d'une fluctuation aléatoire, l'un d'entre eux plus dynamique, plus puissant dans le lieu et le moment, fasse éclater les virtualités des autres. Solution sursaturée...

Si nous disposons aujourd'hui d'une stratégothèque universelle, ce privilège ne facilite pas nos entrées dans la généalogie. La surabondance de l'information la rend plus opaque que jamais : tout bouge sous le regard. La méthode de stabilisation de l'objet, grâce à des coupes effectuées selon les diverses dimensions de la stratégie militaire, n'est qu'un expédient. Coupes longitudinales, diachroniques, pour l'analyse des transformations, depuis les origines, d'une détermination – sociologique, ou économique, ou idéologique, ou technique, etc. – que l'on isole des autres, et dont on observe l'influence sur la pensée et la pratique stratégiques ; ou coupes transversales, synchroniques, opérées sur une tranche caractéristique de l'histoire pour examiner la confluence et la combinatoire des divers facteurs d'évolution. Dans l'un et l'autre cas, convention méthodologique. Malgré les précautions prises contre le réductionnisme, le savoir généalogique ne peut être que segmenté, éclaté. Mais comment approcher autrement la fluidité d'une totalisation totalisante de multiples faits et effets d'évolution, sachant que chacun avance à sa vitesse et avec sa puissance propres?

Le progrès stratégique

Ce qui précède donnerait à croire que l'évolution globale du type d'action collective qu'est la stratégie militaire résulterait d'un jeu compliqué de facteurs objectifs dont les combinaisons obéiraient à la seule nature des choses et au hasard de leurs conjonctions, à la contingence des rencontres entre les dynamiques croisées des diverses déterminations. Toutefois, si chacune des transformations sociales, idéologiques, économiques, techniques, etc., semble obéir à sa pente, l'intégration de leurs effets est l'affaire du stratège contraint, d'abord, de constater que « quelque chose se passe », qui rompt avec le passé et remet en cause ses idées sur l'état de choses; obligé, ensuite, de décider son action en tenant compte des changements. Cela suppose qu'il reconnaisse la coupure, qu'il en discerne le sens, et qu'il décide de s'y plier.

C'est dire que, si une coupure praxéologique procède d'un événement – un fait de mutation ou la convergence de plusieurs – elle ne devient ce qu'elle est que par le travail de l'entendement et du jugement, qui traitent l'information sur les facteurs d'évolution et leurs effets; puis, par une décision qui tranche entre les lectures possibles de ce donné et fixe une nouvelle ligne à l'action, dans ses buts et/ou ses voies-et-moyens. Décision qui ne formulerait que le résultat abstrait du calcul stratégique, si elle n'impliquait un acte de volonté l'imposant au système militaire auquel elle doit transmettre l'impulsion. Mais si une coupure ne s'inscrit, dans le développement généalogique, qu'à travers les variations du champ mental des acteurs et actants, on conçoit que la traduction de ses implications dans la réalité politico-stratégique puisse marquer un retard sur les faits. Retard variable selon les divers observateurs et décideurs contemporains qui, recueillant la même information, la perçoivent avec plus ou moins de rapidité et d'acuité, la lisent avec plus ou moins de discernement, et décident ou non d'en tenir compte. Retard, aussi, selon que la situation sociopolitique et l'état de conflit pressent ou non de définir une nouvelle ligne stratégique.

Ainsi voit-on Thémistocle discerner que, pour Athènes, l'avenir est sur l'eau; tirer parti de la conjonction entre les capacités d'action offertes par les mines d'argent du Laurion et l'accession de la Cité-État au rôle de chef d'une confédération; concevoir les moyens – une flotte – d'une stratégie accédant à une tout autre dimension que celles des cités « continentales ». Machiavel est bien le seul à percevoir la coupure provoquée par l'irruption des armées permanentes et nationales sur le théâtre italien, où les communes et principautés sont condamnées à l'impuissance faute d'un instrument militaire équivalent; mais il n'a plus prise sur l'événement. Frédéric II tarde à reconnaître la primauté du feu; mais, assumant la double fonction du politique et du soldat, il peut corriger son erreur. Guibert récapitule tous les faits d'évolution annonçant l'une des ruptures majeures des temps modernes, mais, malgré ses fonctions dans les conseils du ministre, il n'est jamais en position d'imposer ses vues. Plus tard, Carnot et ses collègues en apprécieront le caractère prophétique, et auront le pouvoir de les traduire en réalités stratégiques. Plus proche de nous, la coupure provoquée par le fait nucléaire illustre exemplairement la fonction maïeutique du décideur. La rupture résulte, en effet, de la rencontre d'un fait de culture – la formule d'Einstein $E = mc^2$ et les recherches amorcées avant 1939 sur ses applications –, et d'un état de conflit entre deux univers idéologiques irréconciliables engagés dans une lutte à mort : fin politique radicale et guerre d'anéantissement. Guerre prolongée dont le coût, comme la peur d'être devancé par l'ennemi, poussent le politique à deux décisions : accélérer les recherches pour maîtriser l'énergie nucléaire et la convertir en force militaire (plan Manhattan), puis utiliser l'arme sur des cibles démographiques pour contraindre le Japon à capituler. Sans ces deux décisions, prises sous la pression d'une situation jugée critique et qui ont marqué le franchissement d'un seuil dans les capacités des armements, la coupure, annoncée par une avancée de la science fondamentale, aurait tardé à passer du virtuel stratégique dans la réalité. Ces décisions procédèrent d'une évaluation, d'un jugement : elles ont changé le cours des choses, mais auraient pu ne pas être prises. Sans elles, le jeu des facteurs objectifs d'évolution – des attracteurs – eut été insuffisant pour induire la *catastrophe*. On sait, d'ailleurs, qu'il fallut des années, avant que ses vraies dimensions et son sens fussent correctement perçus.

La généalogie : des événements scandant la courbe d'évolution, des faits de transformation affectant les déterminations internes et externes de la stratégie. Mais événements et faits qui ne trouvent leur sens que réfractés par le champ mental des acteurs politiques et actants militaires : à chaque étage de la structure politico-stratégique, ils doivent recueillir et traiter une information confuse, décider les finalités et les voies-et-moyens de leur travail futur en fonction des facteurs de continuité et de discontinuité que révèle cette information. *Sensibilité* à la précarité des états de choses apparemment les plus stables et aux dynamiques cachées des objets de pensée, des éléments du calcul stratégique; *entendement* aiguisé par la complexité d'une action aux multiples dimensions, et qui se développe à la fois selon sa logique propre et en traitant un matériau contingent, historique; *jugement* discernant les parts respectives du déterminé, de l'incertain et du hasard objectif, à la fois dans les données d'un calcul stratégique fondé sur une logique probabiliste et dans le développement aléatoire de l'action future; *volonté* tranchant, dans les incertitudes résiduelles, par la décision communiquée et lançant l'action – ce sont là les *dimensions de l'espace mental* dans lesquelles s'inscrivent tous les faits d'évolution objectifs, d'abord pour dévoiler leur sens, ensuite pour se traduire en de nouvelles configurations stratégiques rompant plus ou moins avec les anciennes. Que la sensibilité, l'entendement, le jugement et la volonté s'avèrent inertes, englués dans les habitudes d'un savoir-faire éprouvé et les commodités de systèmes stratégiques familiers, que les instruments d'analyse et de calcul hérités ne soient pas assez fins et puissants pour surmonter les obstacles épistémologiques dressés par le mélange de nouveau et d'ancien, que le pouvoir manque, aux décideurs, d'abolir les pesanteurs psycho-sociologiques, idéologiques, économiques, financières, etc., et d'imposer les innovations dont ils perçoivent l'urgence, et l'esprit de conservation tarde, parfois jusqu'au désastre, à céder devant l'obligation de progrès.

Comme dans tous les arts, la querelle des Anciens et des Modernes ne cesse jamais en stratégie. Comme en politique usuelle, conservatisme et progressisme définissent des tempéraments de stratèges. Classement grossier, certes, et qui prête trop aisément aux jugements expéditifs sur leurs valeurs comparées. En la matière, la lecture correcte des faits et la conscience la plus aiguë des nécessaires innovations peuvent s'avérer impuissantes contre les blocages retardant, quand ils ne les interdisent pas, l'adoption de solutions neuves. Au demeurant, ici, la notion même de progrès n'est pas si claire qu'on le croirait en survolant la généalogie et en comparant sommairement les stratégies des anciens et celles de notre temps; en mesurant leur puissance de création à l'aune de la nôtre et en adoptant, comme seul critère de valeur, la complexité apparemment croissante des problèmes énoncés et résolus. Toutefois, hier comme aujourd'hui, ces problèmes sont ceux d'une action collective dont les voies-et-moyens demeurent subordonnés à une fin sociopolitique définie dans ses lieu et moment, et dont les déterminations externes sont, elles aussi, contingentes. Si la notion de progrès peut se concevoir pour une brève séquence de l'évolution de la stratégie, elle n'a pas de sens sur sa très longue durée depuis ses origines.

Dans la dimension synchronique de la généalogie, sur une période datée et découpée dans sa totalité, choisie parce qu'y intervinrent des changements majeurs dans les déterminations de la stratégie et parce que celle-ci a bifurqué dans ses buts et/ou ses voies-et-moyens, on peut dire que la pratique a marqué un progrès; cela dans la mesure où, parmi les stratèges en place, certains ont su devancer les autres, insensibles aux faits ou endormis dans leur confort intellectuel. Le progrès se comprend comme un *écart* entre les attitudes mentales des uns et des autres devant la même information objective. Données communes pour tous, mais que les pionniers savent déchiffrer et traiter en inventant de nouvelles combinaisons de buts et de voies-et-moyens stratégiques. L'ordre oblique d'Épaminondas rompt avec les tactiques figées des phalanges. Contre Hannibal, Fabius et Scipion imaginent et imposent, malgré les oppositions internes, leurs stratégies respectives; quoique leurs solutions soient contraires, chacune est la seule pertinente dans la circonstance et marque un progrès sur les idées reçues et les pratiques dépassées. En 1939, les Allemands inventent une stratégie opérationnelle progressiste avec le binôme char-avion d'assaut, quand leurs adversaires sont en retard d'une guerre. Sur mer, la tactique de Nelson est en avance sur celle des Français.

Toutefois, si nous replaçons, dans le film de la généalogie, chacune de ces séquences d'innovation découpées comme autant d'étapes-repères brisant la continuité de sa ligne, cette mise en perspective affecte notre idée du progrès. Certes, isolée de la précédente par une période plus ou moins longue de relaxation, chaque étape récapitule bien, dans sa brève durée, les solutions neuves dénouant une crise de la pratique et constituant, effectivement, un progrès sur les idées reçues. Chacun de ces jalons découpe un avant et un après dans la très longue durée du développement généalogique. Mais il ne signale pas nécessairement l'apparition et la consécration d'une solution qui serait « meilleure » que celles qui furent essayées pour résoudre le même type de problème lors des étapes antérieures; « meilleure », comme s'il existait quelque absolu, quelque modèle de référence, quelque étalon transhistorique auxquels un critique, posté hors histoire, pourrait rapporter les œuvres successives des stratèges historiques. Si, comme nous le verrons, les modèles assument une fonction heuristique dans la pratique et la théorie, ils ne sauraient être liés à l'idée d'une stratégie progressant par bonds vers un état de perfection dont nous saurions les canons.

Bien au contraire, en chacune des étapes-repères scandant la généalogie, s'est manifesté un état achevé des pratiques qui ont su, en leurs lieux et moments, à travers les erreurs perpétuées par les uns, corrigées par les autres, lever, avec les outils intellectuels et les systèmes de forces appropriés, les obstacles dressés devant la volonté de création. Dans la stratégie des moyens, la Wehrmacht de 1940 ou la Grande Armée de 1805 ne sont pas des outils plus achevés que l'armée mise sur pied par Philippe de Macédoine. Dans le domaine tactique, l'ordre oblique frédéricien n'est pas plus « parfait » que celui d'Epaminondas, et Rossbach ou Leuthen, quoique « achevés », ne marquent pas un progrès sur Leuctres et Mantinée. En investissant les ressources d'Athènes dans la flotte qui se révélera l'arme décisive à Salamine, Thémistocle est aussi progressiste que Roosevelt lançant le plan Manhattan pour forger l'arme décisive de son temps. Le *limes* romain constitue une réponse aussi pertinente, en son temps, que les fortifications de Vauban pour soutenir la défense mobile de théâtres vulnérables. En désignant les forces en campagne comme cibles de leur jeune artillerie, à Formigny et Castillon, Richemont et Chabannes sont aussi en avance sur leur époque que Douhet inventant, pour la jeune aviation, le bombardement massif des centres démo-économiques. C'est aussi à une conception erronée du progrès qu'il faut imputer la critique dénigrante portée, depuis 1815, sur la forme de guerre à but restreint du XVIIIe siècle au nom de la stratégie napoléonienne d'anéantissement érigée en modèle insurpassable du « grand art » de la guerre.

Ainsi, dans le domaine de la pratique, le progrès n'est pas cumulatif sur la très longue durée de la généalogie. Du moins, en fut-il ainsi jusqu'à notre époque. Il ne s'est manifesté que par étapes, selon une ligne discontinue et par le déphasage des processus mentaux appliqués, par des praticiens contemporains, aux analyses et décisions s'imposant à eux dans ces séquences décisives qu'ils percevaient avec une inégale clairvoyance. Séquences au cours desquelles réapparaissaient souvent, ressuscités par la singularité même de situations insolites, de très vieux problèmes stratégiques dont l'essence s'était conservée sous les strates de la généalogie, et que les accidents de la conjoncture suggéraient d'énoncer dans le langage moderne. Ainsi, faute des moyens de la mobilité, le stratège opérationnel avait dû renoncer sur le front Ouest, après la Marne, à la manœuvre de grande envergure sur les arrières adverses pour résoudre l'éternelle difficulté de la bataille décisive; solution restaurée, en 1940-41, grâce au « progrès » marqué par le couple char-avion. Longtemps délaissées au profit du seul duel des forces armées, l'attaque et la destruction plus ou moins radicale de la substance (population et ressources) de l'ennemi – stratégie usuelle dans l'Antiquité (guerres du Péloponnèse et puniques), chez les Mongols et Tamerlan, lors de la guerre de Trente Ans – ressuscitèrent avec les bombardements aériens de saturation. Le sous-marin revivifia, mais sur une tout autre échelle, une très vieille forme d'attrition, le blocus. L'arme nucléaire a rénové la stratégie de dissuasion jusqu'alors fondée sur le rapport des forces et la faible espérance de victoire du dominé. En bref, il a suffi qu'une mutation affecte l'un des éléments du système stratégique, ou une relation entre ses déterminations, pour que la mémoire généalogique suggère des analogies entre de très vieux problèmes et les nouveaux; pour que le praticien retrouve, dans l'épaisseur de l'histoire sédimentée, dans les interrogations de lointains prédécesseurs, des similitudes avec les siennes. Une filiation s'établit, qui l'encourage à réhabiliter et à transposer, dans son langage, leurs réponses longtemps occultées par les coupures praxéologiques successives intervenues entre eux et lui.

Toutefois – et ce peut être une mutation caractéristique de notre époque – si les progrès de la pratique ne furent pas cumulatifs, ils le deviennent. La prépondérance du facteur scientifique et technique se confirmant avec l'accélération de l'innovation et, surtout, avec la réquisition, au profit de la stratégie des moyens, de toutes les ressources intellectuelles et matérielles des sociétés les plus avancées, les appareils militaires et les stratégies, y compris économiques et culturelles, sont engagés dans un processus ininterrompu de transformation. Au lieu de traverser, avec le ferme propos d'en sortir armé de neuf, l'une de ces crises que séparaient naguère de longs paliers de rémission – de plus en plus brefs, d'ailleurs, dans les temps modernes – le praticien est noyé dans un flux permanent de faits d'évolution aux effets cumulatifs. Le développement généalogique n'est plus scandé par les ruptures et les crises espacées de la pensée et de l'action stratégiques : il est continuellement en crise, sous l'effet des incessantes relances de progrès non plus linéaires mais buissonnants. Condamné à travailler pour l'avenir sous la pression d'un présent effervescent, le stratège actuel doit fournir des réponses immédiates et bientôt périmées à des questions qui se renouvellent avant même d'avoir épuisé leurs implications. Surtout, l'invention doit se déployer dans un univers politico-stratégique où, pour la première fois, le spectre entier des états de conflit et la gamme complète des variétés stratégiques peuvent se manifester et doivent être pensés synchroniquement. Toutes les stratégies militaires, la guérilla, le blocus, la guerre limitée ou totale, classique ou nucléaire, les dissuasions nucléaires et classiques, toutes les formes de stratégie indirecte et de guerre psychologique peuvent être actualisées ici ou là. Aucune n'est jamais improbable et certaines peuvent être concomitantes. Les unes sont nouvelles; les autres réhabilitent et rajeunissent, avec les voies-et-moyens actuels, des modes et formes que la généalogie a depuis longtemps répertoriés et qui, évanouis, réapparurent parfois temporairement. Figures anciennes que le praticien peut encore interroger, ne serait-ce que sur leurs conditions d'émergence et de disparition. Tout se passe donc comme si le développement généalogique aboutissait, aujourd'hui, à un *point d'accumulation* où se récapituleraient toutes les pratiques expérimentées. Comme si, dans leur longue série discontinue, les problématiques et inventions isolées, achevées et trouvant leur sens plénier dans leur époque, n'avaient été que des *préparations* destinées à fournir les éléments d'un système global de pratiques stratégiques reliées; système qui se constituerait sous nos yeux, en composant toutes les variétés concevables et en les soumettant à une pensée unifiante qui s'imposerait même aux plus modestes acteurs. Seraient-ils privés des moyens d'utiliser toutes les variétés figurant sur la palette des pratiques, ils n'en sont pas moins astreints à inscrire celles qui demeurent à leur mesure dans l'espace du système global où se croisent continuellement celles des acteurs dominants : qu'ils en soient ou non conscients, et cette interaction fût-elle faible, la stratégie des guérilleros d'Afghanistan et du Nicaragua est à la fois déterminée par et déterminante pour celles des États-Unis et de l'Union soviétique, eux-mêmes en interaction forte. Tous les acteurs et actants sont aujourd'hui contraints de penser leur action comme un élément du système englobant toutes les pratiques. Ainsi, sur le dernier rayon d'une stratégothèque universelle exposant toutes les configurations stratégiques d'hier, sont réunis, dans un ensemble organiquement lié, les derniers avatars de toutes. Et l'intelligence de cette totalité synchronique est facilitée par la lecture, diachronique, des formes successives prises par chaque variété stratégique au cours de son développement généalogique. Tout se passerait donc comme si, pour nous, toute la généalogie devenait contemporaine, fixée dans l'ultime figure de son processus de totalisation totalisante...

Sans doute, cette mise en perspective, de notre poste d'observation culminant, est-elle illusoire : rien n'autorise à penser que les transformations de la stratégie butent aujourd'hui sur quelque état d'achèvement, à la suite d'un développement généalogique accéléré et globalisant au point de ne pouvoir que se clore sur une définitive récapitulation. Il faudrait admettre que l'histoire elle-même, que la stratégie militaire contribue à faire, se ferme sur un Point Oméga... Ne doutons pas que la généalogie reste ouverte, et que ses actuels effets d'accumulation marquent une autre étape succédant aux anciennes, non l'ultime. Le sens de cette nouvelle rupture nous échappe comme, à nos prédécesseurs, celles qu'ils subissaient et dont, aujourd'hui seulement, nos approches récurrentes révèlent les origines et le sens. Il est vrai, toutefois, que l'actuelle fracture se distingue des précédentes par ses dimensions, par l'ampleur et la simultanéité des transformations affectant l'ensemble des déterminations de la stratégie militaire, par la complexité de leur réseau d'interactions. C'est là qu'achoppe le théoricien contemporain : une coupure praxéologique aussi radicale induit nécessairement une coupure épistémologique analogue dans la généalogie.

Apparemment, le progrès théorique a emprunté d'autres cheminements que ceux relevés pour la pratique. La stratégothèque universelle n'expose pas seulement la Somme de stratégies effectives, datées et localisées dans l'étendue géohistorique, mais aussi celle des aventures de l'esprit qui s'est risqué à chercher le sens des faits, événements et phénomènes conflictuels; qui a tenté de mettre en forme de théories constituées, les connaissances toujours fragmentaires sur une action collective finalisée de plus en plus compliquée. Savoir en perpétuel travail d'extension et d'approfondissement, comme si les formations théoriques successives ne parvenaient jamais à combler le retard du discours sur les réalités d'un univers politico-stratégique en continuelles expansion et différenciation interne. Savoir évolutif, résultant d'un double processus de sédimentation et de transformation de ses acquis. Savoir dont le progrès ne transiterait pas, contrairement à celui de la pratique, par les états achevés qui jalonnent ce dernier lors des étapes caractéristiques du développement généalogique.

Certes, le progrès théorique procède, lui aussi, par bonds : après des périodes, parfois très longues, d'indifférence, d'engourdissement et de sommeil intellectuel, la curiosité et la volonté de savoir s'exaltent sous l'impulsion d'une crise de la pratique ou par l'effet d'entraînement d'un renouveau culturel. Moments où s'accumulent et foyers où convergent, dans le flux généalogique, les interrogations et les acquisitions du savoir; où se croisent des discours analytiques, prescriptifs et critiques montés en théories et doctrines, et qui manifestent le génie solitaire ou la vitalité d'écoles de pensée. Points nodaux dans le développement généalogique : les éléments du savoir cristallisent, se résument, se mettent en question et se renouvellent partiellement; singulièrement lors des coupures épistémologiques qui soumettent savoir et discours hérités à la critique de leurs fondements et de leur outillage.

Cependant, que la révision théorique retarde sur les innovations empiriques du praticien qu'elle régularise et prolonge en généralisant leurs leçons, en éclairant leurs raisons contingentes et logiques – comme le firent Jomini et Clausewitz après la Révolution et Napoléon – ou que, plus rarement, comme avec Guibert, la réforme théorique prophétise la stratégie future dans l'abstrait d'un discours aux accents lyriques, le nouveau bond de la connaissance ne la retranche pas absolument de son état antérieur. Aussi décapante et prémonitoire qu'elle soit, aucune œuvre théorique ne s'installe dans le cerveau de son auteur, ou de qui l'utilise comme le livre du Maître, avec une présomption de nouveauté radicale et de vérité éternelle; avec la prétention de ne rien devoir aux prédécesseurs, et d'en avoir fini avec l'interrogation sur les choses et sur la validité de leur représentation. Aucun discours ne peut clore la théorie, ni la fixer dans une figure définitive, même lorsqu'il décrit les états achevés de la pratique qui ponctuent la généalogie. Cela, d'abord, parce que, aussi ambitieuse qu'elle se veuille, aucune théorie ne peut prétendre couvrir l'ensemble de l'objet-stratégie avec le réseau complet de ses déterminations internes et externes; dominer d'un seul regard leur totalité simultanée et les fluctuations de leurs complexes interactions : toute théorie découpe et ne dit qu'un fragment du Tout, et fige le mouvant. Ensuite, personne n'a jamais théorisé sans prendre appui, fût-ce en le récusant, sur le matériel intellectuel – méthodes, concepts, modèles, etc. – légué par les prédécesseurs et avec lequel l'apprenti stratège a appris à penser l'action. Chacun crée en transformant l'héritage. Son langage emprunte à des langues que l'on croirait mortes si, pour constituer la grammaire stratégique, décrire et organiser les praxèmes composant l'action collective, il ne fallait souvent réemployer, en altérant leur charge sémantique et leur syntaxe, des concepts et des énoncés anciens.

Ce sont les infinitésimales dérives de sens, les variations lentes du langage, aux effets cumulés, et qu'induisent les écarts constatés entre un état fixé de la théorie et la réalité conflictuelle évolutive, qui ponctuent le développement généalogique, autant que les authentiques créations. Par exemple, la différenciation entre tactique et stratégie procède de la réflexion des Thucydide, Xénophon, Polybe. Mais ces notions ne commencent à bouger qu'au XVIIIᵉ siècle, avec l'École française, pour se fixer avec Bülow, Clausewitz, Jomini, traverser sans grave altération les XIXᵉ et XXᵉ siècles jusqu'à ce que, avec l'entrée dans l'âge nucléaire, s'impose une radicale révision conceptuelle consécutive à l'inversion de l'ancien rapport d'inclusion entre guerre et stratégie. Révision à la mesure de la diversification des objets de pensée – stratégies intégrale, opérationnelle, des moyens, nucléaire, classique, maritime, etc. – qu'il faut désormais séparer pour l'analyse et le calcul stratégiques, en éclairant leurs relations. Et les difficultés rencontrées pour stabiliser de jeunes concepts, trop souvent flous et mouvants dans nos formations théoriques, témoignent à la fois des pesanteurs de l'héritage et de notre impuissance à inventer le langage congruent. Pour définir et surmonter ces obstacles épistémologiques, nul autre recours, souvent, qu'à la référence généalogique : on reconstituera l'histoire de l'objet de pensée. On localisera ses lieu et moment d'émergence, à la fois dans la pratique et la théorie; on restituera la vie du concept correspondant, et les raisons de ses dérives successives, de son dépérissement, aussi, et de sa mort. Fiche d'identité révélatrice, non seulement des facteurs d'évolution du langage théorique, mais aussi de ce qui se sera conservé jusqu'à nous, et pourquoi, sous les variations. Fiche indicative, du même coup, du traitement qu'il faudrait appliquer aux concepts hérités pour les adapter au nouvel état de choses.

Il est clair, par exemple, que la disparition du mot poliorcétique, usuel de l'Antiquité au XVIIIᵉ siècle, révèle un changement profond non seulement dans la conduite des opérations, mais aussi dans les buts stratégiques et les fins politiques de la guerre : dans leurs actuelles définitions, ceux-ci n'exigent pas qu'on restaure le concept, serait-ce en altérant son contenu. Toutefois, si nous devions réintroduire la protection des populations dans les calculs prévisionnels d'une stratégie de guerre nucléaire, non improbable, ne faudrait-il pas réintroduire le concept ? Avec un autre sens, sans doute... Au contraire, lorsque Jomini introduit le vocable logistique – qu'il aurait emprunté à l'art du calcul, mais en lui conférant un sens différent, ou en se référant aux fonctions du maréchal des logis, chargé des étapes – il veut combler un vide théorique [1]. Vide révélé par les transformations radicales induites par le système divisionnaire, invention du siècle précédent; en particulier, par les manœuvres de grande amplitude qu'il a permises dans tout l'espace des théâtres. Concept dont l'utilité n'a cessé de s'affirmer : il s'est dilaté au cours des guerres de l'âge industriel pour couvrir non seulement les mouvements des grandes unités mais aussi les transports, puis les approvisionnements et services afférents; en bref, tout ce qui intéresse la fonction « vie » des forces. Enfin, mais faute de mieux et conscient de la dérive, j'ai transposé le concept de logistique dans le domaine de la stratégie des moyens pour désigner, à côté de la stratégie génétique vouée à l'innovation technique et à l'invention des armements, les opérations requises par l'évaluation quantitative des systèmes, compte tenu des coûts et des ressources disponibles, par leur réalisation industrielle et la mise en place des infrastructures nécessaires, par leur entretien et leur renouvellement, etc. On saisit là, sur le vif, la prise de conscience d'un vide théorique, et de l'obligation, selon moi, de le combler. Pour pallier les manques de ma boîte à outils, je n'ai pu qu'emprunter à celle des prédécesseurs, avec tous les risques d'ambiguïté inhérents à cette sorte d'extension conceptuelle. Mais l'abus, ici, est de méthode : le théoricien fait comme il peut, avec ce qu'il a, pour tenter de comprendre des réalités qu'on le somme de dévoiler pour indiquer comment les traiter.

« Humain, trop humain »

La position du théoricien n'est pas confortable, qui dissimule, sous le prestige du verbe, ses maladresses et ses erreurs d'approche. Prestige contesté par le praticien : qui fait quelque chose avec un matériau imposé, fluide, qui élude la prise, doute que le

---

1. A ma connaissance, la critique n'a jamais établi les raisons pour lesquelles Jomini a choisi le mot. Il me semble, pourtant, qu'il doive être révélateur de ses mécanismes intellectuels...

discours lui soit d'un grand secours quand il faut décider en tranchant dans des incertitudes dont lui seul identifie l'origine et la nature, et dont il subit les inhibitions. Le poids des responsabilités fait la différence de statut entre l'agissant et celui qu'il voit comme un fâcheux, amateur hors-jeu et investi, de surcroît, d'une fonction exorbitante de critique. Est-il du métier, informé par l'expérience de l'action, passe encore. Mais qu'il vienne d'ailleurs et tranche, de l'extérieur, sur une action dont il ignore les spécificités – ne seraient-elles que techniques – c'est intolérable pour des décideurs constatant, en chaque instant, que, si « la guerre est un art simple et tout d'exécution », le simple n'est pas si simple que veut bien le dire Napoléon, car « il n'y a pas de détail dans l'exécution » [1].

Les relations du théoricien et du praticien sont nécessairement difficiles. Leur évolution, et ses raisons, relèvent de la généalogie : celle-ci se développe par les interactions du savoir et du pouvoir – le devoir isolant le second du premier, encore qu'aucune théorie ne se conçoive sans référence à l'action qui l'appelle et la justifie. Le savoir, ici, n'est pas gratuit : aussi désintéressé, aussi général qu'il se veuille, le théoricien est nécessairement enraciné. La constitution et la transmission du savoir stratégique reflètent non seulement un état de la culture, mais aussi le statut social et politique de l'homme. Le stratège athénien, le polémarque thébain, le consul romain sont des magistrats dont les pouvoirs, dans la guerre comme dans la paix, procèdent de l'élection; ce qui suppose une formation stratégique aussi banalisée que l'éducation politique. Seuls, l'expérience et les talents consacrés par les succès répétés « spécialisent » alors le stratège et supposent l'acquisition d'un savoir constamment affiné. L'expérience du praticien, malheureuse pour Thucydide, heureuse pour Xénophon, les autorisent à dire non seulement la guerre mais aussi ses relations avec la politique. Ce n'est pas seulement son expérience sicilienne, mais aussi la familiarité du citoyen avec les choses de la politique et de la guerre qui permet à Platon de noter leurs rapports [2] et d'observer que la seconde exige connaissances spécifiques et expérience [3], en un temps où des sophistes, comme

1. Ce qui laisse pantois, dans le fonctionnement du cerveau de génie, c'est qu'il peut tout dire et le contraire de tout sans le moindre embarras, et sans que nous doutions un instant de ses excellentes raisons. Cela n'a rien à voir, évidemment, avec les palinodies des amateurs auxquels manque, précisément, le centre de perspective permettant de dominer les contraires. Pascal indique comment penser les contraires qui ne sont pas contradictoires, et sa dialectique est, ici, plus opératoire que celle de Hegel.
2. « L'art politique, dont l'art de la guerre est une partie », *Protagoras*, 322.b.
3. *La République*, II, 374.b et c; VII, 525.b et 526.d; *Lachès*, 182.b, c et 198.e; *Euthydème*, 273.c et 290.d. A quoi il faut ajouter ce qu'il dit sur la règle du jeu dans *Ménéxène*, 242.d et *La République*, V.470.

Dionysodore, enseignent stratégie et tactique sur la place publique. Il fallut attendre, après de longs siècles et quelques praticiens-théoriciens (César, Frontin, Végèce), pour que, avec le dépérissement de la féodalité et l'émergence des armées permanentes, se précise le statut particulier de « l'homme de la guerre », de plus en plus distinct du politique. De remarquables exceptions – Gustave-Adolphe, Maurice de Nassau, Richelieu [1], Frédéric II, Carnot, Napoléon, Mao – ne démentent pas, bien au contraire, l'évolution générale d'une pratique stratégique fondée sur un savoir de plus en plus spécifique, et reconnu comme tel. La préparation et la conduite de la guerre, « la grande stratégie » selon Liddell Hart, relève du politique. Elle suppose une conduite des opérations – notre stratégie opérationnelle ou opératique – réservée désormais au militaire professionnel.

Que les domaines de compétence du politique et du stratège militaire se recoupent nécessairement et que, selon leurs tempéraments, le flou ou la gravité des situations de crise, l'un ou l'autre franchisse l'interface, les temps modernes en témoignent fréquemment. Toutefois, étant reconnu, le principe du partage des compétences refrénait les intrusions abusives, sauf à en souffrir les effets, souvent désastreux, que révèlent les Mémoires des protagonistes malheureux... Partage non sans conséquences pour la théorie : de la Renaissance à 1945, elle fut, pour l'essentiel l'œuvre de stratèges professionnels possédant l'expérience des opérations militaires, à de rares exceptions près comme Machiavel, Delbrück, Engels, Trotski; encore que la familiarité obligée de ces derniers avec les choses de la guerre les ait astreints à connaître l'instrument militaire infiniment mieux que la plupart de leurs contemporains. A quoi il faut ajouter que de nombreux militaires théoriciens n'ont assumé que des responsabilités limitées dans l'action.

Le fait nucléaire et ses implications ont bouleversé cet état de choses. Avec son déploiement accéléré dans toutes ses dimensions, avec le jeu de plus en plus complexe de ses déterminations, avec la contamination des espaces d'activité naturelle par une stratégie des moyens boulimique, la stratégie militaire a fait sauter les cloisons qui l'isolaient des autres régions de l'action collective. Non seulement elle a été aspirée vers le haut, vers le politique qui doit décider *aussi* dans le domaine de la stratégie opérationnelle – manœuvre des crises – mais sa conception et ses calculs prévisionnels, comme sa pratique, doivent emprunter constamment à des disciplines naguère éloignées et devenues indispensables : sciences humaines, sociales, juridiques, politiques, économiques,

---

1. On doit à Richelieu la première réflexion française sur la fonction de la mer, « de ce que nous nommons stratégie maritime, dans le duel des puissances ». (*Testament politique*).

etc. Ils requièrent des instruments d'analyse plus rigoureux et complémentaires : logique, mathématiques de l'action, cybernétique, systémique, informatique et intelligence artificielle, théories des modèles et des jeux, sémiotique, etc. Objets de recherches propres, disciplines et outils sont importés, stimulés, transformés et connectés pour l'usage particulier de la stratégie militaire. Non seulement l'entrée du citoyen quelconque, dans un domaine naguère réservé, a été justifiée par la grande peur nucléaire, mais la stratégie a mobilisé tous les experts – physiciens, informaticiens, économistes, politologues, sociologues, psychologues, etc. – et les non-experts, responsables et amateurs, projetés de tous les horizons et de tous les espaces de pensée dans la grande entreprise transdisciplinaire de rénovation théorique qu'appelait une coupure praxéologique défiant l'intelligence et le savoir individuels.

De là une pléthore de discours qui, depuis 1945, se disputent l'oreille de l'opinion et des décideurs en place. D'ailleurs, une théorie n'est jamais innocente. Consciemment ou non, l'auteur est porté par autre chose que la vérité de son texte. D'abord, parce que la théorie stratégique ne se borne pas à traiter son objet dans l'esprit positif des sciences de la Nature : elle se veut outil pour le calcul d'une action finalisée, volontariste, qui est toujours future quand on la conçoit et la décide. Elle est *intéressée,* et l'homme se trahit sous la phrase. Si l'œuvre de stratégie obéit aux règles spécifiques de sa genèse et se plie aux contraintes de son matériau, qui tient la plume se révèle dans un langage qui est d'abord celui de l'époque; celui aussi des multiples intérêts servis par l'action qu'il ne dit que pour mieux la guider vers ses fins. Les exercices de *stratégie pure* sont rares : qui vise l'universel et l'intemporel est constamment détourné nolens volens de sa trajectoire, et le message se colore de prosélytisme. Depuis la Révolution et la généralisation des guerres nationales, la plupart des théoriciens ont clairement travaillé pour « le salut de la patrie » à laquelle ils veulent donner les moyens de vaincre. Le chauvinisme altère la portée de leurs discours : à l'école française se référant à Napoléon et Jomini, s'oppose l'école prussienne patronnée par Moltke et Clausewitz. Simultanément, le projet révolutionnaire et le radicalisme de la lutte des classes suggèrent à Marx et, surtout, à Engels d'emprunter aux classiques de la guerre bourgeoise et impérialiste, fût-ce pour les contester, mais en valorisant les déterminations sociologiques et techniques trop souvent négligées de leur temps; exemples que suivront Lénine annotant Clausewitz (*Leninskaia Tretradka*) et Mao. Pensée de l'action révolutionnaire dont la finalité pratique, la transformation du monde, est clairement postulée dans le concept de praxis dialectisant théorie et pratique. Depuis 1945, c'est aussi d'un volontarisme politique non dissimulé qu'a procédé l'école américaine [1]. Son souci pédagogique n'a cessé de se heurter à une égale volonté soviétique réconciliant tradition et révolution, et d'ignorer, comme insignifiantes, les recherches françaises exprimant, elles aussi, une volonté politique singulière.

Cependant, à ces colorations d'une littérature qui reflète les finalités praxéologiques de toute théorie, se mêlent souvent d'autres nuances, plus personnelles et inavouées. Avec ses *Commentaires* sur la guerre des Gaules, César a monté une opération d'action psychologique visant le Forum. L'exil pesait à Machiavel rédigeant l'*Art de la guerre* avec l'espoir de se remettre en selle. L'opportunisme de Guibert perçait sous le *Traité de la force publique* paru en 1790. Dans *les Septs piliers de la sagesse*, Lawrence réglait ses comptes. Péchés véniels d'hommes de plume, sans grande conséquence en des temps où l'écriture stratégique n'atteignait que les *happy fiew*, politiques et militaires. Il en va autrement, aujourd'hui, avec la puissance des médias qui répercutent les échos de discours délibérément ou inconsciemment réducteurs, et dont les véritables visées échappent au cadre traditionnel. Ils spéculent sur le manichéisme d'opinions divisées sur les intérêts collectifs, et sur la peur. Le discours théorique est *déjà* action; action psychologique. Portées sur la place publique, les « questions de défense » peuvent servir les immenses intérêts idéologiques et économiques qui traversent les solidarités nationales et internationales. La littérature stratégique est utilisée par des groupes de pression internes et externes qu'elle approvisionne en arguments, singulièrement dans les discussions budgétaires. Des doctrines simplificatrices et truffées d'énoncés péremptoires nourrissent les controverses sectaires et le terrorisme intellectuel. Des écoles transnationales rassemblent la clientèle des puissances tutrices des alliances; clients qui véhiculent un cosmopolitisme pragmatique exaltant la solidarité et l'efficacité interalliées, mais au mépris des soucis nationaux ridiculisés comme aussi illusoires qu'anachroniques. Et cela en un temps où le nationalisme est plus virulent que jamais, singulièrement chez les Grands qui le tolèrent mal chez les autres...

Ce détournement du travail théorique ne peut que le dégrader, dans ses méthodes et ses produits. Si le discours, détaché de ses fins pratiques normales, jusqu'alors exclusives, devient une arme psychologique à fins multiples et dont on attend des effets de choc sur l'opinion et les décideurs, ces effets ne servent plus que de très

---

1. L'histoire n'a jamais rassemblé autant de chercheurs en stratégie militaire, venus de tous les horizons et de toutes les disciplines. Parmi les pionniers : Bernard Brodie, Herman Kahn, Albert Wohlstetter, William W. Kaufmann, Thomas C. Schelling, Henry S. Kissinger, Alain C. Enthoven, Malcolm, W. Hodge, Klaus Knorr, etc. – auxquels il faut ajouter, pour leur rôle capital dans la définition de la stratégie américaine, les secrétaires à la Défense Mac Namara, Schlesinger, Brown...

loin et très indirectement la conception et l'exécution de la stratégique militaire, quand ils ne les desservent pas. La théorie molle dégénère en rhétorique pour polémistes et en argumentaire pour groupes de pression. La littérature stratégique se moque ici de la stratégie... Dissimulant leurs présupposés passionnels, posant comme faits d'évidence des hypothèses indécidables, sélectionnant l'information, ignorant les méthodes d'analyse et de calcul spécifiques de la stratégie, méconnaissant les mécanismes et contraintes de l'action de violence collective, négligeant l'économie et le fonctionnement du système militaire, valorisant à l'excès le volontarisme politique et les facteurs techniques, les stratèges de forum proposent, comme seuls réalistes et « vrais », des scénarios dans lesquels les séduisantes propositions sur les voies-et-moyens de la stratégie oublient que celle-ci se définit, d'abord, par ses buts et qu'il faut accorder ceux-ci et ceux-là, sauf à se perdre dans le non-sens ou l'utopie. Qui oserait s'étonner que des experts, sans connaissance *précise* sur la manœuvre d'une division, tranchent du déploiement et des modalités d'engagement des forces aéroterrestres sur le théâtre européen? Qui ne possède, dans ses cartons, un modèle de stratégie nucléaire pour une Europe unifiée? L'imaginaire, ici, ne doute de rien, fût-ce contre les pesanteurs sociopolitiques, techniques, etc. Il saute allégrement dans un avenir dont la probabilité d'occurrence tient, hélas!, aux « réalités actuelles », aux déterminations de la stratégie militaire qui, aujourd'hui, font obstacle, et dont l'analyste prospectif est bien incapable de prévoir l'évolution, de dire ce qu'il conservera d'invariants. Dans ces exemples, parmi d'autres, de discours non rationnels, la passion idéologique, le volontarisme politique et les ferveurs du clientélisme n'ont que faire des détails... d'exécution.

« L'humain trop humain » coule, souterrain et inavouable, dans les couches généalogiques. La stratégie est le travail et le produit d'hommes à la fois associés et divisés, engagés contre d'autres. L'entreprise théorétique ne saurait être mieux immunisée que la conduite de l'action contre les dévoiements de l'intellect et du caractère, soumis aux influences de l'époque et du milieu. Ceux-ci retentissent plus encore sur une œuvre collective que sur l'individuelle, littéraire ou artistique. Le discours stratégique le plus personnel se constitue et s'affirme souvent contre les autres : on ne cesse de tuer le père, et la généalogie dit pourquoi et comment. Toutefois, le théoricien cède souvent, comme l'acteur, à la fascination d'une école ou d'autres acteurs qui, dans le voisinage, témoignent d'un génie inventif évident ou pèsent sur le cours des choses de toute la *puissante poétique* d'un système politico-stratégique sans égal. Comment, devant un appareil d'État et une organisation militaire ayant résolu les tensions sociales, déployant une panoplie nombreuse et diversifiée, à la pointe de la technique et servie par des hommes ouverts à l'avenir par un travail théorique jamais découragé, comment un tel système, en avance sur son environnement et ayant prouvé son efficacité, ne susciterait-il pas l'admiration et l'envie? Faute de pouvoir le nier, on l'imite. Le mimétisme stimule le progrès pratique et critique : les cités grecques adoptent la formation spartiate de l'infanterie de ligne groupée (hoplite et phalange), apparue au milieu du VIe siècle. Sparte-la-terrienne forge une marine, à l'imitation d'Athènes, lors des deux guerres du Péloponnèse. Philippe de Macédoine se souvient de la phalange de Thèbes, où il fut otage. Au début de notre siècle, l'armée de terre du Japon emprunte à l'Allemagne wilhelmienne, et la marine à la Royal Navy; les jeunes États, nés du traité de Versailles, à la France de 1918. Toutes les armées occidentales ont suivi celle des États-Unis après 1945, et toutes les armées populaires, engagées dans une révolution ou une lutte pour l'indépendance, se souviennent de Mao. Mais, dans la plupart des cas, imitation formelle, psittacisme et sacrifice à la mode, sans égard aux situations et déterminations différentes.

Constamment, nous allons chercher, dans les succès de voisins prestigieux les raisons de la critique appliquée à notre propre système et les éléments de sa mise à jour. Pour peu que, dans la puissance dominante, les progrès manifestes de la stratégie accompagnent une recherche scientifique et technologique avancée et, plus globalement, une intense vie culturelle et une économie dynamique favorisant l'émergence d'un type nouveau de civilisation, un effet de rayonnement gagne tout l'environnement, converti par osmose. On n'y a d'yeux que pour la société prestigieuse d'où souffle l'esprit, pour le pôle glorieux d'où émane la vérité. Vers lui affluent toutes les curiosités, toutes les volontés de savoir avides de partager les recettes et les instruments du pouvoir sur l'avenir. Courant intense, aujourd'hui, entre les deux rives de l'Atlantique : il n'est bon expert que diplômé des universités américaines; bon stratège que par l'information dispensée, avec une générosité non dénuée d'arrière-pensées, par les nombreux instituts d'outre-Atlantique, qui accoutument les meilleurs esprits d'en deçà à fonctionner selon leurs critères et leurs méthodes d'analyse; et cela en leur attribuant une valeur d'universalité négligeant les particularités des données stratégiques locales. Opération de séduction intellectuelle; modalité de l'éternelle action psychologique, naturelle pour les sociétés en avance sur leur temps, dont l'impérialisme culturel n'est que la manifestation d'une surabondance d'énergie et de puissance créatrice. Opération dont la France commença à ressentir les effets lorsque, armé du savoir et des critères d'efficacité américains, Raymond Aron lança, avec *Le Grand Débat*, sa critique longtemps suivie contre les prétentions des puissances moyennes à une stratégie nucléaire autonome. Opération qui, de son terrain originel, ne peut que s'étendre, demain, aux vastes perspectives d'avancées technologiques et de profits économiques ouvertes par l'initiative de défense stratégique américaine.

Ce n'est là que la dernière manifestation du syndrome de Polybe [1] qui, dans les hautes époques impériales ou de pratiques stratégiques triomphantes, affecte la pensée et l'action des contemporains, ou des successeurs immédiats, et infléchit le cours généalogique. Le modèle prestigieux éblouit : si les analystes mesurent justement les dangers d'un particularisme attardé et doivent s'ouvrir aux utiles leçons de l'étranger, ils ne sont pas immunisés contre les risques d'un irréversible déracinement, d'une occultation de leurs problèmes politico-stratégiques toujours singuliers. La juste position est difficile à trouver entre l'ethnocentrisme archaïque et un cosmopolitisme d'autant plus tentateur qu'il flatte, à bon compte, le sentiment d'appartenance à l'élite moderniste et progressiste. Entre la peur de céder à la mode et celle de passer pour conservateur des idées reçues, quelle *autonomie* conserver ?

La généalogie dit les balancements de l'intellect et du caractère entre le refus de l'innovation et la hâte brouillonne des suiveurs; les effets de mode et ceux de pesanteur; les inégales sensibilités du champ mental aux invariants et aux faits porteurs d'avenir, trame et chaîne de l'évolution; l'espace libre de l'imagination créatrice borné par les habitudes et les commodités de la pensée ossifiée par les rituels sociaux et les codes de conduite sacralisés, par le poids des appareils existants et dont le coût de renouvellement assure la longue durée – par la peur, aussi, devant le risque d'erreur inhérent à tout changement nécessairement décidé dans l'incertitude. L'homme qui théorise ou agit n'est qu'un élément de systèmes complexes qu'il ne peut penser et piloter sans enregistrer, tôt ou tard, leurs réactions amplifiant ou ralentissant les effets de

---

1. La conquête de Rome par la culture de la Grèce conquise est un cliché. Mais, dans son *Histoire* comme dans sa biographie, Polybe (vers – 210-126) témoigne de la séduction de l'impérialisme efficace. Par les vertus d'un système militaire sans égal, d'une organisation politique sachant autant assimiler que soumettre les vaincus, Rome a su s'assurer l'admiration complaisante d'élites locales ayant compris qu'il n'existait plus de salut collectif, et personnel, que dans le service d'un « empire » maître de l'avenir. Polybe accepta ce déracinement. Contraint d'abord : hipparque de la confédération achaïenne, il fut déporté comme otage à Rome, après la défaite de Persée (– 166) et y resta seize années. Séduit ensuite : devenu l'ami des Scipion, introduit dans les milieux politiques romains, ayant accès aux archives – rare privilège qui lui permit d'écrire son *Histoire* – il assista au siège de Carthage dans les conseils de Scipion Emilien, voyagea en Espagne, en Gaule, en Italie. S'il tenta d'empêcher les dernières révoltes de ses concitoyens (sac de Corinthe, 146) et contribua à régler le statut des cités du Péloponnèse après la dissolution de la confédération achaïenne, ce fut en admirateur inconditionnel de Rome que sa puissance et son intelligence politique rendaient digne de faire l'histoire. Il la servit donc, non sans quelque pitié condescendante pour les attardés, comme Philopœmen, qui avaient voulu ignorer le sens de cette histoire.

son travail. Le caractère ici, intervient, qui cède à la pente des choses ou parie sur le coup d'audace. Mais l'erreur et la catastrophe procèdent aussi bien du conservatisme aveugle que de l'innovation incongrue : à Crécy, la chevalerie française charge selon ses habitudes, au mépris de ses propres arbalétriers déjà déployés; mais, à Rossbach, Hildburghausen et Soubise croient faire preuve d'imagination en utilisant, contre Frédéric II, l'ordre oblique... frédéricien. François Ier l'emporte à Marignan grâce à la puissance du feu (artillerie), mais oublie la leçon qu'il a donnée pour la recevoir, à Pavie, des arquebusiers impériaux. A Austerlitz, Weyrother monte contre Napoléon une manœuvre... napoléonienne. L'histoire militaire s'imite sans cesse : le dialogue du clairvoyant et de l'aveugle se répète dans les divers langages du lieu et du moment, et en intervertissant les rôles. Elle rabâche, en vain, que l'imitation n'est pas l'invention; que tout stratège créateur finit par s'endormir sur ses lauriers pour être réveillé, du confort des stéréotypes, par un adversaire qui, ayant entendu la leçon et se gardant bien de l'épeler mot à mot, a su la transposer dans sa propre langue. En stratégie aussi, se vérifie la formule de Kierkegaard : « Tout développement s'achève en sa propre parodie. »

C'est là, dans l'analyse critique d'une innovation dégradée en mode, que le théoricien joue sa partie et doit composer intelligemment conservatisme et progressisme, ethnocentrisme et cosmopolitisme. Généralement dégagé des responsabilités immédiates, veilleur sur le bord d'une histoire faite par d'autres, il se sent homme d'un *Moyen Âge* où interfèrent les derniers sursauts d'un état de choses condamné, mais qui refuse de mourir, et les premiers frissons de ce qui perce à l'état naissant mais ne parvient pas encore à s'affirmer. Phase de nymphose... Comme les acteurs, comment ne serait-il pas fasciné par les éclatantes réussites contemporaines, au-delà des frontières, ou par celles qui ont marqué ses années d'apprentissage? Il doit donc discriminer ce qui est utile à son entendement et son jugement qui, à moins de consentir à quelque empire, sont polarisés par les intérêts de sa collectivité sociopolitique d'appartenance : Guibert dédie son *Essai général de tactique* « à ma patrie », défiant ainsi le cosmopolitisme des Lumières alors à la mode. Il admire le génie de Frédéric II qu'il invoque fréquemment; mais, en reconnaissant la perfection de la pratique frédéricienne, il est conscient qu'elle est datée et déjà condamnée, comme le révélera Brunswick devant les armées de la Révolution et à Iéna. Ce que le système prussien conserve d'utile et que Guibert emprunte en bon cosmopolite, mais au risque d'être accusé de conformisme, il le transforme pour l'intégrer dans les solutions que lui suggère sa construction imaginaire d'un nouvel ordre politico-stratégique français. Au contraire, tirant la leçon d'une expérience de guerre mondiale et totale, Ludendorff radicalise l'héritage d'une germanité exaltée depuis la constitution du IIe Reich, et *La guerre totale* se fonde plus sur une archaïque détermination ethnocentriste que sur celles, techniques et économiques, de l'âge industriel.

Que, par tempérament, le théoricien s'ouvre aux influences étrangères ou qu'il soit incapable de s'évader de son « pré carré », il demeure ligoté. C'est que, si la théorie n'est jamais innocente, qui propose telle pratique servant tels intérêts politiques qu'elle choisit en vertu de quelque idée de l'homme ou de son groupe local, son discours peut perturber l'ordre établi. On s'en préoccupait peu naguère, tant le verbe passait pour exercice sans grande conséquence : on ne voit guère comment les écrits des Rohan [1], Montecuccoli [2], Pagan [3], Feuquières [4] auraient pu gêner les monarques et leurs conseils; et si la plupart ne parurent que tardivement, ce fut moins l'effet de quelque censure que d'un manque d'intérêt pour ces discours sur l'action, mais à côté de l'action. Toutefois, au XVIIIe siècle, si des auteurs français, prudents, se font imprimer à La Haye, la censure, quoique effective, n'est pas si stérilisante qu'elle gêne la diffusion des ouvrages. Mieux, l'école française est si riche et si vivante, les débats si ouverts et jugés d'une telle utilité pour les professionnels, que, dans l'esprit concret des encyclopédistes, on éprouve les doctrines opposées dans des manœuvres à double action. Hélas, les Lumières s'éteignent et, en 1809, Napoléon s'inquiète de la diffusion des œuvres de Jomini. Puis, on reconnaît de plus en plus les fonctions heuristiques et pédagogiques du discours théorique, son rôle moteur dans la conception, la préparation et la conduite de l'action : il se nationalise à l'âge des guerres nationales, et doit se garder des écarts par rapport à l'orthodoxie locale. Non que les auteurs ne puissent publier; mais, pour ne citer que quelques victimes illustres, l'universitaire Delbrück est violemment combattu par le grand état-major pour sa lecture hérétique de l'héritage frédéricien; Pétain est retardé dans son avancement pour avoir rappelé que « le feu tue »; Douhet va en prison et Mitchell est écarté pour avoir prôné l'autonomie de la jeune aviation; Lawrence d'Arabie est pris pour un amateur...

Phénomène assez récent, dans le développement généalogique, cette coloration de la littérature stratégique : désormais, elle est perçue comme nécessairement engagée et chargée de risques. Quoi qu'elle dise, elle sert ou dessert les considérables intérêts idéologiques, politiques, économiques, corporatifs, etc., impliqués

1. *Le parfait capitaine*, et *Traité de la guerre*, publiés en 1636.
2. *Mémoires ou principes de la guerre en général*, publiés seulement en 1708.
3. *Les fortifications du comte de Pagan*, publié en 1645.
4. Ses *Mémoires* ne furent publiés que sous le règne de Louis XV, mais il a servi à l'état-major de Luxembourg.

dans le choix d'une stratégie dont la légitimité trouve toujours quelque groupe ou école pour la défendre ou la contester. De là, la rigidité des doctrines officielles, la pression de l'orthodoxie veillant à prévenir les mises en question trop radicales des solutions gouvernementales. Celles-ci maintiennent de si délicats équilibres, entre toutes les parties du système stratégique établi, que la moindre perturbation inconsidérée de l'un de ses éléments retentirait dangereusement sur un ordre interne, socio-économique et politique, d'autant plus fragile qu'il s'agit de sociétés avancées; à quoi s'ajoute le coût prohibitif des révisions déchirantes. Le progrès théorique ne semble donc pouvoir opérer, aujourd'hui, que dans un espace d'invention très exigu – à la marge – si fortes et liées sont ses contraintes. L'audace révisionniste bute contre des obstacles praxéologiques qu'aucun pouvoir établi ne saurait lever. Il ne faut souvent rien de moins que la table rasée par un désastre militaire ou une révolution, pour que se libère une imagination corsetée. La France aurait-elle prétendu à une capacité nucléaire autonome et à une stratégie originale sans les frustrations des guerres de décolonisation et sans la volonté de De Gaulle? En régime de croisière, quel gouvernement français et quel chef d'état-major suivaient les experts préconisant l'abandon du service national? Une école allemande, celle de Horst Afheldt [1], peut théoriser avec brio un mode de « défense alternative », ses chances d'adoption sont peu probables dans l'état actuel des choses. On sait aussi comment, en Union soviétique, l'interprétation du fait nucléaire a été constamment soumise aux critères du marxisme-léninisme surimposant sa grille de lecture aux réalités les plus incontournables; comment, en Chine populaire, les pesanteurs d'un héritage remontant à la Longue Marche freinent encore la modernisation de l'appareil militaire.

Tout se passe donc comme si, depuis quelques décennies, les relations entre théorie et pratique connaissaient une dérive qui peut être l'une des conséquences capitales de la coupure praxéologique. L'impérialisme d'une stratégie militaire engageant les domaines des activités les plus avancées, désormais déterminantes pour le statut international des peuples et des États, confère à la théorie, une fonction pratique qui incline à la substituer à la « vraie » pratique et d'en faire l'économie, au moins sous ses modes guerriers. Les théories s'affrontent dans un duel quotidien pour la conquête des opinions, des décideurs et de leurs conseils. Duel, non seulement entre les membres du système international – et singulièrement entre ceux de l'Alliance atlantique – mais aussi au sein de chacun d'entre eux. Duel à rapières mouchetées : quoi qu'il fasse, le verbe le plus polémique peut malaisément percer la

1. Horst Afheldt, *Defensive Verteidigung*, 1983 (trad. française, *Pour une défense non suicidaire en Europe*, Paris, La Découverte, 1985).

cuirasse des doctrines institutionnalisées quand elles sont étayées par des appareils idéologico-politico-économico-militaires, objets intellectuels et physiques, dont la complexité et le coût, facteurs d'inertie, ralentissent, jusqu'à les annuler souvent, les effets vulnérants des discours critiques et novateurs.

Ajoutons que, au discours théorique de forum, à celui-là même qui se veut action directe sur le cours des choses, manque souvent l'information précise sans laquelle, aujourd'hui plus que jamais, la recherche et la critique manquent d'assises. Le devoir de réserve, imposé à quiconque, ici et là, tient un poste dans l'appareil et accède à cette information, ne stérilise pas le développement théorique; mais il interdit la diffusion ouverte de ses résultats les plus assurés – les moins incertains. Il condamne, du même coup, le débat public à trop ignorer le détail de l'action stratégique pour qu'on n'en puisse tout dire et le contraire de tout avec l'assurance de l'ignorance qui s'ignore. C'est dire, une fois de plus, la fonction capitale de la critique épistémologique permettant de discriminer les pseudo-théories des vraies. Plus que jamais depuis ses origines, la généalogie de la stratégie n'est intelligible que si, devant une théorie, on commence par s'interroger sur les hommes œuvrant en tels lieu et moment : qui dit la stratégie? D'où la dit-il? Pour qui, et pourquoi dans tel langage? Quelle information crible-t-il dans la masse des faits, événements et phénomènes conflictuels, et selon quels critères de jugement, selon quels axiomes explicites ou dissimulés à lui-même? L'épistémologie, ici, renvoie à la sociologie, à la psychologie du conscient, de l'inconscient. Sur le chantier stratégique, opère, comme toujours, « l'humain, trop humain ».

CHAPITRE 3

SUR LE CHANTIER STRATÉGIQUE

Conquête de la rationalité

Praticien ou théoricien, le stratège œuvre pour l'avenir. Le premier vise un objet imaginaire – le but stratégique – projeté sur un horizon plus ou moins lointain et qui traduit, dans le langage spécifique de l'action violente, actuelle ou virtuelle, la fin projetée par le collectif sociopolitique qu'il sert. But positif ou négatif, ou composite, selon la nature des fins; selon la posture, offense ou défense, que ces fins dictent au système stratégique dans le duel des projets et des volontés du Même et de l'Autre manifestant leur coexistence conflictuelle. Du but et de la posture découlent les modes stratégiques primaires : coercition et interdiction, les deux étant généralement combinés.

Ces banalités rappelées, ce qui importe à la généalogie, ce sont les opérations développées dans le champ mental du stratège et leurs traductions en faits, événements et phénomènes physiques transformant le matériau d'œuvre que constituent, selon le but stratégique, l'appareil de forces et la substance vive de l'Autre. Opérations intellectuelles et physiques provoquant des changements d'état mutuels dans les systèmes stratégiques liés des duellistes. Opérations dont la nature, les conditions et modalités d'exécution changent, dans l'étendue géohistorique, avec les multiples avatars des déterminations ou facteurs de la stratégie militaire. Déterminations affectées en retour, selon un processus récursif, par les résultats de ces opérations : déterminations réciproques.

Le champ mental du praticien, à quelque « échelon » qu'il opère, est le lieu où se croisent sans cesse ces diverses dynamiques : transformant transformé. Moteur-effecteur recueillant de l'information, la stockant et la traitant comme éléments d'un calcul débouchant sur une décision (procédures décisionnelles) et un acte de volonté. Décision et volonté donnent des impulsions au système militaire pour accumuler de l'énergie (stratégie des moyens), la convertir en forces de violence et la dépenser en travail producteur d'effets physiques appliqués à l'adversaire (stratégie opérationnelle). Travail qui, à son tour, fournit à l'actant de l'information réintroduite dans sa mémoire et ses calculs. Toutefois ce processus itératif ne travaille pas à la conservation de l'état de choses, à quelque régulation homéostatique du système lié Même-Autre : pour chacun, le système de ses opérations mentales et physiques est finalisé par son but stratégique; il est adaptatif puisqu'il doit constamment modifier ses calculs, décisions et actions pour tenir compte des variations de son environnement – les déterminations, actions et réactions de l'Autre. Entendement et jugement opèrent sur l'information actuelle fournie par les constats et mesures d'écart entre le but visé initialement et les résultats effectifs; sur l'évaluation anticipée des résultats futurs et écarts probables consécutifs à la nouvelle décision que l'on suppute pour corriger l'écart actuel.

Ce pilotage du jeu continuel d'actions, réactions et rétroactions induites par la dialectique des projets, des volontés et des forces du Même et de l'Autre, ne cesse de boucler présent et avenir; de construire celui-ci, toujours reformé et repoussé, avec celui-là, toujours renaissant de l'opération même qui l'utilise comme matériau du faire. Opération projective, continuellement réitérée, dans laquelle la poursuite d'un but qui s'évade appelle l'adaptation continuelle des voies-et-moyens. Leur transformation, à son tour, contraindra à réviser « en baisse » un but initial trop ambitieux ou trop coûteux, ou ne s'accordant plus avec de nouvelles fins politiques apparues en cours d'action, ou à le redéfinir « en hausse » s'il s'avère trop modeste ou trop facile. Le système stratégique est donc capable d'auto-apprentissage et d'auto-organisation. Sous l'effet de sa dynamique propre, il peut même se déconnecter de sa fin politique, et s'auto-finaliser en se fixant un but ne tenant plus compte de l'évolution des déterminations de la stratégie militaire : les processus de montée en puissance, comme la recherche systématique de l'anéantissement de l'ennemi ou l'escalade incontrôlée (stratégie opérationnelle), ou la course aux armements (stratégie des moyens) illustrent ces dysfonctionnements qui trouvent leur origine logique dans le principe de polarité formulé par Clausewitz.

L'avenir fait la loi de l'action collective, à qui la conçoit et la conduit : « Je ne vis jamais que dans deux ans », avoue Napoléon à Madame de Rémusat. Deux ans : horizon lointain pour l'homme pressé, dont la stratégie militaire, quasiment réduite à sa composante opérationnelle, négligeait l'innovation technique. Il utilisa, jusqu'en 1815, la panoplie léguée par ses prédécesseurs, et les effectifs ne s'épuisèrent qu'après le désastre de 1812 et la défection des alliés. Mais l'avenir intervient sur une autre échelle désormais : dans les années 60 déjà, nous admettions qu'il faudrait une génération pour que la France acquît la capacité nucléaire suffisante, et pour que celle-ci devînt un facteur banal de notre pensée stratégique. Les spéculations sur l'initiative de défense stratégique américaine comptent aujourd'hui en décennies. Toutefois, si les contraintes spécifiques de la stratégie des moyens ont accoutumé le praticien à introduire, dans ses calculs prévisionnels, un facteur temps de plus en plus contraignant, des durées de plus en plus étendues, l'avenir fut une dimension constante de la pensée stratégique : le temps est l'une des catégories fondamentales de toute pensée de et sur l'action collective parce qu'il est facteur d'incertitudes. Celles-ci ne procèdent pas seulement de la nature même du conflit et de l'obligation, pour le Même, d'anticiper, autant qu'il est possible, les actions et réactions de l'Autre dont les projets, la volonté, les décisions sont pour une large part imprévisibles; mais aussi de la nature même du duel physique, dont les résultats sont aléatoires; de l'évolution, enfin, de tous les facteurs politiques, sociologiques, techniques, etc., autres que la conduite de l'Autre, qui affectera projets, buts et voies-et-moyens de la stratégie dans le cours même de son développement.

Plus que les réalités présentes, l'avenir est le matériau-d'œuvre du stratège : les premières ne comptent à ses yeux, elles n'ont de sens que par le sens que le projet politique et le but stratégique donnent à l'action qu'ils polarisent, et dont elles *doivent* rendre très probable l'actualisation. L'imaginaire colore le réel, qui n'existe que pour lui. C'est l'avenir projeté et voulu qui fournit les critères d'évaluation pour définir les voies-et-moyens qui seront – sont déjà – les instruments de la transformation d'un état de choses politico-stratégique en un autre estimé préférable. Ce sont la figure imaginaire de cet avenir et sa distance, l'écart qu'il faut combler dans l'incertitude, toujours renaissante, sur la pertinence, toujours mise en question, des opérations mentales et physiques prévues ou engagées, qui soumettent le calcul stratégique à la *logique probabiliste*. Certes, pour le décideur, le moment vient toujours où il doit trancher par un oui ou un non – logique binaire – entre les diverses solutions concevables pour l'action lancée vers son but. Mais celles-ci répondent à des problématiques récapitulant l'information, recueillie et traitée, sur des facteurs déterminés et des facteurs incertains, probabilisables ou non; à des hypothèses, modulées par des probabilités, sur l'actualisation des situations concrètes possibles et sur les résultats futurs de l'action. C'est dire que le oui et le non résolvent, par un coup d'état mental et un acte de volonté, les incertitudes résiduelles et irréductibles de tout calcul stratégique. Pari nécessaire; responsabilité du chef, à tout échelon, qui révèle « le coup d'œil » et le caractère. C'est le *devoir de pari,* incontournable et irréversible, lançant l'action ou l'infléchissant, résumant le travail d'un entendement, d'un jugement et d'une volonté, qui fait la différence entre le décideur et ses conseils. Grandeur et servitude, sans partage...

Que les erreurs soient fréquentes, dans la mesure de l'écart entre la figure de l'avenir souhaitée et l'état de choses actuel, que la logique probabiliste s'avère d'une manipulation délicate dans les calculs prévisionnels intégrant de multiples facteurs évolutifs, que le hasard objectif brouille au surplus l'action la mieux calculée, que l'impétuosité du tempérament fasse bon marché des réalités et que l'ignorance ne doute de rien, quiconque a eu à prendre la moindre décision dans l'action collective le sait. Que les réalités se vengent d'avoir été méconnues, c'est là une constante de la généalogie : elle dit les erreurs d'évaluation, avec leurs origines et leurs conséquences, de praticiens trop optimistes – ou l'inverse – sur leurs capacités d'action et les degrés de liberté que tolère l'environnement. Elle dit aussi les relations variables, institution-nalisées et contingentes, entre les décideurs et leurs conseils, les pressions psychologiques et sociologiques s'exerçant sur les uns et les autres, et leurs effets. Elle révèle aussi leur singularité : l'action stratégique s'accommode mal, par nature – encore qu'on les y observe – des délais et de la fuite devant les responsabilités tolérables ailleurs, parce que de moindres conséquences.

Si le poème ou la toile composent plus ou moins heureusement « un quart d'heure d'inspiration et trois quarts d'heure de trans-piration », la stratégothèque a souvent exalté le coup d'œil, la décision improvisée dans le feu de l'action – le trait de génie – qui ont *décidé* une bataille. Avec son fameux diptyque Condé-Turenne, Bossuet s'inscrit dans la ligne des parallèles à la Plutarque, imité par Liddell Hart qui, dans *Réputations,* compare Foch et Pétain avec une préférence pour le second dont le tempérament « d'économiste militaire » s'accordait mieux, selon lui, avec le caractère de la guerre industrielle. Il est vrai que la tradition guerrière européenne n'a cessé de valoriser l'acmé du conflit, la bataille, au détriment des manœuvres qui la construi-saient. En effet, dans la séquence bien découpée de la bataille, le rôle du chef se manifestait sans équivoque dans un espace borné, sous la forme claire de calculs cursifs et de la décision apparem-ment inspirée, fondée sur une information simple qui fut long-temps visuelle et réservant peu d'incertitudes. C'était donc moins la nature de l'information qui faisait problème pour le chef, que le moment opportun de la réponse à ce qu'elle donnait à voir : l'arc stimulus-réponse en quelque sorte, et pour simplifier.

Rien de tel, déjà, dans les opérations étirées d'une campagne : les instructions de Napoléon à Berthier, avant l'ouverture de la campagne de 1809, illustrent magistralement à la fois la mesure de ses incertitudes et la méthode pour traiter le matériau-information. Aujourd'hui, la dilatation de la stratégie militaire, la complexité de ses modes entremêlés et de ses systèmes de forces, le rôle de plus en plus tyrannique d'une stratégie des moyens envahissante et projetant ses buts propres à des horizons de plus en plus lointains, tout concourt à multiplier les incertitudes entachant l'information nécessaire aux décisions actuelles et prévisionnelles, à obscurcir le jeu des facteurs déterminés et incertains d'une évolution accélérée. Bien que l'on n'ait cessé d'améliorer les méthodes d'analyse prévisionnelle et prospective, la puissance et la finesse des instruments d'évaluation, plus scientifiques – moins empiriques, plutôt! – il est évident que le pari intervient, aussi fréquemment que naguère, pour en finir, dans les procédures décisionnelles, avec l'indécidable : ultima ratio bouclant de longues chaînes de raisons; trop longues et trop compliquées, et majorant trop les facteurs techniques pour que ne soient inconsciemment, voire délibérément évacués, en cours de route, des axiomes ou présupposés, ou des facteurs non quantifiables qui, pourtant, déterminent... le reste. Sans doute, « il ne faut pas confondre l'ordre *rationnel* avec l'ordre *logique,* quoique l'un de ces mots ait la même racine en grec que l'autre en latin. L'ordre rationnel tient aux choses considérées en elles-mêmes : l'ordre logique tient à la construction des propositions, aux formes et à l'ordre du langage qui est pour nous l'instrument de la pensée et le moyen de la manifester [1] ». Certes, on se défend de trancher irrationnellement et contre la logique : la volonté de rationalité est constamment invoquée par les décideurs et leurs conseils, sur la foi des docteurs. Toutefois, rationalité partielle régissant, selon leur statut épistémologique propre, des fragments du Tout stratégique mal raccordés en un ensemble cohérent.

De fait, nous ne cessons, théoriciens et praticiens, de parier pour lever les obstacles des indécidables. Mais, au lieu du pari ostensible intervenant dans une décision capitale et marquant l'acmé de l'action, comme naguère, il s'agit d'une somme de « petits paris » effectués par chacune des instances qui, dans toutes les couches des sous-systèmes composant le système politico-stratégique, doivent énoncer et résoudre des problèmes locaux et spécifiques; problèmes cloisonnés par la nature des objectifs et de l'information utile, par les méthodes et outils de son traitement, par les disciplines dont ils relèvent. C'est dire que l'apparente rationalité globale d'une planification et d'une programmation stratégiques, peut dissimuler des choix élémentaires décidés isolément, par les seules instances compétentes en leur domaine hautement « spécialisé »; domaine où, seuls, les experts possèdent et savent exploiter une information incommunicable autrement que dans leur langage.

Dire le poids des incertitudes et comment elles *fonctionnent*

1. Antoine Augustin Cournot, *Traité de l'enchaînement des idées fondamentales dans les sciences et dans l'histoire,* 1861.

dans les procédures décisionnelles résumant le travail du praticien qui avance de décision en décision, ce n'est que redire, après tant d'autres, le malaise intellectuel de qui agit et opère avec et sur un matériau labile et dont les facteurs d'évolution intrinsèques échappent à la prise de son calcul et de sa volonté. Depuis les origines, tous les stratèges ont voulu séparer, dans l'action, ce qui est connaissable et prédictible parce que déterminé – mais, en fin de compte, peu décisif parce que simple et connu de tous les agissants – et ce qui met au défi leur entendement et leur jugement affrontant l'inconnaissable, l'indécidable, le probable... souvent non probabilisable; sans compter le hasard objectif. Ils ont voulu découper ce qui peut être rationalisé, calculable avec un faible risque d'erreur parce que définissable dans sa nature, dénombrable et prévisible dans son évolution; ce qui se plie à une logique qui n'est que le bon sens appliqué à l'action finalisée, et ce qui est trop complexe et trop fluide pour être immédiatement lisible parce que résultante de déterminations et d'interminations emmêlées. « La méchanique de la guerre, dit Maurice de Saxe, est d'une nature sèche et ennuyeuse », mais il y a « les parties sublimes, qui sont immenses, n'ont ni principes, ni règles... chacun est en droit de s'en former des idées suivant l'étendue de son esprit et de ses lumières [1] ». Partage longtemps accepté, pour sa commodité même, par les successeurs de Maurice de Saxe : il renvoie « le sublime » à la puissance créatrice de l'esprit inspiré et, du même coup, absout l'ignorance et les fautes des praticiens peu doués pour improviser avec ce qui n'est pas « méchanique ». Partage que, de notre poste d'observation, nous jugeons épistémologiquement licite dans les époques d'une stratégie militaire réduite à ses modes de guerre; stratégie qui ne commençait qu'avec l'ouverture des hostilités, se résumait dans le duel effectif des forces existantes et peu évolutives, et dans les calculs *actuels* et centralisés opérant dans l'espace borné d'un théâtre et la durée limitée d'une campagne. Alors, des *têtes* fonctionnaient mieux que d'autres. Leurs inégales facultés de discernement et d'invention s'opposaient en un lieu et un moment circonscrits. S'il était de bon ton, pour les vainqueurs, d'imputer le génie à cette inspiration que survaloriseront les romantiques, ils savaient mieux que personne que le mot couvrait une maîtrise du « sublime » acquise par les « meilleurs » calculs d'un « meilleur » cerveau – ce que n'ignoraient pas les professionnels.

Il est clair que, dans les temps actuels, le « sublime » et l'inspiration sont dépréciés. Comment définir le génie stratégique, à l'âge nucléaire, quand la stratégie militaire est irréductible à la guerre; quand, pour les grandes puissances, elle se conçoit et se conduit à la fois sur la moyenne durée de la stratégie des moyens,

1. Maurice de Saxe, *Esprit des lois de la guerre*, 1762.

sur les séquences brèves de la manœuvre des crises, dans le temps étiré des guerres locales et limitées, et sur la longue durée de stratégies indirectes; quand le calcul, la préparation et l'exécution de l'action procèdent d'un long travail collectif, transitent par les multiples sous-systèmes, parties du système politico-stratégique? La stratégie militaire est fragmentée et, s'il existe toujours un moment où, dans ses conseils, l'instance politique suprême doit trancher, sa décision présente plutôt les caractères d'un arbitrage entre les diverses solutions des experts. Qui, et dans quelle phase de l'œuvre collective, peut se distinguer par son génie, et en traitant quel « sublime »? La stratégie contemporaine est prose, et souvent bien lourde...

Malgré leurs différences de matériau et de tempo, les pratiques mémorisées dans la stratégothèque et les actuelles se rencontrent sur la question centrale, épistémologiquement, de leur rationalité; interrogation autour de laquelle, en effet, s'organisent toutes les autres puisque, à la réponse, est liée la qualité d'une action toujours future quand on la pense et la décide : toute procédure décisionnelle projetant, dans un avenir qu'il doit construire, un système stratégique qui s'inscrit dans un environnement évolutif et qui se transformera par ses opérations mêmes, comment le praticien peut-il dominer les incertitudes résultant de ces dynamiques croisées, calculer et décider malgré elles, voire en les exploitant, puisque, devant lui, un Autre tâtonne dans la même nuit? Il faudrait que sa *manœuvre intellectuelle* pût se repérer sur quelques amers, relever des objets de pensée et données de calcul se conservant à travers toutes ces transformations : propriétés du système des opérations stratégiques, règles d'organisation et de fonctionnement du système politico-militaire finalisé, compte tenu de ses relations avec son environnement et avec le réseau de ses déterminations, etc. Hypothèse d'une identité et d'une fixité conservée sous la multiplicité et dans le flux. Hypothèse de régularité, d'invariance, même si son champ d'influence est borné, sans laquelle les opérations mentales, l'entendement et le jugement manqueraient de grille pour lire l'information et de critères pour filtrer, dans sa masse confuse de données déterminées et indéterminées, ce qui peut et doit constituer la matière d'œuvre de la figure d'avenir voulue. A vrai dire, moins une hypothèse qu'un axiome dont la généalogie et la critique des expériences pratiques doivent contrôler la validité : les variations historiques du système des actants, de ses mécanismes internes et de leur sensibilité aux effets de l'environnement, conservent, comme un noyau dur sous la pulpe des événements, faits et phénomènes contingents, une *structure d'invariants* – propriétés des éléments du système, règles d'organisation et d'économie fonctionnelle, influences réciproques entre les diverses déterminations, etc. La connaissance de cette structure, si elle existe, devrait permettre de définir une logique spécifique de l'action par et pour laquelle ce système existe.

C'est poser, en corollaire, que l'organisation et le travail du cerveau stratégique savent reconnaître cette logique sous-jacente aux dynamiques historiques, et s'y soumettre; que la structure du système stratégique est structurante pour le champ mental; que l'essence même du calcul stratégique réside dans la dialectique de l'invariance et de la contingence, dans la composition du logique et de l'historique. C'est poser également que, à toutes leurs variétés, formes et styles concrets, à travers même les coupures praxéologiques les plus radicales, les stratégies militaires sont homomorphes; et cela, même si les homomorphismes ne paraissent porter que sur des caractéristiques communes de plus en plus rares avec l'accélération de l'évolution. Si rien n'est plus éclairant, pour tout praticien voué à construire l'avenir par le bon usage des armes, que de maîtriser les incertitudes, circonscrire leur domaine, les identifier, évaluer les risques d'erreurs sur ses hypothèses et leurs probabilités d'occurrence, par lesquelles il doit combler les *blancs* du savoir, il est clair que la reconnaissance des faits d'invariance et la familiarité avec les schèmes logiques de la pensée stratégique faciliteront, dans la lecture des réalités conflictuelles, l'inventaire des facteurs d'évolution et l'anticipation de leurs effets probables à échéance [1].

La généalogie peut être lue comme la somme des avatars de la dialectique du logique et de l'historique, tant sont décisifs, dans la pensée du stratège opérant, son combat contre les incertitudes et les méthodes utilisées pour résoudre l'éternel problème posé par la composition du déterminé et du contingent. Mieux : la théorie ne se justifie, elle n'existe que par ce problème. Elle ne s'est constituée et développée que pour tenter de cribler, dans la masse des faits de guerre, des données et facteurs du calcul dont la constance et la stabilité relationnelle soient suffisamment établies, au moins durant une période d'observation assez longue, pour autoriser l'induction; éléments sur lesquels les analystes ont fondé et articulé leurs discours descriptifs et prescriptifs. Des préceptes de Sun-Tsu au *Stratagemata* de Frontin, des *Institutions militaires* de Végèce au *Rosier des Guerres* [2], de l'*Influence of sea power upon history* de Mahan aux *Théories stratégiques* de Castex, des *Principes de la guerre* de Foch à *On Escalation* d'Herman Kahn et à la *Stratégie militaire* de Sokolovsky quelles que soient les branches – organisation, tactique, stratégie opérationnelle, relations entre politique et guerre, etc. – il s'agit toujours

---

1. Faute de pouvoir pousser plus avant, ici, l'exposé de ces questions fondamentales, je me permets de renvoyer à mes *Essais de stratégie théorique : une méthode de stratégie militaire prospective,* Cahiers de la Fondation pour les Études de Défense Nationale, n° 22, 1982.

2. Rédigée à l'intention de Louis XI, cette somme des enseignements tirés de la tactique médiévale ne fut imprimée qu'en 1523.

de définir et de fixer des *objets stratégiques reliés* dans le champ mental. Objets d'une pensée structurée autour desquels s'organise l'analyse positive, cohérente, de l'action militaire, dans ses réalités observables et dans ses projections d'avenir. Objets et relations sur lesquels peuvent se fonder des procédures décisionnelles qui se veulent aussi logiques que le tolèrent les incertitudes... Rationalité de l'information et logique de son traitement sont ici les maîtres-mots encore qu'ils soient apparus récemment dans le discours, et qu'il faille en redouter les ambiguïtés et les effets pervers quand il s'agit d'une action collective où la psychologie n'a cessé d'observer d'évidents et constants facteurs d'irrationalité et d'illogisme.

Ce qui précède suffit à indiquer ce qu'il faut entendre par rationalité dans le double espace du savoir et du pouvoir, et quels sont les obstacles dressés devant l'entendement et le jugement quand ils prétendent opérer « en raison ». La conduite de l'action, donc la décision, peut être dite rationnelle, d'abord, quand elle est motivée par une fin délibérément choisie parce que préférable à d'autres aux yeux du décideur, collectif ou individuel – décision qui maximise l'utilité ou la satisfaction de ce dernier, et qu'il est libre de prendre (volonté) parmi plusieurs autres également concevables; ensuite, quand cette fin peut être accomplie – sa probabilité d'atteinte n'est pas nulle – malgré les actions et réactions prévisibles de l'Autre; enfin, quand les voies-et-moyens de l'action, calculés, engagés et adaptés en cours d'action pour la piloter vers sa fin, sont et demeurent compatibles et pertinents avec celle-ci – quand ils permettent et conservent l'optimum efficacité/coût autorisé par les ressources actuelles et prévisibles durant l'action. C'est dire que la conquête de la rationalité – plus exactement, la réduction de l'incertain – implique celle de l'information; que la définition des facteurs et conditions de rationalité laisse entier le problème de leur évaluation pratique, compte tenu de leur évolution en cours d'action.

Ces réserves, sur l'exercice de la raison pratique, tous les stratèges les ont faites. Ils ont tous dénoncé les illusions, dangereuses, d'une réduction du calcul, actuel et prévisionnel, à ses éléments simples et dénombrables; aux seuls facteurs de continuité et aux invariants perceptibles dans l'évolution des choses. Il n'est guère de traité militaire qui, dans les temps modernes, quoique mieux armés pour la critique épistémologique et bénéficiant d'une plus longue expérience des malheurs de la raison triomphaliste, qui ne s'ouvre sur des mises en garde. Le lecteur est invité au discernement et à bien marquer les limites de validité des assertions qui suivront. Ces précautions liminaires donnant bonne conscience, l'auteur s'avance d'un pas ferme dans le développement doctrinal : principes, lois, règles critères, normes, etc, arrachent du solide au fluide, du clair à l'opaque, du certain à l'incertain... Quiconque se livre à l'exercice théorique se sent souvent embarqué par sa volonté de rationalité sans savoir, ou pouvoir, en maîtriser les excès par un autre exercice : la critique interne de son discours. De même que les problèmes soulevés par les changements d'état de conflit et par les passages d'une variété à l'autre dans le spectre des stratégies, s'éclairent en utilisant le concept de seuil, de même celui de rationalité s'avère central dans la compréhension des procédures décisionnelles et dans l'analyse des relations de détermination réciproque entre pratique et théorie. Mais la manipulation de ces deux notions s'avère également délicate; révélatrice, aussi, du *sens stratégique* qui distingue ceux qui reconnaissent les limites de leur savoir et de leur prise sur l'action, et ceux qui ne doutent ni de l'une ni de l'autre.

Espaces de rationalité ou de moindre incertitude?

Pratique et théorie sont parties, très tôt, avec les Grecs, à la conquête d'une rationalité d'autant plus désirée pour la connaissance et la maîtrise de l'action collective que, parallèlement, la curiosité pour les choses de la Nature excitait la pensée : en s'émancipant des mythes et en se laïcisant, l'enquête scientifique s'affirmait dans la mesure même où ses observations de régularités dans les faits naturels se transposait en maîtrise de la Nature, en technique. Il était naturel que ce fût au voisinage de la science et de la technique balbutiantes, du domaine où l'action militaire prélève ses outils – les armements – que les stratèges aient cherché les éléments d'un savoir mieux assuré sur leurs effets physiques et les conditions optimales de leur mise en œuvre; qu'ils aient reconnu le bénéfice, pour la pratique, de son alliance avec la pensée appliquée, d'abord, aux objets physiques [1].

Les machines de guerre, la fortification, la construction navale proposèrent donc, dès le IVe siècle avant notre ère, les premiers éléments *solides* auxquels la pensée militaire s'amarra. Les problèmes concrets de la poliorcétique engendrèrent une littérature plus abondante, soucieuse de transmettre un savoir utile et de meilleure qualité aussi que celle consacrée à la tactique : au premier *Traité de poliorcétique* d'Énée le Tacticien (vers – 380-

---

1. Alliance que, au Ier siècle de notre ère, notera Vitruve, *De architectura*, I, 1, 9-10 : « La pratique est une expérience d'usage prolongée et consommée qui s'obtient par les mains, à l'aide de la matière de quelque espèce qu'elle doive être, en vue de la façonner. Quant à la théorie, c'est ce qui peut démontrer et expliquer, à la mesure de la pénétration de la raison, les choses qui exécutent. Aussi, les architectes qui, sans lettres, s'étaient efforcés d'être exercés de leurs mains, ne purent jamais arriver à avoir, en échange de leurs labeurs, l'autorité. D'autre part, ceux qui s'étaient fiés sur les seuls raisonnements et les lettres, paraissent avoir poursuivi l'ombre, non la chose. Mais ceux qui ont approfondi l'une et l'autre choses, comme munis de toutes armes, ont plus promptement atteint avec autorité ce qui fut leur but. »

360), on ne peut guère opposer que l'œuvre de Xénophon. La généalogie relève plusieurs écoles – ionienne, alexandrine, à laquelle on peut rattacher Archimède, rhodienne, puis byzantine. Les œuvres de Philon de Byzance (seconde moitié du IIIe siècle avant notre ère) et de Héron d'Alexandrie (IIe siècle) comportaient des traités sur les machines de guerre et la poliorcétique. L'influence des « mécaniciens grecs » fut capitale sur les panoplies et la conduite de la guerre du temps [1]. Leur héritage, recueilli par Frontin, Vitruve, Végèce, se transmit jusqu'aux « ingénieurs » italiens de la Renaissance [2]. A travers ces derniers, c'est la même volonté de rationalité qui anima des ingénieurs hollandais comme Anthonisz et Stevin, sous l'impulsion des Nassau, puis Coehorn; enfin, ceux de l'école française avec Errard de Bar-le-Duc, Pagan, puis Vauban et Montalembert. Le souci de maîtriser les capacités physiques des armements stimula les recherches sur la balistique qui, s'appuyant d'abord sur la mécanique de Galilée et de Torricelli, progressera au XVIIIe siècle avec Robins, Euler et Belidor. Par-delà ses travaux sur l'artillerie, Gribeauval tenta de rationaliser les fabrications en définissant des normes et des éléments de programmes.

Le rôle déterminant, attribué aujourd'hui à la stratégie des moyens, vient donc de très loin : il s'appuie sur un savoir scientifique et technologique dérivé vers la recherche de capacités accrues d'effets physiques, offensifs et défensifs. Effets mesurables et vérifiables expérimentalement; donc prédictibles – toutes choses étant égales par ailleurs – pour la mise en œuvre des systèmes existants. En outre, c'est là une branche de la stratégie où le progrès est cumulatif, comme celui des recherches fondamentales et appliquées qui le nourrissent. Enfin, la volonté de rationalité trouve ici des compensations à ses incertitudes ailleurs. Ici, la théorie est gratifiante : la technologie, discours sur les opérations techniques, induit en tentation de survaloriser les moyens aux dépens des opérations; et cela, non seulement quand une percée technique offre une arme qui passe pour décisive, fût-ce temporairement, mais aussi parce que la spéculation est à l'aise avec des données matérielles, pondérables et quantifiables. La solidité des objets physiques rassure et repose l'esprit saturé

1. Voir Jean-Pierre Vernant (sous la direction de), *Problèmes de la guerre ancienne*, 1968; Yvon Garlan, *La guerre dans l'Antiquité*, 1972, et *Recherches de poliorcétique grecque*, 1974; Bertrand Gille, *Les mécaniciens grecs*, 1980.
2. Notons que le mot ingénieur vient de engeigneur (XIIe siècle), lui-même dérivé de engin, machine de guerre. Les architectes italiens des XVe-XVIe siècles servirent normalement comme ingénieurs militaires : Bramante et Léonard auprès de Ludovic le More, Giuliano de Sangallo à Florence, Francesco di Giorgio à Urbino. C'est à ce dernier qu'on doit l'énoncé, dans son *Trattato*, au principe novateur pour la fortification devant résister aux feux d'artillerie : « La force d'une forteresse dépend davantage de la qualité du plan que de l'épaisseur des murs. » De là le bastion triangulaire, les flanquements, etc.

d'incertitudes. Si, depuis les *limes* romains, les murailles de Chine, de Constantinople et des cités médiévales, jusqu'à la ligne Maginot et au mur de l'Atlantique en passant par les systèmes successifs de Vauban, la fortification s'imposa au point de surdéterminer les stratégies de leur temps, c'est parce qu'elle permettait une meilleure économie des autres moyens de la défense. Mais c'est aussi parce que sa fixité dans un espace menacé et le découpage de cet espace par une ligne ou un réseau maillé, qui définit géographiquement des zones « sanctuarisées » ou de moindre vulnérabilité, proposent un minimum de données stables sur lesquelles le stratège peut asseoir son calcul prévisionnel [1]. Réciproquement, si les sièges déterminèrent longtemps le style des guerres, ce ne fut pas seulement parce que, en prenant Athènes et Constantinople, Sparte et les Turcs s'assuraient de mettre fin au conflit, mais aussi, dans les temps modernes, parce que la défense et la prise d'*objets* solides et fixes dans l'espace imposaient une conduite réglée, calculable, aux opérations. Aujourd'hui, c'est bien la même pression du rationnel, sous la forme réductrice de facteurs quantifiables, qui induit les programmes navals ou des armées de l'air à calculer en tonnages ou en nombre d'appareils; qui réduit les comparaisons, entre les forces des alliances, à des bilans numériques de grandes unités, de missiles, etc.

Ces réserves faites, la généalogie autorise à formuler une loi de développement des capacités d'effets physiques. Loi qui régit la stratégie des moyens, dans ses deux composantes génétique et logistique : pour chacun des antagonistes, toute innovation technique, tout progrès en matière d'armement (au sens large) et, plus généralement, tout recours à une nouvelle forme d'énergie pour sa conversion en forces armées, ont pour objet de maximiser le *risque tactique* de l'Autre tout en maintenant celui du Même à une valeur acceptable (optimum) et, si possible, en le réduisant. Et, par risque tactique, j'entends le produit de l'effet vulnérant des armes offensives sur les cibles (mort, destruction) par la probabilité de le produire malgré les mesures de protection de l'Autre (armement défensif, actif et passif, dispositions tactiques, etc). De là un principe de développement dialectique gouvernant le duel des capacités d'effets physiques : chacun doit, à la fois, tenter de surpasser les capacités de protection de l'Autre avec ses capacités d'agression et d'interdire, aux capacités d'agression adverses, de surpasser ses propres capacités de protection. Comme tout accroissement des capacités d'agression du Même induit un accroissement des capacités de protection de l'Autre, et réciproquement, ce

1. On commet une erreur quand on assimile la stratégie nucléaire à une défense de « Ligne Maginot » : celle-ci visait à réduire les incertitudes dans le calcul prévisionnel et la conduite des opérations du défenseur; celle-là se fonde, au contraire, sur une dialectique des incertitudes.

processus provoque une double course aux armements offensifs et défensifs qui, selon sa logique propre, ne connaîtrait pas de fin, ni même de ralentissement, si n'intervenaient des facteurs de limitation pratique que la généalogie révèle : entre les deux parties, les courses ne sont pas synchrones et l'une peut s'essouffler par suite de blocages financiers, industriels, ou des capacités d'innovation; des percées techniques procurent une avance telle, à l'un des duellistes, que l'autre tardera longtemps à la combler ou renoncera; des accords de limitation peuvent intervenir (règle du jeu); enfin, les moyens devant être accordés aux buts stratégiques, ceux-ci peuvent suggérer de ne pas rivaliser avec l'Autre dans une classe d'armements superflue au regard des buts retenus [1].

Ces observations suffisent à montrer que si, dans le cours de la généalogie, la stratégie des moyens s'est installée dans une position dominante, ce statut exorbitant n'est pas dû uniquement aux poids relatifs des armements, qui n'a cessé de croître dans le binôme homme-machine, module fondamental des moyens de l'action. Privilège constamment contesté, les tacticiens rappelant que l'action est œuvre de l'homme, ne serait-ce que parce qu'elle doit être pensée. Cela dit, si l'ingénieur et l'officier des armes savantes se sentirent longtemps méconnus et frustrés [2], c'est qu'ils se savaient mieux armés, dans leur domaine d'action, que les combattants des armes de mêlée dans le leur. Mieux armés non seulement par leur culture scientifique et technique devant leurs problèmes spécifiques, mais aussi parce que ces derniers se découpaient, avec leur rationalité propre, dans un univers conflictuel incertain : l'aléatoire de l'écart probable est « plus simple » que celui du renseignement pour la manœuvre. Dans le même ordre d'idée, les scénarios de bombardements nucléaires sont mieux probabilisables que ceux de la défense classique sur le théâtre européen.

La tactique s'est essayée, très tôt, à théoriser mais sans pouvoir, avant la Renaissance, s'évader du recueil de procédés et de maximes. Savoir-faire du couple homme-machine transmis par le combattant, elle conserve, par nature, un caractère technique très prononcé. Elle peut se définir comme l'emploi des forces dans l'espace borné du combat et de la bataille, comme on l'a dit longtemps. Toutefois, il serait plus juste d'étendre le concept à l'ensemble des opérations visant des objectifs tangibles, définis

1. Pour être moins sommaire, il faudrait analyser, à travers la généalogie, les modalités du duel des armements offensifs et défensifs : accroissements de l'effet vulnérant sur la cible, du volume de feu, de la cadence de tir; de la précision, de la portée, de la maniabilité (et cela malgré diverses contraintes de poids et d'encombrement); de la mobilité dans tous les milieux; de la protection individuelle et collective, active et passive; du rendement du couple homme-machine; recherches d'optimum, etc.

2. La création d'unités d'artillerie autonomes intervint, en France, en 1694, et Vauban obtint celle du corps des ingénieurs civils et militaires en 1668.

concrètement par la conjugaison d'une *cible* (forces ou ressources adverses à neutraliser, lieux topographiques à occuper, coupures à franchir, etc) et *d'effets physiques* appliqués sur cet objet; effets calculés et produits pour s'avérer supérieurs, dans l'initiative ou la réaction, l'attaque ou la défense, à ceux de la tactique adverse sur le même objectif. Dialectique des effets physiques, on peut donc la concevoir comme une opération mécanique de systèmes homme-machine, ressortissant à la dynamique de systèmes matériels. Cet esprit perce chez Folard, préconisant la formation en colonne massive inspirée de la phalange thébaine, et dans la querelle des ordres mince et profond qui divisa l'école française au XVIIIᵉ siècle. Même quand Ardant du Picq dénonce les abus des références mécaniques – lui aussi, retourne aux Anciens – et réhabilite les facteurs psychologiques, les forces morales sont encore des forces dont il faut évaluer l'impact sur l'organisation et les capacités physiques des unités.

En bref, à l'étage de la tactique, la théorie stratégique peut légitimement croire qu'elle opère sur des objets matériels clairs, directement observables et mesurables; qu'elle analyse des combinaisons de puissances (feu, choc) et de directions d'effort, dans des milieux (terre, mer, air) dont les propriétés sont connues par leurs contraintes spécifiques. Il serait donc plus conforme à la nature même des procédures décisionnelles afférentes à ce niveau de l'action, de dire qu'elles relèvent de calculs tactico-techniques, si étroits sont les liens entre les facteurs armement, formations et dispositifs d'engagement.

Cependant, cette clarté même des déterminations de l'opération tactico-technique peut faire illusion sur les vertus de la théorie élaborée à ce niveau et sur les assurances que sa *logique locale* peut donner au praticien. Certes, les facteurs de l'action sont clairs jusqu'à être largement quantifiables, et les divers types de combinaisons tactiques sont dénombrables pour un état donné des armements, du théâtre, du milieu. Toutefois, ils sont éminemment contingents et évolutifs. Déjà, Napoléon pouvait dire, en son temps, que « la tactique change tous les dix ans ». L'évolution est plus précipitée encore, aujourd'hui, avec les transformations accélérées des panoplies. A quoi s'ajoute la variété des effets physiques selon les cibles, les terrains, etc. C'est dire que le praticien et le théoricien ne peuvent guère, ici, ancrer leurs calculs prévisionnels et leurs discours à quelque invariant; qu'il leur faut passer par des inventaires exhaustifs de tous les cas concrets possibles, et s'en remettre aux facultés d'adaptation d'actants condamnés à inventer la réponse locale, particulière, requise par chaque situation historique. Le seul invariant tactico-technique est... la variation. Et n'oublions pas que les méthodes d'évaluation plus rigoureuses, comme la recherche opérationnelle et l'analyse de systèmes, ne sont opératoires que pour des problèmes tactico-techniques particuliers dont les énoncés se fondent sur des données concrètes et spécifiques : espace de rationalisation borné.

Depuis ses origines, la généalogie vérifie ces observations. Information négative, mais de grande vertu heuristique et pédagogique : quelles que soient la validité des axiomes et la cohérence des inférences constituant une théorie stratégique, sa pertinence repose, en fin d'analyse, sur les moyens permettant de l'actualiser. Ce sont les erreurs commises dans l'évaluation prévisionnelle des capacités d'effets physiques, dans la perception et la lecture des facteurs d'évolution tactico-techniques, qui renvoient les plus audacieuses conceptions stratégiques à l'utopie, au non-sens. Douhet imagine une stratégie du bombardement aérien d'attrition pour abattre la volonté de résistance des peuples, propose même un type de croiseur aérien adapté à cette mission. L'expérience du second conflit mondial montrera que cette solution tactico-technique, que la capacité d'effets physiques de la bombe classique, multipliée même par le nombre des vagues de bombardiers, étaient insuffisantes pour anéantir l'appareil industriel et abattre le moral des populations du IIIᵉ Reich et du Japon.

La praticien et le théoricien pourraient donc désespérer de trouver, dans le système stratégique, les régularités et faits d'invariance permettant d'ordonner calculs et discours autour de quelques schémes directeurs, si, quittant l'ordre subordonné des faits tactico-techniques, ils ne se hissaient à l'étage supérieur : celui de la stratégie opérationnelle – naguère la stratégie stricto sensu – qui, pour atteindre son but, choisit et combine les tactico-techniques. C'est en amont de celles-ci, dans leurs combinaisons, que l'on a cherché des invariants autorisant à poser qu'elles obéissaient à des règles d'économie spécifiques de l'action de violence collective. Règles traduisant la logique selon laquelle se définirait et s'organiserait la séquence des praxèmes constitutifs d'une opération militaire ou d'un ensemble d'opérations. Règles fixant les conditions de rationalité de l'action; conditions de pertinence et d'économie des combinaisons tactico-techniques concevables et applicables étant donné, non seulement tel but stratégique, mais aussi quel que soit ce but. Prétention exorbitante, comme le notait Maurice de Saxe : « La guerre est une science couverte de ténèbres, au milieu desquelles on ne marche point d'un pas assuré; la routine et les préjugés en sont la base, suite naturelle de l'ignorance. Toutes les sciences ont des principes, la guerre seule n'en a point encore : les grands capitaines qui ont écrit ne nous en donnent point. Il faut être consommé pour la comprendre. Gustave-Adolphe a créé une méthode, mais on s'en est bientôt écarté, parce qu'on l'avait apprise par routine. Il n'y avait donc plus que des usages, dont les principes nous sont inconnus [1]. »

1. Maurice de Saxe, *Mes rêveries*, Préface, 1757.

Mais, un demi-siècle après lui, Napoléon, affirmait aussi péremptoirement : « L'art militaire est un art qui a des principes qu'il n'est jamais permis de violer »; ou encore : « Toute guerre doit être méthodique, parce que toute guerre doit être conduite conformément aux principes et aux règles de l'art et avec un but. » Depuis, il n'est de théoricien majeur qui n'ait glosé sur les *principes de la guerre,* corpus d'assertions et de maximes qui éclairent et dirigent l'action; qui servent de normes à l'entendement et au jugement, de guide au travail intellectuel de l'agissant. Ils se sont constitués comme des hypothèses sur les fondements rationnels de la pratique et sur sa logique spécifique, sur des corrélations répétées entre certains facteurs ou déterminations de l'action de guerre, entre les résultats des opérations et les manières d'opérer, entre le fait et le faire. Hypothèses retenues parce qu'expérimentalement vérifiées, dans un grand nombre de situations concrètes, par les décideurs et exécutants ayant pu observer ces corrélations et leurs fréquences. Hypothèses qui peuvent donc servir de base – une sorte d'axiomatique – à la construction intellectuelle qu'est la théorie.

Le principe n'est pas une loi. Celle-ci constate et formalise une relation nécessaire entre des choses et phénomènes de la Nature, objets de la connaissance. Dans le domaine de l'action, une loi énoncerait un rapport constant de détermination, de cause à effet, entre tel de ses facteurs et tel de ses attributs. Elle autoriserait à fixer des règles formelles au calcul et à la décision qui seraient ainsi purgés de toute incertitude, sur ce point au moins. Un principe ne revendique pas ce caractère de déterminisme rigoureux. Il ne se pose pas, au stratège, comme une injonction impérative –, ce qui autoriserait à dire de la guerre qu'elle est une science, au sens habituel du mot. Certes, le principe se définit comme une généralisation de préceptes d'action et de procédures du calcul décisionnel auxquels la pratique et la théorie confèrent une double propriété d'universalité et de fréquence élevée, et que l'observation a pu extraire de l'histoire des guerres par une sorte de distillation des expériences cumulées. Toutefois, généralisation de valeur moins assurée et de portée moins « générale » que l'induction dans les sciences de la Nature. Immuable, ou affecté de variations très lentes, le principe dit, non pas ce qu'il faut faire et suffit de faire, en toutes circonstances, pour être assuré du succès – l'atteinte du but stratégique – mais que sa non-observation entraînera très probablement l'échec. La loi formule la nécessité des relations répétables; le principe, une fréquence, une probabilité : agir en le respectant accroît la probabilité du succès, mais ne lui confère jamais la valeur un. Ne pas le respecter réduit cette probabilité, mais ne l'annule pas. Observons que cette définition du principe et son fonctionnement sont cohérents avec la logique probabiliste qui gouverne tout duel, et avec l'irréductibilité des incertitudes inhérentes à l'action collective en milieu conflictuel.

« A la guerre, il y a peu de principes, mais il y en a », affirmait Bugeaud, s'opposant ainsi à Maurice de Saxe. Mais depuis le siècle des Lumières, la volonté de rationalité a marqué des points; en particulier, sous l'impulsion de Jomini qui prend soin, cependant, d'insister sur les limites de validité des principes et de dénoncer la trop facile confusion entre savoir et savoir-faire, entre la connaissance des principes et leur application dans chaque situation contingente. « La guerre, loin d'être une science exacte, est un art soumis à quelques principes généraux et, de plus, un drame terrible et passionné dont les résultats sont soumis à des circonstances secondaires », dit Napoléon. Au même moment, l'école prussienne – Berenhorst, Scharnhorst, Lossau, Rühle von Libienstern et, surtout, Clausewitz – mettront l'accent sur les incertitudes, le hasard, les facteurs psychologiques [1]. Et le débat sur les poids relatifs des principes et de l'empirisme se poursuivra tout au long du XIXe siècle : par exemple, Willisen [2] tiendra pour Jomini, et Bernhardi le combattra.

Au demeurant, le catalogue et la définition des principes de la guerre ont varié. Les plus fréquemment retenus ont été : économie des forces, concentration des efforts (exploitant, dans le temps et l'espace, la dispersion adverse), liberté d'action, unité d'action (ou de commandement), volonté d'action ou maintien des forces morales, sûreté, renseignement. Liste modulée avec : permanence du but et sélection des objectifs, simplicité des combinaisons, souplesse de la manœuvre, surprise, dialectique offensive-défensive. Liste si peu fixée qu'on a pu réduire ces principes à trois : volonté ou maintien des forces morales, liberté d'action et économie des forces; voire à un seul, la liberté d'action, comme le suggère le général Beaufre : « La lutte des volontés se ramène donc à une lutte pour la liberté d'action, chacun cherchant à la conserver et à en priver l'adversaire [3]. » Ce qui semblerait justifier

---

1. Berenhorst publie, en 1799 ses *Considérations sur l'art de la guerre, ses progrès, ses contradictions et sa certitude* qui provoquèrent d'intenses discussions. Collaborateur de Scharnhorst, von Lossau publie, en 1808, ses *Réflexions sur l'organisation de la monarchie prussienne,* puis, en 1815, *La guerre* dans lequel il met l'accent, avant Clausewitz, sur les relations entre politique et guerre. Quant à Rühle von Libienstern, il écrit en 1814 un ouvrage intitulé *Vom Kriege* dans lequel, lui aussi, souligne le caractère politique de la conduite de la guerre.
2. Dans sa *théorie de la Grande Guerre* (1840), Willisen soutient le caractère scientifique de la guerre dont l'étude peut fournir des leçons positives.
3. Général Beaufre, *Introduction à la stratégie* (1963). Il corrige cet énoncé en introduisant l'économie des forces : « Ainsi l'analyse du schéma de la lutte en termes abstraits se ramène synthétiquement à la formule suivante : atteindre le point décisif grâce à la liberté d'action obtenue par une bonne économie des forces. »

le scepticisme d'analystes contemporains s'interrogeant sur ce qui peut subsister de cet héritage à l'âge nucléaire : « Si, par principes de la guerre, nous entendons ces quelques maximes ou axiomes, habituellement groupés en une liste de sept à dix articles ou quelquefois plus, et considérés comme inamovibles malgré les changements les plus fantastiques dans tout le reste, dans ce cas mon sentiment à leur sujet n'est pas qu'ils soient faux ou sans utilité mais que nous avons tendance, tous tant que nous sommes, à les respecter beaucoup trop. Et si ce respect que nous leur portons devient si extrême que nous les consacrons comme dogmes, comme cela arrive quelquefois, je crois alors qu'ils deviennent positivement dangereux... Ce que l'on peut dire des prétendus principes de la guerre... est qu'ils sont avant tout des propositions de sens commun. Ils ont toutes les qualités des propositions de sens commun, c'est-à-dire, entre autres, qu'il est généralement utile de se rappeler qu'ils existent. Mais ils sont aussi limités à l'occasion par le fait qu'une adhésion trop stricte à ces principes ira exactement à l'encontre du sens commun [1]. »

Rencontre, à cent cinquante ans de distance, avec Napoléon : « A quoi bon une maxime qui ne peut jamais être mise en pratique et qui, mise en pratique sans discernement, serait souvent la cause de la perte de l'armée? » Surtout, interrogation typique du stratège qui, en un moment de fracture dans la généalogie, constate l'éclatement du savoir hérité sous la pression de faits qu'on ne peut raccorder au passé. Les passerelles intellectuelles s'effondrent entre les problématiques à constituer, qu'exigent des facteurs et effets de transformation sans précédent, et celles qui ont conduit, dans le passé, à déterminer tant bien que mal leurs espaces de rationalité – ou, plutôt, de moindre incertitude. Déjà, Foch intitulait son ouvrage majeur *Les principes de la guerre,* alors que son analyse ne couvrait pas la guerre dans sa totalité, mais seulement une de ses parties : la stratégie opérationnelle. Synecdoque révélatrice des difficultés épistémologiques soulevées par le découpage d'un objet de pensée composite; des conséquences, aussi, d'un mauvais découpage et d'une conceptualisation insuffisamment affinée pour la mise au jour de régularités et invariants, pour leur définition et celle de leur domaine de validité. Si, comme Brodie, nous nous interrogeons sur la validité et l'utilité des principes de la guerre, c'est pour d'autres raisons que Maurice de Saxe ou Moltke, selon lequel « la stratégie (opérationnelle) n'est qu'un système d'expédients » : pour nous, la guerre n'est plus qu'une modalité parmi d'autres d'une stratégie militaire opérant aussi en temps de paix et dans ces «états hybrides de paix-guerre », selon l'expression de Beaufre, que sont les crises.

1. Bernard Brodie, Conférence prononcée au Naval War College des États-Unis, le 17 mars 1952.

Nous pourrions admettre que les classiques principes de la guerre conservent leur statut épistémologique dans la variété *guerre classique* de la stratégie de l'âge nucléaire; retenir également les réserves, non moins classiques, des analystes antérieurs. Mais ne serait-ce pas supposer que le domaine de validité de ces principes n'est pas affecté par « le reste » de la stratégie militaire actuelle? Que la guerre classique ne peut être altérée, dans ses buts comme dans ses voies-et-moyens, par les déterminations de cette stratégie englobante; par les contraintes qui en découlent non seulement pour l'application, mais aussi pour la définition des principes d'économie des forces, de liberté d'action, de volonté d'action, de concentration des efforts, de sûreté, etc.? Certes, de nombreuses études ont montré pourquoi et en quoi ces principes ne pouvaient être transposés tels quels dans la stratégie de dissuasion nucléaire, par exemple : se développant dans l'imaginaire du duel des menaces et contre-menaces, et dans la réalité des stratégies de moyens, elle obéit *pour le moment,* à d'autres règles de calcul et de conduite. Mais, à défaut de lui appliquer les principes de la guerre, sa brève durée dans la généalogie autorise-t-elle à extraire déjà, d'observations aussi limitées, d'autres principes qui lui seraient spécifiques? On sait aussi les difficultés rencontrées pour bâtir une théorie de la crise de l'âge nucléaire : on n'a su noter que ses différences avec la crise classique; ce qui ne suggère qu'une méthode d'analyse, non une théorie constituée...

Tout cela nous laisse désarmés devant le Tout complexe de la stratégie militaire contemporaine. Faute de savoir saisir ce Tout d'un seul regard organisant tous ses fragments que sont les variétés et modes de la stratégie, nous nous résignons à le segmenter; à introduire successivement, dans le champ mental, chacune de ces variétés et de ces modes, avec leurs buts et voies-et-moyens; à conceptualiser et analyser stratégies des moyens et opérationnelles, stratégies nucléaire, classique, indirecte, crises, etc. Nous essayons d'extraire, de nos observations historiques et analyses logiques, des règles, critères, normes, etc., spécifiques à ces espaces de rationalité et d'incertitudes particulières. Reste à relier ces fragments de la totalité complexe, à les raccorder entre eux en examinant « ce qui se passe » dans les interfaces; à s'assurer de la cohérence des théories élémentaires... Entreprise malaisée, comme en témoignent, par exemple, les difficultés rencontrées pour articuler principes de la guerre classique et règles de la stratégie de dissuasion nucléaire : que l'on raffine sur les degrés de l'échelle d'escalade, comme Herman Kahn, et que l'on définisse des seuils critiques dont le franchissement marquerait des changements d'état de conflit, etc., ce ne sont là que des essais de conceptualisation et de modélisation mieux construits, certes, que les scénarios où l'imagination se permet toutes les audaces. Mais ces fragments théoriques descriptifs, dont l'utilité est indéniable pour cerner le possible, n'échappent pas aux pièges du constructivisme réducteur et ne sauraient prétendre prescrire ou, à tout le moins, suggérer la conduite du praticien aux prises avec le Tout.

Ainsi, après vingt-cinq siècles de formations théoriques, la littérature contemporaine, nombreuse et riche, où ne manquent pas les monographies informées et rigoureuses – quoique noyées dans un flot d'écrits de circonstance – révèle notre incapacité à traiter l'ensemble de la stratégie actuelle dans toutes ses dimensions; à nous hisser du domaine borné de la guerre, et de son catalogue de principes établis, au domaine englobant de la totalité stratégique pour en extraire le corpus des *principes de la stratégie générale militaire* dont ceux de la guerre ne seraient plus qu'une modalité particulière, régionale. Totalité éclatée en espaces de théorisation fragmentés correspondant aux multiples variétés et modes de la stratégie; îles de rationalités spécifiques, comme en témoignent les difficultés pour accorder les méthodes de la planification opérationnelle et celles de la programmation des moyens, l'une courant à la poursuite de l'autre, et réciproquement, selon le moment et ses contraintes. Dans cet archipel, comment passer d'une île à l'autre? Comment les relier dans un système théorique unifié par des axiomes fondateurs? Quels principes d'action et règles de calcul décisionnel seraient assez généraux pour s'imposer à tous les fragments, évoluant selon leur dynamique propre, d'une stratégie intégrale identifiée à la politique-en-acte; pour décrire son économie globale et guider sa conduite?

Sans doute, le point de vue systémique ouvre de nouvelles perspectives; cela dans la mesure où le concept de système ouvert met l'accent moins sur les éléments du Tout que sur leurs interactions dynamiques. Dans le système associant Même et Autre par la relation de coexistence conflictuelle, chacun des sous-systèmes qu'ils constituent peut se décomposer en un centre politique et des appareils de forces économiques, culturelles et militaires. Chacun est finalisé, à la fois par son propre projet politique et par un état de conflit résumant le jeu des tensions négatives et positives, dans les domaines économique, culturel et militaire, entre les appareils de forces homologues du Même et de l'Autre. Les buts que chacun fixe à sa stratégie militaire découlent donc de la fonction permanente que sa fin politique attribue à la violence armée; également, de la solution conjoncturelle choisie pour résoudre militairement le jeu des tensions et traiter l'état de conflit qu'il engendre. Nous pouvons donc considérer l'ensemble constitué par le centre politique et son appareil militaire comme un système complexe d'actants ouvert sur l'environnement interne (les autres actants, économiques et culturels, reliés au centre par

d'autres fonctions) et externe (les Autres). Système téléologique :
fin politique et but stratégique en relation circulaire de détermination réciproque. Système auto-adaptatif et à auto-apprentissage : il doit constamment modifier ses finalités et ses voies-
et-moyens, par le calcul actuel et prévisionnel traitant son information sur l'évolution des facteurs de la stratégie militaire, et sur
les réactions adverses. Système doublement morphogénétique : il
se modifie par son action même, tout en transformant son
environnement interne et externe.

Ce schéma suffit à mon propos : le développement généalogique
pourrait être analysé avec l'outil systémique. Il éclairerait les
variations, dans l'histoire, des rapports entre les systèmes d'actants
économiques, culturels et militaires fonctionnant au sein du Même
et de l'Autre, et celles de leurs conséquences pour leurs systèmes
stratégiques militaires. Cette approche révélerait que le développement généalogique se poursuit dans le même sens depuis ses
origines : il s'agit toujours, pour le stratège, d'étendre l'espace de
rationalité de son action en réduisant celui des incertitudes
inhérentes au fonctionnement des divers systèmes d'actants, et à la
dynamique de leurs inter-relations. Au demeurant, l'analyse systémique n'évacue pas l'obstacle épistémologique dressé par la
complexité du système et par les interfaces entre les éléments
constituant son appareil composite d'actants – l'appareil militaire
et ses soutiens – impliqués dans l'action collective finalisée qu'est
l'entreprise politico-stratégique. Toutefois, dès lors que ce système
d'actants militaires, ouvert sur son environnement, est non seulement *finalisé* par un but stratégique, mais aussi *particularisé* par
la nature de l'information qu'il traite, par les formes d'énergies
qu'il produit, consomme et convertit en forces et travail de
violence physique, qui ne sont que moyens des effets psychologiques devant affecter le champ mental des décideurs adverses; dès
lors que les forces armées sont conçues et employées selon des
modes opérationnels spécifiques, on peut légitimement se demander si l'organisation et les mécanismes de ce système d'actants
n'obéissent pas à quelques règles particulières et constantes. A
défaut de principes stratégiques analogues à ceux de la guerre, ne
peut-on interroger le système des forces armées sur l'existence de
quelques attributs et propriétés persistants, invariants de la
fonction globale de violence dans la dynamique des systèmes
sociopolitiques?

La logique du système politico-militaire complexe, comme son
développement généalogique, répondent : si ce système composite
opère dans l'espace géographique, dans divers milieux (terre, mer,
air, espace) et dans la durée, s'il consomme et convertit de
l'énergie et produit du travail, s'il doit être entretenu et renouvelé,
s'il doit être piloté vers ses buts par corrections des écarts
imputables à son information imparfaite et à l'action des adver-

saires et des alliés, il faut que ses divers éléments s'organisent, agissent et interagissent afin d'être capables de remplir les *fonctions élémentaires* requises pour produire les effets physiques caractérisant la fonction globale de violence armée. Fonctions familières aux états-majors, que la théorie de la guerre n'a pas reliées à ses principes, mais que l'analyse systémique éclaire : fonction spécifique (agir, combattre ou travailler); fonction de relations (organiser et relier les éléments composants); fonction interne ou de vie (assurer la pérennité du système, nourrir le combat et le travail, veiller à la sécurité); fonction directrice (calculer, préparer, diriger, commander). Catalogue que l'on peut affiner et ordonner autrement en : fonctions agression et protection (produire et réduire les effets physiques, ces deux fonctions étant logiquement liées dans le duel); mobilité dans l'espace et les divers milieux; information (renseignements internes et sur les Autres, sur les milieux); liaisons et communications (connexions entre les éléments et circulation des flux d'information); soutien des ensembles de couples homme-machine (nourrir, approvisionner, stocker, réparer, renouveler, régler la consommation – ce qui relève de la logistique [1]).

La généalogie confirme que ces fonctions élémentaires furent toujours nécessaires et le demeurent. Elles sont interdépendantes et corrélées par un double principe de synergie et d'antinomie : toutes concourent à la finalité globale du système, mais la recherche du rendement maximum pour l'une entame celui de l'autre, ce qui contraint à la définition d'un optimum. Le calcul et la réalisation de cet optimum fonctionnel relèvent de la tactique. Ces faits d'invariance permettent donc de définir tout système militaire comme une *structure fonctionnelle*. Toutefois, la généalogie dit aussi que cette structure a évolué selon une double loi de développement spécifique : *une première loi de différenciation fonctionnelle croissante,* depuis le combattant individuel assumant toutes les fonctions, en passant par la spécialisation fonctionnelle des combattants servant divers types d'armements individuels; ensuite, par la constitution d'équipes de servants d'armes et matériels collectifs conçus pour une fonction particulière, jusqu'à l'organisation d'unités élémentaires, armées et équipées pour des fonctions spécialisées (armes de mêlée comme l'infanterie et la cavalerie, d'appui, feu artillerie, de travail comme le génie, de transmissions, états-majors). Corrélative de la précédente, *la seconde loi, dite de coordination ou d'intégration fonctionnelle,* procède de cette observation : plus les parties d'un système sont différenciées et spécialisées – première loi – plus leur coordination

---

1. Ces fonctions intéressent la seule stratégie opérationnelle. Si nous voulions étendre cette analyse fonctionnelle à la stratégie générale militaire, il faudrait évidemment examiner les fonctions spécifiques de la stratégie des moyens (génétique et logistique).

s'avère nécessaire pour assurer leur synergie. Application du principe général selon lequel un système, en tant que système, possède toujours quelque propriété autre que celles de la somme de ses parties; selon lequel, aussi, la partie est plus qu'une fraction du tout. De là, les premières organisations d'armées peu différenciées comportant des unités homogènes d'infanterie (phalange) et de cavalerie (lourde et légère); puis une organisation plus intégrée (légion); puis la constitution progressive d'armées-blocs (jusqu'au XVIIIe siècle) enrégimentant infanterie et cavalerie, puis artillerie et génie. Enfin, ces armées s'organisent en divisions toutes armes (système divisionnaire apparu au XVIIIe siècle), puis en corps d'armée et armées (Napoléon), en groupes d'armées (Première Guerre mondiale) ou fronts (URSS). Bien entendu, des processus de différenciation et d'intégration analogues ont commandé l'évolution des armées de mer et de l'air, compte tenu des déterminations propres au milieu et à la nature des effets physiques recherchés sur leurs cibles particulières.

Cette très grossière esquisse suffit à montrer comment la complication et la complexité croissantes du système militaire et, à travers lui, du système politico-stratégique, résultent du double processus différenciation-intégration des éléments fonctionnels. Comment, surtout, ces lois de développement conservent, comme un noyau dur d'invariants, des fonctions élémentaires interconnectées dans une structure qui les unifie; et cela, selon la logique organisationnelle et opératoire spécifique des forces de violence et d'une action collective finalisée. La généalogie dit comment les variations historiques des déterminations psychosociologiques, politiques, idéologiques, économiques, techniques, etc., de la stratégie furent appliquées sur ce schème logique pour engendrer les multiples organisations concrètes et les divers types de fonctionnement des systèmes militaires qui se manifestèrent dans l'étendue géohistorique. Avec la structure fonctionnelle, l'analyste dispose donc d'une grille de lecture des faits de transformation ayant affecté les systèmes politico-stratégiques au cours de l'histoire. Grille permettant de relier les facteurs d'évolution des déterminations de la stratégie à chacune des fonctions du système; d'évaluer leurs impacts en tenant compte des corrélations au sein de la structure. Et, puisque théoricien et praticien ne pensent l'action qu'à travers les configurations probables de l'avenir, ils peuvent également s'appuyer sur l'invariance de la structure fonctionnelle pour anticiper l'avenir du système politico-stratégique. La structure fournit, à l'analyste, les linéaments d'une méthode d'évaluation permettant d'inventorier, de classer et d'ordonner les divers facteurs, déterminés et incertains, de l'évolution affectant les diverses fonctions et leurs combinaisons.

Bien évidemment, cette méthode n'annule pas les incertitudes des calculs stratégiques et des procédures décisionnelles. Mais leur espace de jeu est comme strié par le réseau des fonctions. Sous l'influence de leurs facteurs de transformation spécifiques, chacune des fonctions et chacun des éléments du système qui les assument évolueront dans leurs espaces de rationalité et d'incertitudes propres; ce qui, en recomposant ensuite la structure fonctionnelle, devrait fournir des données moins floues sur son évolution globale. Non que les incertitudes en soient évacuées, mais, au moins, seront-elles mieux localisées, leurs origines mieux connues et leurs poids dans le calcul mieux appréciés. La volonté de rationalité ne saurait attendre plus, quoique le moindre de ses gains puisse se révéler décisif pour le praticien en réduisant le nombre des hypothèses indécidables et celui des paris.

Ajoutons que la grille de lecture et de calcul fournie par la structure fonctionnelle ne s'applique pas uniquement dans les étages subordonnés du système militaire, système complexe d'éléments emboîtés les uns dans les autres en application de la double loi de différenciation/intégration. Les fonctions paraissent bien définies par les finalités des éléments et opérations tactico-techniques : les effets physiques produits et réduits, de part et d'autre, dans le duel du Même et de l'Autre. Mais il est clair qu'on les retrouve en amont, dans la stratégie opérationnelle combinant les unités et opérations tactico-techniques : pour atteindre tel but stratégique, il faut attaquer et se défendre, être mobile dans l'espace et les milieux (manœuvrer), être informé (renseignements), être relié et communiquer, être soutenu (logistique); enfin, commander. Par exemple, les concepts de maniabilité pour un matériel, de mobilité pour une unité tactique, de manœuvre pour une grande unité, procèdent des mêmes catégories de la pensée stratégique : espace, temps, milieu, forces antagonistes. Homomorphisme résultant du jeu de la dualité différenciation-intégration fonctionnelles : une même fonction se retrouve à chacun des niveaux du système militaire « hiérarchisé » et transite verticalement à travers tous les niveaux, de l'amont – la stratégie générale militaire – à l'aval tactico-technique. Qu'est, en effet, l'appareil de centres de recherches et d'expérimentation, d'arsenaux, d'établissements industriels, etc., de la stratégie des moyens, sinon l'élément de la stratégie générale participant à sa fonction vie? Les modes primaires, interdiction et coercition, de la stratégie militaire générale ne sont-ils pas des fonctions homologues, à ce niveau englobant, des fonctions protection et agression au niveau tactico-technique?

Il va sans dire que ces observations ne sont qu'indicatives d'une direction de recherches suggérée par la systémique et par la mise en évidence d'une structure fonctionnelle proposant des fondements, moins précaires (?) que d'autres, à l'analyse du théoricien et aux procédures décisionnelles du praticien. Balbutiements de la volonté de rationalité aux prises avec la complexité, apparemment inextricable, marquant une étape, après d'autres, dans le développement généalogique. Essai de découpage des espaces de rationalité et d'incertitudes, avec une approche différente de celle proposée par les principes de la guerre et par ceux qu'on pourrait établir pour la stratégie générale militaire. Sans doute, faudrait-il combiner les deux, et d'autres, très probablement. Mais à partir de quel « point de vue d'architecture »? Avec quelle méthode unitaire, capable de saisir et de piloter la totalité simultanée *et* dynamique d'un système politico-stratégique finalisé et ouvert sur de multiples Autres, à la fois adversaires et partenaires dans le jeu ininterrompu de la coexistence conflictuelle?

L'état actuel du matériau livré sur le chantier stratégique n'autorise guère le confort intellectuel... D'autant moins que, répétons-le une fois encore, le savoir, ici, n'a de sens que pragmatique. Contrairement aux idées reçues, l'utilité d'un savoir qui vise à l'efficacité et à l'économie d'une action collective ne le dévalorise pas, bien au contraire, quand il s'agit de sauver ce que nous pouvons de raison pratique devant les intrusions et sous les pressions de l'irrationnel. Encore faut-il que, pour travailler ce matériau, le chantier stratégique soit équipé en instruments de lecture, d'analyse et d'interprétation – *en opérateurs de sens* – adaptés au désordre, au flou et à la fluidité des choses de la stratégie.

Outils et langage

Sur quoi pense-t-on, avec quoi et comment, quand on pense l'action de violence collective? Quels objets de pensée, découpés dans l'ensemble de ceux que suggèrent les activités humaines et les systèmes d'actants, informent le champ mental du stratège, et par quelles voies? Quel traitement y subissent ces objets de stratégie, selon qu'ils interviennent dans les calculs et décisions du praticien, ou dans le discours positif et prescriptif du théoricien? Interrogation ne portant plus sur le matériau brut – faits, événements et phénomènes de la coexistence conflictuelle, attributs des systèmes des forces, etc. – fourni à la volonté de création, mais sur l'outillage intellectuel nécessaire pour travailler ce matériau et faire quelque chose avec lui; pour transformer l'état de chose sociopolitique en traitant des états de conflit. Poétique : le *poiein* intéresse plus le stratège que le *poiema*, et toujours pour la même raison : il est constamment « en action », même quand il prend ses distances avec l'agir pour le mieux dire.

Mais si, en devenant de moins en moins réductible à des éléments simples, le matériau de la stratégie a été soumis à des méthodes d'analyse de plus en plus rigoureuses, la pensée demeure peu curieuse de ses instruments : l'école française du XVIIIe siècle, puis Jomini et Clausewitz et leurs successeurs se sont interrogés sur les relations entre pratique et théorie, sur les fondements et les conditions de validité de celle-ci. Mais ils ont maintenu le problème sur le terrain, classique quand il s'agit du faire politique, de la composition du logique et de l'historique; de ce qui relèverait d'une science et d'un art de la guerre. Clausewitz tranchait en observant que la guerre, activité sociale, se rapproche du commerce; Colin en se référant à la finalité pratique du savoir : « On demande souvent s'il existe une *science* ou un *art* de la guerre, mais forcément la guerre fait l'objet à la fois d'une science et d'un art : la *science* recherche les lois, constate et classe les faits; l'*art* choisit, combine et produit. Il y a une science de la guerre qui étudie les moyens d'action et les éléments de la guerre, analyse les événements des guerres passées, les compare, en tire des relations de cause à effet, réussit quelquefois à poser des lois générales. L'art, usant plus ou moins des résultats acquis par la science, choisit au moment de l'action les procédés qui semblent convenir aux divers cas particuliers. Il est la mise en œuvre des dons naturels et des connaissances *assimilées* par l'exécutant. Suivant les cas, ces dernières jouent un rôle plus ou moins considérable; la science trouve dans l'art une application plus ou moins directe; on croit tantôt que l'art peut se passer de science, tantôt qu'il se réduit à la mise en œuvre des conclusions scientifiques. C'est ainsi qu'on en vient à cette question qui n'a pas de sens, dans les termes où elle est posée : y a-t-il un art ou une science de la guerre? Logiquement parlant, il y a l'un et l'autre, et ils sont distincts, mais il n'y a pas d'exemple qu'on les ait séparés. La guerre est presque toujours étudiée par des professionnels et en vue de l'action. Nul ne peut se décider à écrire sur la science militaire sans passer tout de suite aux conclusions pratiques [1]. »

Ce débat n'est pas aussi académique et inactuel que le donne à penser son étroit domaine d'application : la stratégie opérationnelle, dans le mode de guerre. Dans le langage de leur temps, nos anciens discernaient ce qui nous paraît, aujourd'hui, l'une des causes majeures de la fragilité de nos théories quand elles s'essaient, contre la complexité des systèmes en acte, à définir des espaces de rationalité et d'incertitudes : le manque de rigueur et de finesse de nos instruments de pensée; les carences de la boîte à outils héritée d'une époque où la stratégie militaire s'identifiait au seul mode de guerre; nos tâtonnements pour inventer et fixer un langage pertinent et exact, eu égard aux nouveaux objets stratégiques – états de conflits, variétés stratégiques, nature et mécanismes des systèmes politico-militaires, etc. Pour le théoricien, aujourd'hui comme hier, mais avec une urgence aggravée par la complexité croissante des objets stratégiques et l'accélération de

---

1. Général J. Colin, *Les transformations de la guerre,* 1913.

leurs transformations, il s'agit de reconnaître et d'identifier les praxèmes de l'action collective et leur syntaxe, d'assurer une communication purgée d'ambiguïtés entre tous les actants opérant au sein des systèmes; de renouveler et d'affiner les méthodes d'analyse et de traitement, actuels et prévisionnels, de l'information sur les faits de conflit et les caractéristiques de la pratique. En partant d'observations sur des régularités, sur des objets ou éléments stratégiques assez rigoureusement définis et cohérents pour autoriser l'espoir de formations théoriques consistantes et pertinentes, il faut, comme toujours, constituer un corpus de concepts et d'énoncés; d'axiomes et de présupposés, fondements de l'action; de lois, principes et règles, de modèles et paradigmes guidant l'entendement et le jugement; de critères et normes d'évaluation, et de procédures logiques du calcul décisionnel. Corpus faute duquel manquerait le langage commun nécessaire au collectif d'actants, mais entreprise aventurée en un temps où le flou sémantique et les analyses molles dénaturent fréquemment le savoir.

Entreprise concevable, toutefois, dès lors qu'on soumet la complexité dynamique des objets aux habituelles *catégories de la pensée stratégique,* qui sont : la dialectique Même-Autre, la finalité de l'agir (but stratégique), ses voies-et-moyens (système des forces et modes opérationnels) et son coût – dont le rapport apparaît dans la loi de l'espérance policostratégique –, l'espace, le temps et le milieu (terre, mer, air, espace). Ces catégories et leurs combinaisons constituent la matrice structurant le champ mental du stratège et organisant le travail analytique, heuristique et critique sur le chantier stratégique. Notons que, si l'on veut définir la stratégie, on ne saurait viser une définition résumant tous ses déterminations et attributs en une formule unitaire : l'analyse doit opérer successivement dans toutes les dimensions de l'objet qu'indiquent les catégories. Pour définir la guerre, Clausewitz ne procède pas autrement : sa « définition trinitaire », selon les termes de Raymond Aron, utilise les catégories de la fin (« instrument politique »), de la nature des forces et de leur but (« acte de violence destiné à contraindre l'adversaire à exécuter notre volonté [1] »). De même, pour définir la stratégie militaire dans le sens extensif qui est le nôtre, Beaufre passe par des définitions successives, mais en combinant les catégories : « Art d'employer les forces militaires pour atteindre les résultats fixés par la politique. » Puis, en généralisant, « de faire concourir la *force* à atteindre les buts de la politique ». Enfin, « l'art qui permet, indépendamment de toute technique, de dominer les problèmes que pose en soi tout duel, pour permettre justement d'employer les techniques avec le maximum d'efficacité. C'est donc l'art de la

1. Clausewitz, *De la guerre,* livre I, chap. I.

dialectique des forces ou encore plus exactement l'art de la dialectique des volontés employant la force pour résoudre leur conflit [1] ».

Dans cette entreprise, jamais achevée, la généalogie est secourable, qui récapitule les avatars de l'outillage et dit comment il se constitue, spontanément ou par la recherche approfondie; qui éclaire les raisons de ses transformations, lentes ou accélérées, partielles ou radicales, induites par l'évolution de pratiques exigeant une continuelle révision de leurs moyens opératoires. Elle dit pourquoi et comment les mises à jour de l'outillage s'imposèrent et s'effectuèrent lors des crises majeures de la stratégie; les retards, et leurs causes, du travail de révision conceptuelle; ou, au contraire, la formulation de règles anticipant des pratiques nouvelles, plus efficaces ou plus économiques, par la seule vertu du verbe qui invente le futur grâce à des méthodes plus sûres d'observation et de prédiction, à des questions moins trébuchantes et des énoncés plus cohérents et mieux assurés sur des axiomes plus explicites.

C'est donc *la critique* de la valeur opératoire de l'outillage, usuel ou émergeant, qui nous intéresse dans la mesure même où nous devons remettre le nôtre sur le chantier. Même si la nécessité d'une épistémologie spécifique ne s'est imposée que récemment à la conscience claire, si elle se constitue sur une connaissance moins floue de la logique de l'agir, elle attend, de la généalogie, des indications sur le fonctionnement de la critique – plus exactement, de la dialectique critique-invention – dans l'histoire de la pensée pratique et théorique. *Épistémologie génétique,* en effet, depuis les enfances du discours de et sur la stratégie : les états successifs de la boîte à outils et du langage, traces de son travail, nous intéressent moins que les passages de l'un à l'autre; moins que les motifs clairs et inconscients des abandons du matériel usé, des essais de notions et d'assertions timidement introduits dans le discours tâtonnant.

Soyons clairs : si la généalogie enregistre la naissance et la mort des outils, les raisons en sont rarement avouées dans les théories. La critique n'y apparaît souvent qu'implicite. C'est sa nécessité, pour nous, et parce que nous ne nous satisfaisons plus de solutions empiriques, qui suggère de la reconstituer à travers les métamorphoses du langage. Nous constatons des entrées et des sorties de notions, dans le développement généalogique, qui semblent imposées par un besoin instinctif du discours qui doit coller à la pratique, combler des vides ou évacuer le superflu dans un langage qui n'a de sens que s'il est utile à l'agissant. Guibert, Jomini, Clausewitz innovent en s'interrogeant sur les relations entre théorie et pratique, et sur les méthodes les mieux appro-

---

1. Général André Beaufre, *Introduction à la stratégie,* 1963, chap. 1.

priées à l'analyse de l'objet-guerre, et sur leurs limites de validité. Mais, s'ils dénoncent les *rides* des théories antérieures eu égard aux pratiques contemporaines, ils ne soumettent pas leurs discours à la critique interne. Elle révélerait pourtant les présupposés et axiomes implicites, les stimulations et les freins de telle partie de l'héritage culturel, les emprunts à des disciplines étrangères qui interviennent dans leur champ mental et qui, orientant les processus créateurs, suggèrent les nouveaux concepts et principes, et ceux-là seuls. Déterminations dont la critique éclairerait aussi les pesanteurs puisque, reflétant plus où moins l'esprit du temps, elles portent en elles les germes du vieillissement, plus ou moins rapide, de la jeune théorie.

De notre place, très en aval dans le flux généalogique, nous nous substituons donc aux inventeurs d'outils pour une critique épistémologique dont ils n'éprouvaient pas la nécessité. A observer, dans l'histoire, la naissance, le développement et la mort des concepts, les dérives sémantiques et les décalages entre des objets stratégiques changeants et les langages qui les ont traqués, nous prenons la mesure du nôtre devant nos propres objets et apprenons à nous défier de nos inventions. La généalogie enseigne non seulement la fragilité de l'outillage et la précarité du discours – qui sont toujours *locaux* – mais aussi les risques d'aveuglement devant l'évolution des choses; de sclérose d'un intellect naturellement attaché aux instruments qu'il a forgés et qui lui procurent à bon compte la sensation de la jeunesse. Pédagogie de la critique récurrente...

Ainsi, les avatars du concept actuel de dissuasion révèlent les vertus de la critique. Sa soudaine émergence, consécutive à la rupture provoquée par le fait balistico-nucléaire, nous a abusé sur sa nouveauté. Il a fallu bientôt l'affiner, distinguer entre dissuasion par le risque intolérable et dissuasion par la faible probabilité de victoire. Cette seconde forme a induit à penser que le mode dissuasif, valorisé par la coupure nucléaire, était une forme aussi ancienne que la stragégie d'interdiction, ce que confirme la généalogie; mais forme occultée par la réduction de la stratégie militaire à sa seule variété guerre. Observations capitales : elles suggèrent d'inscrire le mode dissuasif à sa juste place dans les variétés de la stratégie contemporaine qu'il n'est plus possible, désormais, de réduire à sa seule composante nucléaire. Une critique similaire, empruntant elle aussi à la généalogie, aurait préservé les stratèges du XIXe siècle et de la première moitié du nôtre de l'erreur commise en réduisant la guerre à son mode absolu et sa stratégie à celle d'anéantissement.

Les concepts vivent donc de leur vie propre, qui peut se détacher dangereusement de la réalité. La généalogie dénonce ces écarts entre la valeur opératoire – positive et heuristique – des outils et les pratiques. Elle dit pourquoi et comment ces écarts sont perçus, et comment ils sont réduits. Par exemple, le concept de stratégie ne s'imposa qu'à la fin du XVIIIᵉ siècle : il apparaît timidement sous la forme « stratégique » chez Joly de Maizeroy [1] et Guibert, et c'est Heinrich von Bülow qui l'utilise pour la première fois dans son acception de « science des mouvements hors de portée de l'ennemi [2] ». Que signifie ce retard ? L'objet de pensée « stratégie » existait depuis les origines du développement généalogique : il fallait bien faire mouvoir les forces dans l'espace, le temps et le milieu, pour les amener au contact de l'adversaire, de ses forces que l'on voulait battre ou de la ville fortifiée que l'on souhaitait enlever. Mais ces mouvements étaient perçus comme des préliminaires, sans valeur propre, à la bataille ou au siège, seuls décisifs pour l'issue de la guerre : la tactique et la poliorcétique demeurèrent donc au centre de la réflexion sur la guerre jusqu'à ce que, avec l'invention du système divisionnaire, au XVIIIᵉ siècle, la manœuvre stratégique acquît son statut propre. Elle apparut alors non plus comme une simple approche *indifférente* de l'espace réduit où se décidait la bataille (manœuvre tactique), mais comme une combinatoire calculée des facteurs forces, espace et temps, grâce à laquelle la bataille n'était plus qu'un moment particulier, l'acmé préparé par l'enchaînement continu des praxèmes composant la stratégie : « Dans un art aussi difficile que celui de la guerre, c'est souvent dans le système d'une campagne qu'on conçoit le système d'une bataille », dira Napoléon. La généalogie rend donc compte, non pas de ce qu'on pourrait croire un retard de la conceptualisation sur la pratique, mais de l'émergence du concept nouveau de stratégie exigé par une radicale transformation des opérations de guerre. A deux siècles de distance, nous classons bien, dans ce que nous nommons stratégie opérationnelle, les manœuvres des siècles précédents – et singulièrement les savantes marches et contre-marches du XVIIIᵉ – mais, pour les praticiens d'alors, elles ne justifiaient pas une théorisation particulière parce qu'elles ne possédaient pas, en soi, le potentiel de décision qu'elles auront par la suite, grâce au montage des grandes unités en système fonctionnel. La conséquence de cette mutation et de la conceptualisation corrélative sera la dévalorisation de la tactique et de la poliorcétique, concepts non plus

---

1. Encore qu'il soit fréquemment invoqué et cité avant 1914, l'histoire n'a pas fait, à Paul Gédéon Joly de Maizeroy (1719-1780), sa juste place dans l'évolution des idées et l'enrichissement de notre boîte à outils. Signalons, parmi ses nombreux ouvrages : *Cours de tactique théorique, pratique et historique* (1766) dans lequel apparaît le concept de stratégie, et *Théorie de la guerre, où l'on expose la constitution et la formation de l'infanterie et la cavalerie, leurs manœuvres élémentaires avec l'application des principes de la grande tactique, suivies de démonstrations sur la stratégique* (1777).
2. Henrich von Bülow, *Esprit de la guerre moderne*, 1799.

indépendants, mais englobés désormais dans celui de stratégie, comme le soulignent Jomini et Clausewitz.

La généalogie restitue donc le patient travail de conceptualisation qui, depuis les origines, n'a cessé de *former* le langage de la stratégie. Double travail d'enrichissement et d'approfondissement des notions – de rigueur sémantique – exigé par la complexité croissante des systèmes militaires, par le spectre plus étendu des états de conflit et les variétés stratégiques plus nombreuses. Que ce soit dans le domaine de l'organisation et de la structure fonctionnelle des forces, dans ceux des armements et de leur emploi dans les différents milieux, ou dans celui des déterminations affectant la stratégie militaire, les *définitions* n'ont cessé de se multiplier et de s'affiner pour éclairer la diversité des objets de pensée et de calcul décisionnel – les *êtres stratégiques* –, la nature et la dynamique de leurs connexions. « On me reprochera peut-être, écrit Jomini, d'avoir poussé un peu loin la manie des définitions; mais, je l'avoue, je m'en fais un mérite : car pour poser les bases d'une science jusqu'ici peu connue, il est essentiel de s'entendre avant tout sur les diverses dénominations qu'il faut donner aux combinaisons dont elle se compose, autrement il serait impossible de les désigner et de les qualifier [1]. » Excellent article de méthode, moins naïf qu'on peut le penser, comme le montre l'insistance de Pascal [2], et dont on a sous-estimé l'importance dans le développement généalogique. Sans doute, peu de théoriciens sont aussi systématiques et prolifiques que Jomini différenciant les manœuvres en lignes intérieures, extérieures ou divergentes, trois sortes et douze ordres de bataille, cinq manières de combiner les retraites ou de former les troupes pour marcher à l'ennemi...

Il est vrai, pourtant, qu'il n'est pas de cheminement théorique, analytique ou critique, qui ne bute sur des êtres stratégiques insolites, ou perçus comme tels; êtres surgis dans le champ mental à l'occasion d'un dérèglement de la pratique ou d'une contestation théorique; êtres opaques parce qu'in-nommés, ne figurant pas dans la nomenclature usuelle. Objets bien réels cependant, observables sous la forme tangible de faits, événements, phénomènes inclassables, et qu'il faut d'abord nommer pour les situer dans la taxinomie, puis relier à d'autres notions. Tout vide sémantique dénonce donc une carence du sens : outre qu'elle trahit une méconnaissance de la réalité, elle retentit sur la pertinence et la cohérence des énoncés et propositions – sur leur syntaxe – grâce auxquels on se propose de dire la nature et les combinaisons des praxèmes. En bref, s'il est un domaine du savoir où l'on peut parler de concept opérationnel, dans le sens de Bridgman, c'est bien le nôtre : il s'agit toujours de dire ce

---

1. Jomini, *Précis de l'art de la guerre*, Avertissement, 1837.
2. Pascal, *De l'esprit géométrique et de l'art de persuader*.

qui se fait, de dire uniquement des opérations intellectuelles et physiques *observables*. Les définitions, concepts ou énoncés ne se constituent que pour combler des vides dans le catalogue ordonné de ces opérations, qui sont les véritables êtres stratégiques : le principe clausewitzien de polarité et d'ascension à l'extrême de la violence peut être lu comme la définition d'un fait expérimental, comme un concept opérationnel. Constituant son lexique, le langage stratégique change, non seulement pour épouser les variations phénoménologiques des objets, mais aussi parce que, comme tous les autres, il procède du travail du savoir dans des aires de cultures et de civilisations localisées. Il faut constamment traduire les langages anciens dans le nôtre, en corrigeant les effets de diffraction imputables à l'ethnocentrisme : les concepts et assertions de Sun-Tsu nous sont malaisément intelligibles, et doivent percer le mur des univers mentaux. Le dogme et la langue de bois du marxisme-léninisme font écran entre les textes soviétiques et le lecteur « occidental ». Nous devons relire Machiavel en sachant pourquoi, comme ses contemporains, il ne peut trouver son bien que dans l'Antiquité, dans Végèce et Tite-Live. Frédéric II et Guibert parlent la langue de Machiavel, de Hobbes et de l'*Encyclopédie*; Clausewitz, celle de Montesquieu et de Kant; Ludendorff, celle des pangermanistes. Et nous jargonnons en cybernétique, systémique, topologie, sémiotique, logique probabiliste, informatique, intelligence artificielle, morphogénèse...

Avec ou contre l'esprit du temps, la généalogie révèle comment travaille le langage stratégique. Le progrès sémantique et syntaxique obéit à une *double loi de développement* qui reflète, logiquement, le double processus de différenciation et d'intégration qui gouverne, nous l'avons vu, l'évolution du système stratégique vers une plus grande complexité organisationnelle et opératoire. D'une part, des concepts centraux gagnent en extension pour s'adapter aux nouvelles dimensions de l'objet. D'autre part, et corrélativement à ce déploiement sémantique, le concept primaire ainsi dilaté se dissocie en concepts dérivés, de plus en plus nombreux et compréhensifs, au fur et à mesure que l'analyse plonge dans les couches successives des éléments du Tout complexe. Ainsi, les notions centrales de stratégie et de tactique se sont épanouies en de vastes architectures conceptuelles construites, d'une part, par leur déploiement hors de leur champ sémantique originel et, d'autre part, par leur dissociation en multiples concepts élémentaires. Dilatation et dissociation buissonnantes, qui contaminent des domaines d'action et de connaissance jusqu'alors extérieurs et de plus en plus différenciés; domaines que stratégie et tactique revendiquent désormais pour adapter le langage positif et le calcul décisionnel à l'étendue et à l'hétérogénéité croissantes de leur objet. Ainsi, la stratégie *générale* militaire s'est évadée de son domaine naguère englobant – la guerre – pour inclure celui des états de conflits infra-guerre. Simultanément, elle s'est différenciée en ajoutant la stratégie des moyens, avec ses deux composantes génétique et logistique, à la classique stratégie opérationnelle, elle-même décomposée en stratégies terrestre, maritime, aérienne. Chacune de ces stratégies sectorielles se définit par ses buts et voies-et-moyens particuliers, par ses déterminations et sa logique opératoire spécifiques, que récapitulent ceux de la stratégie générale dans une combinatoire de modes opératoires régie par une logique et une économie globales; à quoi il faudrait ajouter l'inclusion du concept de stratégie générale militaire dans celui de stratégie intégrale.

On observe le même processus de prolifération conceptuelle dans l'espace de la tactique. Celle-ci n'est plus réductible aux dispositions prises pour le combat et la bataille, et à leurs opérations locales : elle s'étend à toutes les opérations finalisées par la production d'effets physiques, plus variés dans leur nature et pouvant se définir par des objectifs n'impliquant pas le contact de l'ennemi. Dilatation du concept, si l'on se souvient de son contenu sémantique au XIXᵉ siècle et même tout récemment encore, chez Castex, pour qui « tactique (s'entend) pendant le combat, dès que les armes agissent et jusqu'à ce qu'elles cessent d'agir ». En outre, si le langage différencie les tactiques élémentaires d'armes, et selon les milieux, et les tactiques combinées, les dimensions de la tactique se sont également dilatées dans l'espace et le temps, à la mesure de celles des effets physiques recherchés et de leurs objectifs. On observe, depuis l'extension des fronts continus au cours de la Première Guerre mondiale, une tendance à l'absorption de la stratégie opérationnelle dans une tactique générale résumant, sur une plus longue durée que la bataille classique, un enchaînement continu d'opérations locales visant des objectifs successifs : on attend, de leurs effets cumulés, une résultante équivalente à celle visée, naguère, par la manœuvre stratégique en terrain libre. Ce phénomène de compression de la stratégie opérationnelle dans une action de nature tactique – le but stratégique s'identifiant à la production d'un effet physique de vastes dimensions – trouve sa perfection dans le duel des forces nucléaires centrales, qui, contrairement à l'usage linguistique, devrait ressortir à la tactique et non à la stratégie nucléaire.

Amorcée dès l'origine du développement généalogique et accéléré depuis 1945, l'affinement du langage, par extension et différenciation conceptuelles, traduit un patient travail de rationalisation de l'action, supposant l'intelligibilité d'êtres stratégiques aussi emmêlés que leurs déterminations. L'entreprise suppose un perfectionnement constant de l'outillage. Mais les praxèmes sont si nombreux et variés, causes et effets si indistincts dans les processus d'actions, réactions et rétroactions, que la rigueur des concepts et leur structuration en englobés et englobants peut faire illusion sur la validité, au regard du réel, du découpage de l'action globale en espaces distincts d'analyse et de calcul, en *ordres de la pensée*. On voit bien, à ce qui précède, que la tactique tend à s'identifier à l'ensemble des opérations physiques concrètes, quelles que soient leur nature et leur échelle spatio-temporelle, et qu'elle englobe des types d'actions qui, naguère, auraient été dites stratégiques. La stratégie est, de ce fait, rejetée dans le domaine des opérations intellectuelles effectuées sur des représentations abstraites de l'action; sur des images et formules traduisant les échanges et conversions d'énergies effectués par la tactique, et que véhiculent l'information circulant à l'intérieur du système politico-stratégique et celle échangée avec l'environnement. La stratégie s'identifie à la logique opératoire, aux méthodes et opérations d'analyse et de calcul, probabiliste, appliquées à ces objets abstraits. Elle est bien dans son essence, selon l'aphorisme de Beaufre, « une *méthode de pensée* permettant de classer et de hiérarchiser les événements, puis de choisir les procédés les plus efficaces [1] ». Pensée utilisant un langage qui, dans sa quête de la précision conceptuelle, doit constamment veiller à ne pas gommer les incertitudes sur ses objets, sur leurs combinaisons et sur leur évolution.

C'est que, pour revenir à l'outillage, le travail de conceptualisation ne peut manquer d'affecter les énoncés et assertions formulés à partir des définitions, de plus en plus fines, d'objets de plus en plus reliés dans le système stratégique : les principes de la stratégie de guerre ne sauraient être transposés sans précautions dans celle de non-guerre. Gardons-nous, sur le conseil de Pascal, de confondre les « définitions de noms », qui n'impliquent pas l'existence des objets qu'elles désignent, et les « définitions de choses » appliquées à des objets de la réalité. Ardant du Picq a dénoncé les schémas tactiques misant sur la puissance du choc et construits sur la notion, dénuée de sens pratique, d'énergie cinétique des formations massives. « Sanctuarisation élargie » et « stratégie nucléaire européenne » ne sont que « définitions de noms » postulant l'existence ou la forte probabilité d'occurrence, invérifiable, des « choses » sur lesquelles on édifie des théories molles et non réalistes dans l'état actuel... des choses. La critique épistémologique doit donc porter en priorité sur les définitions et concepts figurant dans les énoncés théoriques; non seulement sur leur contenu sémantique, leur adéquation au réel ou au probable, et sur leur stabilité tout au long d'un même discours – car les dérives y sont fréquentes et parfois délibérées – mais aussi sur leur compatibilité entre eux. Conditions nécessaires de la cohérence du

1. Général Beaufre, *Introduction à la stratégie*, 1963.

discours et de la pertinence de ses propositions au regard des
« choses »...

Modèles et paradigmes

Dire les êtres stratégiques, affiner leurs définitions pour
constituer un lexique universel, classer et ordonner les concepts en
un corpus permettant, d'une part, des débats théoriques dans un
langage univoque et, d'autre part, à tous les opérateurs d'un même
système – voire entre systèmes antagonistes – de communiquer
sans dégradation de l'information, c'est là une ambition légitime,
certes, mais perpétuellement déçue : rares, en effet, les discours
ayant reçu immédiatement le juste écho. La généalogie est un
théâtre d'ombres, les controverses se trompant constamment de
cibles, faute de lire ce qui est dit. Le savoir stratégique progresse
par lente réduction des malentendus sur les œuvres, trop de
lecteurs les tirant à eux sans se soucier des sources de leur langage
et déracinant concepts et énoncés de leur tuf. Quiconque,
aujourd'hui, écrit sur la stratégie en avouant, comme il le doit, ses
axiomes et présupposés, les raisons et le domaine de validité de ses
concepts et assertions, et met en garde contre ses métaphores
avancées par commodité ou impuissance, ne peut manquer d'être
travesti, et son propos détourné : ici, aussi, le mort saisit le vif...
Peut-être faut-il chercher, dans la crainte de l'incompréhension
autant que dans le manque de confiance envers les outils que nous
devons inventer, les raisons de nos constantes références aux
anciens, aux œuvres canoniques, aux « vies illustres » et aux
actions exemplaires, qui étayent les discours et confortent les
innovations pratiques.
    Je ne songe pas, ici, à l'histoire militaire, indispensable recueil
des protocoles d'expériences in vivo, matériel brut fournissant les
observations sur lesquelles opère, parfois imprudemment, l'induction du théoricien. Mais, dans la mesure où il n'est de théorie que
pour l'action future, où le praticien ne calcule et ne décide qu'en
se projetant, lui aussi, dans un futur ignoré, le stratège est
nécessairement conduit à construire des figures possibles de cet
avenir et à leur affecter des probabilités d'occurrence. De ce qu'il
sait et croit savoir, avec ce qu'il suppute et ce qu'il se résigne à
ignorer sur les déterminations et les facteurs d'évolution de
l'actuel état de choses, il construit donc des *modèles* d'avenirs
concevables, plus ou moins prospectifs, probables et pertinents
selon l'horizon retenu et la finesse des instruments d'analyse de la
réalité actuelle et d'investigation dans l'imaginaire. Modèles
simplificateurs, d'abord, des réalités actuelles dans lesquelles,
faute de tout connaître sur la totalité dynamique, nous découpons
les segments de la stratégie qui nous intéressent, et sachant qu'une

grande part du jeu des déterminations nous échappe. Simplificateurs, plus encore, quand nous plongeons dans l'avenir, empire des
incertitudes. Si, par construction, les modèles sont réducteurs de
la réalité et pêchent trop souvent par excès de constructivisme, ils
n'en constituent pas moins de précieux outils pour l'entendement
et pour la rationalisation du travail dans l'imaginaire; sous réserve,
bien entendu, que l'on soit clair sur les axiomes et présupposés
adoptés; que l'on corrige l'inévitable effet de réduction par
l'examen des conditions et du domaine, nécessairement borné, de
validité – de cohérence et de pertinence – du modèle. Je me suis
essayé, après beaucoup d'autres, à l'exercice de modélisation et
mon propos, ici, n'est pas de le reprendre, fût-ce sommairement.
Ce qui nous intéresse, ce sont la fonction et les avatars de cet outil
dans la généalogie.

Le modèle, vocable et notion, est récent dans le sens que nous
lui donnons aujourd'hui. Toutefois, aucun instrument n'est plus
familier au stratège : sauf pour la part de critique interne que
suppose toute modélisation – encore qu'on l'escamote souvent – la
plupart des théories anciennes fonctionnèrent comme des modèles.
Procédant, elles aussi, de la nécessité de représenter rationnellement l'avenir probable, elles butèrent contre les mêmes obstacles
pour définir leurs espaces et facteurs d'incertitudes, et pour en
apprécier les effets réducteurs invalidant le discours. De Sun-Tsu,
Xénophon, Machiavel, Folard, Guibert, Jomini, Clausewitz, von
Bernhardi, Camon, Schlieffen, jusqu'à Ludendorff, Castex, Liddell Hart, Brodie, Kahn, Schelling, Beaufre, etc., la généalogie
récapitule des essais de modélisation finalisés par la même volonté
heuristique, normative et pédagogique. Modèles inégalement
ambitieux, représentatifs de fragments plus ou moins vastes de la
totalité stratégique, et plus ou moins construits : le discours
relâché dévidant les aphorismes aussi dogmatiques que sans
preuves, comme celui de Sun-Tsu, voisine, dans la stratégothèque,
avec les vastes constructions comme celles de Clausewitz ou
Castex, qui éclairent leurs approches, leurs méthodes, leur corpus
de concepts et de principes. Cependant, tous, à un moment du
discours, éprouvent le besoin de justifier leurs propositions, d'en
démontrer l'efficacité et de devancer les objections en se référant
à la littérature consacrée. Témoignages posthumes, les textes
canoniques sont invoqués soit pour en dénoncer les carences,
l'incongruité ou l'usure, soit pour leur demander d'étayer des
inférences trop audacieuses.

Qu'il le récuse ou l'invoque, le modèle-méthode s'adosse au
modèle-exemple : aussi autonome qu'il se veuille, le stratège pense
son action à la fois avec et contre ceux qui l'ont pensée. Créateur
d'histoire, il invente contre l'histoire échue, mais aussi avec elle.
Quoiqu'il fasse et dise, aussi impatient qu'il soit de se détacher
d'un passé qui ne se répète jamais, il est paradoxalement hanté par

l'idée que, quelque part dans le monde, en un moment critique du travail de la pensée stratégique sur elle-même, des précurseurs ont rencontré des objets homomorphes posant des problèmes similaires; que quelque chose s'est conservé, à travers les transformations; qu'il suffirait de retrouver la trace des précurseurs et de leur travail de modélisation, non pour faire l'économie d'un même travail mais, au moins, pour leur demander de confirmer la justesse d'une problématique, de certains axiomes et présupposés, et la pertinence des réponses; surtout, d'illustrer leur propos. Double vertu, heuristique et probatoire, du modèle-exemple pour le modèle-méthode.

La quête de précurseurs-témoins et l'identification des œuvres pouvant être sollicitées à l'appui de nouveaux modèles, confèrent une fonction instrumentale, séminale, à la généalogie considérée dans son ensemble, dans son processus de totalisation totalisante : la manière dont on l'interroge et dont elle répond aux consultants n'est indifférente ni à elle, ni à eux. Réservoir de modèles, chacun lui emprunte, selon ses besoins et sous réserve de les adapter aux déterminations du jour, les références utiles. Ces carottages dans les sédiments de l'histoire livrent toujours ce qu'on y cherche, et ce qu'il cherche et extrait révèle le chercheur : les préoccupations de son temps, les interrogations d'une stratégie qui ne sait où « donner de la tête », les réponses inconsciemment espérées; les erreurs de lecture, également, sur les faits et facteurs d'évolution. Les modèles exemplaires prélevés dans les couches généalogiques, la manière dont tel théoricien ou praticien les a utilisés, les distorsions imposées pour les plier aux nécessités de sa démonstration, fournissent un code pour déchiffrer son œuvre et restituer sa genèse. C'est dire que les privilèges accordés à tels ou tels rayons de la stratégothèque, par les générations de nos prédécesseurs, contribuent à orienter le développement généalogique, à le déterminer par le jeu des filiations intellectuelles. Des lignées de stratèges traversent l'histoire, interrompues par d'autres qui les croisent, les supplantent et les refoulent un temps; puis une résurgence inattendue, et l'effet amplificateur de la mode...

Je songe moins, ici, aux familles de pensée partageant le même intérêt pour une stratégie sectorielle – stratégie maritime, par exemple, ou stratégie des moyens, etc. – mais à celles qui se reconnaissent et se reconstituent, par-dessus les siècles, devant la réapparition périodique d'une même interrogation sur un même segment du Tout stratégique : interface politique-stratégie, par exemple; ou organisation et mécanismes de la structure fonctionnelle des forces selon le donné idéologique, démographique, social, politique, technique; ou meilleure combinaison des opérations offensives et défensives pour tel but stratégique, interdiction ou coercition, selon l'état de la technique, le théâtre, etc. Si l'une de ces questions resurgit, avec une nouvelle donne locale, celui qui la pose et modélise une réponse trouve toujours, dans la mémoire des siècles, un état apparemment parfait de cette réponse; un modèle de son modèle illustrant ce que peut et doit être l'exacte adéquation entre l'énoncé du problème et sa solution. Paradigme embaumé par la généalogie, révéré par les générations, et qu'il suffira d'évoquer à l'appui d'un discours novateur pour que celui-ci soit immédiatement intelligible, ses assertions repérées et cautionnées.

Pour Machiavel, modélisant l'organisation d'une milice, le paradigme est la légion romaine de la haute époque ayant résolu les éternels problèmes : recrutement et organisation selon les classes d'âge, discipline modulée par la conscience du devoir civique, entraînement et exercice du commandement, etc. Or, Machiavel est familier à l'école française des Lumières comme à Frédéric II, et bien des traits du paradigme romain réapparaissent, en 1792, dans « l'esprit de défense » républicain. La lignée se poursuit avec Jaurès et ses épigones, même si l'on a oublié ses racines. Dans le domaine de la stratégie opérationnelle (de guerre), la grande question, constante, a porté d'abord sur les dispositions (ordre de bataille, manœuvre) permettant d'agir du fort au faible et de déséquilibrer l'adversaire (concentration des efforts, donc économie des forces et effet de surprise) au moindre prix (efficacité-coût). L'ordre oblique d'Épaminondas (Leuctres et Mantinée) propose un paradigme qui traverse l'histoire, grâce à Polybe, jusqu'au praticien Frédéric II (Leuthen, Rossbach) et au théoricien Folard. Paradigme qui, après avoir influencé la seule tactique dans l'esprit de ses origines, sera bientôt transposé dans la dimension stratégique (opérationnelle) avec la généralisation guibertienne de l'ordre oblique, puis avec la manœuvre napoléonienne modélisée a posteriori par Jomini et Camon (manœuvre sur les arrières). Enfin, dernier développement du paradigme à l'échelle de la conduite de la guerre, c'est bien le concept d'obliquité qui détermine les conceptions stratégiques de Franchet d'Esperey dans les Balkans, en 1918, puis de Churchill visant « le ventre mou » de la coalition adverse. Mieux, l'approche indirecte de Liddell Hart consacre l'obliquité comme une règle transhistorique s'imposant, comme un principe de son rendement maximum, à la conduite des opérations terrestres et des guerres. De Polybe, à Liddell Hart et, aujourd'hui, à certains interprètes de la stratégie globale de l'U.R.S.S. [1], la filiation est manifeste qui, consciemment ou non, s'enracine dans le paradigme Épaminondas.

1. G.E.R.S.S. (Groupe d'Études et de Recherches sur la Stratégie Soviétique), *L'U.R.S.S. et le tiers monde, une stratégie oblique*, Cahier n° 32 de la Fondation pour les Études de Défense Nationale, Paris, 1984.

Outil privilégié du chantier stratégique, la valeur opératoire du modèle paradigme tient à plusieurs propriétés. D'abord, à la simplicité, quasi schématique, du modèle originel de conduite, donc de calcul décisionnel; simplicité qui lui confère ses vertus heuristiques (analyse et évaluations prévisionnelles) et didactiques. Ensuite, à sa très grande puissance de généralisation théorique, qui autorise sa transposition, avec changements d'échelle, dans toutes les régions de la stratégie, depuis l'étage subordonné de la tactique jusqu'à celui de la stratégie générale militaire, voire de la stratégie intégrale. Enfin, à la pureté du trait, à la valeur esthétique d'un mode opératoire, au style des combinaisons pratiques dont la simplicité et la pertinence, eu égard au but visé, apparaissent d'autant plus exceptionnelles qu'elle s'accompagnent du meilleur rendement (efficacité-coût) dans le duel. Le paradigme est élu, parmi toutes les incarnations historiques d'un objet stratégique – organisation, mécanismes de la structure fonctionnelle, solution tactico-technique, manœuvre, etc. – parce qu'il répond à une certaine idée de la perfection dans l'*art* de la guerre et, plus généralement, stratégique.

C'est pourquoi la généalogie s'est ordonnée de préférence autour des manifestations du génie guerrier, négligeant trop souvent la leçon des erreurs et des désastres. Elle est l'histoire de la conquête de la maîtrise dans le calcul et la conduite de l'action; de l'intelligence de son *économie* spécifique composant rationalité, incertitudes et hasard objectif. Inventaire des *moments forts* de cette conquête et de cette intelligence, elle a longtemps exalté la bataille, moment culminant du duel, dont on attendait qu'il décidât l'issue du conflit. De là, jusqu'à l'époque récente de son extension spatio-temporelle à la dimension des opérations prolongées sur de vastes fronts continus, la place de choix accordée, dans la stratégothèque universelle, aux « batailles-modèles » – et modèles parce que décisives – qui ponctuent le développement de la généalogie. De là, aussi, la fonction paradigmatique qui leur fut longtemps attribuée et que la rupture, provoquée par le fait nucléaire et l'inversion consécutive de la relation guerre-stratégie, a dévalorisée. La paradigme Cannes – double enveloppement par les ailes – s'imposa tant que l'espace libre permit la manœuvre d'encerclement; Schlieffen le transposa de l'échelle tactique à la dimension stratégique mais en réduisant l'encerclement à celui d'une « aile » selon le modèle Ulm ou Sedan. Puis, quand l'espace manqua, quand les fronts continus n'autorisèrent plus l'enveloppement des ailes, le paradigme Austerlitz lui succéda : rupture frontale, suivie de l'écartement des lèvres et de l'écrasement successif ou simultané des fragments ainsi dissociés dans le front; paradigme transposé, à l'échelle stratégique, dans le plan Manstein de 1940 et dans les grandes batailles germano-soviétiques de rupture et d'encer-

clement intérieur (Kesselschlacht). La stratégie de guerre révolutionnaire de Mao-Zedong a fourni un modèle-paradigme à
toutes les entreprises similaires de notre temps, qu'elles que
fussent leurs dimensions et leur idéologie motrice.

S'ils sont des instruments commodes d'analyse et de théorisation, les modèles-paradigmes doivent être utilisés avec précaution. Leur simplicité de schéma, forçant le trait n'est qu'apparente : abusive réduction, à quelques attributs privilégiés, d'un
type d'organisation de bataille, de manœuvre, etc., lui-même élu
pour l'éloquence de la preuve qu'il apporte à la théorie prescriptive. Preuve attaquable pour peu que l'analyste ait, inconsciemment ou non, forcé la généalogie en minorant, voire en évacuant
le jeu des autres déterminations du « cas concret » érigé en
paradigme. En outre, le changement d'échelle, procédé courant
dans le traitement d'un schéma-paradigme, peut amplifier ses
effets réducteurs, voire le dénaturer jusqu'à le priver de sens.
Changer d'échelle, c'est transposer l'action dans une autre
dimension espace-temps, par exemple; ou passer de la catégorie
des objectifs tactico-techniques locaux à un but stratégique
déterminé par d'autres facteurs. Il est probable que, dans ce
changement de dimensions, les vertus d'un modèle-paradigme
s'évaporent; que le duel ne respecte plus le schéma s'il passe des
quelques lieues carrées de Cannes ou d'Austerlitz à un vaste
théâtre où les combinaisons de forces, plus nombreuses et plus
différenciées, dans un espace-temps élargi, posent des problèmes
et appellent des solutions qui ne sont plus simplement homothé-
tiques de ceux résolus par le modèle-paradigme : l'échec du plan
Schlieffen sur la Marne n'est sans doute pas imputable à la
seule erreur d'évaluation de von Klück. Autrement dit, la valeur
opératoire d'un paradigme est liée à son domaine et à ses
conditions de validité; ce qui souligne, une fois encore, la
fonction régalienne de la critique épistémologique. Or, je ne vois
pas, dans la littérature stratégique, que l'on ait soumis les
paradigmes à cette épreuve de validité...

Toutes ces observations n'épuisent pas, bien entendu, ce que
la généalogie peut révéler sur le chantier stratégique; sur la
boîte à outils du stratège, sur leurs conditions d'apparition dans
son champ mental, et leur utilisation; sur leur dépérissement
aussi, et leur renouvellement sous l'injonction d'une pratique ne
cessant de se transformer. Je me suis borné à des incursions,
signalant quelques outils, ici et là, dans quelques régions du
Tout stratégique. Il aurait fallu évoquer les axiomes et présupposés, explicites ou non, que le théoricien et le praticien choisis-
sent ou qui leur sont imposés par l'état de chose sociopolitique
et l'idéologie dominante – la règle du jeu, par exemple. Vaste
entreprise, l'exploration généalogique! Si vaste que le décourage-
ment saisit l'analyste conscient, cependant, qu'il ne saurait, avec

quelque espérance de succès, penser l'actuel et inventer l'avenir,
que celui-là recèle à l'état latent, sans apprendre préalablement
à maîtriser son chantier. Conscient, aussi, que ce chantier n'est
plus à la mesure de l'individu isolé. Les temps seraient-ils
révolus, des grands systèmes s'attaquant au Tout stratégique,
des monuments dans lesquels on peut pénétrer par plusieurs
portes, comme ceux de Guibert, Jomini, Clausewitz, Castex? On
ne voit guère, aujourd'hui, que les membres épars de grands
corps... improbables.

CHAPITRE 4

A DÉFAUT DE CONCLUSION

Comment conclure, et qui l'oserait? Prétention dérisoire : se constituant en chaque instant et en tout lieu, la généalogie est, par nature, ouverte sur l'avenir dans lequel elle se déploie et dont elle ne cesse de repousser l'horizon par son progrès même, sans qu'on puisse spéculer sur quelque ultime point d'accumulation où se résumerait son capital d'expériences; où sa lecture récurrente livrerait enfin le principe et le sens, s'ils existent, de l'avancée stratégique depuis les origines des temps de conflit.

Le développement buissonnant d'une stratégie militaire contaminant tous les espaces de création des sociétés nous fait douter, aujourd'hui, que notre capacité de théorisation soit à la mesure des nouvelles dimensions de notre objet. Plus que jamais, le discours stratégique n'est que de circonstance et partiel. Le mouvement même de l'intellect fasciné par un futur où se déploie l'imaginaire technique rêvant tous les possibles, l'effervescence du champ mental ne maîtrisant pas la complexité croissante de la stratégie, trébuchant sur son découpage et sur le choix des outils, tout conspire à mettre en doute notre aptitude à comprendre et, à fortiori, à piloter l'action de violence collective. Le chantier stratégique est encombré par un matériau foisonnant, une information pléthorique et fluide, des énergies suggérant de nouveaux modes de conversion en forces de violence. Matériau de plus en plus difficile à traiter avec des instruments d'évaluation prévisionnelle et de calcul décisionnel encore mal adaptés à la nouvelle économie de l'action malgré les grandes espérances fondées sur les jeunes outils de l'informatique et de l'intelligence artificielle. Ce que la généalogie dit sur ce matériau et ces outils nous est-il utile quand, de la confusion, ne cessent d'émerger des êtres stratégiques insolites, voire aberrants au regard de l'héritage, même le plus proche? Déjà, le mode dissuasif, fondé sur le risque nucléaire, a exigé l'invention *ex nihilo* d'outils de pensée sans racines généalogiques. A quoi et comment peuvent servir nos habituels expédients de modélisation, que signifie la notion de paradigme pour le stratège brusquement transporté dans la dimension de la stratégie opérationnelle qu'ouvre la conquête de l'espace extra-terrestre? Non que les anciennes dimensions soient, à l'horizon visible, évacuées; mais ne sont-elles pas d'ores et déjà dévalorisées par ce qui peut être, demain, le mode stratégique dominant? A première vue, la généalogie ne nous est, ici, d'aucun secours... Sans doute, le fut-elle toujours aussi peu quand quelque imprudent s'interrogeait sur les fins dernières, sur la fonction de la violence armée dans la vie des collectivités sociopolitiques. Les plus éminents théoriciens n'ont répondu que par des lieux communs, ou ont reculé devant les abîmes de la métastratégie et de la métapolitique. Le philosophe, lui aussi, ne nous éclaire qu'au ras de la politique...

Au risque qu'on le soupçonne de vues (très) courtes, c'est donc le comment faire et comment dire le faire collectif qui définissent le statut du stratège; non le pourquoi. Statut exorbitant dans l'ordre de la création : l'œuvre de destruction et de mort n'autorise guère la liberté de l'esprit... Consulter la stratégothèque n'encourage guère le triomphalisme intellectuel : la puissance de l'invention y est patente; plus encore celle de toutes les inerties. Mais il faudrait être singulièrement aveugle sur la difficulté des problèmes stratégiques, sur les incertitudes freinant les envolées de l'inspiration prospective, pour ricaner, comme il est d'usage, sur les carences, les erreurs et les fautes de ceux qui eurent, un jour, le redoutable privilège de devoir parier avec la plus grosse mise qui se puisse concevoir.

La généalogie de l'historien n'est pas celle de l'acteur condamné à faire, sauf à n'être que spectateur. Le premier est invinciblement induit à chercher des enchaînements, à rétablir des continuités, à combler les vides d'un savoir lacunaire. Le stratège ne peut inventer qu'en pensant la rupture, par la critique et la négation du passé et la projection dans le futur. Si la généalogie n'est plus réductible à la classique histoire militaire, si elle se constitue en matériau d'une critique éveillée par une conscience plus aiguë des risques inhérents au maniement des armes, cela est dû, évidemment, au fait que nous naviguons à l'estime dans une zone de turbulences. Il serait tentant de croire que notre époque ne connaît pas de précédent. Ce n'est pas l'un des moindres mérites de la généalogie que de nous ramener à l'humilité. Elle rappelle que, dans tous les grands moments de rupture, praticiens et théoriciens ont connu le même désarroi; que leurs interrogations et leurs essais de solutions n'étaient pas plus simples que les nôtres; qu'ils durent dire et faire « quelque chose » avec les outils du moment. Il n'est pas jusqu'à notre volonté de penser le Tout dynamique et de théoriser l'universel qui n'ait été partagée, en d'autres temps : déjà, pour Polybe, « l'histoire du monde forme un Tout organique [1] ».

C'est pourquoi, il faut nous garder d'utiliser la généalogie avec le sentiment, sans doute exaltant mais naïf, que nous sommes juchés, aujourd'hui, sur quelque mirador d'où notre œil dominerait le Tout et le Détail de Tout; d'où, observateurs et critiques mieux postés que nos prédécesseurs, nous serions autorisés à juger de très haut leurs œuvres distribuées dans un passé que nous récapitulerions mieux qu'eux, et dont le sens nous serait enfin délivré. Nous butons en effet contre une aporie : ce regard dominateur supposerait constituée, aujourd'hui, une théorie plus puissante et mieux fondée, épistémologiquement, que toutes les précédentes. Une théorie permettant d'enfermer, dans un discours englobant et clos, le savoir conquis et accumulé, au cours des siècles, sur le chantier stratégique; en particulier, sur les relations entre la pratique et sa théorie. Théorie unifiante supposant le travail d'une boîte à outils universels et transhistoriques. Or, ces attributs exorbitants supposeraient que le chantier stratégique fût désormais fermé; que le développement généalogique fût bouclé; que le travail séculaire des et sur les œuvres de la pratique et de la théorie aurait d'ores et déjà fourni les éléments nécessaires pour constituer notre outillage actuel dans un état d'achèvement, et avec de bonnes raisons de croire en sa puissance d'analyse, de critique, d'intelligibilité et de calcul. Mais on voit que tous ces préalables renvoient à notre question initiale, à notre aptitude à déchiffrer et interpréter la généalogie dans sa totalité, et en chacune de ses étapes : ils supposent que nous sommes capables d'une telle lecture. Cercle vicieux...

Résignons-nous : l'action et la pensée stratégiques de notre temps s'inscrivent, comme celles de nos anciens, dans le flux généalogique. Elles ponctuent un moment sans valeur privilégiée dans un développement dont, comme eux, nous ignorons la cause finale et la trajectoire future. C'est dire aussi que nous ne percevons la trajectoire amont qu'à travers le filtre coloré de notre sensibilité stratégique, et que nous la restituons dans notre langage local. Si nous bénéficions d'une stratégothèque pour la première fois universelle, elle le restera évidemment pour nos successeurs; mais ils utiliseront cet héritage autrement, et l'interpréteront avec une autre grille de lecture. Lorsqu'ils devront étendre la stratégie militaire à l'espace extra-terrestre sans pouvoir évacuer, pour autant, ses modes terrestres, il leur faudra inventer leur composition. Nous sommes incapables, évidemment, d'imaginer comme ils percevront l'héritage généalogique,

1. Polybe, *Histoire*, p. 3.

ce qu'ils rejetteront et conserveront; quels invariants de l'action de violence collective, finalisée et développée en milieu conflictuel, perdureront à travers un changement de dimension dont nous échappent les modalités et les conséquences.

En fin d'analyse, pour chaque stratège, sa relation avec la généalogie n'est pas indépendante de sa position historique dans son développement, ni de l'écho qu'il y cherche à ses propres interrogations et à ses essais de réponse, toujours singuliers : pour lui, la généalogie se résume au *résidu utile d'œuvres choisies* dans la stratégothèque. Il n'en consulte pas indifféremment tous les rayons, mais ceux-là seuls qui lui offrent l'assistance intellectuelle dont il a besoin... En retour, ce qu'il ajoute, par la pratique ou la théorie novatrices, modifie, dans le développement généalogique, la position et la valeur relatives, le sens même des œuvres auxquelles il a emprunté et de celles qu'il a négligées. La généalogie n'est donc jamais ce qu'elle est objectivement; ce qu'elle serait pour quelque lecteur hors du temps, échappant à sa condition locale. Mais elle varie avec chaque consultation des stratèges successifs; devient ce qu'ils en font par leurs lectures polarisées, et par les éléments de l'action et du discours qu'ils en extraient. Les œuvres qu'elle rassemble se transforment sous ces regards rétrospectifs et intéressés qui les isolent, abandonnant les unes, conservant les autres auxquelles est ainsi attribuée une vertu maïeutique. Métamorphose des œuvres stratégiques du passé, sans cesse modifiées, et différemment, par les lectures récurrentes des héritiers successifs.

Notons que ce travail de métamorphose continue n'est pas spécifique des processus de création stratégique. Il n'est que l'application, au domaine de l'action, qui est création collective, de ce qu'on peut nommer l'effet Eliot-Malraux, observé dans la création individuelle, dans les arts de littérature ou plastiques : « Les monuments existants forment entre eux un ordre idéal que modifie l'introduction de la nouvelle (vraiment « nouvelle ») œuvre d'art. L'ordre existant est complet avant que n'arrive l'œuvre nouvelle; pour que l'ordre subsiste après l'addition de l'élément nouveau, il faut que l'ordre existant *tout entier* soit changé si peu que ce soit; et les rapports, les proportions, les valeurs de chaque œuvre d'art par rapport à l'ensemble sont ainsi rajustés; et c'est en ceci que l'ancien et le nouveau se conforment l'un à l'autre », écrit T.S. Eliot [1]. Thèse reprise par André Malraux : « C'est à l'appel des formes vivantes que resurgissent les formes mortes... Par sa seule naissance, tout grand art modifie ceux du passé : Rembrandt n'est pas tout à fait après Van Gogh ce qu'il était après Delacroix... Et ce n'est

---

1. T. S. Eliot, « La tradition et le talent individuel », 1917, in *Essais choisis*, trad. Henri Fluchère, 1950.

pas la recherche des sources qui a fait comprendre l'art du Greco, c'est l'art moderne. Toute rupture de génie infléchit le domaine entier des formes [1]. »

Il est vrai que les voix de la stratégie, celles des Maîtres, ne viennent à nous, du plus profond de l'histoire, et ne nous touchent au vif qu'à travers leurs métamorphoses successives, auxquelles nous surimposons les nôtres; à travers leurs effacements et leurs résurgences, souvent surprenants; à travers les altérations et déformations que leur font subir, en retour, les œuvres qu'elles ont nourries ou qui les ont récusées. Toute généalogie est imaginaire...

1. André Malraux, *Les voix du silence*, 1951.

Deuxième partie
GUIBERT
(1743-1790)

A Maurice Prestat

CHAPITRE 1

ANNÉES D'APPRENTISSAGE
ET DE VOYAGES

Une œuvre en quête d'auteur

Dans l'église Saint-Louis des Invalides, une plaque : lieutenant général Charles Benoît de Guibert (1715-1786), gouverneur. Non loin de là, Napoléon. Entre les deux, qui soupçonnerait une filiation, un troisième homme?

S'il accomplit, avec la fièvre et l'obstination des précurseurs, les promesses discernées par son père, Jacques Antoine Hippolyte comte de Guibert ne douta jamais qu'un autre achèverait son œuvre, qu'elle ne trouverait son sens qu'à travers des événements auxquels il n'aurait aucune part : « Un homme s'élèvera, peut-être resté jusque-là dans la foule et l'obscurité, un homme qui ne se sera fait un nom ni par ses paroles, ni par ses écrits, un homme qui aura médité dans le silence... Cet homme s'emparera des opinions, des circonstances, de la fortune : et il dira du grand théoricien ce que l'architecte praticien disait devant les Athéniens de l'architecte orateur : ce que mon rival vous a dit, je l'exécuterai [1] »... « Un jour peut-être, échappant aux vices de son siècle et placé dans des circonstances plus favorables, il s'élèvera sur ton trône un prince qui opérera cette grande révolution. Dans les écrits de quelques-uns de mes concitoyens, dans les miens peut-être, il en puisera le désir et les moyens. Il changera nos mœurs, il retrempera nos âmes, il redonnera du ressort aux gouvernements, il portera le flambeau de la vérité dans toutes les parties de l'administration; il substituera à notre politique étroite et compliquée, la science vaste et sublime que j'ai tenté de peindre [2]. »

Tour d'illusionniste? Prophétie ouvrant l'avenir à la plus révolutionnaire des œuvres de guerre jamais construite par un couple

---

1. *Défense du système de guerre moderne*, II. pp. 73-74.
2. *Discours préliminaire*, p. XXIV.

associé dans une commune invention : le théoricien Guibert et le
praticien Bonaparte? Plus douloureusement peut-être, alibi du
pionnier qui prend son parti de ses impuissances et délègue à un
homme heureux la charge de témoigner : « J'ai posé quelques
principes où il n'y en avait aucun, c'est au génie à en faire
l'application [1] .»

Nous savons ce que lui dut Bonaparte, pourtant peu prodigue de
confidences sur sa formation. Ses professeurs à l'École militaire,
les frères Kéralio, admiraient Guibert. Le chevalier du Teil, leur
ami et auteur d'un *Usage de l'artillerie nouvelle*, était frère du
général qui se prit d'amitié pour le jeune Napoléon et le fit
travailler à Auxonne. Plus tard, au camp de Boulogne et devant le
général Vallongue, l'empereur évoquera l'*Essai général de tactique*, « un livre propre à former les grands hommes » et figurant
dans sa bibliothèque de campagne. Ouvrant la campagne de
1806 : « Pour le coup, celui qui n'emportera pas dans sa poche un
extrait de Guibert sera un âne! » Il ne cessera de s'intéresser à la
famille de Guibert, prendra l'un de ses neveux comme aide de
camp en Égypte et accordera une pension à sa veuve, la doublant
en 1811 « en considération des ouvrages de M. de Guibert et des
avantages que l'armée française en a retirés ».

Un jeune Prussien, dont le caractère altier s'apparentait à celui
de Guibert, découvrait alors ce Français qui deviendra l'un de ses
auteurs préférés : Carl von Clausewitz s'inspirera parfois de
l'*Essai*. Sa troisième *Bekenntnis* de 1812, destinée à exalter le
moral des Allemands pour les appeler à la révolte, se souviendra
du *Discours préliminaire* : un grand peuple doit trouver dans son
gouvernement, dans sa vertu et sa résolution, la force de subjuguer
ses voisins et d'agiter l'Europe « comme l'aquilon plie de faibles
roseaux ». Ruse de l'histoire : « Panégyrique de la méthode frédéricienne, l'*Essai général de tactique* inspirera Napoléon pour
vaincre la Prusse, mais Clausewitz y puisera la leçon de patriotisme qui soulèvera l'Allemagne contre l'empereur. Les Français
ont oublié Guibert, mais les éducateurs militaires de la Prusse et
Von der Goltz y découvriront la formule de la nation armée et en
feront l'instrument de la revanche contre la " Grande Nation "
détestée [2] .»

Des promotions de Saint-Cyriens se souviennent de « l'amphi
Guibert ». Mais combien d'auteurs, contraints de lui prêter
quelque attention, ont ironisé sur une gloire qu'ils dénoncèrent
comme l'une des impostures du XVIIIᵉ siècle. Célébrité trop
éclatante : « Je ne sais si M. de Guibert sera un Corneille ou un
Turenne, écrit Voltaire, mais il me paraît fait pour être grand en
quelque genre qu'il travaille... La " Tactique " n'est pas un

1. *Essai général de tactique*, II. p. 37.
2. Lucien Nachin, *Avant-propos à une étude sur Guibert* (1949-inédit).

ouvrage de belles-lettres, mais elle m'a paru un ouvrage de génie [1].» Frédéric II : « Il s'élance vers la gloire par tous les chemins... Je mets l'Essai de tactique de M. le comte de Guibert dans le très petit nombre de livres dont je conseille la lecture à un général.» Grimm à Catherine II : « M. de Guibert a lu sa tragédie au Palais-Royal, au Palais-Bourbon et dans toutes les grandes maisons de France. Elle a fait plus de sensation qu'aucune des pièces les plus célèbres.» Washington enfin : « Les ouvrages militaires de M. Guibert sont mes compagnons de guerre.» Plus tard, notre prodige n'est plus pour Sainte-Beuve qu'un « héros avorté... dont la spécialité fut d'avoir du génie ». Pour Jules Janin, « un esprit médiocre, sans talent, mauvais poète, écrivain de régiment, âme lâche, perfide cœur; de sa tactique rien ne reste; de sa tragédie rien n'est resté, il fait des vers de quatorze syllabes, des vers de grand seigneur ».

L'école stratégique française, née de la défaite de 1870 et qui préparera les armées victorieuses de 1918, reconnaîtra le rôle éminent de Guibert. Mais sa renommée ne franchira guère le cercle des spécialistes. Une exception : Jaurès. Mieux que personne, il a perçu les liens entre une pensée stratégique ambitieuse et l'esprit d'une culture : « L'armée au XVIIIe siècle, sous la Régence et sous Louis XV, a participé à la dissolution de toutes les institutions sociales. Elle a été envahie par la frivolité et les vices de la monarchie décomposée. Mais elle a participé à toutes les inquiétudes et à toutes les aspirations de l'esprit nouveau. Un corps d'officiers où ont passé Vauvenargues, de Guibert, Gribeauval n'était pas de pensée vulgaire... L'action militaire elle-même est pleine de génie. L'organisation et le commandement des forces humaines en vue de la guerre mettent en jeu les facultés les plus hautes de l'esprit et du caractère. Les hommes qui excellent dans cette science ou qui, de toutes les forces de leur pensée et de leur âme, cherchent à y exceller, sont naturellement au niveau de ce qu'il y a de plus grand et de meilleur dans tous les ordres. Ils sont donc préparés à saisir ce qu'il y a de plus haut dans les œuvres de leur temps et de tous les temps, si seulement l'esprit de vie est en eux, s'ils ne sont pas séparés de l'ensemble de l'action humaine, si, dans leur fonction propre, ils sont soutenus par le mouvement vaste de toute une génération [2]. »

Qui croire? Pourquoi ces dissonances? C'est qu'une bien banale aventure advint à Guibert : pour les littérateurs, il eut le tort d'être aimé, passionnément, par une femme de lettres dont le destin posthume n'avait rien à gagner dans une liaison aussi aberrante. A quarante ans et « muse de l'Encyclopédie », Julie de Lespinasse s'est entichée du trop jeune colonel recherché de ceux qui faisaient

1. *Lettre à Condorcet.*
2. *L'Armée nouvelle,* p. 316.

profession de penser et se bousculaient dans son salon. Mais, en écho à la Religieuse portugaise, ses lettres déplorent que son amant soit trop distrait. Pour les lecteurs de « la femme... à la tête la plus vive, à l'âme la plus ardente, à l'imagination la plus inflammable qui ait existé depuis Sapho [1] », ces plaintes condamnent sans rémission un homme qui « a laissé quelque trace dans l'histoire de la littérature française, non pour avoir écrit, mais parce qu'on lui écrivit [2] ».

S'il existe un cas Guibert, si tout destin inachevé prête à contresens, l'authentique pouvoir créateur ne saurait être éternellement occulté. Quelque chose doit témoigner : une présence arrachée à l'usure du temps; un discours qui démasque l'homme fondamental sous ses personnages; un langage dont l'efficacité immédiate ou différée défie coteries et chapelles; un héritage qui éternise l'esprit vivant. Deux siècles après sa mort, Guibert est à jamais sauvé. Malgré des triomphes équivoques dans l'accessoire et des expériences apparemment gratuites, il s'impose enfin : héros d'une haute aventure intellectuelle. Ses ambitions, ses réussites et ses échecs, comme les voies empruntées pour dire ce qu'il lui fallait dire, l'œuvre à la fois la plus disparate et la plus rigoureusement pensée dans sa totalité organique, la plus virulente dans la critique de son temps et la plus féconde pour l'avenir qu'elle ébauche, tout nous suggère d'interroger ce constructeur sur le sens de nos propres interrogations.

Les premiers pas

Guibert : un déraciné que le hasard fait naître à Montauban et auquel le nomadisme militaire ne donnera pas le goût de la stabilité. Il naît soldat. Ses treize ans ne connaissent d'autre foyer qu'Auvergne-Infanterie où sert son père. « Le drapeau est mon clocher, le régiment ma famille » n'est pas métaphorique pour l'adolescent qui découvre le monde en parcourant les Allemagnes de la guerre de Sept Ans. Aucune trace de passage dans une école. Un précepteur lui donna-t-il ses premières leçons? Il semble devoir tout, ou presque, à son père qui le soumet à un programme d'éducation peu banal à l'époque et prend garde, comme le père de Pascal, de s'armer d'exigences à la mesure d'un caractère et d'une précocité exceptionnels.

« L'éducation qu'on se donne a de si grands avantages sur celle que l'on reçoit. On y emploie toutes les forces de sa volonté. On manie son esprit soi-même. On sent par conséquent quand il faut l'appliquer ou le reposer. On sait se créer mieux qu'aucun

1. Marmontel.
2. Roger Caillois, *Bellone ou la pente de la guerre.*

instituteur ne pourrait le faire la méthode la plus sûre pour hâter ses progrès [1]. »

Cet enfant a du cœur et le montre en un temps où le rôle d'officier, s'il se joue en dentelles, ne va pas sans accrocs. Il se comporte de la manière la plus honorable dans un corps illustré par le capitaine d'Assas et le sergent Dubois, au milieu de soldats qui sont bons juges et pour lesquels le service du roi comporte plus de servitudes avec Soubise que de grandeurs avec Broglie. « Auvergne sans tache » oblige : à l'avant-garde du baron de Clozen, Guibert perd deux chevaux, tués sous lui; ce qui signifie quelque chose quand la bonne portée du fusil modèle 1754 n'excède pas deux cents mètres. Lors de l'affaire de Filingshausen, chargé d'instructions pour la mise en place d'une batterie, ce lieutenant de dix-huit ans note sur place que ses ordres ne répondent plus à la situation et prend sur lui de les modifier.

Courage et coup d'œil : une vocation? En ce temps, la bravoure est banale. Aisément identifiable, le danger rencontré sur le champ de bataille a le visage d'un adversaire parfaitement connu, contre lequel il suffit d'en appeler à ses propres ressources et sans redouter la surprise de quelque arme insolite. La coutume exige simplement que cette prise en main de soi par soi s'exécute selon un style. La guerre est une école de rigueur et l'apprentissage d'un humanisme pour les meilleurs : rien qui ne soit à la mesure de l'homme. Entre les belligérants s'établit la complicité de frères ennemis qui soumettent, à des vues identiques sur la société et la guerre, un art de la violence raisonné et pratiqué selon des règles souvent figées en stéréotypes. A cette école, où l'adversaire et les anciens enseignent au débutant la règle du jeu et comment prendre sa hauteur, le père de Guibert ajoute un autre ordre d'exercices. Avec un tel maître fort estimé des Argenson, Belle-Isle, Choiseul, les loisirs des quartiers d'hiver favorisent le travail de l'esprit; ce que savait le capitaine Descartes servant sous Nassau entre Rhin et Danube. Un programme d'études, très au-dessus de ce qu'on exige alors des officiers et de ce à quoi ils consentent, alimente une inextinguible curiosité servie par une très vive intelligence et un goût naturel de briller qui, plus tard, suscitera bien des inimitiés au favori des ministres.

Nous imaginons mal la chance de Guibert dans la misère militaire de l'époque. Les guerres de Succession d'Autriche et de Sept Ans ont ruiné une armée mal équipée où la condition du soldat, méprisée, est plus misérable que jamais. Les procédés

---

1. *Éloges du maréchal de Catinat, du chancelier de l'Hôpital, de Thomas (de l'Académie française), suivis de l'éloge inédit de Claire-Françoise de Lespinasse.* Réédition de 1806, p. 16.

scandaleux employés pour combler les lourdes pertes ne procurent que des recrues médiocres auxquelles le pillage offre une compensation à une existence pitoyable et humiliée. Les possibilités d'avancement sont presques nulles, et rares les récompenses. Le ravitaillement est entre les mains d'entrepreneurs concussionnaires. Dans les hôpitaux, peu de soins, nulle hygiène. Une répression féroce fait office de discipline et l'instruction s'enlise dans un formalisme archaïque. La désertion est un mal endémique. « En vain formera-t-on des soldats, des soldats endurcis et guerriers, comme les anciens légionnaires, si on ne remet cette profession en honneur, si on n'attache le soldat à elle par des perspectives flatteuses et lucratives; si on n'augmente sa paye : cette paye immobile depuis deux cents ans, tandis que les denrées et les salaires ont, de toute part, triplé et quadruplé autour d'elle; si on ne lui fait désirer la guerre, et trouver, à la guerre, des récompenses; si enfin on n'assure des secours à sa vieillesse, à ses blessures, à ses infirmités, à sa femme, à ses enfants [1]. »

Ces remèdes, qui anticipent les mesures sociales de notre époque, témoignent d'une rare lucidité devant les maux de l'armée : ses structures et ses mœurs n'ont pas évolué depuis Louvois, quand la société civile se transformait sous l'impulsion de la bourgeoisie. « En période de paix, dans les places de l'intérieur, le régime est tout aussi abject. Entassés en chambrées où ils ont un lit pour trois, les soldats mettent en commun les cinq sols alloués, sur lesquels on leur en retient deux pour le pain infect, base de leur nourriture. Avec le reste, ils se procurent une mauvaise viande pour une soupe destinée aux deux repas journaliers, quand ils n'en sont pas réduits à ne manger que des légumes. Ils ne boivent que de l'eau, et c'est à leurs frais qu'ils doivent se poudrer, se faire raser, acheter les rubans pour les cheveux, blanchir leur linge et entretenir leur équipement. Les gardes sont incessantes, les exercices fastidieux, les exigences du service rigoureuses. Le soldat s'endette vis-à-vis de son capitaine et, ne pouvant s'acquitter, il déserte. Aussi les casernes ressemblent à des prisons. Pour échapper aux milices, plaie exclusive des campagnes, les ruraux émigrent à la ville. L'accroissement de la fortune publique au XVIIIe siècle a donné un large essor à l'urbanisme. Partout on rebâtit et un compagnon ouvrier est payé 25 sols par jour. Nobles et nouveaux riches s'entourent de laquais imposants quand l'infanterie exige encore une taille minimum de 1,70 m. Les capitaines, qui ne peuvent plus recruter, voient fondre leurs effectifs. Ils se ruinent ou ils volent. L'impopularité des milices rejaillit sur l'armée. L'incorporation forcée des miliciens détruit la cohésion des vieilles troupes en même temps que le service militaire

1. *Essai général de tactique*, I. p. 15.

apparaît comme une forme nouvelle de l'esclavage et de l'exaction [1]. »

Plus perspicace que ses camarades et mieux informé, Guibert peut faire l'analyse critique de la condition et des institutions militaires. Elle le conduira nécessairement à celle d'un système politique et d'un ordre social qui tolèrent impatiemment une armée fermée sur soi, corps étranger dans le royaume. Son père entretient assez de relations avec Versailles pour savoir que carences et scandales remplissent de copieux mémoires émanant d'officiers et de civils. Dénonciations et propositions s'amoncellent sur la table du ministre. Guibert consulte les dossiers, connaît l'étendue du mal. Comment ne serait-il pas tenté d'imaginer, non seulement l'armée idéale, mais aussi l'infrastructure socio-politique dont dépend son efficacité?

Colonel à vingt-cinq ans, ce qui est banal, conscient d'un savoir original qui procède d'une confrontation de l'histoire et du quotidien, il sait ne pouvoir prétendre aux emplois où la grande noblesse, l'intrigue et le favoritisme poussent de moins doués que lui. Il en éprouve du ressentiment. Ses ambitions, déçues parce qu'immenses, nourrissent une réflexion amère sur sa position. Réflexion affectant fatalement, par-delà l'ordre militaire, l'appareil d'État qui ne lui rendra jamais en responsabilités d'acteur ce qu'il lui apporte en idées neuves. On ne met pas en forme des textes réglementaires près du ministre sans se rêver, en quelque instant de délire, investi de la signature...

Les années vécues à Auvergne-Infanterie, au milieu de personnalités qui recherchent son père, sont capitales. Période d'éducation militaire. D'éducation européenne aussi, les armées du roi se frottant à la quasi-totalité des armées de l'époque. Que faire de ce bagage exceptionnel? Le sachant, comment le faire? Il n'ignore pas « qu'il ne faut attaquer les abus que lorsqu'on est armé du pouvoir et que, si l'on n'a point en même temps la massue il ne faut pas s'aviser de faire usage du flambeau [2] ». Ici commence l'aventure et s'ébauche l'homme fondamental sous les conventions de la bienséance et le décor du siècle. Une dernière expérience, en Corse, le convainc que le champ de bataille ne peut plus rien lui enseigner, sauf s'il commandait en chef. Aux côtés d'un Frédéric II, des questions surgiraient, avec promesse de réponses, seraient-elles provisoires. Mais qu'espérer en France, dans la France de Louis XV?

Combattant les patriotes corses de Paoli avec les mercenaires du roi, peut-être perçoit-il que le soldat devrait être citoyen et tout citoyen, soldat. Peut-être l'idée d'une sorte de conscription lui vient-elle dans son dernier commandement sur le terrain. Est-elle

1. L. Nachin (op. cit.).
2. Défense du système de guerre moderne, II. p. 252.

le germe d'une œuvre qui ne dissociera jamais le militaire du politique? Peut-être les difficultés rencontrées et la relative inaction qui suivra l'ont-elles conforté dans sa vocation, dire la guerre, et dans sa décision de ne pas différer : « La théorie d'un art est du ressort de tout homme qui pense. Malheur au siècle et au pays où l'on n'aurait qu'à cinquante ans le droit de penser et celui d'étudier le commandement des armées que quand on y serait parvenu [1]. » Avant son départ pour la Corse, Guibert avait pressenti que l'enquête à laquelle il songeait exigerait des années de recherche. Il en avait ébauché le plan [2]. Pressé de prendre rang, il en publiera les premiers résultats peu après son retour en métropole sous le titre d'*Essai général de tactique.*

Comme chez tous ceux qui infléchirent leur science ou leur art, on voudrait retrouver le moment privilégié où se formula, dans l'agitation d'un esprit interrogeant, la question dont procèdent toutes les autres, qui les résume et leur confère sens et nécessité. On aimerait reconstituer le mécanisme d'un intellect mobilisé par le fait insolite – un don du hasard? – qui éclaire l'ordre des choses et le met en question, qui appelle l'énoncé d'une nouvelle problématique et le premier mot de la première réponse. La plupart des grandes œuvres s'amorcent par la critique des précédentes. Leur fécondité tient autant à ce qu'elles refusent qu'à ce qu'elles proposent. Aussi assurées que paraissent les grandes aventures du passé, c'est sur leur contestation, plus ou moins véhémente et justifiée, que s'engage quiconque veut dire ou faire pour exister. Quelle invention ne fut amorcée par le premier mouvement d'une négation?

Régularité de l'histoire : les plus puissantes interrogations de la guerre et les théories stratégiques les plus stimulantes naissent de la défaite. Thucydide dit pourquoi et comment Athènes tomba devant Sparte. Machiavel rumine l'échec de César Borgia et le sien après les équipées françaises bousculant les trop subtils équilibres italiens. Guibert ne tolère pas mieux le souvenir de Rossbach que Clausewitz celui d'Iéna, ou que Rossel et les futurs vainqueurs de 1918, le désastre de 1870. Von Seeckt puis la jeune école de la Wehrmacht ne songent qu'à effacer Versailles. Fécondité de la défaite pour qui sait trouver dans le Non la semence d'une espérance et l'irrépressible appel à une œuvre défiant les puissances de mort.

Par quelle question fondamentale Guibert est-il devenu l'un des grands rôles de notre comédie mentale? Par quelles voies ce qui l'institua l'un des interrogeants majeurs de son temps le consacre,

1. *Défense du système de guerre moderne,* II. p. 252.
2. Sous le titre : *Plan d'un ouvrage intitulé : la France politique et militaire* et donné après le *Discours préliminaire* dans l'édition de 1772 de l'*Essai général de tactique.*

par-delà la mort, l'un de nos interrogateurs? Pourquoi cette figure irritante de séducteur prend-elle aujourd'hui le masque impérieux du confesseur? L'historien, le sociologue proposent leurs grilles. Mais nous sentons obscurément que la vertu séminale de son discours tient à l'esprit solitaire, irréductible à un réseau de relations. Qui veut dire et faire dans l'ordre politico-stratégique attend de Guibert un peu de lumière dans la nuit des processus de création.

CHAPITRE 2

LES TENTATIONS DU SIÈCLE

Le jeu du seul

Le jeune Guibert ne peut que souffler aux gens en place les
réponses aux questions qu'ils soupçonnent à peine ou qui s'évaporent dans le désordre public et l'ébullition des idées. « On admirait
en lui, dit Madame Necker, des facultés merveilleuses qu'aucun
homme avant lui n'avait encore possédées, par exemple de doubler
l'usage du temps et d'être aussi instruit à vingt ans qu'on l'est à
quarante. » Les bureaux d'esprit s'ouvrent largement devant lui.
Les relations de son père l'introduisent. Sa passion de plaire,
l'enthousiasme combatif, la rigueur corrosive du discours sédui-
sent et irritent.

« Monsieur de Guibert était violent de caractère et impétueux
d'esprit; mais l'un et l'autre de ces mouvements n'avaient rien de
durable, et ses actions ou ses décisions n'en dépendaient jamais. Il
avait de la mobilité dans la sensibilité, mais de la constance dans
la bonté. Il possédait éminemment cette qualité. Aucun ressentiment, aucun ressouvenir même ne restaient dans son âme : sa
douceur et sa supériorité en étaient la cause. Il ne remarquait pas,
il n'observait pas les torts dont se composent la plupart des
inimitiés. Il ne recevait pas les coups d'assez près pour en sentir
une atteinte profonde. Il était réservé à l'injustice publique de
blesser une âme qui avait pardonné tout ce dont elle aurait pu se
venger. Cette disposition à la bienveillance lui inspira trop
d'assurance. Il se crut certain de n'être point haï parce qu'il ne
haïssait point et pensa qu'il lui suffisait de se connaître. Il avait
aussi, pourquoi le dissimuler, un extrême amour-propre, et dont les
formes ostensibles déplaisaient à ses amis presque autant qu'à ses
détracteurs, parce qu'il ôtait aux premiers le plaisir qu'ils auraient
trouvé à le louer. Mais il n'avait conservé de ce défaut, comme de
tous ceux qu'il pouvait avoir, que les inconvénients qui nuisaient à
lui, mais jamais aux autres. Nul dédain, nulle amertume, nulle

envie n'accompagnaient son amour-propre. Il montrait seulement ce que les autres cachaient, il les associait à sa pensée. C'est à cette manière d'être, néanmoins, qu'il faut attribuer la plupart de ses ennemis. Une tête haute, un ton tranchant, révoltaient la médiocrité. Cependant, ceux qui jugeaient plus avant, reconnurent dans Monsieur de Guibert la confiance prolongée de la jeunesse, dans les autres comme dans soi, mais non l'habitude ou la combinaison de l'orgueil. Sa conversation était la plus variée, la plus animée, la plus féconde que j'aie jamais connue. Il n'avait pas cette finesse d'observation ou de plaisanterie qui tient au calme de l'esprit et pour laquelle il faut attendre plutôt que devancer les idées. Mais il avait des pensées nouvelles sur chaque objet, un intérêt habituel pour tous. Dans le monde ou seul avec vous dans quelque disposition d'âme qu'il fût ou que vous fussiez, le mouvement de son esprit ne s'arrêtait point. Il le communiquait infailliblement, et si l'on ne revenait pas en le citant comme le plus aimable, on parlait toujours de la soirée qu'on avait passée avec lui comme la plus agréable de toutes. Ce n'était pas un ami de chaque instant, ni de chaque jour : il était distrait des autres par sa pensée et peut-être par lui-même. Mais... lorsqu'il revenait à vous, en une heure on renouait avec lui le fil de tous ses sentiments et de toutes ses pensées. Son âme entière vous appartenait en vous parlant [1]. »

On ne saurait mieux éclairer l'échec final d'un homme qui, en 1789, croira venue l'heure tant attendue des responsabilités à sa mesure. Ses pairs ne lui pardonneront pas d'avoir prétendu, dans l'ombre des Choiseul, Saint-Germain et Brienne, restaurer les forces de l'État au prix de leurs privilèges. Il a trop naïvement avoué « ces élans d'une ambition... cette agitation d'une âme fatiguée de son inaction, cette conscience sans doute trop audacieuse des forces que j'espérais déployer, si j'étais sur un plus grand théâtre [2] ». Trop insolemment affiché son mépris pour les faiseurs et les ignorants qui encombrent les bas-côtés du pouvoir et les armées. Montré trop de complaisance pour la mondanité et l'applaudissement public. Il parle trop. Secrète fêlure ou masque d'une liberté intérieure jalousement préservée? L'amitié perspicace de Mme de Staël devine que, derrière la part de comédie et le décor social, Guibert dissimule une partie autrement grave, jouée d'abord contre lui-même.

Julie de Lespinasse reconnaît la tension d'une impitoyable lucidité et d'une volonté de création contraintes de composer avec ceux qui octroient les brevets d'esprit mais redoutent les écarts intellectuels : « La figure de X [3]... est belle, sans être distinguée. Ses traits sont réguliers, sans avoir beaucoup de jeu. Sa physio-

1. Germaine de Staël, *Éloge de Guibert* (1790).
2. *Éloge du chancelier de l'Hospital*, p. 117.
3. *Portrait de Guibert par Mlle de Lespinasse* (1773).

nomie a quelque chose de doux et de sombre. Son maintien est négligé; son rire est tout naturel; c'est celui de la première jeunesse. Il a infiniment d'esprit et de plus d'une sorte. La grâce n'est pas ce qui y domine le plus; il l'a même un peu sec. Mais trois qualités principales et portées au plus haut degré en font le caractère : la facilité, la sagacité et la profondeur. Philosophie, belles-lettres, matières de gouvernement et d'administration, les gens qui sont en état d'en juger disent qu'il est également propre à tout, également instruit de tout, également plein de vues et de réflexions sur tout. Les qualités solides de son esprit et de son cœur lui ont fait des amis très zélés qui, par leur attachement, le dédommagent de n'en avoir pas un plus grand nombre. Il est comme à la tête d'une société de gens de beaucoup d'esprit dont il est pour ainsi dire l'oracle. Ses disciples et ses amis ont si haute opinion de ses vertus et de ses mérites, que quelques-uns d'eux se félicitent d'être nés de son temps, comme je ne sais plus quel philosophe se félicitait d'être né du temps de Socrate. Ce sentiment peut paraître exagéré, non pas à moi qui connais et aime X... mais il est rare de faire de tels enthousiastes sans le mériter en effet par des qualités supérieures. Aussi X... en a-t-il beaucoup de cette espèce. Personne n'a l'âme plus vertueuse et plus honnête, une morale plus sincère dans la spéculation et dans la pratique, plus d'amour du bien et de l'humanité, et plus de talent pour y concourir. Ceux qui ne le connaissent pas lui croient l'âme froide; il l'a au contraire très passionnée, mais ses passions sont, comme son maintien, réservées et contraintes. Il est ambitieux, mais d'une ambition sourde et concentrée, qui désire les places sans les rechercher assidûment, et surtout sans vouloir employer aucun moyen avilissant pour les obtenir. Il se croit appelé à faire le bien, et ne souhaite les dignités que pour le bien qu'on y peut faire. Tel est le louable motif de son ambition. »

Elle ajoute qu'il « n'avait pas le talent de parler froidement des vérités qu'il sentait ». Lui-même confesse que, « pour certains, être sans cesse en action sur tous les objets qui les environnent est un besoin ». Autodidacte parmi les penseurs patentés, de modeste extraction et hissé jusqu'aux conseils du ministre, il doit s'imposer contre les puissants. Contre les sceptiques aussi : « Les circonstances ne donnent pas aux hommes le droit de resserrer à leur gré les limites de leurs devoirs. Tant qu'on reste employé au service de l'État, on lui doit toutes ses facultés, toutes sans exception. Qu'est-ce en effet que ce sophisme trop accrédité de nos jours qui fait dire : j'éprouve une injustice, je suis offensé, je ne dois plus qu'une obéissance passive, je combattrai quand il le faudra, mais je renfermerai mon opinion, je la tairai même quand je le croirai utile [1]. »

1. *Éloge du maréchal de Catinat*, p. 86.

Hauteur et sérieux trop naturels pour une société en continuelle représentation. Guibert devait payer ses prétentions d'amateur parmi les professionnels des lettres, de réformateur bousculant l'ordre établi. Peut-être incapable aussi de choisir entre le plaisir d'éprouver les limites de son charme, l'obligation de convaincre et la rare volupté d'épuiser, contre soi d'abord, la puissance d'un outillage mental; entre n'être que soi, au risque de se taire, et tenir un rôle dans une pièce toujours écrite par d'autres. Composer un personnage : tentation excitante quand la conversation permet de tromper un désir effréné de gloire avec les équivoques de la réputation. Et le siècle engage à la facilité...

L'air du temps

Age barbare de la philosophie, la seconde moitié du XVIIIᵉ siècle? Plutôt une période de mise en question systématique, de réponses trop rapides et trop aisément tenues pour des découvertes. Avec l'abus du verbe amplificateur, un prophétisme teinté d'ironie formule ce que la Révolution portera à la clarté et au sérieux de l'acte. Héritant la merveille d'un classicisme qui masquait les conflits exceptionnels sous l'apparente facilité d'une langue accomplie, un romantisme balbutie, détente après une insupportable ascèse. Mais le sentiment vrai hésite entre le cynisme et la bergerie. L'équilibre est rompu qui avait été longtemps maintenu entre l'art de construire et le désir de dévoiler. On s'avise que penser ou agir n'implique ni le mépris du milieu où se développent pensée et action, ni la pudeur des états d'âme; que le travail mental gagnerait en virtuosité et profondeur avec la maîtrise de son climat fonctionnel, avec l'extension de l'analyse au domaine indéfini des harmoniques, avec les aveux du cœur mis à nu. Guibert s'abandonne à la pente commune, hache son texte d'exclamations, justifie sa recherche par les raisons du cœur, en appelle à la vertu, s'excuse de ses audaces sur sa passion de la vérité et du bien public, ne laisse rien ignorer de bons sentiments qui cohabitent assez étrangement avec la plus décapante lucidité et la sécheresse du logicien. Ainsi, le discours de « la tactique », engagé dans le discours d'un moi encombrant : confusion du langage scientifique et du langage lyrique.

Triomphe de la sensibilité : grâce à elle, on croit mieux traquer l'authentique. A l'intelligence qui avait été héroïque et conquérante de l'universel, on apprendra qu'elle vit par et pour l'homme quotidien qui entend ne laisser dans l'ombre aucune expérience, ne récuser aucune approche. Si le XVIIᵉ siècle s'était raidi dans le carcan d'une pudique rigueur compensée par la sensualité d'un langage allusif, s'il avait élevé le tragique intime à la hauteur d'une métaphysique de l'humaine condition, s'il avait haussé l'individu jusqu'à la connivence avec un surhumain bannissant le cœur et ses raisons, le siècle de Guibert encourage confessions, dénonciations de soi par soi. Ses impudeurs annoncent déjà, sans qu'il s'en doute, le délire en acte. Pascal devant Descartes, Fénelon et Mme Guyon devant le Bossuet de l'*Histoire des variations* faisaient déjà figures d'introvertis. Qu'arrivent un Condillac, un Malebranche, un Locke, un Hume et c'en sera fini avec la spéculation hyper-générale d'un Descartes ou d'un Leibniz, avec le cogito et la monade dissous dans le sensualisme et l'empirisme. Le philosophe se définit plus par le champ de ses ambitions que par la rigueur de son langage. Pour Vauvenargues, « les grandes pensées viennent du cœur » : il méprise « l'art ennemi du cœur et de l'esprit qu'il resserre dans des bornes étroites, un art qui ôte la vie de tous les discours en bannissant le sentiment qui en est l'âme ». Il y a loin de la retenue de la *Princesse de Clèves* aux lettres exaltées de Julie de Lespinasse. Si Sade et Laclos dénudent et violent, ils ne font qu'oser en mots ce que Fouché à Lyon, Carrier à Nantes et les Septembriseurs à Paris traduiront en terreur sacralisée et que Guibert annonce en théorie de la guerre totale : sanglante monnaie de l'absolu. Pour avoir parlé avec attendrissement « d'indépendance dans les camps, de démocratie chez les nobles, de philosophie dans les bals, et de morale dans les boudoirs [1] », on tranchera les têtes sur la place de la Révolution et l'Europe prendra le pas de Napoléon. Rarement le verbe aura possédé autant de puissance magique simplement différée.

Crise de la conscience européenne et transmutation des valeurs : l'aristocratie de la finance supplante celle de naissance, la gent-de-lettres et d'art affiche quelques traits de l'espèce moderne. Les valeurs de solitude le cèdent aux impostures de vitrine. Nul Descartes ne s'avance masqué et ne se réfugie en Hollande. Nul Racine ne quitte la scène. Nul Pascal ne délaisse la haute spéculation scientifique pour le colloque avec la faune intérieure. Nul Turenne ne souhaite quitter le service pour « mettre un intervalle entre sa vie et sa mort ». Voltaire recherche la complaisance de Frédéric, Diderot celle de Catherine et Beaumarchais celle de Marie-Antoinette. Qui refuse de composer est condamné, comme Vauvenargues, et l'on se moque de Buffon cloîtré à Montbart.

Aussi Guibert prend-il soin de se répandre, d'être reçu par les souverains de Potsdam et de Vienne. S'il voyage beaucoup, il en publie les relations. Salons et académies font et défont les réputations, consacrent ou étouffent les œuvres, multiplient leurs chances par la rencontre des pensées les plus éloignées. Si l'encyclopédisme vulgarisateur semble parfois la fantaisie de

---

1. Comte Philippe de Ségur, *Souvenirs et anecdotes*.

touche-à-tout supérieurement doués, il n'en favorise pas moins le frottement et la combinatoire des pouvoirs personnels. Pour peu que les candidats à la gloire aient belle prestance et le verbe éloquent, comme Guibert, que leurs passions et leurs curiosités se voilent de légèreté ou de cynisme, qu'ils affichent l'indépendance à l'égard des pouvoirs, ils possèdent les atouts d'une éclatante fortune.

Sainte-Beuve a beau jeu d'ironiser sur un Guibert poète, dramaturge, réformateur et candidat député, chef de file des théoriciens militaires et idole des salons. Ne faut-il pas plutôt accuser de boulimie une époque et une société qui, elles aussi, faisaient profession de génie? Il s'agissait moins de construire un mémorable moi que d'accumuler au plus tôt un capital vie, puis de le dilapider dans la fête. A l'annonce des temps modernes, Guibert devait choisir : être ou paraître?

Sans patrie ni frontières

A qui défie le temps – Guibert conseille « d'étudier l'histoire... pour apprendre à y figurer un jour [1] » –, l'écho de Paris est trop bref. L'Europe doit renchérir. Une Europe qui ne cesse de se battre et qui, pourtant, ignore les frontières. Europe cosmopolite des mœurs, de la sensibilité, de l'idéologie, encore qu'elle prenne ses mots d'ordre dans la France de Louis XV qui perçoit les arrérages du Grand Siècle et dont le prestige demeure immense malgré la déliquescence politique. De capitale à capitale, les académies et leurs correspondants prolongent les discussions de salons. On se garde de confondre les calculs d'efficacité politique et les complicités intellectuelles : Frédéric II méprise les hommes de Versailles, mais rédige en français les *Instructions* à ses généraux.

Dans son *Discours préliminaire*, Guibert peut montrer comment les activités individuelles se somment et trouvent leur sens dans la vie de la cité qui les garantit. Il peut dénoncer l'illusion de ceux qui persistent à croire indépendants le style ou le rayonnement d'une culture et le système de l'État. En vain : on ne tient pas à cultiver la différence nationale, ni à « augmenter la puissance publique par les vertus des particuliers [2] ». Le patriotisme passe pour étroitesse d'esprits rétrogrades : lorsque, en juillet 1742, Frédéric II signe avec Marie-Thérèse le traité de Berlin qui lui concède la Silésie et que, du même coup, il abandonne son alliée, la France, Voltaire s'extasie : « Vous n'êtes plus notre allié, Sire? Mais vous serez celui du genre humain... »

1. *Éloge du chancelier Michel de l'Hospital*, p. 116.
2. *Discours préliminaire*, p. X.

On fait de l'esprit sur les lois par-dessus les frontières. On bâtit de séduisantes Arcadies sur un imaginaire modèle romain ou par référence aux institutions anglaises. On admet l'universalité de certains schémas dans lesquels l'obsession des subtils équilibres de pouvoirs fait oublier les aléas de la dynamique politique. On efface les singularités nationales. L'aveuglement du Siècle des Lumières prépare le moment où la loi sera fondée sur la nécessité révolutionnaire et les exigences d'une lutte à mort : les masses substitueront alors leurs mythes et leur passion de vaincre à la théorie désincarnée de la vie publique. A la politique pure succédera la plus impitoyable des Realpolitik.

Le cosmopolitisme affecte jusqu'aux affaires militaires. La technologie des armements demeure trop primitive, le progrès trop lent et trop uniforme pour provoquer la surprise décisive sur le champ de bataille. L'évolution s'accomplit au grand jour et tout, sur le terrain, est prévisible pour l'observateur attentif : aucune stratégie génétique ne spécule sur les chances d'une percée technique dont la notion même est ignorée. *L'Instruction militaire* de Frédéric II devait rester confidentielle. Publiée dès 1761, elle donne ouvertement la recette : il suffisait de savoir lire pour battre les Prussiens avec leurs propres procédés. Guibert, puis Bonaparte retiendront la leçon. Le roi sait bien que le secret de ses succès réside dans sa façon de manœuvrer sur les quelques lieues carrées d'un champ de bataille où s'affrontent des systèmes de forces identiques. Au cours de son voyage en Allemagne, Guibert souhaite assister aux grandes manœuvres de l'armée prussienne. Frédéric II hésite : sa manière se révèle trop clairement dans une répétition dont le mécanisme préfigure l'affrontement réel. Les différences entre la fiction et la réalité étant minimes, rien n'interdit l'imitation. Puis il accorde l'autorisation : les recettes ne valent que par le talent du maître.

Pratique courante, le service dans une armée étrangère marque la carrière de nombreux officiers et contribue à l'uniformisation des armements et des tactiques. Avant de créer le système d'artillerie qui porte son nom, Gribeauval est chargé par Argenson d'examiner l'artillerie prussienne plus légère, plus mobile, et il sert ensuite l'Autriche où on le nomme général. Le Roy de Bosroger sert en Pologne, Folard sous Charles XII. Le Gallois Lloyd passe de l'Autriche à la Prusse, puis à la Russie. Cette forme aristocratique du mercenariat est si bien admise que, en 1792, la Législative songera à offrir au duc de Brunswick le commandement des armées françaises.

Alors qu'on ne passe pour homme d'esprit qu'en affichant un solide mépris des frontières, Guibert n'hésite pas à se vouloir, pis que cela, à se proclamer français. Suprême faute de goût : il dédie l'*Essai* « à ma patrie ». Certes, il se garde sur ses arrières : « Loin de nous ce préjugé qui accuse la philosophie d'éteindre le patriotisme. Elle l'ennoblit. Elle l'empêche de dégénérer en orgueil. » Il reconnaît son audace, jusqu'à s'en excuser : « Le délire d'un citoyen, qui rêve au bonheur de sa patrie, a quelque chose de respectable [1]. » Vaine précaution : son livre est l'aveu d'une passion dominante, d'un rêve de grandeur nationale qui bouscule le confort des cosmopolites. Avec trente années d'avance, il annonce les fureurs nationalistes.

L'indécise modernité

Tradition et progrès s'affrontent dans une inextricable confusion d'idées et de comportements. Les meilleurs esprits s'accommodent, à coups d'expédients syncrétiques, des opinions contraires sur une insaisissable réalité dont on admire la richesse et qui stimule la curiosité. Le rationnel et l'irrationnel cohabitent sans gêne, parfois dans la même tête. A l'*Encyclopédie* répond Swedenborg. Newton se déplace avec une égale assurance dans les équations du cosmos et les *Interprétations de l'Apocalypse*. Triomphe de l'ambiguïté : les strictes exigences de l'objectivité et de la critique scientifiques coexistent avec des affabulations qu'on ne ressent pas le besoin de vérifier, avec l'innocence de mythes politiques et de religions naturelles. Fascinantes idoles, si proches de la terre des hommes qu'ils croient enfin en l'éternelle promesse : « Vous serez semblables à des dieux... »

Les confrontations se multiplient entre une multitude d'intentions novatrices et un conservatisme qui n'est que l'instinct de défense d'ordres sociopolitiques menacés; parfois, aussi, impuissance de l'intelligence critique désarmée devant le nouveau. Les mieux informés sur les cheminements d'une histoire qui s'accélère reconnaissent la difficulté de discriminer ce qui est moribond mais refuse de mourir, et ce qui émerge sans la force de s'affirmer. L'aventure de l'esprit reflète cet écartèlement entre la volonté d'invention et les pesanteurs de l'héritage : « Il faut malheureusement dans un ouvrage comme le mien, avoir deux sortes de plans, l'un de création et de perfection dans lequel il est nécessaire de renverser la plupart des idées reçues, et qu'il faut par là s'attendre à voir traiter de romanesque; l'autre de réparation et de circonstance dans lequel il faut se plier à la faiblesse de nos gouvernements, se traîner dans la routine de leurs préjugés, et ne leur proposer que des remèdes doux et palliatifs [2]. »

L'évolution de la science militaire se ressent des deux pentes du modernisme. D'abord la fascination qu'exercent le concret, l'utile, et qu'on perçoit à travers l'ambivalence d'une recherche où les

1. Dédicace de l'*Essai général de tactique*.
2. *Plan d'un ouvrage intitulé : La France politique et militaire*, p. XLVIII.

abstractions de la théorie se justifient par les chances d'innovations techniques et la pratique efficace. Ensuite, l'intérêt porté par l'aristocratie, qu'elle soit du pouvoir, de l'argent ou du verbe, à la vie sociale et politique de l'homme observé dans ses divers groupes d'appartenance.

Ignorant la nécessité d'une épistémologie contrôlant ses voies, le savoir est optimiste sur ses chances d'application. Libéré du carcan scolastique, il veut aussi s'affranchir des séquelles d'un naturalisme hérité de la Renaissance et qu'émerveillait un univers boîte à miracles. L'observation avait permis aux précurseurs – Bacon, Léonard, Galilée – d'engager la connaissance vers des inférences moins spontanées. Sur son autre versant, la jeune science s'était trop livrée à la formalisation mathématique pour répondre à la curiosité des amateurs impatients de lire à livre ouvert dans la nature. Il fallait apporter des correctifs à ce double héritage; chercher l'outillage intellectuel permettant de combler l'inconfortable écart entre la théorie et la pratique, entre le savoir et le pouvoir. Guibert est séduit par le pragmatisme, par la volonté d'efficacité qui polarise les meilleurs esprits. A défaut de responsabilités à la mesure de son ambition, il compense par la recherche et la fonde sur la critique de l'action stérile dont il a vu tant d'exemples au cours de la guerre de Sept Ans. Il ne cesse de rappeler que l'intelligence du phénomène guerre et les constructions théoriques ont l'agir pour fin.

Les thèmes que les XVe et XVIe siècles avaient tirés de leur beau délire réapparaissent donc sous Louis XV, quoique avec une autre coloration. Les tentations d'un savoir global sont plus vives mais les approches confuses; la complicité générale plus avouée devant la séduction du concret; la foi en la rationalisation des actions collectives aussi ingénument affirmée que dans la bonté naturelle de l'individu. L'expérimentation prétend reconstituer la réalité et sa genèse, et donner le mot de l'Univers. Mais elle sous-estime la mesure et le fait que ses conditions matérielles affectent ses résultats. Des inductions hâtives accréditent d'incroyables erreurs ou dégénèrent en généralisations simplistes relevant plus de la croyance que de la science. On prend pour explication ce qui n'est souvent que métaphore.

Aucune énigme ne devrait résister, pense-t-on, à la puissance de l'investigation. Malebranche, Fontenelle surtout, vulgarisent le rationalisme et, naturellement, en émoussent la pointe. Il n'est plus l'orgueilleuse démarche d'un esprit solitaire se donnant un outillage à la mesure de l'inconnu, mais une recette pour les conquérants du monde utile. La spéculation sur les êtres mathématiques utilise les ressources neuves de l'analyse (Clairaut, Euler, d'Alembert) mais ne prévaut plus sur l'examen des êtres naturels. De même que la psychologie et la métaphysique se sont déplacées du groupe Descartes-Leibniz au groupe Malebranche-Condillac, de même l'intérêt se déplace de la mathématique vers les sciences de l'observation. On imagine les valoriser par un discours réduisant l'abstraction et le quantitatif. Mais le commentaire s'enlise dans la métaphore qui identifie subrepticement les phénomènes les plus éloignés par la nature et l'échelle. Enfin, ce n'est pas sans raison que le matérialisme mécaniste s'annonce avec Holbach.

Grâce à Linné, Jussieu, Buffon, Bonnet, Wolff, Spallanzani, les sciences naturelles luttent avec la physique et la chimie dans la curiosité du grand public. Les laboratoires d'amateur et cabinets de physique se multiplient. On reconnaît le rôle déterminant des instruments. Le microscope de Leeuwenhoek a conféré une autre dimension au réel : « Les petits animaux ne manquent pas aux microscopes, comme les microscopes aux petits animaux », déclare Malebranche qui formule ainsi une relation nouvelle entre l'observateur, ses outils et sa représentation du réel. A la conquête de l'infiniment petit, Herschel répond par celle du ciel. On précise les distances de la terre au soleil et à la lune au temps des grands voyages de Bougainville, La Pérouse et Cook. L'engouement est général pour l'exotisme sans qu'on tire la leçon des ouvertures sur l'universel : nul ne songe à relativiser l'histoire et le domaine de civilisation de l'Europe. L'orgueil d'une culture unifiée et se jugeant la seule mesure de toute chose, la condescendance envers les bons sauvages, tout confère aux explorations le caractère d'expériences scientifiques. La politique n'a de sens que dans la clôture de l'Europe. Comment peut-on être persan? Pourquoi se battre pour les arpents de neige du Canada ou pour la Compagnie des Indes? En 1772, quand Guibert publie l'*Essai général de tactique*, paraît la première traduction des écrivains militaires chinois, celle du père Amiot [1]. Elle passe dans l'indifférence générale et il faudra attendre 1910 pour qu'une nouvelle traduction sorte à Londres.

Les temps sont loin où les Européens exprimaient leur volonté de puissance, leur prosélytisme religieux et leurs appétits mercantiles dans la fondation d'empires sur lesquels le soleil ne se couchait jamais. Si le cabinet de Londres s'obstine outre-mer, les Français prennent légèrement l'abandon de l'Inde et du Canada consacré par le traité de Paris (1763) : « Une lieue carrée des Pays-Bas vaut mieux qu'une colonie », écrit Choiseul en accord avec le sentiment général. La philosophie politique veut ignorer le champ de réflexion et d'action que les autres continents proposent à l'Europe. Guibert conseille aux États de « se fortifier au-dedans, plutôt que de chercher à s'étendre au-dehors; de se resserrer

---

1. *Art militaire des Chinois* ou Recueil d'anciens traités sur la guerre, composés avant l'ère chrétienne pour différents généraux chinois. (Ouvrages sur lesquels les aspirants aux grades militaires sont obligés de subir des examens. Traduit en français par le père Amiot, missionnaire à Pe-King, revu et publié par M. Deguignes).

même, s'ils ont des possessions trop étendues; et de faire, pour ainsi dire, en échange, des conquêtes sur eux-mêmes... Au-delà de certaines bornes, la grandeur d'un État n'est que faiblesse... Trop s'étendre, c'est s'affaiblir; que des colonies éloignées, si elles fournissent à un commerce de luxe, entretiennent les vices de la métropole; que si, plus heureuses, elles peuvent tout tirer de leur sein, elles se fortifient et se détachent, tôt ou tard, de cette injuste métropole qui veut trop les asservir. [1] » Il évoque à peine la guerre sur mer bien que Choiseul, puis Sartine dotent la France d'une marine que de Grasse, d'Estaing, Guichen, Suffren conduisent à la victoire [2]. On peut imputer à l'esprit guibertien, dont étaient imprégnés certains hommes de la Révolution et Napoléon, le syndrome continental, la justification idéologique de l'indifférence pour l'outre-mer et du malthusianisme politique qui marqueront la fin de l'Ancien Régime : la vente de la Louisiane (1803) ne soulèvera guère de protestations.

Le critère d'utilité gouverne les esprits et le progrès pratique motive la curiosité scientifique. Les arts et métiers, les petits côtés des activités professionnelles ne sont plus dédaignés. On admet que le style de la vie banale fonde autant une culture et une civilisation que la recherche fondamentale : l'*Encyclopédie* fait l'inventaire systématique des techniques avant que d'être le brûlot des philosophes. Tout se passe comme s'ils redoutaient de n'être pas entendus sans la médiation du quotidien. « Comprendre, c'est fabriquer », avait dit le père Mersenne : le *Traité de dynamique* de d'Alembert appelle la machine à vapeur, ses applications avec Jouffroy et Cugnot dont le fardier automobile est destiné à tracter les pièces d'artillerie. Montgolfier, Charles, Pilâtre de Rozier défient la 3e dimension. Pragmatisme souvent plus instinctif que raisonné : il cherche une traduction des phénomènes qui se ne borne pas aux signes d'une formalisation assurant leur intelligibilité mais donne prise sur la nature et l'événement.

Autre aspect majeur de l'époque : l'événement est perçu avec sa coloration sociopolitique. De nouvelles notions s'imposent : peuple, bien public, forces sociales et économiques, rapports fonctionnels de chacun avec chacun et avec tous, de l'individu avec ses groupes naturels. L'histoire, discipline carrefour, résidu d'expériences critiquées, suggère des critères de jugement et des normes d'efficacité collective. Prétexte aux parallèles ingénieux avec l'actualité, elle fournit aussi bien les alibis de la contestation que la justification des réformes proposées. L'homme ne réservant pas plus de secrets que l'univers créé pour.l'exercice de ses pouvoirs,

1. *Discours préliminaire*, p. XXI.
2. Dans le *Plan d'un ouvrage intitulé : La France politique et militaire*, Guibert projette d'étudier la « situation actuelle de la marine de France, rapport de cette branche de la constitution militaire avec les forces de terre ». Il n'y fera que de brèves allusions dans ses livres ultérieurs.

comment n'imaginerait-on pas une cité idéale pour l'épanouisse-
ment de sa nature raisonnable et le bonheur qu'exige sa sensibilité? L'architecture de Claude-Nicolas Ledoux s'accorde avec
l'utopie de la fraternité inscrite dans des constitutions libérales.
Les rouages des mécanismes politiques sont démontés. De l'*Histoire universelle* à l'*Esprit des lois* et au *Contrat social*, il y a
certes la différence, des axiomes fondant la théocratie et la
démocratie mais aussi l'identité d'une certitude : on peut construire des systèmes politiques dont les éléments s'équilibrent et les
fonctions s'harmonisent selon les règles d'une logique spécifique.
Comme les physiocrates Quesnay, Gournay, Turgot rationalisent
l'économie et Adam Smith le travail, les philosophes tentent de
rationaliser le gouvernement des individus et des groupes [1]. Un
postulat d'adéquation entre la réalité sociale et la raison détermi-
nera désormais la recherche politique.

Le souci de bannir l'irrationnel de la manœuvre des forces
sociopolitiques n'est pas nouveau. Neuve cependant l'assurance de
discriminer et maîtriser l'aléatoire. Dans son *Discours prélimina-
re*, Guibert affirme une conviction identique : « Je cherche à
démêler, dans les événements, l'influence que le hasard a pu avoir
sur eux, les ressorts et quelquefois les fils imperceptibles qui en
ont été les causes. » Les réformateurs ne doutent pas que leur
réflexion atteigne un public curieux, attentif, plus vaste et plus
vulnérable que celui du règne précédent; plus critique surtout.
D'où un climat de revendication, voire de ressentiment, que
favorisent les scandales de l'ordre établi. Un ferment de changement travaille la pâte sociale : « Nous nous sentions disposés à
suivre avec enthousiasme les doctrines philosophiques que professaient des littérateurs spirituels et hardis... Nous sentions un secret
plaisir à les voir attaquer un vieil échafaudage, qui nous semblait
gothique et ridicule. Ainsi, quels que fussent nos rangs, nos
privilèges, les débris de notre ancienne puissance qu'on minait
sous nos pas, cette petite guerre nous plaisait. Nous n'en éprou-
vions pas les atteintes : nous n'en avions que le spectacle. Ce
n'étaient que des combats de plume et de parole, qui ne nous
paraissaient devoir faire aucun dommage à la supériorité d'existence dont nous jouissions et qu'une possession de plusieurs siècles
nous faisait croire inébranlable... On trouve du plaisir à descendre,
tant que l'on croit pouvoir remonter dès que l'on veut; et, sans
prévoyance, nous goûtions tout à la fois l'avantage du patriciat et
les douceurs d'une philosophie plébéienne [2]. »

Après ces jeux intellectuels apparemment inoffensifs, les Français s'éveilleront en plein cauchemar.

---

1. *La Richesse des nations* d'Adam Smith paraît en 1765, l'*Essai sur la
formation et la distribution des richesses* de Turgot en 1766, quelques années
seulement avant l'*Essai général de tactique*.
2. Comte de Ségur, *Souvenirs et anecdotes*.

Deviens ce que tu es

Que, dans le trouble d'une incessante confrontation de thèmes indécis et de survivances anachroniques, le destin jette un homme capable de reconnaître, formuler et résoudre leurs contradictions; qu'il le dote d'une puissance d'attention et d'un outillage mental lui octroyant le privilège de dénoncer ce qui demeure obscur à la plupart; qu'il lui accorde le don d'imaginer les dénouements de situations inextricables où les plus clairvoyants ne savent démêler ce qui vivra et ce qui est condamné, alors cet homme peut être le miroir de son siècle et le prophète des temps nouveaux. Élection redoutable : la fable et la tragédie n'ont cessé de le rappeler. Guibert a su le prix que le béni des dieux doit payer pour entrer dans l'histoire par la Porte sacrée : « Il élevait la voix contre l'ignorance de son temps, et sa voix n'était pas entendue; c'est le sort de presque tous les hommes de génie. Ils arrivent à la vérité longtemps avant leur siècle. Heureux encore quand, du bord de leur tombe, ils ont la consolation de le voir se mettre en mouvement sur leurs traces [1]. »

Guibert est l'un de ces privilégiés, politique au marteau et constructeur. Aucun théoricien militaire n'a occupé une place aussi éminente dans la société de son siècle. Conforme à l'archétype du philosophe encyclopédiste, il combine sans effort apparent le désir d'explorer le champ d'une connaissance globale avec le souci de dépasser l'analyse phénoménologique pour élaborer un modèle d'action accordé avec sa volonté de puissance. Certes, le ton emphatique irrite ses meilleurs partisans trop enclins à oublier que, sacrifiant à la redondance et au lyrisme incongru, l'écriture déclamatoire obéit à la mode. Il faut faire effort pour chasser cette impression première, pour admettre que les concessions au baroque et aux outrances du langage ne sont qu'apprêts d'une pensée maîtrisée.

Pensée oscillante qui reflète les contradictions de l'époque. Qui les épouse même, comme par principe et par besoin de ne mépriser presque rien, de ne négliger aucun élément d'une réalité dont elle a reconnu l'irréductible complexité. L'œuvre de Guibert reprend des variations sur des thèmes déjà démodés : il sait l'inertie de l'héritage et que les choses ne meurent pas d'un coup. Simultanément, elle anticipe en concepts et assertions ce que l'avenir consacrera, accomplissant ainsi ce qu'a conçu la seule puissance d'invention.

Noble, il hérite certains préjugés de sa classe. Progressiste, voire révolutionnaire, il dénonce l'archaïsme là où ses pairs ne voient que juste sanction de l'histoire. Soldat passionné pour son art dont,

---

1. *Éloge du maréchal de Catinat*, p. 56.

très jeune, il maîtrise le métier, il refuse la prison d'un langage unique dont il ne saurait attendre qu'une formule inachevée du Moi. Parce que son époque entretient la confusion de l'être et du paraître, parce qu'elle érige l'éclectisme en règle de vie, Guibert s'engage, dès sa vingt-cinquième année, sur plusieurs directions comme s'il comptait sur l'étendue du champ exploré pour accroître la probabilité d'heureuses rencontres. Par tous les chemins il s'élance, non vers la gloire comme le dit sommairement Frédéric II, mais vers ce qui lui offre une chance de surprendre l'histoire en acte.

Démarche intellectuelle non linéaire : buissonnante. Essais de langages divers : tragédie, éloge, traité. Formules délaissées aussitôt qu'exploitées. Il évolue dans le profus et le confus, pressé par la démangeaison de dire, sans prendre garde que ces variations de registre sacrifient la rigueur à la sensibilité et le fondamental au pourboire public. Le discours passe du lyrisme à la logique comme si, écrits, ses ouvrages lui pesaient comme autant de liaisons dangereuses; comme s'il était indifférent au résidu de son exercice mental et préférait les opérations à leurs résultats, le faire à la chose faite.

Dramaturge, il tente de concilier audaces et respect des maîtres. Prenant des libertés avec la prosodie consacrée, *le Connétable de Bourbon* n'est entendu que de la Cour. Autant qu'aux héros, ses tragédies s'attachent aux marginaux et aux révoltés : Bayard ne vaut que par Bourbon. Plus conformiste qu'il ne l'avoue, il hésite à les porter à la scène. Il juge de très haut hommes en place et institutions et prend soin de se faire éditer à Londres : on se pose en contestataire, mais il faut faire carrière. S'il rédige des lettres passionnées annonçant René, il ne se sent pas l'âme d'un Werther, se marie pour la dot et passera pour un amateur d'exaltations. Il veut réformer l'État, associer le peuple au gouvernement, mais tient à l'approbation des nantis. Candidat aux États Généraux de 1789 dans les rangs de la noblesse, il parle en révolutionnaire et s'étonne d'être chassé du Conseil de la Guerre : « Nous ne voulons pas une charte, car une charte est une concession et une concession semblerait reconnaître que nous tenons ces droits du roi alors que ces droits nous appartiennent... Alors que vous cherchez la liberté, les rois tendent à la puissance... et il se trouve autour d'eux des esclaves et des parasites qui, jouissant ou vivant des abus du pouvoir, les y rattachent sous mille prétextes [1]. » Il bafoue l'Académie assez audacieuse pour préférer à son *Éloge du maréchal de Catinat* celui de La Harpe, la défie dans l'exergue de son *Éloge du chancelier de l'Hospital* – « Ce n'est pas aux esclaves de louer les grands hommes » – mais postule à cette

_____

1. *Projet de discours d'un citoyen aux trois ordres de l'assemblée du Berry* (1789).

même Académie qui a le bon esprit de l'accueillir triomphalement.

Il voyage, admire et vante l'étranger, spécule sur la justice sociale, l'ordre international et le pacifisme des royaumes véritablement forts, blâme la médiocrité de ce qu'il voit en France, et suggère les moyens par lesquels la France dominera l'Europe. Il introduit la raison dans la politique, soumet la stratégie à la logique et fonde un système de guerre où le ressentiment, les élans et l'inconscient des masses tiendront la première place. Servi par un intellect qu'admirent les meilleurs esprits, il est capable de la concentration mentale la plus intense et prolongée, du travail le plus acharné, et se disperse aux mille tourbillons de la vie mondaine. Conscient de son génie, il publie pourtant mémoire sur mémoire, à la fin de sa vie, pour se disculper devant ceux-là mêmes qu'il méprise.

Devant tant de dons gaspillés et tant d'ouvrages délaissés comme scories, à l'état d'ébauches, comment ne pas déplorer qu'un tel égotiste n'ait pas compris que la réponse aux crucifiantes interrogations et le salut devant les tentations du divertissement se trouvaient entre les quatre murs d'une chambre? A-t-il choisi entre le présent et l'avenir, entre le paraître et l'être? Par surabondance de talents, il choisit de ne pas choisir. Lui seul peut se reconnaître et évoluer dans ce réseau de contradictions, et c'est miracle si cet homme-Protée se laisse appréhender. Ses sincérités successives ne concèdent rien à l'hypocrisie ou à l'imposture. Elles n'expriment que le besoin d'épuiser en chaîne, à défaut de pouvoir le faire d'un coup, les mille accidents d'une profuse réalité.

Qui est Guibert? Le dramaturge ou le philosophe de la guerre? Le colonel honoré à Potsdam ou le figurant des salons? Le conseiller technique du ministre et rédacteur de règlements, ou le théoricien hérétique de l'*Essai général de tactique* [1]? L'académi-

---

1. En 1775, Guibert est appelé auprès du comte de Saint-Germain dont il inspire les principales réformes. Ministre de la Guerre de 1775 à 1777, Saint-Germain poursuit avec énergie l'œuvre de rénovation entreprise par Choiseul dès 1761. Arrivé avec un programme bien arrêté, il porte toute son attention sur l'outil de combat. Uniformisant la composition des unités, réglementant l'administration des corps de troupe, il s'attaque avec succès à la vénalité des charges qu'il veut progressivement supprimer, réduit au minimum les troupes privilégiées de la Maison du Roi, réorganise l'administration centrale, crée des collèges dans les provinces destinés à instruire la petite noblesse pauvre, double les effectifs, perfectionne l'artillerie, établit les bases de la discipline moderne. Mais, sur ce point, il prend une mesure maladroite en instituant les châtiments corporels qui, dans son esprit, devaient être un adoucissement aux peines de prison alors en usage.

Ce travail de réforme correspond à celui que, au même moment, Turgot entreprend sur le plan intérieur et Sartine dans la Marine. Comme Turgot, Saint-Germain est un novateur hardi, mais son action n'est pas exempte de brutalité et de maladresse. Sa manière rude, heureuse chez les Scandinaves et les Allemands au milieu desquels il a passé une partie de sa carrière, ne peut réussir

cien adulé ou le progressiste annonçant les temps nouveaux? S'il est ceci *et* cela, ne sommes-nous pas assurés de trouver un invariant sous ses variations; un principe unificateur, un *point central* d'où procèdent ses multiples curiosités et autour duquel s'ordonnent le savoir et les langages qui le restituent? Nous importe cela seul par quoi l'œuvre échappe à son auteur – ses auteurs – et à l'événement qui en fut le prétexte, pour accéder à la plus haute généralité. A dix-huit ans, Guibert connaît l'humiliation de la défaite. Mais il n'est pas seul à souffrir dans son patriotisme et son orgueil de soldat, ni à vouloir guérir de cette névrose. S'ils exaltent la conscience de soi et décapent le fondamental, les secousses du cœur n'engendrent pas nécessairement une œuvre qui, surmontant le doute et l'angoisse, démontre que les bilans de l'histoire et les échecs personnels ne sont que provisoires.

La genèse de cette œuvre révèle des exigences moins romanesques. Des formes aussi hétérogènes que la tragédie et l'essai ne traduisent pas plus l'instabilité de l'attention que la présomption du talent. Lyrisme et discours pratique peuvent se succéder sans se détruire : également nécessaires à l'esprit assez organisé pour ordonner ses désirs de dire et de faire, assez maître de ses opérations pour goûter la saveur de divers langages et en éprouver les pouvoirs. Guibert cherche et trouve, avec un bonheur inégal, les éléments d'un *corps d'expression* adapté à la somme de ses curiosités. Plus exactement, aux manifestations plurielles d'une unique curiosité – la politique en acte – qui résume toutes les autres dans une problématique structurée. Ses divers cheminements ne sont que les voies combinées d'un processus de création s'organisant autour d'un noyau dur : « Ce qui tient au génie porte nécessairement une empreinte systématique [1]. » Il se donne un domaine d'investigation et d'invention, et cherche les instruments intellectuels les plus efficaces pour accomplir son double projet : discours phénoménologique et discours praxéologique de l'entreprise politico-stratégique. L'œuvre révèle une stratégie mentale appliquée à la stratégie politique. Elle dit la méthode propre à la pratique de cet art; celle aussi de l'art d'être l'homme d'un art. Méthodologie de l'existence pleine qui se veut toujours plus consciente d'elle-même par la maîtrise d'un langage arraché aux langages.

---

en France. Si bonnes que soient ses intentions, ses erreurs psychologiques le rendent vite impopulaire et avec lui ceux qui, comme Guibert, sont associés à son entreprise.

1. *Essai général de tactique.* Conclusion, p. 127.

CHAPITRE 3

VOLONTÉ DE CRÉATION
ET OBSESSION DU RATIONNEL

Un système de création politico-stratégique

Guibert : l'esprit qui tente de construire le discours le plus puissant sur l'objet le plus indéfini, la guerre. Puissance d'une connaissance qui le situe, l'investit, le pénètre et dit à la fois l'architecture de ses éléments et la dynamique de ses fonctions, la clarté logique de ses invariants et l'évolution de ses figures historiques. Connaissance si critique de ses fondements et si rigoureuse dans son corps d'énoncés que le sens de l'objet s'installera désormais comme une évidence. Puissance créatrice d'une méthode pour agir qui tire, du savoir le plus englobant et le plus précis, la raison et l'efficacité de l'acte, la définition et la cohérence d'opérations logiquement accordées avec la fin qui les appelle. Esprit éminemment *poétique* : d'un même mouvement, il invente la grille et le langage qui lui assurent l'intelligibilité de la guerre, et l'outillage mental lui procurant la maîtrise de ses mécanismes.

Définition inexacte. Définition par excès, par un passage à la limite. Mais ce Guibert imaginaire n'est pas improbable. Je le développe, sans rien dénaturer, du germe contenu dans le Guibert historique. Je le construis sans déformer la structure mentale de l'original, par un simple grossissement de ses visées et de ses calculs réels. Je le tire des limbes en éclairant, avec nos lumières, les rouages et le travail de son esprit. J'imagine ce qu'auraient été les opérations d'un esprit aussi exigeant et appliqué à un champ de curiosité aussi vaste s'il avait disposé de nos instruments d'analyse et de conceptualisation. Approfondissement et extension licites : si nous trouvons tant de profit à solliciter le Guibert réel, c'est bien parce que sa problématique stratégique suggère la nôtre et parce que la nôtre peut s'élaborer en s'appuyant sur la sienne. Elles sont homomorphes.

Ma définition semble ne recouvrir que la vocation militaire d'un homme dont nous savons qu'il refuse les limitations. Mais Guibert confère à l'objet qu'il nomme « tactique » une étendue si vaste, il l'extrait d'une lecture si extensive des relations entre le politique et le militaire que cette approche systématique annexe et interroge nécessairement la quasi-totalité des activités sociopolitiques. « J'oserai, dit-il dans la dédicace de l'*Essai,* élever enfin l'édifice immense d'une constitution à la fois politique et militaire. »

Le « à la fois » révèle une visée qui anticipe de cinquante ans celle de Clausewitz articulant sa démarche autour de la relation fondamentale entre politique et guerre. Toutefois, s'il reconnaît, comme tous les théoriciens de son temps, « l'influence qu'ont les opérations de la guerre sur la politique [1] », Guibert ne se borne pas à ce constat d'évidence pour être plus libre, ensuite, d'appliquer son attention à son objet : la guerre *stricto sensu.* Découper un objet-guerre dans l'ensemble des phénomènes sociopolitiques, l'isoler de son champ de déterminations permet sans doute de le mieux éclairer et d'atteindre son essence. La guerre, action collective et finalisée, joue de la violence physique pour modifier la dynamique naturelle du système interétatique. Mais la violence, privilège de forces spécialisées, n'est pas introduite dans le système avec la guerre déclarée. Le discours de la violence n'utilise pas le seul langage de la guerre. Le rôle des forces armées ne commence ni ne cesse avec les hostilités ouvertes. Dans le système de relations, qui organise la coexistence des entités politiques, Guibert observe que la force armée intervient aussi bien en temps de paix qu'en temps de guerre : une fonction de violence organisée est l'une des fonctions permanentes d'un appareil d'État voué à la fois à conserver et à transformer. Les armées pèsent aussi par leur seule existence, par leurs seules virtualités, sur la volonté d'adversaires sensibles aux images d'une violence suspendue et menaçante avant que d'être affectés par son actualisation. Guibert évoque les « forces militaires dont l'État a besoin pour en imposer à ses voisins, pour donner du poids à ses négociations [2] ». Il définit clairement un mode dissuasif – j'y reviendrai – une fonction des armes produisant paradoxalement la non-guerre. Surtout, dans une perspective unifiante, il intègre la fonction permanente des forces de violence dans la politique grâce au concept cardinal de « constitution militaire, cette partie de la politique si importante et si négligée [3] ».

Dans l'*Essai,* cette notion assure le rôle d'une *fonction de transfert* entre les deux composantes de la politique générale, l'intérieure et l'extérieure : la première réalise les forces, dont les armées, nécessaires à la seconde. « Constitution militaire » désigne

1. *Discours préliminaire,* p. XI.
2. *Ibid.,* p. XVI.
3. *Ibid.,* p. XVIII.

globalement la structure fonctionnelle et les capacités d'action des forces armées, leur enracinement sociologique, leur style de vie et leur éthique, leur statut social, leurs rapports institutionnels avec l'appareil d'État. Notion à la fois statique et dynamique : elle dit l'état d'une organisation et les mécanismes d'un sous-système finalisé et englobé dans le système englobant de la nation. La « constitution militaire » traduit en moyens la finalité assignée, par la politique générale, à la violence organisée : à travers elle s'exprime la relation logique de fin à moyen entre la politique et l'effecteur militaire. A travers elle se manifestent aussi l'unité ou les contradictions de la politique : elle est le révélateur privilégié de la cohérence ou des dysfonctionnements entre les politiques intérieure et extérieure.

Cet axiome de détermination réciproque fonde la recherche guibertienne dès son origine : « J'ai cru... devoir commencer par donner à mes lecteurs une idée de la manière dont j'envisage la politique et l'art militaire... Je tracerai d'abord tout ce qui a rapport à la politique intérieure... Les intérêts politiques de la nation au-dehors étant déterminés, je passerai à ce qui les fait respecter, à ce qui les soutient, à la constitution militaire. Les moyens de la former nationale et vigoureuse ayant été préparés à l'avance par la politique intérieure, il ne sera plus question que de l'asseoir relativement à ces moyens... A la suite du plan de la constitution militaire je donnerai un cours de tactique complet [1]. » L'important est moins la méthode d'analyse et d'exposition adoptée que la fonction-charnière de la puissance militaire; puissance entendue ici comme capacité d'agir qui peut ou non se décharger en actes effectifs. La « constitution militaire » : un condensateur d'énergie accumulée dont la rétention, en temps de paix, est paradoxalement efficace. Elle « fait respecter », elle « soutient » la politique extérieure parce que la probabilité n'est pas nulle d'une transformation de l'énergie en travail des forces de violence, en puissance – dans le sens dynamique du terme – appliquée au système adverse.

Par-dessus le XIXe siècle fasciné par la guerre comme unique expression de la violence armée, la généralisation guibertienne d'une fonction militaire intéressant la paix comme la guerre annonce les conceptions stratégiques de notre temps, l'intégration du mode stratégique particulier qu'est la guerre dans le concept englobant de *conflit* : « La stratégie, au sens où je l'entends ici, ne consiste pas dans l'emploi (application) efficace de la force, mais dans l'exploitation d'un potentiel de force (exploitation of potential de force). Elle n'intéresse pas uniquement des ennemis qui se détestent, mais aussi des partenaires se méfiant l'un de l'autre ou

---

1. *Plan d'un ouvrage intitulé : La France politique et militaire,* pp. XLIV et XLVIII.

en désaccord [1]. » On discerne donc à l'état naissant, chez Guibert, le phénomène d'inversion qui s'achève sous nos yeux : la stratégie ne fut longtemps qu'une catégorie de la pensée de guerre, un élément de la pratique guerrière. Elle ne couvrait que l'ensemble des opérations militaires montées sur le théâtre de la guerre : selon Clausewitz, elle « relie les combats les uns aux autres pour atteindre les fins de la guerre... La stratégie est l'emploi de la bataille à la guerre. » Le fait nucléaire a renouvelé la problématique des relations entre violence et politique. Il a fixé l'attention sur une stratégie militaire du temps de paix, créatrice de paix – dissuasion nucléaire et manœuvre des crises – qui appelle la généralisation du concept de stratégie : naguère englobé dans celui de guerre, il englobe aujourd'hui la guerre tout entière comme l'un seulement de ses modes.

Sans doute, Guibert n'exploite pas immédiatement l'axiome généralisant la fonction de la violence dont découle la notion de « constitution militaire ». Ses implications seront évacuées du premier discours, l'*Essai,* par un autre axiome : l'efficacité maximale de toute guerre. Il reviendra plus tard, avec la *Défense du système de guerre moderne,* sur cette inconséquence qui prive l'*Essai* de l'extension du champ stratégique qu'il portait en germe. Pressé de résoudre les problèmes urgents de l'art militaire, le professionnel de l'*Essai* tourne court. Non sans repentirs : son concept de tactique, ambigu, ne recouvre pas uniquement les opérations qui, sur le terrain, visent à la production immédiate d'effets physiques. L'*Essai* « enseigne à constituer des troupes », revient constamment sur les rapports entre le régime social, les institutions, le projet politique et la fonction militaire.

C'est dans son dernier ouvrage, *De la force publique considérée dans tous ses rapports* (1790), que Guibert franchit le dernier degré de généralisation. La fonction des forces de violence est universalisée : temps de paix et temps de guerre, politique intérieure aussi bien qu'extérieure. D'où un concept global : « La force publique d'une nation a pour objet de pourvoir à sa sûreté commune, d'une part contre les troubles et les désordres du dedans, et de l'autre contre les ennemis du dehors [2]. » Définition exhaustive des forces de violence armée, de la fonction militaire posée comme le moyen privilégié du « système de création » politique : « La force publique est le lien et la clef de toutes les parties de l'édifice; sans elle, on peut appareiller des matériaux, on peut mettre pierre sur pierre; mais on ne peut rien cimenter, rien contenir à sa place : sans la force publique, les pouvoirs, les contrepoids, la liberté elle-même, tout cela n'est qu'un assem-

---

1. Thomas C. Schelling, *The Strategy of Conflict* (1960).
2. *De la force publique considérée dans tous ses rapports,* p. 8.

blage d'idées vaines et fragiles [1]. » De là, une problématique qui, à partir de « quatre grandes considérations », de « quatre problèmes inséparables qui se fondent et se réunissent en un seul », recouvre la totalité de ce que nous nommons communément politique de défense; en fait, la stratégie militaire entendue dans le sens plein qui est aujourd'hui le sien :

– Stratégie militaire et politique intérieure : « Envisagé du côté de la protection que la force publique doit donner aux lois, et du danger que cette force publique peut devenir pour la liberté nationale, c'est un problème constitutionnel [2]. »

– Stratégie militaire et stratégie des moyens : « Envisagé sous le rapport de la meilleure organisation et de la plus efficace quantité d'action et de puissance contre les ennemis du dehors, c'est un problème militaire [2]. »

– Stratégie militaire et politique extérieure, en temps de paix comme en guerre : « Calculé dans ses rapports avec les intérêts des nations étrangères et avec les combinaisons qui peuvent appartenir à notre état de paix, de guerre, ou d'alliance avec elles, c'est un problème politique [2]. »

– Stratégie militaire et stratégie économique : « Enfin, considéré sous le rapport de la dépense, et en réfléchissant que c'est la plus forte charge publique de la nation, celle qui, de plusieurs manières, pèse le plus onéreusement sur elle, et que par conséquent il est le plus important de régler avec intelligence et avec économie, c'est un problème de finance et d'administration [3]. »

L'intérêt du dernier état de la pensée guibertienne réside moins dans la définition des normes d'efficacité et de coût fixées aux deux composantes de la « force publique » – la « force du dehors » et la « force du dedans » – ou dans leurs exigences et contraintes respectives, que dans « l'examen des rapports réciproques qui peuvent exister » entre elles et dans leurs relations avec l'ensemble du système sociopolitique qu'elles servent et qui les supporte. Le dernier chapitre du traité de 1790 est consacré à la « nécessité d'appuyer la force publique par d'autres forces accessoires : quelles sont ces forces? L'opinion publique, les lumières et les mœurs; sans leur concours, la force publique ne sera pas suffisante et la liberté ne sera pas durable ». Pour la première fois, à ma connaissance, apparaît l'expression forces morales : « Ces forces morales sont l'opinion, les lumières et les mœurs publiques. A l'analyse, ce sont trois genres de forces très distincts; mais il faut que le législateur les combine et les mène sans cesse de front pour augmenter leur action l'une par l'autre, et pour n'en faire qu'une seule et une plus grande puissance [3]. »

1. *De la force publique considérée dans tous ses rapports,* Avant-propos, pp. 2 et 3.
2. *Ibid.*
3. *De la force publique considérée dans ses rapports, op. cit.,* p. 178.

Une intelligence exigeante connaît très tôt ses axes de prospection et leur commun point de fuite. Elle sait aussi que doit répondre, à la secrète unité d'objets complexes et de phénomènes protéiformes, la consistance d'un discours construit pour restituer une totalité organique : « Dans les grandes entreprises de toute espèce, les plans sont presque toujours négligés. On ne se remplit pas assez de son objet. On ne le médite pas assez sous toutes ses faces : on s'engage avec un projet à demi conçu. On compte achever de l'asseoir en l'exécutant. On se promet que les idées feront naître les idées. On travaille par lambeaux. De là tant d'ouvrages qui ne remplissent pas leur but, ou qui démentent ce qu'annonce leur titre. Nos écrivains les plus profonds sont tombés dans cet inconvénient. Quand on ouvre l'*Esprit des lois,* on s'attend à trouver le développement des principes qui ont servi de base à la législation ancienne et moderne. On espère que cet examen sera suivi d'un système de création et de réforme dans les lois actuelles de l'Europe, ou tout au moins dans celles de la nation. Mais, oserai-je le dire? Faute de plan, cette espérance n'est pas remplie... On y trouve des pensées sublimes, des vérités éparses et à demi dévoilées, l'ébauche ou le germe de presque toutes ces matières ont besoin d'être accordés et de former un édifice. On éprouve enfin à la lecture de cet ouvrage ce mélange de plaisir et de regret qu'inspirent ces tableaux dont on admire les détails et qui, faute d'ordonnance, ne produisent point d'effet [1]. »

Sous la critique de Montesquieu perce un rappel du quatrième principe de la méthode cartésienne sur les « dénombrements entiers » et les « revues générales » garantissant contre les omissions. Une obsession aussi : celle du rationnel qui commande la problématique, confère sa coloration à l'œuvre et à quoi Guibert devra son succès d'opinion. Une postérité de constructeurs est annoncée par la volonté de création d'un homme qui, à vingt-cinq ans, prétend soumettre politique et stratégie à un même centre de vision, les intégrer dans un système de pensée ne se proposant pour objet rien de moins que la totalité sociopolitique et celle des situations conflictuelles.

Entre le *Plan* de 1769 donnant « une idée de la manière dont (il) envisage la politique et l'art militaire [2] » et la *Force publique* de 1790, le développement n'altère pas l'intention première : la visée totaliste demeure. Seule la pondération des divers éléments saisis par l'intellect se modifie avec l'âge, l'expérience et les obstacles surmontés pour équiper l'esprit et pour constituer le langage requis par la complexité de l'objet à dire. Il l'investit et le décompose mieux après son passage par les bureaux du ministre et

1. *Plan d'un ouvrage intitulé : la France politique et militaire*, p. XLIV.
2. *Discours préliminaire*, p. XLIV.

le Conseil de la Guerre. La seule puissance du jugement et de l'approche logique l'éclaire, au début, sur la « nécessité du rapport entre les constitutions militaires avec les constitutions politiques [1] ». Ensuite, vingt années de combat avec le donné empirique, avec les hommes et les mécanismes du système sociopolitique, lui donnent la mesure des facteurs humains et des « forces morales ». Il reconnaît que son « système de création » doit compter autant avec le matériau humain qu'avec l'étendue de son propre champ mental et la puissance de son outillage intellectuel. C'est reconnaître la spécificité de l'œuvre collective, la politique, et que le génie inventif doit nécessairement transiter par une foule d'exécutants.

L'*Essai* révèle autant les mécanismes mentaux et l'inconscient de Guibert que son parti d'architecture politico-stratégique. Sauf dans l'*Avant-propos,* où affleure le dépit d'être oublié par les jeunes Turcs de la Révolution, l'auteur est absent du traité de la *Force publique.* Guibert a gagné le large. Il survole le continent entier de la politique et de ses moyens violents : parfait isomorphisme d'un système mental et d'un objet compris dans sa totalité. Entre-temps, la *Défense du système de guerre moderne* aura confessé les erreurs par excès de l'*Essai.*

Courbe admirable par l'intuition qui l'amorce et le déploiement final. Le concept de « tactique » n'est pas exempt d'ambiguïtés dans l'*Essai* : elles tiennent à la difficulté de concilier la hâte du théoricien, pressé de répondre à l'attente des praticiens, et à la nature même de l'intuition qui impose de ne pas dissocier guerre et politique. Quand la mort approche, Guibert a construit l'*espace de la force* dans lequel s'organisent la pensée et l'action sociopolitiques. Il a éclairé leur dynamique et arraché leur sens à leur apparente irrationalité.

Raison des choses et art raisonné

Guibert dit tactique comme on dit physique ou mathématique : « Aux yeux de la plupart des militaires, la tactique n'est qu'une branche de la vaste science de la guerre. Aux miens, elle est la base de cette science. Elle est cette science elle-même, puisqu'elle enseigne à constituer les troupes, à les ordonner, à les mouvoir, à les faire combattre. Elle est la ressource des petites armées, et des armées nombreuses, puisqu'elle seule peut suppléer au nombre et manier la multitude. Elle embrasse enfin la connaissance des hommes, des armes, des terrains, des circonstances; puisque ce sont toutes ces connaissances résumées qui doivent déterminer ses

---

1. *Discours préliminaire,* p. XXV.

mouvements [1]. » Concept englobant, ambitieux, et qui entraîne Guibert à de fréquentes récurrences. Il doit remonter en amont de l'art militaire pour retrouver sa fonction instrumentale, pour demander à la politique la raison supérieure de tel ou tel énoncé tactique. Tout se dit, dans l'œuvre de ce militaire, comme s'il soupçonnait les hommes d'État qu'il invective de ne pas pénétrer le jeu parfois brutal, parfois subtil, de la violence armée. Aussi installe-t-il la tactique comme une discipline parmi celles qui couvrent les diverses branches du savoir et qui unifient critique et heuristique, problématique et théorie dans une connaissance structurée, dans une *somme*. Si « elle est tout [2] », au moins pour les plus hautes parties de la guerre, comment saisir cette totalité? Comment la soumettre à la raison?

Volonté de rationalité engendrée par un constat de carence et affirmée contre elle : « De toutes les sciences qui exercent l'imagination des hommes, celle sur laquelle on a peut-être le plus écrit, et sur laquelle il existe le moins d'ouvrages qu'on puisse lire avec fruit, c'est sans contredit la science militaire, et particulièrement la tactique qui est une de ses principales branches. Presque toutes les sciences ont des éléments certains, aussi anciens qu'elles et dont les siècles suivants n'ont fait qu'étendre et développer les conséquences; au lieu que la tactique jusqu'ici incertaine, dépendante des temps, des armes, des mœurs, de toutes les qualités physiques et morales des peuples, a dû nécessairement varier sans cesse et ne laisser, dans un siècle, que des principes désavoués et détruits par le siècle qui lui a succédé. Supposons les premières vérités mathématiques enseignées à des peuples habitant les deux extrémités de la terre et n'ayant aucune communication entre eux, ces peuples arriveront, peut-être à quelques années l'un de l'autre, mais arriveront certainement un jour aux mêmes résultats; mais y a-t-il eu, en tactique, des vérités démontrées? A-t-on déterminé les principes fondamentaux de cette science? Un siècle a-t-il été d'accord sur ce point avec le siècle qui l'a précédé?... Pourquoi n'a-t-il paru aucun ouvrage victorieux et qui ait fixé les principes? C'est que pendant longtemps les militaires n'ont su ni analyser, ni écrire ce qu'ils pensaient [3]. »

Texte critique qui sous-tend tout le discours guibertien. Critique d'un savoir préscientifique, qui s'établit par référence aux connaissances assurées et universelles, aux vérités mathématiques. Ambitions excessives étant donné la nature de l'art militaire. Incohérence quand il vient d'écrire que la « tactique » dépend du lieu et du moment. Mais ambition et incohérence révélatrices d'un inconfort intellectuel : si le scandalisent le flou et l'instabilité du savoir transmis par une littérature accumulant les contradictions,

1. et 2. *Essai général de tactique*, Introduction, p. 4.
3. *Ibid.*, Introduction, pp. 1 et 2.

n'est-ce pas parce que le matériel d'observation − l'histoire et la pratique guerrière − suggère invinciblement que du stable, des « principes fondamentaux », des vérités démontrables existent, indépendants des conditionnements géohistoriques? Comment oser agir sans parier que telles causes engendreront tels effets, sans croire que l'agir-en-guerre, comme tout agir, ne saurait être quelconque? Il ne peut être constamment et totalement différent; quelque chose doit se perpétuer, quelque identité sous les manifestations d'altérité.

Il en est de l'objet-guerre comme de tout autre : l'esprit n'a de cesse qu'il n'ait atteint quelque essence par une réduction des phénomènes. A y regarder de près, étrange et paradoxale inquiétude ontologique : elle assimile, à un objet constitué de la nature ou de la pensée, un ensemble indéfini d'opérations mentales et physiques productrices d'effets, transformatrices du donné positif. Elle spécule sur l'existence du constant pour fixer la connaissance. Aussi, par besoin d'instruments pour inventer du nouveau : il s'agit de passer d'un savoir empirique à une connaissance instrumentale. Rien de moins clair que ce passage de l'ontologie à la praxéologie, problème cardinal de toute poétique et qui commande l'approche des processus de création en quelque art que ce soit. On regrette que Guibert, familier des encyclopédistes, informé sur les arts de son temps, n'interroge pas leurs analogies et leurs différences sur ce que pourraient être les voies d'une problématique éclairant la poétique de la guerre qu'ils pressent.

Sans doute n'est-il ni le premier ni le seul à dénoncer les carences théoriques de l'art militaire. Maurice de Saxe : « La guerre est une science couverte de ténèbres, au milieu desquelles on ne marche point d'un pas assuré; la routine et les préjugés en sont la base, suite actuelle de l'ignorance. Toutes les sciences ont des principes, la guerre seule n'en a pas encore : les grands capitaines qui ont écrit ne nous en donnent point; il faut être consommé pour les comprendre. Gustave-Adolphe a créé une méthode, mais on s'en est bientôt écarté, parce qu'on l'avait apprise par routine. Il n'y avait donc plus que des usages, dont les principes nous sont inconnus [1]. »

Contre ce scepticisme, la critique guibertienne appelle une connaissance fondée et organisée qui se substitue au savoir parcellaire et discontinu; « un corps de raisons et de doctrines [2] », un corpus de concepts définissant les objets composant l'objet-art militaire et d'assertions énonçant « les grands principes de la guerre [3] ». Le corps de raisons justifie donc la doctrine. Le mot théorie n'apparaît que dans la *Défense du système de guerre moderne* : « La théorie d'un art est du ressort de tout homme qui

_____

1. Maurice de Saxe, *Mes rêveries*. Préface.
2. et 3. *Défense du système de guerre moderne*, I, pp. 7 et 210.

pense. » Mais s'il manque dans l'*Essai,* le discours est irréductible
à ce qu'il dit : il tente de faire la preuve que la théorie de l'art
militaire est possible. Épreuve de vérité intellectuelle. Tout se
passe pour Guibert comme si comprendre un objet, c'était le
recréer, le reconstruire par la seule puissance mentale, inventer un
double plus satisfaisant pour l'esprit que l'objet lui-même : modèle
simplificateur d'une complexité dynamique réelle, mais qui en
assure l'intelligibilité en éclairant « le rapport de toutes les parties
à l'ensemble et de tous les détails aux résultats [1] ».

Descriptive de l'objet-art militaire, la théorie doit être cohérente, montrer « cette régulière harmonie qui prouve la conception
d'un grand système [2] ». Mais théorie de l'action, d'un donné
mouvant, non de phénomènes naturels et intangibles. Théorie qui
ne trouve pas en elle-même sa propre fin. L'objet du dire est de
guider le faire : une praxéologie. Nous ne nous étonnons pas assez
des prétentions du discours sur l'action : comment oser faire une
théorie de la pratique alors que toute pratique est contingente?
Comment le discours *sur* l'action coïnciderait-il avec le discours
de l'action? Si l'on admet qu'ils ne s'identifient pas, qui nous
assure qu'ils se recouvrent suffisamment pour que le discours sur
l'action conserve sens et utilité? Aporie épistémologique que
reconnaît Guibert pour qui « la guerre... est la pierre de touche de
tous les systèmes [3] », pour qui « la tactique moderne est enfin si
éloignée des méthodes générales et exclusives, qu'elle n'exclut pas
même celles qui sont le plus opposées à ses principes habituels [4] »,
et qui exige de la théorie qu'elle se constitue entre « les formes
superflues de géométrie et de métaphysique [5] ».

Pas un théoricien, familiarisé avec la pratique militaire, qui
n'ait théorisé sans corriger le radicalisme de ses assertions par le
rappel de la contingence : « L'art de la guerre a des principes
invariables qui ont pour but, principalement, de garantir les
armées contre l'erreur des chefs sur la force de l'ennemi », dit
Napoléon, qui redresse : « La théorie n'est pas la pratique de
guerre. » On pourrait multiplier les citations sur l'inconfort
intellectuel du praticien aux prises avec un matériau qu'il souhaiterait plus stable bien qu'il sache mieux que personne que
l'instabilité est sa nature : la dialectique de projets et de volontés
antagonistes est génératrice d'incertitudes qui, entachant l'information et les évaluations, pèsent sur le jugement et les décisions.

Guibert se veut homme d'action et l'action militaire est l'un des
plus puissants parmi les facteurs de transformation du monde.

1. *Éloge de Michel de l'Hospital,* p. 146.
2. *Éloge du roi de Prusse,* Londres 1787, p. 35.
3. *Défense du système de guerre moderne,* I, p. 101.
4. *Ibid.,* I, p. 258.
5. *Ibid.,* I, p. 4.

Prétendre à une science de la guerre, c'est sans doute en attendre l'outillage d'une critique mieux fondée et plus incisive des carences ou erreurs de la théorie antérieure. C'est aussi exiger de toute pensée qu'elle ne s'enlise pas dans la négation, serait-elle licite, de l'état des choses; qu'elle ouvre sur un « système de création ». Il n'ignore pas la difficulté de séparer la raison inventive de la raison polémique : la critique raisonnée du passé et du présent fait corps avec la théorie du futur dont elle conditionne les énoncés. Mais il rappelle que la volonté de création est déterminante : les objections de la raison devant une réalité inconfortable, dont elle prétend renouveler la compréhension et l'expression, ne se justifient que par une position devant le futur qu'elles appellent obscurément. Ardente obligation imposée à la critique, faute de quoi elle dérape dans la pure rhétorique ou le pathos idéologique. Puissance de transformation, la raison du faire doit toujours l'emporter sur la jouissance du dire.

Postuler que la théorie de la pratique est possible, utile, voire nécessaire à la rationalité d'une action qu'elle arrache à l'empirisme, poser en axiome qu'une science, par définition universelle, sous-tend les inventions d'un art militaire raisonné mais qui *compose* dans un lieu et un moment, c'est admettre un présupposé : si la pratique est contingente, elle n'est pas, *ne doit pas* être que cela. Les acteurs échangent de l'information sur un matériau composite et fluctuant; mixte de faits, phénomènes et événements qui *doivent* être en partie déterminés, en partie indéterminés. L'action est toujours future quand on la prépare et la décide : le calcul et la décision *doivent* combiner du certain et de l'incertain pour construire l'avenir. La première fonction d'une théorie serait donc de confirmer à travers sa genèse, et comme on prouve le mouvement en marchant, cette dualité de l'information : pas de théorie consistante sans déterminations constantes entre certains composants ou moments de l'action de guerre. La seconde fonction serait de les cribler dans la masse confuse des objets de pensée que suggère l'observation de la réalité « tactique »; d'analyser ce qui constitue le déterminé comme tel et d'en découvrir la *raison*.

C'est bien la question fondamentale d'une problématique : elle ne s'inquiète des *blancs* de la connaissance que dans la mesure où ils interdisent de piloter la pratique en toute sûreté, dans le brouillard des incertitudes. Il faut les localiser, réduire ce domaine de l'aléatoire et du contingent afin de conquérir la liberté de l'intelligence et la souveraineté du jugement devant l'avenir qui finalise l'action. Opération réductrice qui touche à l'essence de l'agir en milieu conflictuel. Tous les hommes de guerre ont reconnu la nécessité d'une topographie du champ pratique qui localise le déterminé et l'indéterminé : « La science militaire consiste à bien calculer toutes les chances d'abord, et ensuite à faire exactement, presque mathématiquement la part du hasard. C'est sur ce point qu'il ne faut pas se tromper et qu'une décimale de plus ou de moins peut tout changer. Or, ce partage de la science et du travail ne peut se caser que dans une tête de génie, car il en faut partout où il y a création et, certes, la plus grande improvisation de l'esprit humain est celle qui donne de l'existence à ce qui n'en a pas. Le hasard demeure donc toujours un mystère pour les esprits médiocres et devient une réalité pour les hommes supérieurs [1]. »

« Donner de l'existence à ce qui n'en a pas » : Napoléon reprend les notions guibertiennes de « plan de création », de « système de création ». A la banale posture pragmatique, Guibert et son disciple ajoutent un parti d'architecture substituant une *logique d'invention et de composition calculée* à l'empirisme, démission de l'esprit devant l'histoire-en-acte. L'action raisonnée est consciente de ses motifs, de ses vraies fins conformes à la fois à la raison des choses et au jugement du souhaitable et du possible. Rationnelle, elle accorde ses voies-et-moyens à ces fins par un calcul faisant la juste part des incertitudes. Comment ne serait-elle pas tentée de spéculer sur l'aide d'une connaissance claire; sur un ensemble de principes, conditions nécessaires de la rationalité; sur des règles opératoires propres à la pratique efficace; voire sur un algorithme définissant la suite d'opérations logiquement enchaînées pour accomplir les fins de l'action? N'est-ce pas à la théorie de fournir les éléments du « système de création? »

Théorie et pratique

Guibert partage l'optimisme de son temps sur la double possibilité de définir les conditions de rationalité de la connaissance « tactique » et les opérations d'une pratique rationnelle. On ne doute pas de constituer une théorie à la fois critique, descriptive et normative, ces fonctions s'appuyant mutuellement : l'adéquation de la pensée au réel fonde la rationalité d'un savoir arrachant l'action à ses obscurités; la connaissance de la raison des choses de l'agir guide l'agissant qui cherche d'instinct à réduire les aléas de l'improvisation. La connaissance peut être claire parce que l'action – la guerre – a une signification. La pratique trouvera son sens parce que le savoir est clair.

On ne rencontre pas chez Guibert, pas plus que chez ses contemporains, d'autre critique des théories que celle portant sur leur contenu : critique du premier ordre contestant leur représentativité du réel et la valeur des énoncés normatifs. Il ignore qu'on peut faire la théorie de la théorie quelconque : critique du second

---

1. Napoléon, *Conversation avec Mme de Rémusat.*

ordre interrogeant le savoir sur ses modalités d'acquisition et de restitution formelle, sur les conditions de son adéquation à la réalité. La dynamique sociopolitique n'autorise pas à identifier ces conditions à celles que requiert la connaissance de la Nature. Guibert ne se soucie ni des adhérences de l'héritage culturel ni des pressions sociologiques ou idéologiques qui perturbent la problématique et polarisent le discours. Il n'interroge pas, sur leur validité, des instruments d'analyse et de conceptualisation marqués par l'état du savoir contemporain. Aucun soupçon sur la pertinence du langage descriptif et normatif devant la nature des objets à dire et l'enseignement positif à transmettre.

Discours de la création politico-stratégique, constamment repris durant les vingt années d'une vie brûlée par la passion de construire et de se construire, mais qui ne questionne pas les processus de création. Guibert épouse sa pente, indifférent aux méta : métastratégie, métapolitique, métaphysique. Il ne se soucie pas plus de poétique qu'un Goethe déclarant : « Je n'ai jamais pensé à la pensée », alors que le résidu formel de toute pensée est déterminé par les conditions et les mécanismes de l'exercice mental. Comment lui reprocher l'indifférence au discours du discours quand la nécessité d'une *épistémologie stratégique* n'apparaît qu'aujourd'hui et à quelques-uns? La coupure provoquée par le fait nucléaire dans la pratique stratégique a été perçue. Mais les difficultés rencontrées pour se dégager d'un héritage séculaire et pour tirer toutes les conséquences de la mutation sont trop manifestes pour tenir aux seules pesanteurs sociologiques ou à la sacralisation d'une certaine fonction de la violence. Je les impute plutôt au retard de nos instruments intellectuels sur les réalités. A leur hétérogénéité aussi, à l'instabilité des concepts et à la non-univocité du langage qui privent les modèles stratégiques descriptifs et normatifs de toute vertu démonstrative : aussi incapables de faire la preuve de leurs pertinences théorique et pratique que la critique celle de sa justesse. Indécision d'autant plus grave que l'un des modes stratégiques actuels – la dissuasion nucléaire – se résume en une combinatoire des stratégies du verbe et des moyens se soutenant mutuellement et dont aucune épreuve de force ne peut, et ne doit, faire l'épreuve de valeur. Comment construire des modèles stratégiques dont l'efficacité repose pour une large part sur la charge signifiante et la clarté de l'information échangée? Comment les soumettre au contrôle d'un jugement objectif si nous ne retournons pas au lieu de la genèse théorique et de l'invention pratique : le champ mental et son équipement, les processus de création et leur outillage? La poétique et l'épistémologie stratégiques me semblent plus nécessaires que jamais en amont de toutes les constructions politico-stratégiques occasionnelles.

L'interrogation épistémologique, il est vrai, n'est pas naturelle.

Les praticiens n'ont jamais manqué à récuser le théoricien. Comment les convaincrait-on de l'utilité, pour la pratique, d'une théorie critique de la théorie ? La nécessité d'une épistémologie se précise toujours quand le temps manque : dans les périodes de transformation, de mutation, quand les meilleurs esprits, désarmés devant une histoire accélérée, pénètrent en aveugles dans un avenir qui les presse de trouver des réponses pertinentes et efficaces. Guibert ressent mieux que personne cette pression du temps au moment où l'armée royale traverse la crise consécutive aux déboires de la guerre de Sept Ans : il bâtit un magnifique projet couvrant le domaine de la politique en relation avec une fonction militaire généralisée, mais court au plus pressé et rédige l'*Essai*. Ses autres ouvrages seront de circonstance ou de combat, sans continuité avec le superbe plan initial.

L'épistémologie exige aussi une grande humilité. L'esprit qui prétend à la rationalité doit se soupçonner de fidéisme ; tenir pour naïfs et révocables les moyens de connaissance dans lesquels il croyait pour les avoir laborieusement conquis ou hérités des grands morts qui fondent une culture. Pour qui s'est formé en méditant sur le système de pensée de Napoléon et de ses épigones, il n'est pas plus facile d'oublier le langage de la stratégie d'anéantissement pour élaborer celui de la non-guerre et de la dissuasion que, pour Guibert, de tempérer son culte de Frédéric II, de dénoncer les inconséquences de la guerre limitée et de concevoir une science de la guerre organisant ses concepts autour de la bataille décisive.

Qu'entendre par science de la guerre ? Dans celle de la matière, une théorie se propose de donner, d'un fragment aussi étendu que possible de la nature, une représentation adéquate, claire et univoque ; cela en établissant une correspondance exacte entre l'ensemble des phénomènes étudiés et un système cohérent de lois formalisées si possible mathématiquement. Si les concepts et les lois naturelles constituent le matériel de la réflexion théorique dans les sciences de la nature, quel en est l'équivalent pour la science politique et celle de la guerre, sachant que l'action collective est un objet en continuelle transformation ? Quel objet-guerre fixer dans une posture évacuant suffisamment l'indéterminé pour autoriser des inférences de portée universelle ? Universalité d'autant plus nécessaire qu'on prétend tirer des règles d'action efficace d'un savoir solidement établi.

Si la « tactique » est une science, c'est que, dans l'ensemble de ses objets, certains conservent leurs propriétés ou sont associés par des corrélations indépendantes du cadre spatio-temporel, des variations géohistoriques. Sous la diversité des modes et formes pratiques, les expériences politiques et guerrières doivent révéler les catégories de la pensée de la pratique, des phénomènes covariants ou contravariants, des interactions constantes entre des

facteurs ou moments de l'action, des rapports de causalité et des
critères d'efficacité permanents, des symétries, des structures
formelles et fonctionnelles; en bref, des *invariants* du groupe que
constituent les transformations, les processus de création politico-
stratégique. Dans la mesure où une science vise à la connaissance
de l'universel sous le changement, elle définit un noyau d'invariants. Ceux-ci permettront de formuler d'abord des concepts qui
ne sont pas des concepts empiriques, de simple classification, mais
des concepts rationnels traduisant des interconnexions entre les
objets de pensée; ensuite, des principes et des lois énonçant des
rapports constants entre les faits ou les phénomènes. Une science
de la guerre suppose de semblables concepts et lois donnant la clef
du phénomène et éclairant l'essence de la guerre. Elle postule
aussi que, de ces lois d'intelligibilité, on puisse inférer des
principes et des règles opératoires; qu'on sache les transposer dans
le champ mental du praticien *quelconque* comme les éléments des
schèmes dynamiques auxquels se plie nécessairement le fonctionnement de l'intellect appliqué à l'action. La logique de compréhension doit induire à une logique opératoire qui régit le calcul,
prévisionnel et décisionnel, et les opérations du contrôle continu de
l'action.

Plutôt que loi, Guibert dit « rapports nécessaires ». Réminiscence de Montesquieu : « Les lois, dans leur signification la plus
étendue, sont les rapports nécessaires qui dérivent de la nature des
choses... Chaque diversité est *uniformité,* chaque changement est
constance [1]. » Il se souvient aussi du *Discours préliminaire à
l'Encyclopédie* dans lequel d'Alembert se proposait, en 1751, de
trouver pour chaque science et pour tout art libéral ou mécanique,
« à la fois les principes généraux qui en sont la base, et les détails
les plus essentiels qui en sont le corps et la substance ». Il justifiait
cette ambition en posant « l'union intime des sciences et des arts,
de la théorie et de la pratique ». Guibert peut lire aussi : « Un art
est un système de connaissances réductibles à des règles positives
invariables, indépendantes du caprice et de l'opinion. »

L'*Essai* ne se réfère pas aux lois naturelles des sciences, mais les
« grands principes de la guerre » fondent à la fois la théorie et la
pratique : « Il y a des objets bien importants qui sont à l'art
militaire ce que les fondements sont à un édifice [2]. » La science de
la guerre est universelle. Elle doit donner à voir toutes les
variations de son objet dans l'étendue géohistorique, rendre
compte des régularités qui se dissimulent sous la diversité des
formes qu'il a pu et pourra adopter dans tous les lieux et tous les
temps : « La tactique, divisée en deux parties et développée
comme je conçois qu'elle peut l'être, est simple et sublime. Elle

1. *L'Esprit des lois,* livre I, chap. 1.
2. *Discours préliminaire,* p. XXXVIII.

devient la science de tous les temps, de tous les lieux et de toutes les armes; c'est-à-dire que, si jamais, par quelque révolution qu'on ne peut pas prévoir dans l'espèce de nos armes, on voulait revenir à l'ordre de profondeur, il ne faudrait changer, pour y arriver, ni de manœuvres, ni de constitution. Elle est, en un mot, le résultat de tout ce que les siècles militaires ont pensé de bon, avant le nôtre, et de ce que le nôtre a pu y ajouter [1]. » Ou encore : « Elle est à la fois simple et sublime; ... elle se plie à toutes les variétés possibles de lieux et de cas [2]. »

Ces quelques phrases marquent un haut moment de la pensée appliquée à l'objet-conflit. Elles proposent un nouveau centre de perspective permettant de relier passé, présent et avenir, de retrodire, dire et prédire la « tactique ». Assez dominant pour que toutes les manifestations passées de la guerre ne soient plus que les accidents d'une structure qui garantit la prise du praticien sur le futur. Le rêve de Guibert : trouver la matrice opératoire unique susceptible de prévoir et de classer, comme une table de Mendeleïev, tous les objets « tactiques » que le futur fera émerger. Malgré les caprices de la contingence, malgré la pluralité des formes et styles de la guerre concrète et qui tiennent à l'époque, une raison fédératrice, des « principes sûrs et immuables [3] » et organisateurs constituent l'action de guerre, voire l'entreprise politico-stratégique tout entière, en un système cohérent de décisions et d'opérations, mentales et physiques, logiquement reliées par une finalité globale et une nécessité fonctionnelle. Raison et principes éclairent chaque moment de l'action dans ses déterminations et ses suites, et fondent le système de leurs rapports. Ils disent les conditions d'intelligibilité des phénomènes et de validité de l'action : « La science de la guerre moderne en se perfectionnant, en se rapprochant des véritables principes, pourrait donc devenir plus simple et moins difficile... Enfin toutes les branches de la science militaire formeraient un faisceau de rayons [4]. »

Cette posture intellectuelle, qui associe visée scientifique et action rationnelle dans le concept unifiant de « tactique », Guibert l'adopte aussi devant la politique. Résumant les activités des individus et de leurs groupes d'appartenance fédérés par un projet commun et organisés en structures fonctionnelles, elle obéit, elle aussi, à un principe de cohérence assurant le transit du dessein dans la réalité. Des règles de cohésion mobilisent tous les partenaires pour la plus grande efficacité collective. Ces lois disent les relations nécessaires entre les éléments et garantissent son intelligibilité globale. Elles gouvernent aussi l'économie des

1. *Essai général de la tactique,* I, p. 6.
2. *Défense du système de guerre moderne,* II, p. 160.
3. *Discours préliminaire,* p. XX.
4. *Ibid.,* p. XXXVI.

opérations requises par une pratique sans laquelle l'imaginaire sombrerait dans l'utopie : « Toutes les parties du gouvernement ont entre elles des rapports immédiats et nécessaires. Ce sont des rameaux du même tronc. Il s'en faut bien cependant qu'elles soient conduites en conséquence. Dans presque tous les États de l'Europe, les différentes branches d'administration sont dirigées par des ministres particuliers, dont les vues et les intérêts se croisent et se nuisent. Chacun d'eux s'occupe exclusivement de son objet... Du peu de relation qui existe ainsi entre les différents départements d'une administration, s'ensuivent ces projets avantageux sous une face et désavantageux sous les autres; ces encouragements de commerce qui découragent l'agriculture; ces édits financiers qui remplissent le fisc quelques années, et suivent les peuples pour un siècle; ces systèmes morcelés, ces édifices politiques qui n'ont qu'une façade et point de fondement; ces demi-moyens, ces palliatifs dont chaque ministre va plâtrant les maux qu'il aperçoit dans son département, sans calculer si ces remèdes ne seront pas funestes aux autres branches [1]. »

Pour atteindre ce degré de rationalité, encore faut-il constituer un corpus de principes et de règles qui s'impose par sa nécessité. Guibert doit discriminer les invariants dans la confusion et l'intrication des objets, dans la genèse d'une histoire fournissant le matériel d'observation et d'expérimentation : « Je cherche à démêler dans les événements, l'influence que le hasard a pu avoir sur eux, les ressorts et quelquefois les fils imperceptibles qui en ont été les causes [2]. » C'est seulement sur ce partage entre les données certaines, les données aléatoires dont on peut estimer la probabilité d'occurrence et les données fortuites sur lesquelles l'anticipation n'a aucune prise, qu'on peut fonder la « tactique » rationnelle. Mais c'est là qu'achoppent l'analyse théorique, les procédures décisionnelles, les évaluations et les prévisions, le calcul « tactique ». Tout projet se connaît comme projet et se reconnaît soumis aux aléas d'une exécution qui rencontre, d'une part le projet et l'exécution de l'adversaire et, d'autre part, le hasard de facteurs exogènes. Hasard objectif : terrain, météorologie, irrégularité des comportements humains, etc. Aussi affirmée qu'elle soit, la volonté de rationalité devra composer avec la Fortune – donc avec l'empirisme.

Cela dit – lieu commun de la philosophie de l'histoire –, comment faire la part de la contingence si l'on veut construire cette histoire? On ne saurait se contenter de dénoncer le hasard et de souhaiter son élimination par les savantes combinaisons : « Ce ne sont pas les arts et les sciences qui ont fait déchoir l'art militaire chez les peuples de l'Antiquité; ce ne sont pas les arts et les sciences qui l'empêchent aujourd'hui de faire des progrès.

1. et 2. *Discours préliminaire*, pp. XI, IV.

Les lumières générales devraient au contraire perfectionner cet art avec tous les autres. Elles devraient rendre la tactique plus simple et plus savante, les troupes plus instruites, les généraux meilleurs. Elles devraient mettre la méthode à la place de la routine, les combinaisons à la place du hasard [1]. » Sans doute Frédéric II a-t-il, lui aussi, dénoncé « sa sacrée Majesté, le Hazard », mais sans plus de clarté que Guibert sur sa nature et la manière dont il se combine avec le déterminé dans les décisions et conduites humaines. Qu'est le hasard dans la guerre, dans la « tactique », dans la stratégie ? Guibert sait qu'il touche là à l'essence même de l'action en milieu conflictuel. Mais il n'est pas outillé pour affiner le concept, pour introduire, dans le domaine de l'indéterminé, une division du même ordre que celle le séparant du déterminé ; pour distinguer le hasard pur, objectif, « rencontre de deux séries causales indépendantes » selon Cournot, de ce qui ressortit à la multiplicité des possibles et à la difficulté de mesurer leurs probabilités d'occurrence respectives.

Si le hasard a l'âge de la pensée, l'idée qu'on puisse le calculer est récente. Moins de cent vingt années séparent l'*Essai général de tactique* de la lettre à Fermat dans laquelle Pascal annonce la naissance de la « géométrie du hasard » (1654). Encore ne s'agissait-il que d'un calcul prévisionnel suggéré par les jeux dans lesquels le hasard était un facteur aveugle d'indétermination ; calcul permettant d'évaluer des espérances de gain. Il n'était pas encore question de fonder une décision rationnelle, de déterminer la meilleure conduite devant un adversaire motivé par un projet, par des intérêts et des vulnérabilités, par des fins choisies parmi les possibles comme peuvent l'être également ses moyens capables d'accomplir ces fins. C'était là un tout autre problème : comment calculer des décisions en fonction de celles d'un adversaire auquel est donné un champ de possibilités trop nombreuses pour être prévisibles dans leur totalité ? Problème d'actualité quand Guibert écrit. Mais comment savoir s'il connaît les travaux de Huyghens sur les probabilités [2], l'œuvre posthume de Jacques Bernoulli dans laquelle il pourrait lire : « Nous définissons l'art de conjecturer, ou stochastique, comme celui d'évaluer le plus exactement possible les probabilités des choses, afin que nous puissions toujours, dans nos jugements et nos actions, nous orienter sur ce qui aura été trouvé le meilleur, le plus approprié, le plus sûr, le mieux avisé ; ce qui est le seul objet de la sagesse du philosophe et de la prudence du politique [3] ».

L'allusion de Bernoulli à une rationalisation de la politique, grâce au calcul des probabilités, devrait encourager Guibert

---

1. *Discours préliminaire*, p. XLI.
2. *De ratiociniis in ludo aleae* (1657).
3. *Ars conjectandi*, publié par son frère Nicolas en 1713.

souhaitant « mettre... les combinaisons à la place du hasard ». Stimulante aussi, pour son « plan de création », la remarque de Leibniz sur la fécondité des jeux qui « renferment des renseignements précieux pour l'art d'inventer [1] ». Guibert est-il mathématicien? Aucun de ses rares biographes ne le mentionne. Chez Mlle de Lespinasse, il rencontre d'Alembert, Condorcet – dont on publiera en 1803 des travaux sur les probabilités. Il doit connaître Lagrange, Bossut et entendre parler de Maupertuis, tous liés à d'Alembert.

Certes, dans la guerre, il s'agit d'inventer. Mais l'invention rencontre ici celle d'un adversaire. Son objet n'est suggéré que par l'existence d'un Autre. La guerre n'existe que par la coexistence d'antagonistes opposant projet à projet, volonté à volonté, capacité d'agir à capacité d'agir, degrés de liberté à degrés de liberté. L'autonomie intellectuelle de chacun ne peut s'exercer que dans un champ de contraintes sans équivalent dans les arts individuels. Jomini notera justement, après bien d'autres, que la « guerre dans sa totalité n'est pas une science », qu'elle « est un grand drame dans lequel mille causes morales ou physiques agissent plus ou moins fortement et qu'on ne saurait réduire à des calculs mathématiques [2] ». Méconnaissant la spécificité du duel, il y verra un art, sauf à donner à l'art le sens très général de procédés réglés ou d'aptitudes nécessaires pour atteindre une fin. Clausewitz sera plus perspicace : « Nous disons donc que la guerre n'appartient pas au domaine des arts et des sciences, mais à celui de l'existence sociale. Elle est un conflit de grands intérêts réglés par le sang, et c'est seulement en cela qu'elle diffère des autres conflits. Il vaudrait mieux la comparer, plutôt qu'à un art quelconque, au commerce qui est aussi un conflit d'intérêts et d'activités humaines; elle ressemble *encore plus* à la politique, qui peut à son tour être considérée, au moins en partie, comme une sorte de commerce sur une grande échelle [3]. »

Dès lors que la spécificité de la guerre est reconnue et qu'elle renvoie dos à dos la science et l'art militaires, Clausewitz peut donner tout son sens à la confidence de Napoléon citée plus haut et qui a perdu sans doute de sa clarté à travers l'interview de Madame de Rémusat. L'Empereur a reconnu d'abord le caractère probabiliste de ses combinaisons puisque la science militaire doit calculer des espérances de gain et des risques; que, dans ces calculs, il faut distinguer la part du hasard objectif, qui est irréductible, des autres incertitudes tenant à l'essence même de la guerre. Guibert, précurseur ici comme ailleurs, note « les combinaisons sans nombre qui résultent de la multiplicité des objets [4] ».

1. *Lettre à Jean Bernoulli,* 27 janvier 1697.
2. *Précis de l'art de la guerre* (1829).
3. *De la guerre,* I, III.
4. *Discours préliminaire,* p. XXXVI.

Clausewitz confirmera ce partage : « La nature objective de la guerre la rapproche d'un calcul de probabilités. Il ne lui manque plus qu'un élément pour en faire un jeu, et cet élément ne fait assurément pas défaut : c'est le *hasard*. Aucune activité humaine ne dépend si complètement et si universellement du hasard que la guerre. L'accidentel et la chance jouent donc, avec le hasard, un grand rôle dans la guerre. » Ce domaine est donc celui du fortuit, du contingent. Il passe ensuite à « la nature subjective » de la guerre : « En guerre, la diversité, la délimitation incertaine de tous les rapports font entrer en ligne de compte un grand nombre de facteurs. La plupart de ces facteurs ne peuvent être évalués que d'après des lois de probabilités; et si la personne qui agit n'a pas le flair nécessaire pour pressentir la vérité globale, il en résulte une confusion inextricable de vues et de considérations; elle sera dans l'incapacité totale de se faire une idée pour s'y retrouver. Bonaparte a dit fort justement à ce sujet que maintes décisions qui incombent au chef de guerre pouvaient proposer à un Newton ou à un Euler des problèmes mathématiques dont ils ne seraient pas indignes [1]. »

C'est paraphraser Napoléon : « La guerre, loin d'être une science exacte, est un art soumis à quelques principes généraux et, de plus, un drame terrible et passionné dont les résultats sont soumis à des circonstances secondaires. » Et : « De pareilles questions proposées à résoudre à Turenne, à Villars ou à Eugène de Savoie les auraient fort embarrassés. Mais l'ignorance ne doute de rien; elle veut résoudre par une formule du deuxième degré un problème de géométrie transcendante. Toutes ces questions de grande tactique sont des problèmes physico-mathématiques indéterminés qui ne peuvent être résolus par les formules de la géométrie élémentaire. »

Un demi-siècle suffira donc, après Guibert, pour définir les deux sortes d'indéterminations qui interdisent à la guerre d'être la science qu'il souhaitait. Plus exactement, pour clarifier la problématique – ce qui n'est pas résoudre le problème : comment résoudre l'antinomie entre l'impossible science et l'enseignement positif que requiert la pratique collective? Sans doute, comme le préconisera Cournot, « il faut faire la part du hasard sans prétendre en donner numériquement la mesure et surtout sans en exagérer l'évaluation numérique [2] ». Mais il faudra attendre l'âge nucléaire pour que de nouveaux instruments d'analyse et d'aides à la décision fassent progresser la science de la guerre : théorie des jeux amorcée par les notes d'Émile Borel (1921) et formalisée par J. von Neumann et O. Morgenstern (1944), théorie mathématique

1. *De la guerre*, I, III.
2. *Considérations sur la marche des idées et des événements dans les temps modernes* (1872).

de la communication de C.E. Shannon (1948), cybernétique de N.
Wiener (1949), théorie des systèmes avec les équipes de Mac
Culloch et L. von Bertalanffy, informatique avec J.W. Forrester
dans les années 50, analyses coût-efficacité et planning-program-
ming-budgeting system, etc. Remarquable conjonction, semblable
à celle des encyclopédistes et des théoriciens français du XVIIIᵉ
siècle, entre des chercheurs renouvelant l'approche ou l'outillage
de l'action et l'école des stratèges américains : même volonté de
rationalité; même volonté, chez eux et chez Guibert, d'optimiser
les ressources et l'efficacité. Non que la théorie des jeux, par
exemple, soit capable de lever toutes les incertitudes : la plupart
des analystes ont reconnu les « limites étroites, à notre avis
insurmontables, de la théorie des jeux considérée comme théorie
normative de la décision rationnelle dans les situations de conflit [1] ». Les origines de cette carence sont bien celles que note
Guibert : l'information demeure imparfaite sur « les combinaisons
sans nombre » de la guerre, sur les projets et les conduites
possibles, et le jeu ne peut être strictement déterminé. « Où est
donc l'utilité de cette théorie? Nous pensons que la théorie des
jeux, comme toute théorie élaborée, est utile en ce sens qu'elle
donne naissance à des idées [2]. » C'est là l'incontestable profit de la
volonté de rationalité.

Puisque les instruments d'analyse compatibles avec la nature de
l'objet-guerre ne permettent pas une formulation rigoureuse de
rapports, d'invariants et de lois que la pratique ne puisse parfois
contredire, Guibert mise plus modestement sur « cette saine
logique que les esprits privilégiés tiennent de la nature et qu'on
peut regarder comme l'instrument universel de toutes les sciences
et de toutes les affaires [3] ». Réminiscence, une fois encore, du
Discours préliminaire de l'Encyclopédie : « La logique est l'art
d'acquérir des connaissances en raisonnant, joint à un don spécial
que la Nature fait aux bons esprits. » Guibert fait souvent appel à
la logique entendue d'abord comme l'exercice du simple bon sens.
Également comme le raisonnement et le jugement, éclairant dans
le discours théorique et respectant dans la pratique les liens de
dépendance nécessaires entre les objets de pensée, entre les
éléments de l'action. D'où la fréquence de vocables significatifs
dans le langage guibertien : rapports immédiats et nécessaires,
système général opposé à système morcelé, corps de raisons,
méthode, plan, édifice, harmonie, vérité, etc.

Les choses de la guerre, comme celles de toute action finalisée,
s'organisent, se structurent nécessairement selon un principe de
cohérence. Axiome nécessaire, sauf à se condamner à l'action

1. et 2. A. Rapoport, *Théorie des jeux à deux personnes,* trad. V. Renard
(1969), p. 159.
3. *Éloge de Michel de l'Hospital,* p. 121.

in-sensée. Axiome dont on se résignera à ignorer la raison : on se bornera à dire que les opérations élémentaires se définissent et s'enchaînent, dans l'étendue spatio-temporelle selon des règles de dépendance logique, en fonction du but de guerre global qui les détermine et, en amont, de la fin politique surdéterminante. Parce que cette architecture naturelle existe, la théorie est possible. Une analyse logique doit pouvoir restituer cet *invariant structurel* qui fonde la cohésion de la pratique et la cohérence de la théorie, et garantit leur isomorphisme. Clausewitz ne pense pas autrement : « Dans l'exécution, la plupart des relations apparaissent confondues. Cela n'empêche cependant pas de séparer dans la théorie des choses qui sont distinctes en leur essence. Lorsque chacune prise à part est connue, leur combinaison se laisse ensuite reconstituer [1]. »

Si le discours théorique a pour fonction de reconstruire l'invariant structurel qui résume et monte en système tous les invariants du phénomène-guerre, l'un des critères de validité de toute théorie – Guibert dirait « vérité » – est donc sa cohérence et sa consistance. Refuser l'empirisme dans la pratique implique le refus des « systèmes morcelés [2] » dans le discours. Leçon actuelle : la stratégie de dissuasion nucléaire identifie théorie et pratique, discours *sur* et *de* la dissuasion. La description des opérations qui s'enchaîneraient logiquement jusqu'à la catastrophe finale et qui ne sont pas improbables dès lors que les moyens existent, assortis d'un concept d'emploi virtuel adéquat, doit produire l'effet d'inhibition souhaité sur le candidat-agresseur. Mais la théorie descriptive du possible et du probable ne peut spéculer sur l'effet pratique du verbe que si elle est cohérente; si, dans sa lecture, l'adversaire ne décèle aucune contradiction l'autorisant à penser que, par suite de telle carence matérielle ou tel illogisme du concept d'emploi, les réactions du dissuadeur à ses initiatives ne conduiraient pas obligatoirement à l'exécution de la menace de représailles. La conduite du candidat-agresseur ne peut être rationnelle – s'abstenir par peur de l'actualisation du risque – que si la théorie affichée par le dissuadeur est cohérente : condition nécessaire de sa validité qui s'identifie à l'efficacité pratique. La stratégie de dissuasion nucléaire répond au vœu de Guibert : elle évacue le hasard, sous ses deux formes, puisqu'elle se réduit à un modèle logique dont la seule architecture de combinaisons abstraites, l'image communiquée à l'Autre et lue par lui produisent l'effet psychologique d'inhibition recherché.

La notion de modèle logique est implicite dans la « tactique » guibertienne. Puisque l'outillage intellectuel de l'époque ne permet pas de circonscrire le domaine du hasard pour en inférer le

1. *Esquisse d'un plan pour l'enseignement du combat et de la tactique.*
2. *Discours préliminaire,* p. XI.

déterminé, il adopte la démarche inverse, celle qu'indiquera Napoléon : « Bien calculer toutes les chances *d'abord* et *ensuite* faire... la part du hasard [1]. » L'*Essai* – et c'est là l'innovation méthodologique – procède d'une démarche hypothético-déductive, d'hypothèses structurées constituant une véritable axiomatique. Guibert l'installe parmi les possibles comme la seule cohérente et en partant de ce qu'il considère comme une évidence, au sens cartésien du terme : la constitution militaire est partie de la politique. D'hypothèses privilégiées sur l'*homo politicus,* sur la finalité de la violence et la fonction du militaire dans la dynamique sociopolitique, de principes régissant l'action individuelle et collective, il tire des énoncés théoriques logiquement irréfutables et la chaîne de leurs nécessaires inférences pratiques. Pure construction rationnelle dont la consistance globale est évidente, mais à la merci d'une critique de ses fondements, d'une mise en question de ses axiomes de choix. Ayant construit une théorie « tactique » sur ces fondements, il possède un modèle logique dont il devrait ensuite examiner la sensibilité à certains facteurs contingents, à des scénarios historiques établis sur des hypothèses d'avenir : seule démarche permettant de réintroduire le hasard; de combiner invariance et contingence et de retrouver la vraie nature, composite, des phénomènes politico-stratégiques par la composition du logique et de l'historique.

Sans doute cette idée était-elle inconcevable à l'époque. Toutefois, Guibert la frôle. Son *Plan d'un ouvrage intitulé : La France politique et militaire,* grand dessein dont ne subsistent que des fragments, mentionnait en conclusion : « Campagne supposée entre une armée qui est constituée, et qui manœuvre suivant les principes établis dans cet ouvrage, et une armée de même force, ou même un peu supérieure, constituée et agissante suivant les anciens principes. » Intention qui ne répond pas exactement aux exigences d'une étude de sensibilité. Elle marque plutôt le souci de prouver la validité de la théorie. Elle indique cependant que Guibert reconnaît les vulnérabilités de sa problématique; plus exactement la fragilité de certains de ses axiomes qui sont axiomes de choix. Il l'avouera avec la *Défense du système de guerre moderne,* autocritique de l'*Essai* : « En logique, comme en trigonométrie, il faut, pour la première opération, commencer par établir sa base [2]. » Mais « une fois la base établie, il en est des idées bizarres comme des idées simples; elles se succèdent et s'enchaînent [3] ».

1. C'est nous qui soulignons.
2. *Essai général de tactique,* I, p. 98.
3. *Défense du système de guerre moderne,* I, p. 95.

Un matériau composite

Pour la première fois, une œuvre veut démontrer que les formes de la politique et de la guerre concrètes sont le reflet de processus mentaux déterminés, l'habillage de certains modes de l'agir constants dans les situations conflictuelles qui traduisent le travail de l'espèce humaine sur elle-même. Ce que Guibert nomme politique et tactique répond, par le champ et le ton de l'interrogation, à la volonté de dire le tout de leur objet; par l'effort d'abstraction, à la volonté de constituer un corpus consistant de concepts, de principes, de règles et de normes pratiques qui soient indépendants du lieu et. du moment. Ce corpus veut être la structure du phénomène et l'invariant de l'action.

Guibert ne nie pas la singularité de toute guerre concrète. La seconde partie du *Discours préliminaire* s'ouvre sur un « tableau de l'art de la guerre », de ses « révolutions » dans l'étendue géohistorique. D'entrée de jeu, dans l'Introduction de l'*Essai,* il énonce le problème central du rapport entre la théorie et son objet indissociable de l'histoire qui le sécrète et lui donne forme et style : « Presque toutes les sciences ont des éléments certains, aussi anciens qu'elles, et dont les siècles suivants n'ont fait qu'étendre et développer les conséquences; au lieu que la tactique jusqu'ici incertaine, dépendante des temps, des armes, des mœurs, de toutes les qualités physiques et morales des peuples, a dû nécessairement varier sans cesse et ne laisser, dans un siècle, que des principes désavoués et détruits par le siècle qui lui a succédé. » Le chapitre II de l'Introduction s'intitule : « Influence que le génie des peuples, l'espèce de leur gouvernement et de leurs armes, ont sur la tactique. »

Dix ans après l'*Essai,* la *Défense du système de guerre moderne* se montre plus circonspecte encore et insiste sur les limites de la théorie : « Je trouve qu'il est fort avantageux qu'un système se modifie, se plie, s'accommode aux temps, aux lieux et aux cas; parce que dans la pratique les systèmes absolus et exclusifs s'évanouissent toujours; et que depuis la nature qui agit dans l'espace, jusqu'à l'homme qui agit dans un point, tout me paraît plein d'exceptions, de distinctions et de variétés [1]. » Il fait constamment la différence entre « la disposition de méthode et la disposition de circonstance... la première n'a presque lieu que dans les camps de paix, sur le papier et dans les rêves des tacticiens; au lieu que la seconde est celle qui a lieu à la guerre, dans laquelle on donne les batailles, et surtout celle qui les fait gagner [2] ». Enfin,

1. *Défense du système de guerre moderne,* II, pp. 14-15.
2. *Ibid.,* II, p. 99.

« la théorie peut poser des principes; mais c'est ensuite au génie à en faire l'application [1] ».

Constat d'observation. Constat d'évidence sur la nature de l'art militaire. Mais qui contraint à choisir quand on passe à sa transcription en signes, en énoncés clairs et univoques, propos du langage scientifique : « De toutes les manœuvres que je viens de décrire, il n'y en aura peut-être pas une qu'on soit dans le cas d'exécuter à la guerre par des combinaisons exactement semblables à celles qui y sont détaillées; car les terrains et les circonstances changent absolument les données; et à la guerre la nature des terrains et des circonstances pouvant rarement être prévue, les mouvements ne sont point prémédités, et c'est ordinairement le moment qui les détermine. Comme, quelque infinies, quelque variées que soient les combinaisons qu'on peut former, c'est cependant par le même mécanisme qu'on les exécute, j'ai dû d'abord enseigner quel était ce mécanisme isolé, et sans aucune relation avec les terrains et avec les circonstances [2]. »

Guibert reconnaît que la structure mentale interdit de placer le synchronique et le diachronique sous un même centre d'observation intellectuel, de les traiter dans leur simultanéité avec l'espoir de saisir la loi de composition dialectique de l'invariance et de la contingence. Il faut donc parier sur un ordre de priorité, privilégier la logique structurelle aux dépens de l'historique... ou inversement. Mais si on choisit de privilégier le contingent, on retombe dans l'empirisme tant décrié. Faisons donc confiance à la théorie, quitte à moduler en fonction de la circonstance les critères et les normes d'action qu'elle propose...

C'est bien cet instrument, capable de déchiffrer et de restituer la dialectique science-historicité, que cherchent obstinément les contemporains de Guibert. Plus exactement : dont ils constatent l'absence. Aussi sont-ils, comme lui, malades de la rationalité – on n'ose dire du positivisme scientiste – et pour la même cause : savoir pour pouvoir, savoir pour opérer en sûreté, couverts contre le hasard. C'est ce qu'illustrent Puységur avec l'*Art de la guerre par principes et par règles* publié en 1747, Folard dans ses *Commentaires sur l'histoire de Polybe* (1727), Maurice de Saxe dans ses *Rêveries* (1732) et son *Esprit des lois de la tactique* (1762), Turpin de Crissé dans ses *Commentaires* s'ouvrant sur un hommage à Descartes et son *Essai sur l'art de la guerre* (1754), Bourcet avec les *Principes de la guerre en montagne* (1775), Le Roy de Bosroger dans ses *Principes de l'art de la guerre* (1773), Grimoard dans son *Essai théorique sur les batailles* (1775), Joly de Maizeroy dans sa *Théorie de la guerre* (1777), Lloyd dans ses *Réflexions sur les principes généraux de la guerre* (1784),

1. *Défense du système de guerre moderne*, II, p. 125.
2. *Ibid.*, II, p. 163.

Servan de Gerbey avec le *Soldat citoyen* publié en 1780.

Tous font confiance aux vertus maïeutiques de la théorie même s'ils reconnaissent les privilèges – la grâce – du génie épanoui par la circonstance. Tous savent aussi qu'une circulation continuelle doit être maintenue entre la théorie et la pratique qui s'interrogent, se nourrissent, s'informent mutuellement. Le cosmopolitisme et la parité technique alignant la plupart des armées européennes sur une sorte d'archétype, ils inclinent à croire qu'ils pensent l'objet-guerre dans l'absolu et qu'ils y sont autorisés. Sans doute une longue tradition d'analyses comparées des styles de guerre engendrés par les cultures, les mœurs, les tempéraments nationaux, court depuis Thucydide, Xénophon, Tacite, Polybe, Végèce jusqu'aux temps modernes avec Machiavel et Monluc. Mais certains nivellent les différences, escamotent les variables et, dans l'euphorie de la virtuosité intellectuelle, succombent devant le dogmatisme sécurisant. Sans admettre le scepticisme de Maurice de Saxe, Guibert rappelle constamment les limites du pouvoir séparateur de l'intellect devant la complexité de phénomènes fluctuants, la fragilité des constructions abstraites quand il s'agit de transformer des organisations humaines, l'inertie du matériau sociopolitique, l'intrusion de la contingence dans les projets les mieux élaborés. Dans la chaîne de décisions et d'opérations, des pertes d'énergie et d'information provoquent une dégradation entropique des plans originels : écart irréductible entre le projet et l'action qui tente de l'accomplir, entre l'ordre théorique et le désordre pratique.

Aussi, pour localiser le hasard, circonscrire son lieu privilégié et, du même coup, se hisser au poste mental permettant d'observer comment se distribuent les objets de science et les autres dans le phénomène-guerre, comment le logique compose avec l'historique, Guibert procède à l'analyse du matériau de la création guerrière. Il s'est déjà installé, avec le *Discours préliminaire,* en un centre de perspective lui donnant à voir la détermination première de la fonction militaire : elle est liée aux « constitutions politiques ». Première extrémité de la chaîne de déterminations, celle qui lui permet de définir l'englobant de toute « tactique », quel que soit le moment de l'histoire. Il se poste ensuite à l'autre extrémité, là où le praticien attaque son matériau, au lieu où se font sentir toutes les déterminations, celles des invariants comme celles des facteurs géohistoriques. Le matériau : des systèmes de forces déployés dans l'espace et le temps pour produire, au détriment de l'adversaire, des effets physiques calculés en fonction d'un but – but stratégique, dirions-nous – lui-même surdéterminé par une fin politique. But, adversaire, forces, espace, temps : catégories de la pensée de l'action de guerre et composants de son matériau. La difficulté théorique réside dans l'obscurité des « grands principes » qui régissent leurs interactions dans une combinatoire opérationnelle devant respecter la logique de toute action : accorder ses voies-et-moyens avec ses fins.

Pour pénétrer cet *art de composition* et observer comment les faits et phénomènes résultant du traitement du matériau s'inscrivent dans les catégories, Guibert décompose la pensée de l'agir en deux ordres distincts selon la nature, la complexité et l'indétermination des objets qu'elle informe. Le premier recouvre les objets matériels, les agents techniques de l'action : armements et équipements définis par leurs effets physiques et leurs servitudes de mise en œuvre, structures des unités autorisant une plus ou moins grande mobilité et l'aptitude à changer les formations de combat, recrutement et instruction des personnels, fortification et soutien logistique, etc. Matière tangible, figée dans sa forme tant que n'interviennent pas des facteurs de transformation dont la probabilité demeure faible à l'époque de Guibert. Données simples, souvent quantifiables et qui se somment dans le rapport des forces physiques des duellistes, dans leurs capacités d'action et leurs vulnérabilités relatives. Facteurs dont les fonctions se repèrent et se mesurent aisément : le calcul les intègre sans que leurs incertitudes résiduelles pèsent lourd dans la conduite de l'action. Plus complexes et infiniment moins stables, les objets du second ordre : les combinaisons opérationnelles que suggèrent l'ennemi et la circonstance pour exploiter ces capacités d'action grâce à la distribution et au jeu des forces physiques dans l'espace et le temps. C'est là le champ de l'imagination et de l'invention. C'est dans cette dynamique que se manifestent et se perçoivent, avec plus ou moins de clarté, les aléas d'un jeu dans lequel les degrés de liberté et les volontés antagonistes échappent à une rigoureuse évaluation prévisionnelle.

En opérant cette dichotomie, Guibert pressent la nécessité d'une épistémologie critiquant la validité d'un outillage intellectuel qui serait indifféremment utilisé, dans des champs et des moments différents de la pensée et de l'action, pour traiter des informations hétérogènes : « Il faut diviser la tactique en deux parties; l'une élémentaire et bornée, l'autre composée et sublime. La première renferme tous les détails de formation, d'instruction et d'exercice d'un bataillon, d'un escadron, d'un régiment... La seconde partie est, à proprement parler, la science des généraux. Elle embrasse toutes les grandes parties de la guerre, comme mouvements d'armées, ordre de marche, ordre de bataille... Elle est tout, en un mot, puisqu'elle est l'art de faire agir les troupes et que toutes les autres parties ne sont que des choses secondaires qui, sans elle, n'auraient point d'objet ou ne produiraient que de l'embarras [1]. »

Sur son théâtre, le praticien doit donc imaginer les possibles et

---

1. *Essai général de tactique,* I, p. 5.

décider sur une double information. L'une communiquée sans *bruit* altérant la qualité du signal : elle porte sur des objets d'autant mieux connus que « aujourd'hui toutes les troupes de l'Europe ont, à quelques légères différences près, les mêmes constitutions [1] ». Elle intervient dans les calculs comme un ensemble de déterminations physiques, de contraintes dont le génie inventif doit s'accommoder. Dans le champ ainsi borné de ses degrés de liberté, l'autre catégorie d'information enregistre les intentions et conduites adverses, les événements aléatoires résultant du jeu des actions réciproques, les incertitudes de l'exécution, le hasard enfin. Devant un adversaire jouant, lui aussi, de sa liberté d'action avec plus ou moins de résolution et de talent, la combinatoire des forces, de l'espace et du temps n'est que l'art de traiter cette double information. Art de reconnaître et d'exploiter des degrés de liberté; art de spéculer sur le certain et l'incertain, et de se concilier le hasard. Affaire de tact et de caractère...

C'est donc à la seconde information qu'il faut arracher le secret de sa nature : « C'est sur cette seconde partie, embrassée sous ce vaste aspect, qu'il n'existe point d'écrits dogmatiques. Quelques auteurs ont traité une ou deux des branches qui la composent; mais ils n'ont aperçu ni les autres branches, ni la liaison indispensable qu'elles ont toutes entre elles [2]. » D'où une définition : « Il s'agit de rassembler ces corps (composant une armée), de les amalgamer, de les faire concourir à l'exécution des grandes manœuvres de la guerre. C'est l'art d'enseigner cette exécution, de la combiner, de la diriger, qu'on appelle *Grande tactique*. C'est cette grande tactique qui est proprement la science des généraux, puisqu'elle est le résumé et la combinaison de toutes les connaissances militaires... Ainsi que la tactique élémentaire a pour objet de mouvoir un régiment dans toutes les circonstances que la guerre peut offrir, de même la grande tactique a celui de mouvoir une armée d'après toutes les données possibles [3]... »

Le découpage des objets de pensée suggérés par la guerre aboutit à deux concepts – tactique élémentaire et grande tactique – le second englobant le premier. La grande tactique, que Guibert nommera plus tard « la stratégique ou tactique des armées [4] », recouvre ce que nous désignons aujourd'hui par stratégie militaire opérationnelle, stratégie étant désormais réservée à un ordre de pensée et d'action plus extensif. Guibert souligne les liens d'interdépendance entre tactique et grande tactique qui ont toutes deux pour objet de « mouvoir » des forces. Objet composite qui ne s'identifie pas au seul déplacement dans l'espace : « *Marcher* ou

---

1 et 2. *Essai général de tactique*, I, p. 5.
3. *Ibid.*, II, p. 1.
4. *Défense du système de guerre moderne*, p. IX.

combattre : c'est à l'un ou à l'autre de ces objets qu'ont rapport tous les mouvements d'une armée [1]. » « Mouvoir », à quelque niveau que se place la pensée de guerre, c'est produire des effets physiques distribués dans l'espace et le temps par les « grandes manœuvres de la guerre ».

Au premier examen, aucune différence de nature entre tactique élémentaire et grande tactique, entre tactique et stratégie. Seulement une différence d'échelle et de complexité structurelle, sans oublier celle imputable aux incertitudes et au hasard. Mais si l'on se reporte au *Discours préliminaire* et à d'autres ouvrages – en particulier l'*Éloge du roi de Prusse* –, on reconstitue l'ordre des finalités qui fonde l'interdépendance et le rapport de fin à moyen entre les différents éléments de la *structure politico-stratégique*. J'ai évoqué le rapport entre la politique et la fonction permanente de la violence, de la fonction militaire. A maintes reprises – au moins dans la première partie de sa vie – Guibert précise que le but de la guerre, donc de la « grande tactique » qui en « embrasse toutes les grandes parties », ne peut être que la bataille décisive, seule issue concevable pour la guerre. Il l'oppose au « genre de guerre adopté par toutes ces nations, qui consume leurs forces, et ne décide pas leurs querelles [2] ». Je reviendrai sur ce but de la grande tactique, la victoire sans appel, à travers laquelle Guibert vise une fin politique : trancher les querelles entre nations. On regrette qu'il n'ait pas conceptualisé plus rigoureusement ce qui affleure à la surface du discours et que sa volonté de rationalité n'ait pas mieux tenu sur ce point capital ce qu'elle se promettait. Il faudra attendre Clausewitz pour que ce qui est en germe chez Guibert apparaisse dans la pleine clarté d'une théorie articulant les relations entre politique, stratégie et tactique.

Guibert n'est pas le premier à discerner les deux espaces mentaux dont procèdent les deux parts de l'art militaire. Maurice de Saxe avait évoqué la « partie sublime » et Lloyd opère la même ségrégation dans ses *Réflexions sur les principes généraux de la guerre* : « Il me semble qu'on doive diviser en deux parties ce que la guerre a de plus difficile ; l'une, c'est le *matériel de l'art* qu'on peut fixer par des préceptes ; l'autre, qui n'a point de nom, c'est la *partie sublime de la guerre,* qu'on ne peut ni définir, ni enseigner ; c'est cette manière juste et rapide d'appliquer les principes à la multitude infinie des circonstances qui se présentent. Il n'y a point d'histoire, point d'étude, si assidue qu'elle puisse être, point d'expérience si longue qu'elle soit, qui enseigne cette partie ; c'est le fruit du génie qui n'appartient qu'à la nature. Ce qu'il y a de technique dans la guerre peut être ramené aux principes de mathématiques pour préparer les parties élémentaires d'une

1. *Essai général de tactique,* II, p. 2.
2. *Discours préliminaire,* p. IX.

armée à toutes les différentes opérations que les circonstances peuvent rendre nécessaires. Le génie ensuite en fait l'application suivant le terrain, le nombre, l'espèce et la quantité de troupes; toutes choses qui sont susceptibles d'une immense variété de combinaisons. »

C'est à Joly de Maizeroy et à sa *Théorie de la guerre* (1777) que l'on doit le texte le plus éclairant sur le travail mental de l'homme de guerre [1]. Après Guibert, il souligne « la différence de la tactique proprement dite, à ce que les Grecs appelaient stratégique qui est particulièrement la science du général, même de l'homme d'État ». Il relie donc stratégie et politique et poursuit : « La tactique est une science de mesure et de proportions prises d'après des observations, des comparaisons, et une analyse de différentes formes, dont le choix est déterminé par l'expérience, par des autorités, surtout par la raison, et dont la solidité, comme la sûreté, sont prouvées par des calculs et des démonstrations géométriques. » C'est là le domaine de l'expérimental qui peut être rationalisé. Il en est autrement de la stratégie : « La stratégique a quelque chose de plus élevé. Pour former ses projets, elle combine les temps, les lieux, les moyens, les divers intérêts, et met en considération tout ce que j'ai dit ci-devant être du ressort de la dialectique, c'est-à-dire de la faculté la plus sublime de l'esprit, du raisonnement. L'une (la tactique) se réduit aisément à des règles sûres parce qu'elle est toute géométrique comme la fortification, l'autre en paraît bien moins susceptible parce qu'elle tient à une infinité de circonstances physiques, politiques et morales qui ne sont jamais les mêmes, et qu'elle appartient totalement au génie. Néanmoins, il y a certaines règles qu'on peut poser avec sûreté et regarder comme une base invariable. » Plus important encore : « Faire la guerre, c'est réfléchir, combiner des idées, prévoir, raisonner profondément, employer des moyens : de ces moyens les uns sont directs, les autres sont indirects; ces derniers sont en si grand nombre qu'ils renferment presque toutes les connaissances humaines. Ils servent d'aide et de guide aux premiers qui sont les troupes, les armes et les machines. Les moyens directs doivent être établis sur des observations de causes et d'effets, sur un calcul de mouvement, de force et de résistance, dont le résultat détermine les plus justes proportions et la meilleure forme possible. La conduite de la guerre est la science du général que les Grecs nommaient

---

1. **Paul Gédéon Joly de Maizeroy** (1719-1780) est plus oublié encore que Guibert. Il est signalé, au XXᵉ siècle, par Mordacq (*La Stratégie, historique, évolution,* 1912), Eugène Carrias (*La Pensée militaire allemande,* 1948, et *la Pensée militaire française,* 1960), le général Chassin (*Anthologie des classiques militaires français,* 1950), Émile G. Leonard (*L'Armée et ses problèmes au XVIIIᵉ siècle,* 1958) et par Jean-Paul Charnay qui, dans son remarquable *Essai général de stratégie* (1973), lui restitue la place qu'il mérite.

stratégie, science profonde, vaste, sublime, qui en renferme beaucoup d'autres, mais dont la base fondamentale est la tactique [1]. »

Maizeroy prolonge l'analyse guibertienne : la stratégie est d'abord une méthode de pensée, une méthode pour calculer et piloter une action d'un type particulier. Un système d'opérations mentales qui demande, aux « connaissances » disponibles, les instruments intellectuels, les « moyens indirects » capables d'inventer la combinatoire des moyens « directs », matériels, les opérations physiques productrices d'effets dans l'espace et le temps. L'important est moins le dualisme de la stratégie – combinatoires intellectuelle et physique – que la claire vision de l'espace mental dans lequel elle se déploie et se structure; celle des combinaisons de signes et de langages divers – d'informations hétérogènes – qui le traversent et s'y organisent.

Napoléon se souviendra-t-il de Maizeroy quand il dira : « La guerre, c'est la pensée dans le fait » et : « La guerre, cet art qui embrasse tous les autres »? De Guibert, quand il dictera à Sainte-Hélène : « La partie divine de l'art de la guerre, c'est tout ce qui dérive des considérations morales, du caractère, du talent, de l'intérêt de notre adversaire, de l'opinion, de l'esprit du soldat qui est fort et vainqueur, faible et vaincu selon qu'il croit l'être. La partie terrestre, c'est les armes, les retranchements, les positions, les ordres de bataille, tout ce qui tient à la combinaison des choses matérielles. »

Guibert fera école : la problématique théorie-pratique qu'il place à l'origine de son discours s'installera au cœur de la pensée politique et stratégique du début du XIXe siècle. Comme l'école française du XVIIIe réagit aux défaites de la guerre de Sept Ans, l'école prussienne naîtra des désastres de 1806 et de la résistance à la domination napoléonienne, et elle demandera à l'analyse théorique les fondements de l'action efficace. Non que la volonté de rationalité soit aussi affirmée qu'au temps de Guibert. Berenhorst dénoncera l'absurdité de tout système : la guerre échappe à la prise de la raison et doit compter avec de multiples hasards [2]. Bülow, au contraire, militera pour une science de la guerre et s'efforcera de l'inscrire dans un système de concepts et de définitions dont il inférera des énoncés érigés en théorèmes de la pratique [3]. Scharnhorst demandera à l'his-

---

1. Joly de Maizeroy dit plus fréquemment « stratégique » que « stratégie », mais il semble bien le premier qui ait introduit le second dans le lexique militaire moderne.

2. Georg Heinrich von Berenhorst, *Betrachtungen über die Kriegskunst* (1796).

3. Henrich von Bülow, *Der Geist des neueren Kriegssystems* (1798) traduit en français sous le titre *L'Esprit du système de la guerre moderne* (1801) qui rappelle celui de Guibert.

toire de témoigner pour la singularité de chaque situation de guerre, d'enseigner la vertu de l'imagination et le danger des règles stéréotypées. Des hommes comme Lossau [1] et Rühle von Lilienstern affirmeront, eux aussi, la primauté de la personnalité et refuseront à la guerre le caractère d'une science : elle est « un mélange d'art et de chance... Celui qui ne veut considérer la guerre que comme un art, ou même comme une science, comme un problème d'arithmétique, celui qui ne veut rien entreprendre sans un motif suffisant, sans le maximum de probabilités de succès, celui-là en général n'ira pas loin [2] ». Clausewitz enfin. Jomini, tout en soulignant l'irréductibilité de la guerre à une science rigoureuse, construira un édifice théorique qui, comme celui de Bülow, s'organisera autour d'une ossature de définitions et discriminera, dans la pratique, des modes et formes opérationnels suffisamment distincts pour guider la conception et l'exécution de la manœuvre.

Tous bénéficieront, évidemment, d'un matériel historique et expérimental autrement riche que celui de Guibert. Sans dire, comme Roger Caillois, que Jomini et Clausewitz se borneront « à enregistrer et analyser [3] » les grandes guerres nationales de la Révolution et de l'Empire alors que Guibert les prophétise, il est clair que la coupure praxéologique provoquée par ces conflits sans précédent a modifié l'objet-guerre dans sa nature et ses relations avec l'englobant sociopolitique. Exigé aussi de nouveaux instruments d'analyse.

Si Guibert applique sa volonté de rationalité à la science et à l'art militaires, son sens aigu de la totalité lui interdit de concevoir un objet qui puisse être coupé de ses déterminations. L'apparente dispersion de ses activités témoigne sans doute d'un vif besoin d'épuiser l'existence. Mais aussi des exigences d'une intelligence obsédée de rigueur, celles d'un esprit qui ne prend sa mesure que par des représentations globales. Tout se passe comme si l'objet de ses recherches l'intéressait moins en soi que par ses connexions avec ce qu'il n'est pas et qui l'enveloppe; son état instantané moins que sa fonction dans la dynamique historique.

Cette posture intellectuelle appelle une règle de problématique : à tous les niveaux et pour tous les objets de pensée, elle impose l'attention aux relations structurelles de ces niveaux avec ceux qui l'encadrent, et de ces objets avec ceux qui le composent ou dont ils sont les composants. Si le souci des rapports de déterminant à déterminé, de totalité à élément, d'englobant à englobé, le conduit

1. Général von Lossau, *Réflexions sur l'organisation de la monarchie prussienne* (1808).
2. Rühle von Lilienstern, son *Vom Kreige* (1814) annoncera Clausewitz et soulignera le caractère politique de la guerre qui n'est qu'un moyen à la disposition de l'État pour réaliser ses visées politiques.
3. *Bellone ou la pente de la guerre* (1962).

à formuler la « nécessité du rapport des constitutions militaires avec les constitutions politiques », s'il évoque « les constitutions militaires, cette partie de la politique », Guibert ne sacrifie pas à la mode qui veut que toute activité touche au politique. Il énonce une vérité suggérée par son sens de l'organique et de la totalité. Politique : pas seulement l'extérieure, celle des chancelleries, mais une *politique intégrale* unifiant les affaires « du dedans » et celles « du dehors » dans une même évaluation du présent et une même anticipation du futur, dans un même projet. C'est par rapport à ce tout insécable que s'énoncent et se résolvent les problèmes militaires. La « force publique » est une puisqu'elle assure la sécurité du corps social : si elle se décompose en « forces du dedans » et « forces du dehors » pour le protéger contre des dangers d'origines différentes, interne et externe, elle procède d'une unique volonté collective.

On a reproché aux chercheurs de cette époque d'affirmer, dans les sciences de la matière, la corrélation de trop nombreux phénomènes et de transgresser trop souvent la règle scientifique : isoler un phénomène, l'étudier comme un système clos soumis à l'observation, l'expérimentation et la mesure, et négliger sa sensibilité à des phénomènes trop lointains pour peser sensiblement sur ses déterminations et ses variations. Il en va autrement dans l'espace sociopolitique, dans les sciences sociales. La problématique guibertienne suppose ce que la théorie des systèmes nomme systèmes ouverts : des groupes humains s'organisent selon leurs fonctions différenciées et en incessante interaction. Ces systèmes s'englobent les uns les autres. Leurs motivations, leurs décisions, leurs opérations, les effets produits s'enchevêtrent dans une cybernétique d'une extrême complexité. Que cette dynamique de systèmes de systèmes soit compliquée et insaisissable, qu'elle requière des méthodes d'analyse et un outillage intellectuel différents de ceux qu'utilisent les sciences de la nature, cela est évident. Mais la difficulté du projet n'autorise pas pour autant les simplifications abusives de la démarche.

A ces premières règles de problématique, Guibert ajoute une perspective temporelle qui inscrit chaque moment de la pensée pour agir et chaque séquence de l'action dans un flux historique, dans un développement continu qui est totalisation totalisante de leurs résultats. Toute entreprise politico-stratégique calculée court dans la durée. L'esprit ne peut prétendre la maîtriser, manœuvrer contre le hasard et les opposants, la piloter par corrections des écarts constatés entre les résultats et ses objectifs, s'il n'échappe à la pression de l'instant, aux sollicitations d'une information parcellaire et incontrôlée. L'action sera donc planifiée en se fixant un horizon lointain : « ... plan qui doit embrasser toutes les parties de l'administration, la gloire publique et la félicité particulière, le bonheur de la génération présente et celui des générations futures, qui doit être conduit à sa fin, sans relâche et à travers les événements de plusieurs siècles [1] ».

Guibert est des plus sensibles aux vertus du temps. Forcé à l'invention du futur par la nature même de l'action, l'esprit demande à ce futur de lui suggérer les moyens de filtrer cela seul qui lui est utile dans l'instant : l'imaginaire finalise l'actuel et l'art politico-stratégique échappe aux pièges de l'improvisation. La planification rationalise par le calcul une vision à la fois récapitulatrice du passé et du présent, et anticipatrice de l'avenir. Elle accorde l'ensemble et le détail dans une pratique qui les considère du même œil. Guibert ne manque pas de s'élever contre « cette opinion vulgaire que les hommes de génie ne sont pas capables de détails... Dans une science comme celle de la guerre ou de l'administration publique, il est impossible que les hommes de génie ne sentent pas mieux que les autres hommes que les moindres détails sont importants, qu'ils se tiennent tous et que c'est de la manière dont on les prépare que dépend le succès des opérations [2]. » Pas de détails dans l'exécution : la grande tactique n'atteint sa cible, la victoire décisive, que si la tactique élémentaire accumule ses effets. Le terme de l'action et son résultat sont déterminés par les séquences antécédentes : intégration de transformations souvent impondérables. « Art simple et tout d'exécution », dira Napoléon. La « tactique » guibertienne se veut globale et de « grand style » mais prend garde à ne pas quitter terre.

La pression du milieu

Si philosopher, c'est installer la pensée là où son objet se charge le plus de sens et s'éclaire le plus crûment sur ses origines, ses mécanismes et ses relations avec ce qu'il n'est pas, Guibert tente d'occuper ce lieu focal : « Les esprits vulgaires sont comme ces miroirs plans où il n'y a que les objets directs qui se peignent et se réfléchissent. Le génie ressemble à ces prismes taillés à toute face; tous les objets de la circonférence les frappent, ils s'y multiplient et s'y combinent à l'infini et un seul rayon en fait jaillir à la fois mille traits de lumière [3]. » Sa volonté de rationalité rencontre celle de démythifier qui pousse les professionnels de la pensée hors de leurs habituels terrains de chasse. Curieux des arts et métiers, l'encyclopédisme ne dédaigne pas l'art militaire dès lors qu'il ne se présente ni comme un banal savoir-faire, ni comme l'indéchiffrable improvisation de grands sorciers, mais comme un atelier de techniques, intellectuelles et physiques, dont les outils connus sont

1. *Discours préliminaire*, p. XV.
2. *Éloge du maréchal de Catinat*, p. 29.
3. *Éloge du roi de Prusse*, p. 67.

communicables avec leurs modes d'emploi; comme une activité
que la critique historique doit arracher à sa préhistoire et que les
lumières politiques peuvent désacraliser.

Philosophes, salons et grand public sont attentifs à la guerre. Ni
par souci des affaires de l'État ni par patriotisme. Mais, depuis
l'effondrement de Rome et la prise en charge de l'héritage par le
christianisme, jamais l'homme n'a réagi avec autant de passion
contre un fait qui contredit ses découvertes sur sa condition. La
guerre, scandale des scandales, n'a plus de sens théologique si
Dieu s'efface derrière la déesse Raison et le tragique devant la
vocation au Bonheur. Elle avait un sens lorsque les sociétés
imparfaites, inorganiques, travaillées par leurs crises de croissance
ou déchirées plus encore par les fanatismes que par les convoitises,
cherchaient obscurément leur indécise harmonie et ne pouvaient
se constituer que par une douloureuse résolution de tensions
antagonistes. Après Platon, Hobbes avait invoqué l'état de nature
de la société internationale pour éclairer les origines de la guerre.
Mais leur étiologie ne saurait disculper les conflits armés : elle
parle le langage périmé de la nature sauvage quand il faut lui
substituer celui des Lumières. La nouvelle sensibilité sociopolitique ne peut que mettre la guerre en accusation. Comment tolérer
un phénomène aussi aberrant, qui s'oppose si évidemment à ce que
l'on croit savoir et veut croire sur l'homme et son destin?

Le siècle se sent provoqué par la guerre dans la mesure où il
pénètre les mystères de l'économie et de la politique comme ceux
du cosmos. Elle défie la raison militante et triomphante – la raison
pratique. La souveraineté du citoyen ne saurait céder devant
l'irrationalité de la guerre quand il prouve chaque jour sa liberté
dans son duel victorieux avec la nature. N'est-il pas temps de
dénoncer la sacralisation de la guerre comme celle d'un ordre
social hérité de l'obscurantisme? Comme Fontenelle dans ses
pirouettes : « Je n'aime pas la guerre car elle empêche la conversation »... L'appel à la rationalité politique n'est que traduction
savante d'un banal appel au raisonnable. On n'ose guère invoquer
le sentiment moral qui condamne la violence pour attentat aux
bonnes mœurs de la société cosmopolite. Plus prosaïquement, elle
contrarie les intérêts mercantiles d'une bourgeoisie d'affaires dont
la puissance croît avec les échanges. Si la douloureuse expérience
de siècles belliqueux accuse la guerre, la raison économique dit
qu'aucune politique raisonnable ne saurait lui trouver des motifs
rationnels.

A l'exception de la fin du XIXe siècle et pour d'autres raisons,
aucune époque ne fut aussi riche en littérature militaire capitale. La complicité inquiète de l'intelligentsia la stimule. Derrière
leurs préoccupations professionnelles immédiates, les hommes
de guerre sentent le besoin de s'expliquer sur leur fonction dans
le progrès historique, de faire comprendre, à ceux qui le sous-

estiment, le rôle des armes dans les processus de création politique.

En outre – second aspect de la rationalité et conséquence du premier –, on refuse d'abandonner la guerre à sa nature, de tolérer qu'elle naisse et se développe librement, comme un phénomène erratique et incontrôlable, dans le champ des relations sociopolitiques. Si les peuples et les États ne sont pas assez mûrs pour lui trouver un substitut conforme à la sagesse, qu'elle s'inscrive au moins dans une logique de l'action collective; qu'elle s'accorde avec des finalités politiques rigoureusement pesées; que ses buts et ses moyens soient calculés sur ces fins; que sa pratique ne soit ni improvisée ni routinière; que la raison la conduise comme un art conscient de ses visées et maître de ses outils.

La tendance générale est trop puissante, qui pousse les meilleurs esprits à ne rien négliger des phénomènes sociopolitiques pour que le militaire ne soit pas accueilli dans leur cercle. Dès lors que sa pensée peut se prévaloir de rigueur et démontrer son utilité pratique, dès lors qu'elle définit son objet et des mécanismes dont elle dit la nature et les conditions de fonctionnement en faisant la part de l'aléatoire et du déterminé, elle a droit de figurer parmi les disciplines classées. Elle peut être communiquée sans souffrir du discrédit attaché aujourd'hui à la vulgarisation et que l'époque ignore : « J'ai dit sur la Tactique, considérée en elle-même, tout ce que je crois qu'il y a à en dire. Je me flatte d'avoir présenté cette science sous des rapports vastes et nouveaux. Je pense qu'il serait utile et intéressant de l'enseigner dans des cours publics, telle que j'ai essayé de l'exposer. Lorsque toutes les autres sciences s'étendent et se perfectionnent par des théories lumineuses, la science de la guerre sera-t-elle donc la seule qu'on abandonne à la routine ? La croit-on si vague, si dénuée de principes positifs, qu'elle ne doive pas être enseignée ? Est-ce l'indignation d'Annibal quand il entendit le rhéteur d'Éphèse donner des leçons sur l'art militaire qui a, à jamais, ridiculisé le projet de le démontrer dans les écoles ? Annibal vit en pitié un rhéteur obscur et ignorant oser parler devant lui des devoirs du général : il eût aimé à entendre un homme de guerre, un Xantippe, un Épaminondas raisonner de la théorie de son art; il eût senti que, dans un pays où les grands hommes commanderaient les armées pendant la guerre, il faudrait encore que, pendant la paix, ils prissent la peine de se former des troupes et des successeurs [1]. »

Enseignement positif ? Mais lequel, pour qui et par qui ? Guibert compte sur la curiosité encyclopédique pour trouver son public. Sans doute espère-t-il que la diffusion d'un savoir sur la guerre et la politique contribuera à former des citoyens conscients du bien public. Parmi les nombreux rôles dans lesquels il s'est rêvé – je le soupçonne de mythomanie – le pédagogue est l'un de ses préférés.

1. *Essai général de tactique*, II, p. 79.

Attend-il, du contact avec les milieux éclairés et d'autres disciplines, l'apport d'instruments d'analyse et de conceptualisation renouvelant critique et création? « Ce ne sont pas les arts et les sciences qui ont fait déchoir l'art militaire chez les peuples de l'Antiquité; ce ne sont pas les arts et les sciences qui l'empêchent aujourd'hui de faire des progrès. Les lumières générales devraient au contraire perfectionner cet art avec tous les arts [1]. »

Cependant, s'il souhaite une ouverture sur le grand public, Guibert s'exprime, sur sa compétence, avec la brutalité méprisante de l'expert pour le critique nécessairement extérieur. Vieux débat : les sophistes, Platon, Xénophon, Aristote engagèrent l'éternel dialogue du créateur et de son critique, du faire et du dire sur le faire, de l'acquisition et de la communication d'un savoir praxéologique. La réponse à la question : qui interroge et dit la guerre et la stratégie, pourquoi et comment? n'est pas moins déterminante pour le contenu du discours que pour sa forme, sa cohérence et sa clarté. Qui a accès au matériel d'information et comment est-on préparé à le traiter? La mode est aux cabinets de physique. Le fermier général Lavoisier, régisseur des poudres et salpêtres, invente la chimie rationnelle sans qu'on puisse dire si la chimie est l'alibi de la ferme ou si la ferme nourrit la chimie. Mais ce qui est accessible à la puissance mentale entre les quatre murs d'un laboratoire relève d'un autre ordre que les objets sociopolitiques qui naissent et se développent à l'air libre de la politique et de la guerre. Qui est autorisé à rationaliser la guerre et la « tactique »? En disposant de quel matériel d'observation ou expérimental?

Grand seigneur de l'intelligence, Guibert dédaigne les querelles d'attributions – les querelles de « boutons » – à travers lesquelles les Français, et Stendhal s'en amusera, cultivent leurs différences sociales. Il dénonce la vanité des artilleurs et des cavaliers qui, au nom de la géométrie et de la plus noble conquête de l'homme, se croient le droit de mépriser le fantassin crotté. Le débat de compétence touche au fond de la dialectique théorie-pratique : question portant sur la qualité de l'information reçue et traitée par quiconque prétend se représenter exactement l'objet-guerre. L'histoire ne serait donc accessible qu'à ceux qui la font, comme le poème ou la toile qu'à ceux qui s'épuisent dans le corps à corps avec les difficultés d'un art qui est d'abord technique, forme autant que fond? Le premier des critiques d'art, Diderot, dit le poids de la matière, la fonction décisive des instruments dans la genèse de l'œuvre. Il reconnaît que la pratique peut seule enseigner la problématique du faire; que, pour en bien parler, il faut être un artiste sachant raisonner.

Les théoriciens contemporains, comme Diderot et Guibert,

---

1. *Discours préliminaire*, p. XLI.

n'imaginent pas que la théorie puisse être élaborée par d'autres que les praticiens : eux seuls ont en mémoire la totalité de l'information et, surtout, savent reconnaître celles qui, parmi les difficultés pratiques actuelles, appellent un enrichissement, voire un renouvellement de la théorie descriptive et normative. Le reste est littérature... Sans doute lit-on Machiavel, mais son expérience directe des conflits, son rôle dans la guerre de Pise l'autorisent à parler et à interroger les Romains en praticien informé. Néanmoins information limitée : s'il transgresse les bornes de son savoir et s'aventure dans la technique de la guerre, le Florentin trahit son incompétence et méconnaît les vraies dimensions de la mutation provoquée par une novation, l'arme à feu. Non seulement, il n'en mesure pas l'impact sur la tactique, mais il ne voit pas que l'artillerie, arme coûteuse et supposant une industrie lourde d'armement, marque la fin des féodalités de toute espèce, désormais incapables de rivaliser en puissance avec les monarchies centralisatrices.

Le cas Machiavel est exemplaire : il trahit les limites du génie théorique quand il lui faut dire l'objet-guerre ou politique dans sa totalité sans en posséder l'expérience directe. Par la seule puissance de l'analyse, les non-praticiens sont capables d'énoncer la fonction de la violence dans la dynamique sociopolitique, les relations entre politique et guerre, entre l'organisation des armées et les structures sociales, la psychologie des hommes en guerre, etc. Mais ils sont incapables de discerner et mesurer le retentissement, sur ces objets de pensée, des facteurs techniques, des contraintes opérationnelles de l'action militaire : effet de rétroaction qui n'autorise pas à isoler le déterminant du déterminé, l'englobant de l'englobé; à traiter des relations entre politique et guerre en ignorant comment la guerre concrète, avec tels moyens et selon tels modes imposés par l'état de la technique, modifie ces rapports. Le fait nucléaire nous a enseigné comment la politique générale peut être surdéterminée par une donnée technique. Praticien, Guibert connaît cette relation de détermination réciproque. Il sait aussi que l'information mémorisée par l'histoire des guerres, capital d'expérience, ne saurait remplacer celle que fournit l'expérience personnelle et directe. Comment le non-praticien saurait-il compenser les carences de son information en interrogeant l'histoire militaire puisqu'on n'en peut tirer la leçon qu'avec un minimum de lumières sur l'objet dont elle décrit l'évolution, sur les critères d'efficacité de l'action? Le musée échappe à la prise du critique qui ignore la technique de la peinture : le discours sur la peinture ne s'identifie pas au discours du peintre. Il ne suffit pas de découper l'objet-guerre dans l'ensemble de ses déterminations, de dire ce que sont celles-ci et de renvoyer la pratique au domaine des choses secondes : dès lors que la guerre est affaire d'exécution, comme tout art, il n'est de détail

de la pratique guerrière qui ne retentisse sur l'ensemble de la
théorie politico-stratégique.

Pour qui parle Guibert ? Sa volonté de rationalité tente de lever
la difficulté : une information globale, fournie dans le langage
univoque d'une science « tactique », libérerait de l'expérience
directe comme de la mémoire historique. Cela implique que le
praticien soit aussi « philosophe », que quiconque produit le
discours « tactique » assume à la fois la totalité de l'expérience
pratique et de l'histoire des guerres; qu'il maîtrise les disciplines
fondamentales de son temps pour dériver, au profit de la sienne,
les instruments d'analyse et de critique, de conceptualisation et de
formalisation – les langages – sans lesquels son objet ne pourrait
être investi et pénétré par la théorie. « Ces recherches instructives
ne se borneraient pas simplement à l'histoire de l'art, elles
examineraient aux mêmes époques les constitutions des milices
des différents peuples; les rapports qu'elles avaient avec leurs
constitutions politiques, avec leurs mœurs. Car les succès militaires des nations dépendent, plus qu'on ne le pense, de leur
politique, de leurs mœurs surtout; et c'est cet enchaînement que
ne nous montrent jamais assez la plupart des historiens qui ne sont
communément ni militaires ni philosophes et encore moins l'un et
l'autre à la fois [1]. » Les écoles stratégiques de l'âge nucléaire,
spécialement l'américaine, n'ont cessé de prétendre rationaliser les
conflits en utilisant les instruments d'évaluation et d'aide à la
décision empruntés à des disciplines scientifiques; en assurant la
complémentarité théorie-pratique grâce à des équipes de recherches pluridisciplinaires.

Bien que persuadé de la supériorité de l'art militaire de son
temps sur celui des Anciens, Guibert ne doute pas qu'il soit encore
dans l'enfance : « Il est devenu bien plus vaste et plus difficile [2]. »
L'Antiquité est à la mode, ses « constitutions politiques et militaires » jugées exemplaires : leur efficacité tenait à leur cohérence, à
l'exacte mesure des moyens et des fins. Pourquoi ne pas les
interroger? Non pour leurs recettes. Mais elles constituent un
matériel expérimental sur lequel on vérifiera la validité des
principes théoriques retenus; une *mémoire* d'où l'on extraira des
critères de cohérence et d'efficacité sur lesquels on pourra fonder
la critique des théories et pratiques actuelles. Toutefois, l'idée que
l'on se fait alors de Rome d'après Machiavel, Montesquieu ou
Gibbon répond plus aux illusions de ces interprétateurs qu'à la
réalité. On invoque peu les Grecs, mal connus sauf à travers
Polybe et Plutarque. On ignore Thucydide. La vertu des Romains
de la haute époque, celle qu'on ne cessera d'invoquer vingt ans
plus tard pour justifier la rigueur révolutionnaire, tenait à leur

1. *Discours préliminaire*, p. XLIII.
2. *Ibid.*, p. XXXV.

pauvreté : elle n'avait pas résisté à l'afflux des richesses, à l'exploitation des pays conquis.

Pour Guibert comme pour les idéologues de son temps, l'apologie d'une Rome vertueuse n'est qu'un procédé allusif pour critiquer les institutions monarchiques sans risquer les rigueurs de la censure : « Si enfin un peuple s'amollit, se corrompt, dédaigne la profession des armes, perd toute habitude des travaux qui y préparent; si une nation étant dégradée à ce point, le nom de Patrie n'y est plus qu'un mot vide de sens; si les défenseurs ne sont plus que des mercenaires, avilis, misérables, mal constitués, indifférents au succès ou aux revers (c'est par ces vices de mœurs et de constitution qu'ont déchu toutes les milices anciennes et que pêchent toutes nos milices modernes). C'est encore la faute du gouvernement : car le gouvernement doit veiller sur les mœurs, sur les opinions, sur les préjugés, sur les courages. Avec la vertu, l'exemple, l'honneur, le châtiment, il peut être plus puissant que le luxe, que les abus, que les vices, que les passions, que la corruption la plus invétérée [1]. » On entend déjà Robespierre invoquant la vertu. La tentation du totalitarisme perce déjà : point de vertu sans ascèse, et point d'ascèse collective sans coercition.

Dans l'édifice archaïque de la royauté bourbonienne où tout s'enchevêtre dans un précaire faux équilibre, le rationalisme pragmatique de Guibert trouve de beaux thèmes d'indignation parce que le hante la notion d'efficacité, principe de toute politique elle-même déterminante pour le succès de la grande tactique. Aucune réforme militaire possible tant que les structures institutionnelles ne seront pas changées. Prisonnière des forces sociales dont elle fut l'expression parfaite tant que persista la grande question de l'unité nationale et du pré-carré, la royauté est incapable de se rénover sans se condamner. Mais, de la critique sarcastique ou véhémente de l'ordre établi, rares sont ceux qui tirent une conclusion aussi radicale que Guibert. Il dénonce le poids des survivances féodales sur le recrutement, les titres au commandement, le droit de la guerre et des gens. Pénétré des Lumières du siècle, il imagine des règles et procédés plus justes, des formules égalitaires. Les solutions de simple bon sens supposent une mutation des esprits. Pas nécessairement une révolution : l'exemple prussien prouve qu'il suffit d'une tête habitée par un grand dessein pour que de médiocres instruments soient valorisés et répondent sans fausse note aux indications du chef d'orchestre. Encore faut-il que la tête militaire soit capable de comprendre et d'exploiter les relations entre les deux domaines, élémentaire et sublime, de la tactique.

Or l'application du développement technologique à l'art militaire demeure timide. Les armées n'ont pas tiré tout le profit

1. *Discours préliminaire*, p. *XLII*.

imaginable des travaux de Robins, d'Euler ou de Belidor [1]. La balistique n'est pas à la hauteur de la fortification. Les systèmes d'artillerie de Vallière et Gribeauval [2] visent plus à améliorer l'emploi que les performances des matériels. Dans son ensemble, le progrès technique demeure lent et empirique. Quant aux combinaisons opérationnelles, elles sont stérilisées par le décalage entre les procédés hérités d'une longue tradition et les ressources méconnues des moyens modernes. A la révolution provoquée par l'arme à feu n'a pas répondu une évolution corrélative de l'art militaire : « Depuis la prodigieuse multiplication des armes à feu, la tactique n'avait été étudiée par aucun esprit créateur », note Guibert. Il reconnaît à Frédéric II un rôle d'initiateur que n'ont eu ni Condé, ni Turenne « grands hommes de guerre, mais par génie plutôt que par méditation », ni Luxembourg « qui le premier avait gagné de grandes batailles avec de grandes armées, avait dû ses succès à son coup d'œil et à son talent mais (il) n'avait ni rien découvert, ni rien transmis [3] ».

Le mal est ancien : l'arme à feu a rencontré des oppositions obstinées durant deux siècles. Considérée, à son apparition, comme un instrument de lâche assassinat avantageant la piétaille méprisée aux dépens du chevalier combattant corps à corps, on lui reprocha de démocratiser la guerre, opinion que reprendra Condorcet pour qui l'importance croissante de l'infanterie est due à l'émergence de l'esprit démocratique [4]. Ensuite, elle fut combat-

1. L'Anglais Benjamin Robins (1707-1751), publia en 1742 un traité : *New principles of gunnery*, traduit en allemand par Léonard Euler (1745) avec un commentaire critique. L'ouvrage de Robins, traduit en français en 1751, eut une influence considérable sur les progrès de la balistique. Quant à Bernard Forest de Belidor, professeur à l'école d'artillerie de La Fère et commissaire provincial d'artillerie, ses études de balistique intérieure et ses expériences sur la poudre permirent de diminuer les charges pour un même effet. Il publia plusieurs ouvrages et le Maréchal de Belle-Isle se l'attacha lorsqu'il fut ministre.

2. En 1765, sous l'impulsion de Choiseul, Gribeauval entreprend la réforme du système d'artillerie constitué par Vallière en 1732. A l'exemple de la Prusse et surtout de l'Autriche, il se préoccupe avant tout d'accroître la mobilité des pièces pour les rendre aptes à accompagner l'infanterie devenue elle-même moins rigide. Il sépare le matériel de campagne (3 calibres de canon et 1 obusier) du matériel de siège. Il allège les pièces, les affûts et les dote de la prolonge qui facilite le service. Il uniformise la construction dans les arsenaux. Ce système, qui concourra grandement aux victoires de la Révolution et de l'Empire, n'est pas adopté sans difficultés : les adversaires de Gribeauval parviennent à le faire abandonner en 1772, mais il est remis définitivement en service en 1774. Avec Gribeauval, l'artillerie devient vraiment une arme de l'offensive : « La force de l'infanterie consiste dans son feu. Dans la guerre de sièges comme celle de campagne, c'est le canon qui joue le principal rôle. Il a fait une révolution totale... C'est avec l'artillerie qu'on fait la guerre. » (Napoléon, *Correspondance*, tome XXX, p. 117.)

3. *Éloge du roi de Prusse.*

4. *Esquisse d'un tableau historique des progrès de l'esprit humain* (1749). J.F.C. Fuller note fort justement que l'assertion de Condorcet pourrait tout aussi

tue pour divers motifs : sa relative efficacité ruinait les fructueuses pratiques des condottieri. Lorsqu'elle fut adoptée, on critiqua sa médiocre fiabilité eu égard aux exigences du combat rapproché. A quoi s'ajoutaient des scrupules moraux : Montaigne espérait « que nous en quitterons un jour l'usage ». Monluc s'indignait : « Pleust à Dieu que ce malheureux instrument n'eut jamais été inventé : ce sont des artifices du diable pour se faire entretuer. » Le condottiere Paolo Vitelli crevait les yeux de quiconque osait justifier le canon et Bayard lui-même ordonna qu'on pendît tout porteur d'arquebuse. Longtemps, le mousquet fut employé conjointement avec la pique et, quand le fusil apparut, Louvois persista des années à le sous-estimer. Il fallut les échecs des campagnes de la Ligue d'Augsbourg (1689-1697) pour qu'on reconnût, en France, la nécessité d'accroître la puissance des feux d'infanterie.

Pour beaucoup, les sanglantes batailles des guerres de Succession d'Espagne n'avaient pas été concluantes. Le feu paraît ambivalent : efficace contre les lignes d'infanterie, impuissant devant la fortification enterrée de Vauban. Or, on sait le rôle de la guerre de sièges durant le XVIIe siècle et au début du XVIIIe. Jusqu'à Fontenoy, Maurice de Saxe refuse d'admettre la prépondérance du feu sur le champ de bataille : « En tirant, on fait plus de bruit que de mal et on est toujours battu. » Frédéric II insiste, au début de son règne, pour que l'on tire le moins possible : l'attaque doit être menée à l'arme blanche, seule décisive. L'expérience l'incite à changer d'opinion et, en 1758 : « Attaquer l'ennemi sans s'être procuré l'avantage d'un feu supérieur ou au moins égal, c'est se vouloir battre contre une troupe armée avec des hommes qui n'ont que des bâtons, et cela est impossible. » Revirement accentué dix ans plus tard, dans son *Testament militaire :* « Les batailles se gagnent par la supériorité du feu. » Napoléon confirmera : « La découverte de la poudre a changé la nature de la guerre : les armes à feu sont devenues les armes principales; c'est par le feu et non par le choc que se décident aujourd'hui les batailles. »

L'intérêt de ces controverses, rappelées par Guibert, réside moins dans l'objet du moment que dans la confirmation d'un phénomène constant dans l'histoire : le désarroi des meilleurs esprits devant l'intrusion d'un matériel dont ils apprécient mal les chances d'avenir. Il s'insinue d'abord timidement. On le conteste pour mille raisons qui tiennent autant aux habitudes et aux pesanteurs sociologiques qu'à la difficulté d'évaluer ses virtualités. Puis il s'affirme, sans chasser pour autant les armes anciennes : il ne les remplace pas, mais s'accole à elles selon des formules

bien être renversée « parce que le mousquet fit le fantassin et le fantassin fit le démocrate ». (*Armament and History,* 1966.)

techniques ou des modes d'emploi hybrides. Enfin il triomphe, bouleversant structures et art militaires. L'organisation des unités et la tactique doivent désormais tenir compte des efficacités relatives de l'ancien et du nouveau matériels, des avantages procurés par une habile combinaison de leurs effets ou par une association exploitant leur complémentarité. Les tâtonnements qui marquèrent l'emploi conjoint de l'arme blanche et de l'arme à feu, depuis l'association pique-mousquet jusqu'au fusil-baïonnette à douille adopté en 1699, illustrent ce processus.

Au pessimisme critique de Guibert répond toutefois l'optimisme prospectif qu'il partage avec ses contemporains. Il refuse d'admettre que les impuissances actuelles de moyens prometteurs ne soient un jour corrigées. Une analyse sans complaisance de carences trop évidentes débouchera nécessairement sur des palliatifs. Mieux : l'obstacle stimule l'esprit. Malgré ses insuffisances, ses trop fréquentes références à l'histoire et les excès du dogmatisme, la recherche témoigne d'une opinion militaire consciente de difficultés nouvelles et de plus en plus pressantes. Plutôt que de proposer des remèdes partiels ou de circonstance et de s'enthousiasmer pour telle recette empruntée à Épaminondas ou Frédéric II, la « tactique » de Guibert se constitue comme un système d'interrogations appelant un ensemble de réponses montées en système.

Il n'est pas homme à épuiser sa curiosité dans une problématique, même rigoureuse. Il réclame des réponses utiles qui satisfassent non seulement l'intelligence en éclairant les principes et l'enchaînement des causes et des effets, mais aussi l'attente générale d'énoncés normatifs, de préceptes suggérant les mesures concrètes sans lesquelles le passage de la critique à l'œuvre positive ne sera pas assuré. Nul doute que, concurremment avec la critique politique affichée d'emblée dans le *Discours préliminaire,* l'*Essai général de tactique* n'ait été en germe dans un simple constat de carence technique, du décalage entre le progrès historique et l'efficacité de l'action collective : malgré la puissance des matériels modernes, malgré l'efficacité croissante du feu, les engagements des forces, les combats et la tactique qui les organise s'enlisent dans un formalisme archaïque. Rituel codé dans lequel les professionnels se reconnaissent du même monde intellectuel et consentent à une règle conservatrice du jeu sociopolitique. Les opérations sont trop compassées et leur but trop modeste pour produire, au détriment d'un adversaire qui est aussi partenaire pour l'observance de la règle, les effets physiques, les pertes et dommages capables d'abattre sa volonté. Dans son style étriqué et avec des résultats peu concluants, comment une guerre conduite aussi mollement répondrait-elle à sa fonction décisoire? Comment servirait-elle les légitimes ambitions politiques des États les plus puissants, et singulièrement celles de la France?

Le cercle est fermé : engagé dans la théorie « tactique » par une critique politique, Guibert revient à la politique et lui demande les critères selon lesquels juger les procédés d'une « tactique » qui doit la servir. Critères d'efficacité s'appliquant aux actes élémentaires, sur le terrain. Les plus nécessaires aussi parce qu'ils permettent d'estimer l'utilité, immédiatement contrôlable, de telle ou telle décision. Ces outils de la critique et du jugement « tactique » ne font que traduire, pour les hommes de l'exécution, des critères d'un ordre supérieur : ceux de la rationalité globale de l'entreprise politico-stratégique, de toute action collective finalisée et se développant en climat conflictuel. C'est là le terrain de chasse de Guibert.

S'il est une raison qui gouverne la recherche et le jugement du vrai dans l'ordre de la connaissance, quelle est celle de l'action? Celle du faire qui transforme la réalité malgré les pesanteurs historiques ou invente un futur imaginaire posé comme une obligation? Au-delà des problèmes immédiats soulevés par les actes des combattants, Guibert énonce celui, déterminant, de leur synergie. La « tactique » est action collective, elle-même élément d'une entreprise collective englobante, la politique nationale. Si sa nécessité est évidente, l'histoire montre que le langage clair de l'agir rationnel associant englobé et englobant n'est jamais établi; qu'il doit être constamment réinventé afin d'assurer, selon les conditions du temps, l'accord du moyen, la « tactique », à la fin, le projet politique.

Ainsi, la boucle fermée par l'analyse guibertienne partant du politique comme fin et y revenant comme au juge des résultats obtenus par la pratique « tactique », définit les conditions de l'action rationnelle indépendante des déterminations géopolitiques. D'abord, un projet cohérent justifié par le consentement collectif et qui dit ce qu'il faut faire parce qu'on le doit; les actions utiles parce que nécessaires pour combler un manque, pour transposer et rattraper l'imaginaire dans la réalité. Ensuite, des évaluations, un calcul et des décisions inférant, du projet politique, l'économie d'une « tactique » qui ne saurait être quelconque. Économie : choix et organisation des voies-et-moyens selon leur utilité pour l'agir et leur coût eu égard au projet, à la puissance et aux vulnérabilités du pays. Ce qui vient de la politique retourne à la politique. Ce qui procède d'un imaginaire qui pourrait sombrer dans l'utopie est constamment soumis au contrôle d'un calcul qui se veut à la fois justification du projet et définition de la fonction de transfert entre cet imaginé et la réalité.

Le remède n'est pas simple, qu'exige le renouvellement du langage « tactique » légué par l'histoire, quand toutes les voies semblent bloquées, quand il faudrait d'abord changer de politique, résoudre ensuite les contradictions qui stérilisent l'art militaire et lui interdisent le « grand style ».

Pédagogie de l'intelligence

Bien qu'il s'en défende, Guibert aspire à figurer parmi les maîtres à penser de son siècle. Il attend de son œuvre qu'elle excite et oriente les idées militaires, plus encore peut-être les écoles politiques. On ne peut s'interdire d'imputer sa critique de Montesquieu, dans l'*Essai*, et les violentes attaques que la *Défense du système de guerre moderne* lance contre Folard, à une sorte de rivalité professorale. Avec le pathos boursouflé du tribun, il fait la leçon à l'Assemblée nationale dans la *Lettre* qu'il publie, en 1790, sous le nom de l'abbé Raynal [1]. Mais pourquoi ce masque?

Tous ses ouvrages, y compris les *Éloges* et les relations de voyage, ne se contentent pas de dire : ils veulent enseigner. « C'est une encyclopédie, elle seule, que la science militaire [2] » : ce n'est pas une rencontre fortuite si l'*Essai* est précédé d'un *Discours préliminaire* comme l'*Encyclopédie* l'a été par celui que signa d'Alembert. Il est vrai qu'il ne suffit pas de dénoncer l'ignorance des hommes en place. Il faut les induire à agir, les persuader que les moyens de l'efficacité existent, leur démontrer qu'il est vain de miser sur l'éclair de génie qui les tirerait d'affaire devant les inconnues de la décision. Si la théorie veut emporter l'adhésion, elle doit prouver sa validité autrement que par la cohérence et la rigueur du discours quand rigueur et cohérence ne sont perceptibles qu'aux esprits avertis.

Guibert préconise de confronter les doctrines sur le terrain. Vérification expérimentale qui s'accorde avec l'esprit du temps : l'expérimentation fait fortune chez les savants, dans les laboratoires d'amateurs. L'*Encyclopédie* a familiarisé l'intelligentsia avec les arts de la main. Les armées sont donc préparées à l'introduction de méthodes d'instruction, « celle qui ne se borne pas à des exercices de détail et d'esplanade, celle qui enseignerait la tactique telle que je l'ai présentée dans cet ouvrage, et qui par là formerait tous les grades et serait applicable à la guerre [3] ».

L'idée n'est pas neuve. Les « camps de paix » sont pratique courante chez Frédéric II qui organise régulièrement de grandes manœuvres à Spandau et Magdebourg. Avant son voyage en Prusse, dans l'*Essai*, Guibert montre « la nécessité de former en temps de paix des camps destinés à être les écoles de la Grande Tactique ». Son « projet d'un de ces camps d'instruction » propose quelques types de « manœuvres qui devront y être exécutées [4] » et qui nous sont devenues familières : « Le général pourra.... partager

---

1. *Lettre de l'abbé Raynal à l'Assemblée nationale*, 1790. Publiée à la suite de *La Force publique*.
2. *Essai général de tactique*. Conclusion, p. 128.
3. *Défense du système de guerre moderne*, II, p. 244.
4. *Essai général de tactique*, II, p. 37 et suivantes.

l'armée en deux corps et les faire agir l'un contre l'autre, d'après telle ou telle circonstance donnée... Ces deux officiers généraux se conduiront chacun de leur côté suivant leurs lumières, le général se bornant, pendant tout le temps que durera l'opération, à être spectateur de leurs mouvements, pour ensuite discuter avec eux ce qu'ils auront fait, et ce qu'ils auraient dû faire. Mais, pour cela, quel homme ce devrait être, que ce Général! » Tout y est : jeu à double action sur un thème donné, la critique finale et jusqu'aux qualités exigées du directeur de l'exercice.

La *Défense du système de guerre moderne* reviendra sur ces questions d'instruction qui le préoccupent, tellement lui paraît capital ce qui favorise le transfert dans la pratique du savoir théorique. Ses vœux sont exaucés en mai 1778 : les manœuvres du camp de Vaussieux [1] dirigées par le maréchal de Broglie permettent de confronter deux doctrines d'emploi de l'infanterie : celle qui, dans l'esprit de Folard et de Mesnil-Durand, préconise « l'ordre profond » comme formation de base et celle qui préfère « l'ordre mince » ou linéaire. Broglie ayant tranché en faveur du premier, Guibert entreprend la critique de la critique : la *Défense du système de guerre moderne* naît de la polémique que l'expérience de Vaussieux n'a pas épuisée. Ouvrage aussi important que l'*Essai*, bien qu'il ne bénéficie pas du même retentissement. En dépassant l'objet limité qui l'a suscité, il marque un tournant décisif dans la pensée guibertienne qui remet en question certaines idées défendues par l'*Essai*. Magistrale autocritique sur laquelle je reviendrai. Leçon de lucidité et d'honnêteté intellectuelle : Guibert est exemplaire par sa haute conscience des responsabilités du théoricien et ses scrupules dans la quête de la vérité. Ne révèle-t-il pas aussi un scepticisme tout nouveau sur la vertu pédagogique des théories les plus rigoureusement construites? La conclusion, selon lui erronée, que l'on a tirée de l'expérience de Vaussieux ne trahit-elle pas leur fragilité? Ce rappel à l'humilité intellectuelle n'est-il pas à l'origine des nombreux passages de la *Défense* dans lesquels Guibert insiste sur les limites de la théorie, sur l'obligation d'adapter la pratique aux circonstances, parfois au mépris de ces fameux « principes fondamentaux » dont la recherche a justifié dix années de son existence?

S'il faut tout à la fois se garder contre le radicalisme logique des théories et refuser l'empirisme et la routine, où chercher le matériel d'un enseignement positif? Dans l'histoire, comme n'ont cessé de le prescrire tant de théoriciens? Là, Guibert se montre encore plus sceptique. Il ne dénie pas toute utilité à l'histoire des guerres. Mais, trop incertaine dans son heuristique, ses extrapolations sont aussi trop présomptueuses pour qu'on accorde toute

---

1. A quelques kilomètres au sud-est de Bayeux. On y rassembla 44 bataillons, 6 régiments de dragons et de l'artillerie.

confiance aux théories qui l'utilisent exclusivement : « Combien d'hommes sont en état de démêler dans les faits, les conséquences et les causes? » Le vrai est hors de portée. Le discours de l'histoire tourne en chronique ou en thèse, oscille entre Voltaire et Bossuet.

Guibert dénonce « ces théories qui ont une apparence de profondeur, et auxquelles la plupart des hommes se prennent volontiers, parce qu'ils aiment à recevoir les conséquences tout établies : ces inductions qu'on tire de l'histoire avec effort, et toujours avec bien plus de vraisemblance que de vérité, égarent plus souvent qu'elles ne dirigent; elles transportent dans un monde idéal ou dans un monde qui n'est plus, et elles laissent à l'écart l'univers qui est habité. C'est au présent que je m'attache; j'écris pour mon pays, et je parle des circonstances qui nous environnent [1]. »

Réquisitoire qui va à contre-courant. Pour Folard, « une étude approfondie de l'histoire nous mène nécessairement à une infinité de connaissances qui nous mettent en état de juger sainement et solidement de tout ». Lloyd le suit, en 1784, dans ses *Réflexions sur les principes généraux de la guerre :* « Les auteurs, sans nombre, qui ont écrit sur l'art de la guerre, peuvent être divisés en deux classes : la classe didactique et la classe historique... Ces deux espèces d'ouvrages sont utiles et même nécessaires à ceux qui embrassent la profession des armes, et je trouve ceux que nous avons imparfaits à beaucoup d'égards. Les didactiques donnent simplement des préceptes sans aucune application, ils ne font ainsi sur l'esprit qu'une faible et passagère impression que le temps efface vite. Le lecteur est beaucoup plus attentif à la lecture des faits arrivés qu'à ce qui n'est que le fruit de l'imagination. C'est pour cela que la lecture de l'histoire a toujours été recommandée comme la méthode la meilleure, la plus aisée, la plus efficace, pour instruire les hommes. »

A quoi Guibert rétorque : « Combien peu de ces ouvrages sont instructifs? Combien peu sont faits pour des gens de guerre? Dans la plupart de ces histoires, je ne vois, en fait d'événements militaires, rien de certain, que le nom des généraux, et l'époque des batailles. Ce sont les gazettes du temps, plus ou moins éloquemment rédigées. J'avance que, dans le genre didactique, il n'y a presque pas d'ouvrages utiles sur la guerre; qu'il n'y en a surtout presque point d'utiles et d'intéressants à la fois. » Cependant, on peut exploiter l'histoire : « L'étude de la guerre des anciens qui fait, de tous les militaires qui s'y livrent sans discernement et sans génie, de lourds commentateurs, ou des auteurs de systèmes inapplicables à nos armes et à nos constitutions, devint entre les mains du roi de Prusse, une mine

_____

1. *Traité de la force publique,* p. 7.

féconde [1]. » Et Guibert montre comment les batailles de Leuctres et Mantinée fournirent à Frédéric II le modèle de son ordre oblique.

Ses lectures sont trop vastes, son expérience trop réfléchie pour qu'il ignore les conséquences, fatales au praticien, de la référence systématique à un passé qu'on n'aurait pas préalablement soumis à une sévère critique. Symétriquement, il se défie de la foi aveugle en la capacité de prévision lointaine. Incertitudes sur le passé et sur l'avenir : le présent est-il voué à l'imaginaire? Si les inventions du génie opérant pastichent parfois le génie mort, s'y croyant autorisées par des similitudes, des analogies, par des invariants surtout, elles procèdent d'abord d'une imagination interrogeant un matériau composite et changeant, mais tangible et que le projet doit informer : les forces, l'ennemi, l'espace et le temps. Malgré les contraintes techniques et géohistoriques qui bornent le champ de son exercice, Guibert entend sauver la liberté de l'esprit créateur. Dans son contenu et sa forme, l'enseignement positif doit respecter cette ouverture de la pratique. Expérimentations, manœuvres, recherches de modèles et information théorique n'ont d'autre objet que l'assouplissement mental. La mise au point, par approches prudentes, d'un enseignement de la guerre ne se justifie que par l'espoir de stimuler la capacité d'invention. Poétique...

S'il rappelle constamment la nécessité de communiquer le savoir et la fonction maïeutique de la théorie pour l'apprenti praticien, il dénonce les doctrines figées piégeant l'imagination créatrice dans le moule de règles et de normes rigides, de modèles fixés en stéréotypes : « La guerre (qui) est la pierre de touche de tous les systèmes militaires » montre qu'il n'existe « point de méthode générale et exclusive : voilà ce qu'enseignent la réflexion et l'expérience [2] ». La réflexion et l'expérience : ce sont les conditions d'exercice et les principes généraux de l'art militaire, tels que les révèlent la pratique critiquée et l'analyse logique, qui déterminent les limites de l'enseignement positif, du savoir transmissible. Il s'agit toujours de concilier l'autonomie qu'exige la puissance d'invention aux prises avec le donné empirique, avec le carcan logique des déterminations dans lequel les fondements et invariants de la science « tactique » enferment l'action et lui dictent son économie. Éternelle dialectique du logique et de l'historique, du dogmatisme et de la disponibilité intellectuelle devant l'événement.

Guibert n'indique aucune méthode pour unifier le savoir sur la force publique et pour le transmettre comme une discipline constituée. Étalée sur vingt années, son œuvre répond assez souvent aux sollicitations d'événements majeurs et à la publication

1. *Éloge du roi de Prusse*, p. 117.
2. *Défense du système de guerre moderne*, I, p. 256.

de doctrines contestables pour être, par sa genèse même, une pédagogie de la critique. Pédagogie positive aussi : si l'axiomatique et les inférences de l'*Essai* servent de base aux ouvrages ultérieurs – même lorsqu'il les critiquera à leur tour – si elles démontrent et enseignent la puissance heuristique de la logique, « instrument universel de toutes les sciences et de toutes les affaires », il veille à ce qu'elles n'engendrent pas un fixisme géométrique pétrifiant les formes et les styles de l'art militaire dans un formulaire intangible. L'originalité du génie guibertien tient paradoxalement à ses réticences devant la fascination du rationnel. Il ne partage pas la naïve assurance des autres théoriciens, même quand elle reflète celle des meilleurs esprits du temps. Il est trop sensible à ce qui différencie le savoir stratégique, science humaine et sociale, des sciences de la nature qui ont conforté savants et philosophes dans leur confiance en la toute-puissance de la raison, pour ne pas reconnaître les limites d'un enseignement positif.

Sa théorie de « la guerre de grand style » décrit des modes, formes et styles opérationnels préservant la liberté d'invention; des dispositions et des opérations capables de maintenir l'action dans sa ligne ou de la modifier sans compromettre les objectifs initiaux. Il s'agit d'enseigner à piloter l'action malgré les contraintes inhérentes au temps, à l'espace, aux forces, malgré l'opposition ennemie. Cherchant, dans ces contraintes et cette opposition même, la réponse qui s'impose à l'esprit, Guibert suggère les conditions intellectuelles et matérielles d'un art *ouvert* : l'intellect du décideur et l'appareil militaire sont préparés à anticiper et contrer les accidents de conjoncture. Constamment disponibles, réserves d'opérations également possibles et ne préjugeant pas la seule probable, ils autorisent à choisir, le moment venu, celle que sa pertinence imposera au contact de la réalité. Leurs virtualités permettent de conserver « cette liberté de tête, cette indépendance des situations [1] », d'intégrer les déterminations logiques de la science et les données de circonstance; de surmonter les frictions imputables à la viscosité du matériau et à la volonté adverse. Le calcul ayant défini les champs respectifs du déterminé et de l'aléatoire, l'imagination saura inventer des manœuvres contre-aléatoires. « C'est là au surplus la partie de l'exécution. Les variétés des circonstances et des moyens y sont donc infinies; et c'est respecter le génie, c'est connaître toute l'étendue de ses ressources, que de ne prétendre ni lui dicter l'application des principes aux circonstances, ni même l'asservir toujours aux principes [2]. »

La leçon sera entendue par les plus illustres de ses successeurs,

---

1. *Éloge du roi de Prusse*, p. 63.
2. *Défense du système de guerre moderne*, II, p. 189.

Napoléon, Glausewitz. Beaucoup plus tard, par de Gaulle : « Ainsi la conception exige, pour être valable, c'est-à-dire adaptée aux circonstances, l'effort combiné de l'intelligence et de l'instinct. Mais dans la critique de l'action de guerre, l'esprit humain a rarement admis que chacune de ces deux facultés ait à jouer un rôle nécessaire sans pouvoir se passer de l'autre. Bien souvent, il a prétendu rompre arbitrairement l'équilibre et confier à l'une seulement toute la charge de concevoir [1]. »

Guibert invente et enseigne à s'accommoder des astreintes qu'imposent l'inertie du matériau politico-stratégique, réagissant toujours avec un certain retard à l'impulsion, et la dialectique de partis antagonistes. Il enseigne un style qui trouve, dans ces contraintes mêmes, le principe d'une plus grande efficacité : elles forcent l'esprit à vaincre sa paresse et à découvrir ce qu'il ignorait contenir. Exemple parfait d'une puissance d'invention exaltée par les obstacles : elle y trouve paradoxalement le motif d'une plus grande liberté créatrice et la raison d'une efficacité supérieure : « Où les hommes médiocres subissent, même avec une sorte de satisfaction intérieure, la loi des circonstances et de la nécessité, parce qu'elle sert de prétexte et de voile à leur faiblesse, l'homme de génie se roidit, s'élève et se dit qu'il faut combattre la fortune, et faire naître un ordre de choses plus favorables [2]. »

---

1. *Le Fil de l'épée.*
2. *Éloge du roi de Prusse.*

CHAPITRE 4

CHEMINEMENT MÉTHODOLOGIQUE
ET BOITE A OUTILS

Espace mental et point central

Discours de la politique ouvrant l'*Essai général de tactique*, le *Discours préliminaire* affiche des ambitions critiques inhabituelles chez un militaire. D'entrée de jeu, il élargit le champ dans lequel Guibert observera l'objet-guerre. Dire la guerre, c'est dire aussi ses corrélations avec ce qui l'enveloppe, l'engendre, la justifie et la détermine. Pourquoi et par quoi la « tactique » trouve-t-elle son sens?

Bon point de départ, cette postulation d'invariants relationnels entre la guerre et d'autres objets – société et politique –, pour qui prétend inaugurer une authentique science militaire. Épistémologiquement fondée si ces relations se vérifient, la « tactique » se constituera ensuite comme un discours cohérent. Dans leur langage spécifique, ses énoncés restitueront l'ensemble des déterminations réciproques organisant structurellement les éléments de l'objet complexe : la guerre. Discours exact et intelligible s'il progresse logiquement du déterminant d'ordre supérieur vers les ultimes déterminés, de la volonté politique vers les actes élémentaires des armées et les effets physiques. Par la voix de déductions de plus en plus fines et ramifiées, il forcera le lecteur à cheminer par le seul itinéraire intellectuel possible en partant du composé englobant, le fait hypergénéral qu'est la politique, jusqu'aux derniers composants englobés : des opérations intellectuelles et physiques.

Justifiée pour ordonner les énoncés, définir les éléments de la guerre et dire leurs liens logiques de dépendance mutuelle, cette méthode d'exposition, suivant un arbre de pertinence, ne reflète pas obligatoirement celle utilisée pour inventer les propositions, discriminer les composants et organiser leur structure. Les deux parcours mentaux, restitution et heuristique, n'ont ni la même fin, ni la même origine : centres de perspective et horizons différents.

Il faut donc retrouver le foyer d'où procèdent l'analyse et la critique guibertiennes, le *point central* autour duquel se constitue et s'organise le discours de la tactique [1]. Discours d'une action qui ne saurait être sans objet et sans effet accordés à cette fin. Il faut donc interroger l'efficacité de l'agir-en-guerre, ses conditions théoriques et ses traductions pratiques. Le concept d'efficacité s'impose à Guibert comme le pôle d'une pensée vouée désormais à en éclairer la nécessité et à en développer les implications.

Honneur des hommes, saint langage...

Les ambitions critiques et théoriques butent immédiatement sur les carences de l'outillage intellectuel légué par les prédécesseurs. Guibert doit arracher son objet aux illusions du savoir immédiat, aux pièges de l'idéologie et aux sédiments d'un langage hérité. Où chercher le corpus de concepts et d'énoncés rigoureux sans lequel l'information sur les phénomènes ne saurait être traitée et communiquée d'une manière univoque?

Devant non seulement dire la guerre mais aussi inventer son style de guerre, il discerne la fonction du langage dans les processus de création, l'intime liaison du fond et de la forme : « Ce ne sont pas les mots qui font les choses; et quoique des sauvages ne connaissent peut-être ni le mot *ordre* ni certainement le terme *parallèle*, c'est cette disposition informe et d'instinct qu'ils prennent pour aborder tous à la fois l'ennemi et le combattre; c'est elle qui se perfectionnant peu à peu, et les mots naissant avec les idées, est devenue et a été nommée *ordre parallèle* [2]. » « Pendant longtemps les militaires n'ont su ni analyser, ni écrire ce qu'ils pensaient » : le langage est soit un voile tissé par l'habitude entre la réalité et l'analyste, et qu'il faut déchirer; soit une aberration qu'il faut redresser en inventant d'autres concepts, d'autres symboles, d'autres formalisations.

Interrogation à travers laquelle Guibert rencontre une préoccupation constante de son temps. Chez Montesquieu : « J'ai eu des idées nouvelles; il a bien fallu trouver de nouveaux mots, ou donner aux anciens de nouvelles acceptions [3]. » Condillac : « L'art de raisonner se réduit à une langue bien faite [4] » et « chaque science demande une langue particulière parce que chaque science a des idées qui lui sont propres. Il semble que l'on devrait

1. « Tout devient simple, facile, déterminé, rien n'est vague quand on établit de longue main et par autorité supérieure le point central d'un pays. On ne sait combien de sécurité et de simplicité donne l'existence de ce point central. » (Napoléon, *Lettre au général Dejean*, 3 septembre 1806).
2. *Défense du système de guerre moderne*, II. p. 102.
3. Avertissement à *l'Esprit des lois*.
4. *Logique* (II, 5).

commencer par faire cette langue. Mais on commence par parler et écrire, et la langue reste à faire; voilà où en est la science économique [1]. » Lavoisier : « Le mot doit faire naître l'idée, l'idée doit peindre le fait : ce sont trois empreintes d'un même cachet, et comme ce sont les mots qui conservent les idées et les transmettent, il en résulte qu'on ne peut perfectionner le langage sans perfectionner la science, ni la science sans le langage [2]. »

Si toute discipline se veut « un corps de raisons et de doctrines [3] » dans lequel les assertions ne sont jamais coupées de ce qui les fondent, si elle organise un savoir constamment contesté par son propre enrichissement et appelle ainsi la critique de ses instruments, le langage « tactique » n'a pas pour uniques fonctions l'élucidation et l'expression. Le mot, le concept, l'énoncé ne sont pas seulement décrypteurs et porteurs de sens. Ils ne se bornent pas à dire, mais doivent suggérer et aider le faire : composant le discours de la pratique guerrière, ils sont moteurs et guides d'une action. Action collective : celle d'une armée, d'un peuple, d'une nation. Entités *supposées* unifiées par quelque principe fédérateur rassemblant leurs membres autour d'un projet, plus petit commun multiple des projets individuels, et mues par une volonté supposée une pour les besoins de la cause. Mais Guibert n'ignore pas que l'unité du collectif est un postulat praxéologique. L'armée, le peuple, la nation n'existent pas : fictions grammaticales nommant des groupements d'individus, de pulsions, d'intentions, de volontés, donc d'acteurs hétérogènes auxquels un but commun s'impose pour un temps et non sans tensions internes : « Réfléchissez qu'une armée est un assemblage et un ordre de choses contre nature, et que ce n'est par conséquent que par des moyens contre nature qu'elle peut subsister. Réfléchissez que des soldats et des citoyens n'ont, par leur constitution, aucun point de ressemblance [4]. » Des centres de décision sont mandatés, des structures d'information mises en place pour donner un sens – dans toutes les acceptions du terme – à la fiction reconnue de l'identité et de la volonté communes, pour constituer le langage de l'action. Parce que cette action est collective, ce langage doit véhiculer une information exacte et univoque capable de suggérer, à tous les acteurs du « drame effrayant et passionné [5] », la même vision de la scène et la même intelligence du texte; capable de les induire à des jugements, des intentions et des actes convergeants vers une fin reconnue par tous comme une nécessité; capable de signifier à tous « le rapport de toutes les parties à l'ensemble et de tous les

1. *Le Commerce et le Gouvernement* (1786).
2. Préface au *Traité de chimie*.
3. *Défense du système de guerre moderne*, I, p. 7.
4. *Lettre de l'abbé Raynal à l'Assemblée nationale*, p. 42.
5. Jomini.

détails aux résultats [1] », et de « tourner les détails en résultats, et de penser et d'agir en grand [2] ».

Le statut épistémologique de la discipline « tactique » n'est donc pas déterminé par la passion de la vérité mais par les nécessités de la pratique, par une téléonomie collective. Le langage de la connaissance ne dit le sens *de* la guerre que pour unifier les sensibilités et les volontés *dans* la guerre. Discours instrumental définissant le champ, les conditions et l'économie d'une action qui n'est pas simple, mais intégration d'actes élémentaires, enchaînement de moments discrets, calculés et organisés en séquences qui résument leurs effets spécifiques. Praxèmes et séquences n'existent que pour un résultat global soumettant tous les effecteurs à un principe de synergie.

De là le souci d'affiner les catégories usuelles de la pensée de guerre : stratégie, tactique, etc., doivent trouver leur place exacte au sein de la discipline englobante.

A l'époque, la direction d'ensemble des opérations, la distribution des forces sur le théâtre, les grands mouvements des armées combinés pour décider la guerre conformément à la fin politique relèvent de ce que l'on nomme parfois « la stratégie ou tactique des armées [3] ». Les formations des troupes et l'exécution du combat, les dispositions pour la bataille font l'objet de la « tactique élémentaire » ainsi qu'on l'entend depuis les Grecs. Entre ces deux concepts, Guibert introduit celui de « grande tactique » – repris par Napoléon qui n'utilisera qu'exceptionnellement le mot stratégie définitivement consacré par Bülow, en 1803 – qui recouvre les évolutions des armées, les formes opérationnelles et les manœuvres d'ensemble préparant la bataille, les marches des grandes unités sur le terrain où elles s'engagent, les mouvements des colonnes lorsqu'elles passent à l'attaque et qui prolongent leur marche d'approche.

Nous verrons pourquoi Guibert a besoin d'une catégorie intermédiaire pour tirer tout le parti possible de la continuité d'exécution entre stratégique et tactique élémentaire. L'enrichissement du corpus de concepts hérité et la rigueur sémantique lui sont d'abord un moyen pour faire accéder la science de la guerre à l'autonomie parmi celles qui se constituent alors sur les autres activités sociopolitiques. Autonomie indispensable pour garantir d'abord la validité de ce qu'elle affirme sur la nature de son objet; ensuite, la nécessité des assertions proposées comme fondements de l'agir en guerre. Les concepts empiriques de stratégie, tactique, etc., doivent accéder à la qualité de concept rationnels qui, par leurs interconnexions, leurs relations réciproques, devraient révéler des lois de l'action.

1. *Éloge du chancelier de l'Hospital*, p. 146.
2. *Défense du système de guerre moderne*, II, p. 75.
3. *Ibid*, II, p. 1.

Exemple significatif d'un passage de concept empirique au rationnel : l'analyse des « marches d'armée [1] ». Personne n'ignore, depuis les temps les plus reculés, « ces mouvements quelconques que peut faire une armée ». Notion aussi vague que banale. Concept brut, trop grossier pour posséder quelque fécondité pratique : les insuffisances d'un langage primitif trahissent le primitivisme de l'agir. Pour rendre à l'action de « marcher » toute sa fécondité opérationnelle, Guibert innove, une fois encore, en ne se demandant pas comment une armée doit marcher mais pourquoi : une action est toujours déterminée par sa finalité. Dès lors que les marches « deviennent plus décisives en ce qu'elles ont toujours alors un objet prochain ou éloigné... elles deviennent plus importantes à bien combiner et à bien exécuter, parce que leur succès dépend de leur combinaison et de leur exécution, tant dans l'ensemble que dans les détails ». D'où, partant des finalités de l'action-marche, l'invention d'un langage pertinent distinguant les « marches de route » de « la science des *marches-manœuvres*, terme que je fais parce qu'il exprime mon idée [2] ». Les premières « faites hors de portée de l'ennemi avec l'objet de se porter commodément vers un point » ou « dans le but soit de le (l'ennemi) prévenir sur un point ou de s'emparer rapidement d'un poste... » ; les secondes « faites à portée de l'ennemi et... dans l'objet de prendre s'il est besoin un ordre de bataille [3] ».

Guibert développe ensuite ces concepts premiers en concepts seconds, avec des vocables neufs ou précisant les emprunts au lexique usuel. Le langage s'affine et gagne en rigueur par dichotomies successives des objets complexes. Démarche banale aujourd'hui, encore que les analystes définissent plus souvent les actions par leurs voies-et-moyens que par leurs fins, les systèmes finalisés comme des organisations et non comme des structures fonctionnelles. Faute contre la logique praxéologique qui doit procéder du déterminant au déterminé, sauf, évidemment, à réserver des bouclages cybernétiques. Faute que ne commet jamais Guibert. Sa démarche constante, démarche de méthode, est sans précédent et garantit la rationalité à la fois théorique et pratique. L'invention du langage n'est jamais gratuite. Il ne se plaque pas sur la réalité pour la dire autrement que les signifiants hérités : il fonde une nouvelle réalité pratique. Langage de création. Langage éminemment poétique.

Interrogeant le langage, Guibert ouvre à la recherche une voie qu'emprunteront certains de ses successeurs. Mais les praticiens n'admettront pas sans réticences l'utilité et la fécondité de ce retour aux sources de l'invention politico-stratégique. Que « les limites de mon langage signifient les limites de mon

---

1. et 2. *Essai général de tactique*, II, p. 3.
3. *Ibid*, II, p. 8.

monde [1] », s'entend bien dans l'ordre du savoir. Mais dans celui de la pratique, quand l'esprit doit courir au plus pressé, improviser sous la pression de l'événement? Concepts, assertions théoriques : Words! Words! L'éternelle et mauvaise querelle du praticien et du théoricien se noue souvent sur le langage, le premier reprochant au second son ésotérisme et ses faiblesses devant la magie du verbe. De Napoléon, le fameux aphorisme : « La guerre est un art simple et tout d'exécution » occulte l'autre : « A la guerre, il faut d'abord bien établir la langue pour s'entendre, car c'est faute de cela qu'on prend une chose pour une autre. » Le « à la guerre » suggère pourtant qu'il songe à la pratique, non à la théorie : langage moteur.

Plus tard, Jomini contribuera plus que personne à perfectionner le langage, comme le souhaitait Lavoisier, mais avec un reste de mauvaise conscience qui révèle l'état d'esprit des militaires du XIXe siècle : « On me reprochera peut-être d'avoir poussé un peu loin la manie des définitions; mais, je l'avoue, je m'en fais un mérite; car, pour poser les bases d'une science jusqu'ici peu connue, il est essentiel de s'entendre avant tout sur les diverses dénominations qu'il faut donner aux combinaisons dont elle se compose, autrement il serait impossible de les désigner et de les qualifier [2]. »

Si Jomini ne songe qu'à la cohérence et à la clarté de la théorie descriptive et critique, il pousse néanmoins la porte entrouverte par Guibert. L'entrée dans l'âge nucléaire consacrera la fonction heuristique de l'outillage mental et du langage dans la théorie stratégique. Fonction pratique aussi : surdéterminée par la permanence d'un danger mortel à l'horizon de leurs litiges, la dialectique conflictuelle des adversaires-partenaires nucléaires doit se développer pour une large part dans l'imaginaire. Chacun construit des modèles logiques de dissuasion et des scénarios stratégiques destinés à informer l'autre des enchaînements possibles d'actions et de réactions, et de leur dénouement probable – l'échange nucléaire – si le conflit franchissait un seuil de menace inacceptable. Pour ce qui intéresse les conflits directs entre États nucléaires, la théorie stratégique se substitue donc à la pratique. Elle s'identifie à l'action dans la mesure où l'information qu'elle véhicule a pour but de produire réellement, sur chacun des frères ennemis, l'effet psychologique d'inhibition qui l'induit à réfréner ses ambitions politiques et à modérer ses conduites stratégiques. La sémiotique se substitue à ceux des actes qui seraient irrationnels. Ce qui suppose, entre les parties, une communication permanente dans un langage commun, clair et univoque.

C'est là le dernier avatar de la science militaire guibertienne qui

1. Ludwig Wittgenstein, *Tractatus logico-philosophicus* (1921).
2. Jomini, *Précis de l'art de la guerre* (1829).

se voulait rationnelle, assez assurée de ses fondements et de son langage pour plier politique et militaire à la loi d'une action justifiée en raison et accordant logiquement ses voies-et-moyens avec sa finalité. L'âge nucléaire consacre du même coup le contrôle de la pratique par l'épistémologie stratégique; la nécessité de perfectionner, voire d'inventer, les instruments intellectuels capables non seulement de dire la vraie nature des phénomènes conflictuels mais aussi, et surtout, de fournir au politique et au stratège le langage de l'agir en raison.

Axiome d'efficacité

Le pourquoi de la théorie descriptive n'ayant de sens que s'il induit le comment d'une théorie normative capable de guider le praticien aux prises avec le fait et l'événement, Guibert doit s'interroger sur la validité des inférences pratiques que semble autoriser la science tactique. C'est s'interroger sur la nécessité et la valeur des principes, règles et normes d'action; sur la manière d'évaluer la place, la fonction de chaque acte élémentaire, dont il définit la nature et les modalités dans l'économie globale de la guerre.

Nœud de la problématique : le critère d'utilité de tel mode ou type d'action militaire. Ce qui renvoie à l'essence de la guerre : toute action se proposant de produire un effet qui n'est pas quelconque, quels sont ou doivent être ceux recherchés avec l'intervention des forces armées dans le champ des relations internationales? Pour Guibert, la réponse est claire : « Sous le point de vue de la philosophie et de l'humanité, il peut être heureux que, soit l'effet des places, soit celui de la routine établie, les guerres se passent ainsi en petites opérations, en alternatives de places prises et reprises, au lieu de conquérir et de ravager comme elles faisaient autrefois. Mais, à envisager l'objet militaire, l'art de la guerre y a sans doute perdu, puisque ses effets sont moins grands; puisqu'enfin ils ne remplissent pas le premier et le malheureux but qu'ils doivent avoir, celui de faire le plus de mal possible à l'ennemi, et de décider promptement les querelles des nations [1]. »

La fin de la guerre est d'ordre politique : trancher sans appel les litiges entre nations et cela, qui est déterminant pour la théorie guibertienne, dans le minimum de temps et au moindre coût. Ce qui implique logiquement, dans l'ordre des voies-et-moyens, que l'on applique sur l'ennemi des effets physiques proportionnés à cette fin radicale : « Faire le plus de mal possible » est « l'objet », le but de l'action militaire accordée avec une finalité politique

1. *Essai général de tactique*, II, p. 89.

écartant les solutions de compromis. Sans doute, même dans ses périodes de relaxation, la destruction et la mort demeurent-elles à l'horizon de la guerre : même latente, la violence physique est le moyen du mal nécessaire pour atteindre le but. Guibert ne semble concevoir d'autre degré de violence que l'extrême : « Faire le plus de mal possible » est l'axiome stratégique qui le retranche de la communauté des stratèges et politiques de son temps et dont il doit dévider toutes les implications. S'il s'agit de décider la querelle des États par une épreuve de force qui soit aussi épreuve de vérité pour leurs « constitutions politiques », leurs puissances réelles et leurs volontés, le dénouement procède d'un jeu d'actions et de réactions qui s'entrecroisent et se contrarient. Chacun calcule et décide en fonction de son information sur la réponse probable de l'autre à sa propre décision.

Aux manœuvres de l'un répondent nécessairement, par la logique même du duel, « des contre-manœuvres » de l'autre : « J'appelle de ce nom tout mouvement occasionné par un mouvement de l'ennemi et ayant pour but d'en balancer ou d'en empêcher l'action [1]. » Jeu de la coercition et de l'interdiction réciproques dont les résultats, perçus ou anticipés de part et d'autre, rétroagissent positivement sur le calcul des voies-et-moyens et sur les décisions : afin de n'être pas empêché ou battu, chacun cherche à produire au détriment de l'autre, ou à être capable de produire, des effets supérieurs. Dialectique de la violence dont l'amplification, inscrite dans la logique même du duel, traduit, en termes de forces physiques, la lutte des intelligences et des volontés pour la liberté d'action; polarité qui pousse chacun à tenter de surpasser la mise de chacun. L'action de chacun est déterminée autant par l'action visible ou prévisible de l'autre que par son propre but : « C'est toujours l'ennemi qui donne la loi. S'il met 200 escadrons en campagne, on se croit battu dès qu'on ne lui en oppose pas au moins 200 [2]. » Clausewitz empruntera le langage guibertien pour formuler, plus rigoureusement, son principe de l'ascension vers l'extrême de la violence : « Chacun des adversaires fait la loi de l'autre, d'où résulte une action réciproque qui, en tant que concept, doit aller aux extrêmes [3]. »

L'important est que Guibert traduise en termes de psychologie un énoncé initialement formulé en langage mécanique. « On se croit battu » : quatre mots anodins qui déplacent la question fondamentale sur la finalité de la violence, qui la transfèrent du domaine des effets physiques à celui de leur vraie finalité : l'intrusion dans les processus mentaux des décideurs adverses, une pesée décisive sur leur jugement et leur volonté. On est battu

1. *Essai général de tactique*, I, p. 89.
2. *Ibid*, I, p. 99.
3. *De la guerre*, livre I, chap. I,3.

parce qu'on croit l'être, parce que le calcul prévisionnel conclut qu'on le sera à plus ou moins long terme. On refuse de l'être, contre toute évidence ou toute raison, et l'on tente de forcer le destin par un effort supplémentaire qui peut s'avérer disproportionné à l'enjeu ou aux ressources. Joseph de Maistre déploiera de brillantes variations sur le thème de la relation entre la dynamique conflictuelle et les processus mentaux : « Dites-moi, M. le Général, qu'est-ce qu'une bataille perdue? Je n'ai jamais bien compris cela. Il me répondit après un moment de silence : je n'en sais rien. Et, après un second silence, il ajouta : c'est une bataille qu'on croit avoir perdue [1]. »

Guibert identifie donc une *fonction de transfert* qui opère la transcription, dans l'imagination, des effets tangibles de la violence; transfert qui institue l'esprit des décideurs – leur intelligence des situations, leurs intentions, leur jugement, leur puissance de calcul prévisionnel et leur volonté – comme suprême instance pour définir la fonction de la violence dans la dynamique politique et pour apprécier l'utilité, l'efficacité de telle ou telle action de guerre. Tout, en politique et en guerre, doit partir de l'esprit. Tout doit y revenir : si « l'ennemi donne la loi » et si la polarité du duel exige un dénouement, encore faut-il que celui-ci ne résulte pas de ces « fausses combinaisons [2] » qui ne sont que répliques de l'instinct et méconnaissent leur but. Si l'action militaire doit être efficace, cette efficacité n'a de sens que rapportée à une fin qui est formulée dans le champ mental des politiques.

La problématique de l'efficacité des forces de violence est au cœur de la théorie guibertienne : elle détermine l'acceptation et la conduite du duel. Quels sont les critères d'efficacité des armées sachant qu'elles n'interviennent, dans la dynamique sociopolitique, que pour introduire de nouveaux facteurs d'évaluation et de décision, une nouvelle information dans l'esprit des décideurs? Critères indispensables pour apprécier l'utilité des actions élémentaires et pour choisir, parmi les concevables et les possibles, celles-là seules qui autoriseront à ne pas se croire battu sans pour autant entraîner à des surenchères trop onéreuses ou irrationnelles.

Si le mot manque au glossaire guibertien, la notion d'efficacité transparaît sous de fréquentes formules : guerres plus dévastatrices, grands résultats, grand style, bataille décisive, grande guerre. Dès le *Discours préliminaire*, la critique des guerres du XVIIIe siècle pose une mesure, un étalon d'efficacité : « ... celui de faire le plus de mal possible à l'ennemi, et de décider promptement les querelles des nations [3] ». La guerre doit décider promptement, créer une

1. *Les soirées de Saint-Petersbourg* (1821).
2. *Essai général de tactique*, I, p. 99.
3. *Ibid*, I, p. 89.

situation irréversible, un nouvel équilibre de paix qui évacue définitivement les causes de litige ou qui contraigne le plus faible à reconnaître son impuissance à le remettre en cause. Cela conduit au concept de *bataille décisive.* Mais ce qui est neuf et annonce nos modernes évaluations dites du coût-avantage, Guibert associe à l'efficacité la notion de coût du conflit : « Tel est enfin le genre de guerre adopté par toutes ces nations, qui consume leurs forces et ne décide pas leurs querelles; que, vainqueur ou vaincu, chacun à la paix rentre à peu près dans ses anciennes limites; que, de là les guerres, effrayant moins les gouvernements, en deviennent plus fréquentes. Ce sont des athlètes timides, couverts de plaies et toujours armés, qui s'épuisent à s'observer et à se craindre; s'attaquant de temps en temps, pour s'en imposer mutuellement sur leurs forces; rendent des combats faibles comme eux; les suspendent quand leur sang coule et conviennent d'une trêve pour essuyer les blessures. Entre ces peuples, dont la faiblesse éternise les querelles, il se peut cependant qu'un jour il y ait des guerres plus décisives et qui ébranlent les empires [1]. »

Point d'ancrage de la problématique guibertienne, l'axiome d'efficacité – très général puisqu'associant coûts et résultats – gouverne l'heuristique théorique. Il garantit la validité des énoncés de la « tactique » relatifs aux opérations militaires. Axiome, on le retrouvera sous les variations du discours, depuis l'*Essai* jusqu'au *Traité de la force publique* : il se pose comme un invariant de la pratique. Mais invariant de l'art militaire : l'action doit être efficace, la guerre doit décider parce que, à l'époque de l'*Essai,* Guibert privilégie sa fonction dans le commerce politique. La nature et les modalités de son dénouement s'accordent avec ce qu'il attend de la violence dans la dynamique interétatique. Mais n'est-ce pas une présupposition trop radicale sur la fonction de la violence? Son interrogation sur un critère d'efficacité militaire devrait logiquement le conduire, par récurrence, à s'interroger sur la validité de la réponse unique, sur l'universalité du concept de la bataille décisive. N'est-il pas étrange que, après avoir associé d'emblée politique et militaire, après avoir posé que la violence armée joue un rôle même en temps de paix, il ne discerne pas que la politique peut attendre de la guerre des résultats plus nuancés que ceux qu'il préconise en valorisant la bataille décisive? Qu'elle peut lui fixer d'autres buts que la prompte décision de la querelle des nations?

Mieux encore : la guerre doit aussi s'accorder avec des déterminations sociopolitiques qui interviennent en amont des intérêts politiques circonstanciels. Dans toute aire de culture et de civilisation, en un moment historique donné, une règle plus ou moins explicite fixe les bornes de la violence tolérée par l'opinion,

---

1. *Discours préliminaire*, p. IX.

les mœurs, les valeurs reconnues. Le règlement des conflits est déterminé par cette règle du jeu qui, par consensus des États et des peuples, interdit les ambitions politiques, les buts et les conduites de guerre contraires à ce statut de coexistence. Les perturbateurs de l'ordre moral sont mis au ban de la société internationale et des coalitions se nouent immanquablement pour les ramener à la raison.

Les circonstances et une analyse plus rigoureuse des rapports entre environnement culturel, politique et guerre contraindront Guibert à changer d'opinion sur les attributs de l'efficacité militaire, sur la traduction concrète d'un concept que, à l'époque de l'*Essai*, il a imprudemment isolé du contexte politique et axiologique. Tant qu'il fondait sa recherche sur la seule logique interne du duel militaire que, en contradiction avec lui-même, il a découpé dans le champ sociopolitique, il ne pouvait identifier l'efficacité qu'à la bataille décisive et à une stratégie se donnant pour but unique l'anéantissement de l'ennemi. Lorsqu'il devra passer de l'ordre des moyens militaires à celui des fins supérieures, le concept d'efficacité en sera nécessairement affecté. D'où la *Défense du système de guerre moderne* qui modulera l'emploi de la violence en fonction de la diversité des situations conflictuelles et de leurs enjeux.

Choisissant un critère évident comme fondement théorique et pratique de sa tactique, Guibert s'arme du même coup d'un instrument critique lui permettant de juger la pratique guerrière de son temps. Il dénonce l'inefficacité de certains hommes de guerre. A la fin du siècle précédent, « il ne se fit plus rien de hardi, rien de décisif, on ne fit plus ce que j'appelle la grande guerre [1] ». Parmi les plus illustres, Maurice de Saxe n'est guère mieux traité.

Guibert renoue avec une tradition française que Machiavel nota au passage dans son éloge des Romains. Que Frédéric II ait cru de bonne politique d'écrire un *Anti-Machiavel* ne pouvait qu'encourager son disciple à lire de plus près le Florentin. Comment les conclusions de Guibert n'auraient-elles pas été confortées par : « Il faut donc, tant pour conquérir que pour conserver, avoir soin de dépenser peu, et se proposer en tout le bien public pour objet... Le premier de leurs principes (des Romains) était de faire la guerre, comme disent les Français, courte et grosse. Comme ils mirent toujours de grosses armées en campagne, ils terminèrent très promptement toutes leurs guerres... Leur usage était, aussitôt la guerre déclarée, de marcher à l'ennemi avec une armée formidable, et de lui livrer aussitôt bataille... Ils ne varièrent jamais sur le principe de terminer les guerres aussi promptement que le permettaient les temps et les lieux [2]. »

1. *Essai général de tactique*, II, p. 6.
2. Machiavel, *Discours sur la première décade de Tite-Live*.

Quoique sceptique devant les leçons de l'histoire, Guibert ne pouvait qu'être sensible à d'aussi flatteuses rencontres. Avec Rome, à laquelle il fera fréquemment référence. Avec Machiavel dont il reprend d'autres assertions : l'inutilité des places fortes, ce qu'on pourrait nommer *l'économie des projets* et qui conseille de ne soutenir qu'une guerre à la fois, la relation entre le profit et les dépenses de la guerre. Personne plus que Machiavel et son meilleur élève, Frédéric II, ne pouvait confirmer Guibert dans la justesse de l'axiome d'efficacité sur lequel il établissait la base de sa « tactique ».

Axiome de simplicité

La première condition d'une guerre efficace est la simplicité des conceptions et des opérations militaires. Sans doute, Guibert tente-t-il de se former l'idée la plus générale qui soit sur la guerre : l'analyse phénoménologique ne néglige rien de son objet. Description d'une réalité, la théorie en admet la complication : condamnée à dire une totalité organique et dynamique, des processus intellectuels et des opérations physiques embrouillés dans un réseau d'interdépendances et d'interactions. Guibert n'ignore pas que la représentation de ce tout ne sera claire que s'il systématise les résultats d'observations fragmentaires en choisissant des perspectives simplificatrices. Il n'en méconnaît pas l'arbitraire : le mot « système » est l'un des plus fréquents du discours. Tout théoricien doit reconnaître que la réduction du donné empirique est la condition et le prix de son intelligibilité : dans l'ordre de la connaissance, la simplicité est autant un aveu d'impuissance qu'une nécessité de méthode.

Mais il faut passer du savoir au pouvoir et au vouloir, du dire au faire, de la théorie constat à la théorie fondatrice. Guibert pose, en corollaire de l'axiome d'efficacité, que l'action de guerre ne procurera le résultat espéré, décisif, que si elle s'oblige à la simplicité. Condition non suffisante, mais nécessaire de sa bonne économie interne comme de son accord avec les fins politiques : « La science de la guerre moderne, en se perfectionnant, en se rapprochant des véritables principes, pourrait donc devenir plus simple et moins difficile [1]. »

La difficulté, trop évidente, de la pratique suggère invinciblement l'idée d'une simplication dans le calcul des voies-et-moyens et dans la conduite de l'action. S'il vise la perfection théorique, en politique comme dans la guerre, c'est qu'elle atténue les difficultés que rencontrent les acteurs pour résoudre leurs incertitudes, voire leur ignorance : « Il faut observer que la politique, en devenant

---

1. *Discours préliminaire*, p. XXXVI.

plus parfaite, deviendrait moins difficile. L'imperfection d'une science ajoute presque toujours à sa difficulté [1]. » Napoléon confirmera : « La guerre est un art simple et tout d'exécution. » Ou : « La guerre étant un métier d'exécution, toutes les combinaisons compliquées doivent être écartées. La simplicité est la première condition de toutes les bonnes manœuvres [2]. »

Malgré la fréquente référence de Guibert à la perfection, son axiome de simplicité n'est pas d'origine esthétique. Il est suggéré par les difficultés constatées de tout travail théorique, par le climat psychologique et le milieu physique dans lesquels s'invente et se déploie l'action de l'homme sur l'homme, d'un groupe sur un autre – toute action collective. Très ancien problème de rendement intellectuel : les scolastiques admettaient déjà que, dans son travail d'élucidation, l'esprit tend invinciblement à attribuer des propriétés de plus en plus complexes aux données qu'il utilise. Le fameux « rasoir d'Ockham » préconisait d'éclairer les objets et phénomènes en retenant les explications les plus simples et en écartant les notions inutiles. Plus près de nous, les cybernéticiens retiennent un principe de moindre effort : toute information, toute opération mentale s'échangent contre un coût intellectuel qui est fonction du nombre et de la diversité des éléments du message et des composants de l'opération. L'axiome de simplicité relève de l'évidence, du bon sens. Mais Guibert connaît la concupiscence de l'intellect, la jouissance de la virtuosité mentale chez le théoricien accumulant les difficultés pour le plaisir de les résoudre. Il connaît aussi la fuite en avant du praticien qui multiplie les calculs et les objections à son propre jugement pour reculer l'échéance de l'irréversible décision avec l'illusion d'éliminer des incertitudes.

Le langage et le travail de conceptualisation qu'il inaugure reconnaissent que transformer l'ordre des choses sociopolitiques, c'est nécessairement transiter par une foule d'exécutants. Autant de médiateurs à l'ouïe et au tact plus ou moins finis, entre l'origine – le décideur – et les derniers acteurs. Agir, c'est parier sur un écart nul, ou assez faible pour être corrigé, entre le résultat et le projet. Agir collectivement, c'est parier sur les autres, sur une bonne circulation de l'énergie, de l'information et de l'impulsion venue du sommet entre tous les éléments du système que constituent toute formation sociopolitique et tout appareil militaire. D'où l'axiome praxéologique de simplicité : assurance contre la dégradation entropique du plan initial, de l'ordre originel – ordre imaginaire – qui ne peut être projeté dans l'espace-temps géohistorique qu'en transitant par une matière d'œuvre, individus et

1. *Discours préliminaire*, p. xx.
2. *Observation n° 5 au sujet du plan adopté à Paris pour les armées des Alpes et d'Italie.*

groupes, dont l'inertie, la viscosité naturelle et les résistances, conscientes ou non, retardent ou altèrent l'information et diminuent l'efficacité opérationnelle. En accroissant l'information circulante et le nombre des opérations, la complication des conceptions multiplie les incertitudes et les risques de désordre. La simplicité des calculs et des opérations qu'ils pilotent assume une fonction néguentropique : génératrice d'ordre, elle accroît la probabilité d'accord entre les résultats obtenus et le but visé.

Parce qu'il ressent plus vivement que personne l'obligation de compenser la complexité des phénomènes conflictuels – complexité croissante avec celle du matériau de l'art – par la règle de simplicité imposée à la pratique collective, Guibert s'autorise à critiquer les théoriciens de son temps. Dans ce qu'ils ont produit de plus brillant, il dénonce les carences du savoir, les affirmations aisément réfutables, les vanités de la rhétorique : « Pourquoi n'a-t-il paru aucun ouvrage victorieux et qui ait fixé les principes? » Victorieux de qui ou de quoi? De l'opinion? Du temps? Quelle autre preuve de validité, pour une théorie, que sa confirmation sur le terrain par la victoire dont elle proposait la recette? L'étalon de l'efficacité pratique étant la bataille décisive, celle-ci est logiquement érigée en concept premier, en fondement de la théorie. Tout autre discours sur la guerre sera soumis à cet étalon de vérité.

Des confrères disputent sur les éléments de l'art pour élire celui qui assume une fonction rectrice : fortification, manœuvre, feu, choc, etc. Vision étriquée, donc fausse : Guibert va à l'essentiel, à cela seul qui tranchera. Jugement de Dieu. Si la bataille est l'épreuve de force qui soumet les duellistes à la seule épreuve de vérité conforme à l'essence de la guerre, son concept est le critère de vérité scientifique qui permet de statuer sur la puissance de la théorie, sur ses chances de victoire dans les conflits d'idées.

Modèle parfait de circulation de l'information entre théorie et pratique se nourrissant et s'étayant l'une l'autre. Modèle vivace puisqu'il faudra la révolution nucléaire pour que l'identification de la théorie à la pratique, dans la stratégie de dissuasion, dispense la première de demander à la seconde la preuve de sa validité. Si, en effet, la dissuasion est efficace, aucun fait de conflit armé ne se manifeste entre les antagonistes nucléaires : l'ensemble de leurs opérations militaires est un ensemble vide. Toutefois si le *statu quo* est sauvé, aucun fait, aucun événement de leur coexistence pacifique n'autorise à dire si celle-ci résulte de l'équilibre dissuasif – but stratégique – ou si elle est imputable à l'absence d'ambitions politiques génératrices de projets belliqueux. L'épreuve de vérité, d'efficacité pratique, manque à la théorie de la dissuasion : la question de sa validité pratique est indécidable sauf par l'épreuve négative, par l'échec de la dissuasion qui instaurerait une situation irréversible et aussi irrationnelle, par les risques acceptés, que celle d'une bataille recherchée, à l'époque classique, avec la quasi-certitude qu'elle serait perdue.

Allant à l'essentiel – recherche de l'efficacité maximale –, Guibert gagne aussi sur le tableau de la simplicité. La stratégie de la bataille d'anéantissement est une stratégie directe, modèle de simplicité. Le but est clair : la bataille décisive provoque un hiatus dans le cours de la guerre. *L'après* est radicalement différent de *l'avant* bataille. Rien ne peut occulter cet objet de pensée. Rien de plus simple que cette visée polarisant les calculs et éliminant les opérations superflues, inutiles parce qu'elles ne conduisent pas à ce but unique par le plus court chemin. Tout se passe comme si la « tactique » transposait, dans son domaine, le principe de moindre action formulé peu avant par Maupertuis, et qu'il devait connaître : tout repos et tout mouvement révèlent une propension à se maintenir ou à se développer selon le chemin le plus court et la dépense d'énergie la moindre.

Guibert n'est ni le seul ni le premier qui, en vertu du principe d'efficacité, subordonne le cours d'une campagne à la recherche d'« une de ces batailles qui anéantissent l'ennemi [1] ». L'idée est dans l'air. Déjà, en 1730, dans son *Histoire de Polybe*, Folard conseillait une bataille générale dès l'ouverture de la campagne parce que le résultat final de celle-ci dépend « des commencements ». Lui aussi rappelait, après Machiavel, que, à l'exemple des Romains dont les « guerres étaient fortes et courtes, mais vives », il fallait détruire les forces ennemies : « La guerre n'a qu'un but du point de vue militaire : c'est la bataille décisive. Le résultat final ne s'obtient pas au moyen de manœuvres savantes, de feintes, de temporisation. Plus la guerre est courte, moins elle est onéreuse. Puisqu'il faut en venir tôt ou tard à la crise, qu'elle soit dénouée d'une manière rapide, simple et brutale. » En 1754, Turpin de Crissé reprenait le thème dans son *Essai sur l'art de la guerre* et le style de Frédéric II démontrait qu'une grande victoire renversait le cours aventuré d'une campagne. Cinq ans après l'*Essai*, le comte de Grimoard publie un *Essai théorique sur les batailles* et montre que, de toutes les phases d'une campagne, la bataille est la plus importante par ses conséquences. Comme Folard, il souligne le caractère souvent décisif des batailles livrées au début des hostilités : elles peuvent infléchir irréversiblement le cours de la campagne, alors que celles de la fin sont « de moindre conséquence » puisque les moyens sont épuisés qui permettraient d'en exploiter les résultats.

Reconnaître l'utilité de la bataille est une chose. L'obtenir, c'est-à-dire l'imposer à l'ennemi avec les moyens de l'époque, en

---

1. *Éloge du roi de Prusse.*

est une autre. Passer du concept à la pratique suppose réunies certaines conditions que les prédécesseurs ou contemporains de Guibert ne précisent pas, et dont la définition comme la réalisation sur le terrain font toute la difficulté de l'art. C'est là que Guibert défie ses confrères de produire un « ouvrage victorieux ». C'est là qu'il invente et propose aux praticiens une « tactique » dont le noyau dur est constitué par les voies-et-moyens directs de la bataille d'anéantissement. C'est là qu'il rompt le plus nettement avec l'empirisme. Dans l'ordre de la théorie, le concept de bataille devient un concept rationnel. Dans l'ordre pratique, les combinaisons opérationnelles jusqu'alors aléatoires, browniennes, s'emparent de l'espace et du temps pour en faire, avec les forces, le matériau d'un art conscient de l'effet à produire, d'un art *construit*. Le concept guibertien de bataille décisive provoque une double coupure, épistémologique et praxéologique, dans le double discours sur et de la guerre.

Les temps viendront où l'on contestera l'adéquation guibertienne de l'efficacité et d'une simplicité identifiée à la stratégie directe. Alors que Guibert se garde de dissocier l'efficacité des opérations du coût de la guerre, la stratégie directe de la bataille décisive s'avérera si onéreuse, eu égard aux finalités politiques, qu'on la jugera irrationnelle. On en viendra à lui préférer des voies indirectes capables d'atteindre plus économiquement les mêmes buts. Mieux encore : capables de substituer la raison de la guerre limitée à l'irrationnelle lutte à mort.

Axiome de complémentarité

Les axiomes d'efficacité et de simplicité, la théorie préconisant les voies directes de la bataille décisive pour dénouer militairement un conflit d'intérêts politiques, doivent procéder d'une réflexion, même sommaire, sur la nature de la guerre : conflit d'unités sociopolitiques qui délèguent à leurs armées la charge de produire les effets physiques nécessaires pour provoquer un changement d'état mental chez les décideurs adverses.

Le concept d'effet physique renvoie à ceux de la mécanique : énergie, force, travail, puissance, etc. Notions plus précises depuis d'Alembert et Lagrange. Guibert sait bien que l'énergie consommée par la guerre est fournie par le potentiel humain et matériel des États; que le travail est celui des forces de violence – les armées – dont le vecteur élémentaire ne peut être qu'un couple indissociable : l'homme et ses armes. La puissance de cet instrument, appliquée à l'analogue adverse, est fonction du nombre et de la cohésion des composants; de leur intégration en formations plus ou moins complexes; d'une organisation calculée pour combiner des effets physiques élémentaires afin que leur résultante coïncide avec l'effet global recherché.

Hommes et armes sont de leur temps. La technique, la sociologie, la politique disent leurs états instantanés et les facteurs de leurs évolutions prévisibles. Guibert doit prendre en compte ce donné, traiter cette information pour développer les conséquences de son axiomatique. Or, quand il sort de l'adolescence, cette information est si équivoque, les théoriciens et les praticiens se heurtent à tant de jugements antinomiques sur la nature et les capacités de l'outil de guerre – sur les moteurs et les limites de son efficacité – que la problématique doit identifier les origines des incertitudes et suggérer une méthode pour résoudre les contradictions.

Première donnée : les armements, leurs conditions de mise en œuvre, leurs modalités d'emploi, les tactiques élémentaires des trois armes – infanterie, cavalerie, artillerie – qui déterminent la nature et la valeur des effets physiques produits sur le terrain. Apparemment, le siècle de Guibert ne marque aucune rupture dans une évolution des moyens de combat qui ne s'accélérera qu'avec les sociétés industrielles et scientifiques. Mais, quelles que soient ses lenteurs, le progrès technique a obéi à une règle qui me semble l'un des invariants de la stratégie des moyens. Si, selon Ardant du Picq, « l'homme n'est capable que d'une certaine quantité de terreur », la loi du duel l'incite naturellement à vouloir terroriser l'adversaire tout en se gardant des situations où il serait lui-même victime de cet effet paralysant. Outre les dispositions assurant la protection individuelle et collective des combattants, l'un des moyens concevables pour provoquer ce *déséquilibre de la peur* consiste à frapper l'ennemi en se maintenant hors de prise. D'où la valoration progressive des armes de jet : de plus en plus précises et destructrices, de portée de plus en plus grande, elles permettent de différer, voire de supprimer le corps à corps, moment de vérité où l'homme prend la mesure de l'homme. Que les mœurs militaires et la littérature épique aient glorifié le face à face de combattants opposant la force à la force, l'adresse à l'adresse, le courage au courage, montre assez que le combat rapproché, le choc, n'est pas si naturel que l'agressivité n'ait tenté de lui trouver des substituts. « Les tacticiens ont beau faire; ils ont beau vouloir prescrire des lois à leur guise; l'instinct et le premier mouvement l'emportent toujours. Or, il est dans l'un et dans l'autre de rendre à son ennemi, du plus loin qu'on peut, le mal qu'on en reçoit; et de croire bien ou mal à propos que le danger augmente en approchant du lieu d'où partent les coups [1]. »

Comment agir, avec quels moyens, pour surmonter la peur tout en contraignant l'autre à lui céder? Guibert se garde d'oublier l'humaine nature : il rejette les modèles tactiques qui assimilent

1. *Défense du système de guerre moderne*, I, p. 229.

une troupe lancée à l'attaque à un corps homogène dont la dynamique suffirait à compenser les défaillances individuelles : « Toutes les lois physiques sur le mouvement et le choc des corps deviennent des chimères quand on veut les adapter à la tactique; car premièrement une troupe ne peut se comparer à une masse... il existe dans une troupe composée d'individus qui, machinalement du moins, calculent et sentent le danger, une sorte de mollesse et de désunion de volontés qui ralentit nécessairement la détermination de la marche et la mesure du pas; donc plus de quantité entière de mouvement, plus de produit de masse et de vitesse, plus de choc, car le choc suppose que la vitesse une fois imprimée au corps, même par la cause motrice, continue jusqu'à la rencontre du corps choqué [1]. » Dénonciation exemplaire des métaphores trop aisément substituées aux concepts rationnels.

Leçon toujours actuelle : les analogies mécaniques, qui abondent dans les modèles tactiques et stratégiques, sont dangereuses. Elles occultent la nature de l'instrument premier du combat : l'homme, avec sa peur. On peut d'autant moins évacuer cette donnée fondamentale qu'elle a commandé la stratégie des moyens, la génétique des armements. Depuis que l'homme cherche à soumettre l'homme à sa volonté par les armes, tout s'est passé comme s'il avait voulu l'abattre en se mettant hors de portée de ses coups; comme si, à l'échelle de l'histoire de l'espèce, la volonté de survie l'emportait sur celle de vaincre. La dialectique de la vie et de la mort, de l'agressivité et de la conservation, l'a poussé à inventer les moyens de destruction capables d'accroître la distance entre les antagonistes, d'étendre le champ du duel pour diminuer la probabilité d'en être la victime. Gagner de l'espace, c'était gagner du temps, retarder le moment du contact et du dénouement irrévocable. Par une pente invincible, les armes de jet, dont l'arme à feu achève l'évolution, ont tendu à supplanter, voire à supprimer les armes d'estoc et de taille; la puissance du feu à se substituer à celle du choc. La millénaire histoire des armements trahit le rêve inavoué de la stratégie : peser sur l'esprit du politique adverse, le soumettre à une volonté étrangère en différant l'empoignade des armées, voire en rendant celles-ci superflues. A la limite, faire l'économie de l'épreuve militaire des courages grâce à des vecteurs de destruction et de mort qui effaceraient l'espace pour atteindre la nation ennemie dans ses œuvres vives et les sources de sa puissance tout en conservant ce même espace pour leur propre sûreté; des vecteurs qui contracteraient le temps pour « décider promptement », comme le souhaitait Guibert, avec le bénéfice de la surprise désarmant psychologiquement la victime. En bref, créer l'effet psychologique sans transiter par les effets physiques des armées.

1. *Essai général de tactique*, I, p. 18.

Le binôme missile balistique-arme nucléaire est l'aboutissement logique de cette évolution. Il réalise l'utopie : avec le passage à la limite de la puissance destructrice aux effets imparables et instantanés, la mort politique des États peut être donnée à distance. Non plus la mort des combattants, mais celle des peuples qui les déléguaient pour une épreuve de force, seul moyen, jusqu'à maintenant, de soumettre la puissance matérielle des États et leur volonté politique à l'épreuve de vérité. Sans doute, dans l'état actuel des choses, la démesure de la puissance de mort et la charge de terreur portées par les armes de destruction massive et instantanée interdisent-elles une stratégie nucléaire de coercition. Elles n'autorisent qu'une stratégie d'interdiction, un mode dissuasif fondé sur la manœuvre de la menace de mort collective. L'épreuve de vérité, celle de la puissance des États identifiée désormais à la capacité nucléaire et au courage moral des gouvernements et des peuples, fait l'économie de l'épreuve du courage militaire. Mais n'en subsiste pas moins, comme invariant de la relation fondamentale entre politique et stratégie, la nécessaire production d'un effet psychologique sur les décideurs antagonistes. Pour l'obtenir, les effets physiques réels sont remplacés par leur représentation imaginaire, leur probabilité d'actualisation n'étant jamais nulle dans les situations de crise qui les justifieraient. Stratégie de l'imaginaire...

La problématique guibertienne de l'efficacité intervient dans une crise déjà ancienne de l'armement et de la tactique. Provoquée par l'apparition de l'arme à feu, à la fin du XVe siècle, sa vraie nature n'est reconnue qu'au début du XVIIIe. Les guerres d'Italie avaient fourni l'occasion aux Valois de montrer l'avance acquise par leur artillerie. La coupure provoquée dans l'évolution de l'art militaire avait retenti sur les rapports entre la stratégie militaire et la politique : les monarchies centralisées s'imposèrent aux féodalités de toutes sortes et aux systèmes sociopolitiques atomisés de type italien. Non que l'arme à feu, ainsi que je l'ai dit, se soit affirmée sans résistance. Néanmoins, les plus réticents ont dû composer avec elle, lui concéder une place de plus en plus importante parmi les moyens de combat. La puissance de choc de la cavalerie, jusqu'alors décisive, a dû compter avec la puissance de feu croissante de l'infanterie et de l'artillerie.

Avec une armée nationale stimulée par une ardente foi religieuse, bénéficiant des acquis de la métallurgie suédoise qui livrait un mousquet supérieur et des canons allégés, plus nombreux et plus mobiles, Gustave-Adolphe sut exploiter une supériorité de feu décisive. Lui permettant de couvrir ses flancs ou de battre une brèche dans son dispositif, elle l'autorisait à diminuer le nombre des piquiers sur lesquels reposait jusqu'alors la capacité défensive de l'infanterie devant la cavalerie. Pour tirer tout le parti de cette puissance de feu, il substitua logiquement des formations linéaires aux lourds carrés, de type *tercio* espagnol, qui étaient jusqu'alors la formation de l'infanterie. Naturellement, on l'imita et, non moins naturellement, avec excès. Ses disciples perfectionnèrent le mousquet, diminuèrent encore la proportion des piquiers. Leurs armées s'étalèrent sur le terrain en longues lignes dont la profondeur – le nombre de rangs – fut calculée pour la continuité du feu. Cet étalement s'accentua au point que la tactique s'engagea insensiblement dans une impasse. Si le feu brisait les assauts de la cavalerie, les armées perdaient avec elle le seul moyen offensif capable d'enlever la décision : le dispositif linéaire de l'infanterie rendait le commandement et les évolutions du fantassin malaisés et lui interdisait toute manœuvre sous peine d'un désordre la mettant à la merci d'un adversaire attaquant en colonne. Mais si celle-ci était la seule formation permettant d'évoluer et d'agir par le choc, on ne pouvait l'adopter sans obérer sa capacité de feu. Au début du XVIIe siècle, la tactique était donc victime d'un blocage technique : la puissance de feu nécessaire à la défensive exigeait des dispositifs linéaires et ceux-ci étaient incapables de fournir les moyens décisifs du choc offensif.

Nouveau bond technique : le fusil équipé de la baïonnette à douille permit de réunir en un seul combattant, le fusilier, les fonctions complémentaires des anciens mousquetaires et des piquiers. La nouvelle arme se perfectionna rapidement avec les progrès de l'industrie et le fusil français modèle 1777 restera en service jusqu'en 1816 sans grande modification. S'il permettait l'assaut à la baïonnette de la ligne adverse, le fusil renforçait bien la capacité défensive de l'infanterie : la cadence de tir étant accrue, le nombre des rangs de la ligne diminua jusqu'à trois. Mais l'arme nouvelle se révéla insuffisante pour rendre cette infanterie apte à l'attaque : elle ne résolvait pas le problème du passage de la formation en ligne, nécessaire au tir, à la formation en colonnes, seule maniable et commandable pour l'abordage à la baïonnette. Dans ces conditions, la bataille du XVIIe siècle demeure stéréotypée : après la canonnade d'une artillerie déployée devant l'infanterie et qui ne manœuvre pas, les deux lignes de fantassins s'approchent à distance de tir, se fusillent jusqu'à ce que ses pertes contraignent l'une ou l'autre à décrocher. L'assaut est rare, pour les raisons déjà dites. Aux ailes, la cavalerie charge la cavalerie adverse qui lui fait face et la refoule pour prendre de flanc ou à revers la ligne de fantassins ennemis. Si cette manœuvre ne réussit pas, elle attendra leur décrochage, quand ils sont vulnérables, pour les attaquer. Dans ce schéma rigide, l'exploitation du succès est impossible : on craint le désordre, la débandade, les désertions dans les rangs des vainqueurs échappant à leurs chefs directs. Les victoires décisives sont exceptionnelles.

Durant la première moitié du XVIIIe siècle, la question tactique fondamentale s'énonce donc ainsi : comment rompre la ligne adverse malgré son tir? Comment manœuvrer ensuite pour exploiter les résultats du feu en maintenant la cohésion des troupes? En bref, comment accorder les antinomies de la ligne nécessaire au feu et de la colonne nécessaire à la manœuvre? La querelle de l'ordre mince et de l'ordre profond – de l'ordre linéaire et de l'ordre de colonne, le premier dénommé ordre prussien et le second ordre français – partage les théoriciens du temps. Les écoles s'affrontent avec une véhémence et une intolérance intellectuelle dont Guibert n'est pas exempt. Pour Folard et Mesnil-Durand, seul le choc procure le succès. Le premier préconise la rupture de la ligne adverse par des colonnes compactes attaquant frontalement sur plusieurs points. S'il admet l'ordre linéaire pour le feu défensif, les évolutions qu'il suggère pour passer de la colonne à la ligne sont compliquées, impraticables devant l'ennemi. Le second pousse à l'excès les théories de Folard et tire, d'Épaminondas et de la phalange thébaine, un modèle de plésion, lourde colonne de trente-deux rangs de profondeur. Pour passer de la ligne à la colonne, et inversement, d'autres s'enlisent dans des manœuvres compliquées et toujours risquées en présence de l'ennemi. Seul Frédéric II, qui appréciait Folard, sut, avec l'ordre oblique – ordre mince mobile – déployer sa ligne contre une aile ennemie grâce à un mouvement de flanc protégé par une avant-garde fixant et paralysant le reste du dispositif ennemi. Celui-ci, incapable de manœuvrer, était débordé. Frédéric II empruntait donc à Folard l'ordre en colonne, mais seulement pour l'approche. Le feu retrouvait sa fonction dans l'abordage, mais concentré sur le flanc vulnérable de l'ennemi.

Sans doute la formule devait-elle ses succès à la vitesse de tir du fusil prussien améliorée avec l'introduction de la lumière tronconique et de la baguette de fer; au drill féroce autorisant les évolutions sans risque de désordre; à l'impéritie des chefs opposés au génie d'un homme qui osait sous leurs yeux les manœuvres les plus aventurées. Son admiration pour Frédéric II ne dissimule pas à Guibert ce que la réussite prussienne doit à la rencontre de ces facteurs exceptionnels. Le modèle frédéricien ne rompt pas avec la bataille linéaire. Les innovations – la manœuvre de flanc à proximité de l'ennemi déployé et suivie d'une rapide conversion pour la mise en ordre de bataille, l'ordre oblique pour la rupture du dispositif adverse attaqué du fort au faible – portent la bataille linéaire à sa perfection. Terme d'une lente évolution qui épuise un champ limité de possibles, la perfection dissimule des faiblesses : Frédéric fut souvent battu par des adversaires sur leurs gardes. On ne saurait lui demander une leçon de portée universelle.

L'intérêt de ce débat ne réside pas, pour nous, dans son objet limité et digéré par l'histoire. Il offre à Guibert l'occasion d'affiner sa problématique par la critique de l'œuvre frédéricienne; de vérifier la validité de son approche théorique sur un donné expérimental, sur une information actuelle dont les chercheurs de tous bords reconnaissaient les difficultés d'interprétation. En interrogeant les éléments les plus simples de l'action de guerre, il découvre l'un des principes les plus féconds de la pratique politico-stratégique : le principe de complémentarité, ou de la solution double. Devant la double exigence de l'ordre mince, nécessaire pour actualiser la puissance du feu, et de l'ordre profond non moins nécessaire pour faire la décision par le choc, ses contemporains se bornent à un constat de contradiction : choisir l'un, c'est écarter l'autre parce qu'incompatibles. La théorie courante ne prétend à rien d'autre qu'à préconiser un choix entre deux solutions exclusives l'une de l'autre. Choix arbitraire masquant une logique de l'indécidable, faute de preuves. L'impossible preuve par la raison est donc demandée à l'histoire, refuge des impuissants à inventer : Folard en appelle à Polybe pour fortifier ce qui ne peut être qu'une opinion sans fondements rationnels. Un tiers parti, qui s'était exprimé dans une instruction de 1755 et un règlement de 1764, avait prôné le recours aux deux ordres selon les circonstances. Mais les victoires de Frédéric II ayant valorisé le système linéaire, il fut consacré en France par les ordonnances de 1774 et 1775. L'*Essai* et Mesnil-Durand relancèrent la querelle.

La tentation des doctrines unilatérales est constante dans l'histoire de la stratégie, et Guibert les reconnaît à leurs excès : « Il en est à peu près de même dans toutes les doctrines naissantes [1] », quand la vérité hésite à émerger dans la confusion des opinions et des axiomes antinomiques. Aussi, se demande-t-il, pourquoi récuser l'ordre mince en vertu des exigences de l'ordre profond, et réciproquement? Pourquoi poser comme des contradictoires les aptitudes à la défensive et à l'offensive, comme si l'esprit devait les concevoir dans une simultanéité le forçant à choisir et à exclure? Le feu et le choc ne seraient-ils pas plutôt des contraires quant à leurs objets respectifs, mais facilement réconciliables dans la durée? Le tacticien considère nécessairement des séquences liées d'opérations qui se développent entre la marche d'approche des armées, l'une vers l'autre, et le moment de vérité ou chacune s'efforce de produire sur chacune les effets physiques requis pour décider. Si les opérations qui se succèdent exigent un enchaînement corrélatif d'ordres mince et profond, pourquoi ne pas appliquer l'esprit d'invention à ce passage de l'un à l'autre plutôt qu'à l'élimination de l'un au profit de l'autre? A quoi les contemporains objectent que ce sont précisément les modalités de ce passage qui font problème, et que l'expérience a montré l'impossibilité d'une solution pratique. Guibert refuse néanmoins d'évacuer la difficulté et postule, au contraire, l'existence d'une

1. *Défense du système de guerre moderne,* I, p. 16.

solution logique : « L'infanterie étant propre à l'action de feu et à l'action de choc, il lui faut une ordonnance qui lui permette l'usage de ces deux propriétés; et au cas que la même ordonnance ne puisse servir pour les deux objets, il faut que de celle qui sera déterminée devoir être l'ordonnance habituelle et primitive, elle puisse facilement et promptement passer à l'ordonnance accidentelle et momentanée qui remplira le second objet[1]. » Or, avec l'arme à feu, « comme on se tue sans se joindre, comme il est dans la nature de rendre les coups qu'on reçoit, et de les croire plus redoutables à mesure qu'on approche[2] », le choc à l'arme blanche ne sera jamais qu'une action momentanée et retardée autant qu'on le pourra. Donc « l'ordre primitif et habituel doit être l'ordre déployé ». Mais « tous deux (le déployé et le profond) composent essentiellement leur tactique, et aucun des deux ne peut ni suppléer, ni exclure l'autre[3] » parce que, si la ligne s'impose pour l'engagement final, la colonne plus souple est la seule formation permettant les mouvements d'approche, les évolutions, la mise en place des moyens du feu et l'exploitation de ses résultats. L'analyse logique dit que les fonctions complémentaires doivent se réconcilier dans l'unité d'une tactique les assumant toutes les deux parce qu'également nécessaires, complémentaires. La pensée les accorde dès lors qu'elle les considère dans leur succession sur la flèche du temps. La catégorie stratégique du temps intervient comme un facteur d'unification des contraires et détruit la contradiction dont Guibert dénonce ainsi l'artifice.

« Il s'agit de passer de l'une à l'autre de ces ordonnances (ligne et colonne) par des mouvements simples et rapides[4] » – conformément aux principes de simplicité et d'efficacité. C'est bien là le nœud du problème : une coupure dans la suite logique des opérations, dans le mouvement général des unités marchant les unes contre les autres jusqu'à l'abordage décisif. Discontinuité puisqu'il faut passer d'une formation à une autre, mais qu'il faut considérer comme un moment de transition – un passage, dirait un peintre – dont il faut inventer les voies-et-moyens capables de répondre, d'une manière simple et rapide, aux exigences contraires de la défense et de l'attaque.

Guibert propose donc l'ordre mixte : des colonnes de bataillon pour les évolutions et le choc, formations assez légères pour permettre de passer, plus facilement et rapidement qu'avec les lourdes colonnes de « l'ordre français », à la formation en lignes, et réciproquement. Ce système, consacré au début de la Révolution par l'ordonnance du 1er août 1791, sera appliqué pendant vingt-

1. *Essai général de tactique*, I, p. 17.
2. *Défense du système de guerre moderne*, I, p. 252.
3. *Ibid.*, I, p. 249.
4. *Essai général de tactique*, I, p. 19.

cinq ans et contribuera largement aux victoires françaises. Ce n'est là, en aucune manière, l'une de ces vues syncrétiques par quoi on tente généralement d'accorder des partis opposés, mais une authentique invention qui les contraint à confesser la stérilité de leurs visions polarisées. Invention par la puissance d'une méthode qui conçoit la pratique guerrière comme une intégration d'opérations élémentaires discontinues quant à leurs objets et leurs natures – approche, prise du dispositif, feu, assaut, exploitation – mais qui composent leurs effets partiels dans la continuité d'une action gouvernée par la visée de la bataille décisive, dans une « succession continue de mouvement [1] ».

Axiomes de cohérence théorique et de continuité pratique

Dans la querelle des formations tactiques, Guibert se refuse à être le syndic d'une faillite dans laquelle chacun tente de sauver quelque chose : le feu ou le choc, au choix. Les axiomes d'efficacité et de simplicité lui font devoir de surmonter cette aporie pratique, sauf à tolérer un facteur d'incohérence qui ruinerait son projet théorique : construire une science organisant tous les éléments de l'objet de guerre et tous les moments de la pratique dans un « système de création ».

Sa méthode rompt ici avec l'empirisme contemporain. Le principe, l'axiome de cohérence théorique appelle l'invention des voies-et-moyens d'une continuité pratique. D'où le concept d'ordre mixte, concept d'intérêt très localisé mais dont l'invention révèle l'un des traits fondamentaux de la méthode guibertienne : le recours constant à un axiome de continuité selon lequel aucun moment de l'action de guerre ne saurait être isolé de qui le précède et le suit. On ne peut espérer éclairer sa nature, sa fonction, les exigences et contraintes qui définissent les voies-et-moyens assumant cette fonction si on le découpe dans l'espace et le temps de l'action globale, si on le retranche du champ des déterminations et des conséquences qui l'engendrent et le prolongent : le discontinu ne trouve son sens que dans le continu. Chaque praxème n'est intelligible qu'à travers « tous ses rapports », ses « rapports nécessaires » avec l'action globale.

Mieux encore : la fonction descriptive de l'axiome de continuité autorise à lui attribuer une fonction heuristique. Pour lever une difficulté théorique ou pratique, pour résoudre une contradiction, il suffira souvent d'effacer un *blanc* dans une continuité structurelle, de combler une lacune dans une continuité de système par l'invention d'un *moyen* rétablissant le passage entre des objets de pensée ou de la pratique relevant d'un même espace mental ou

---

1. *Essais général de tactique.*

GUIBERT

empirique, mais que l'observateur banal voit séparés, sans relations. Valéry notera ce point de méthode, souvent inconscient, qui semble l'un des invariants des processus de création : « Le secret, celui de Léonard comme celui de Bonaparte, comme celui que possède une fois la plus haute intelligence, est et ne peut être que dans les relations qu'ils trouvèrent – qu'ils furent forcés de trouver – entre des choses dont nous échappe la loi de continuité. Il est certain qu'au moment décisif, ils n'avaient plus qu'à effectuer des actes définis. L'affaire suprême, celle que le monde regarde, n'était plus qu'une chose simple, comme de comparer deux longueurs [1]. »

La fécondité opératoire du principe de continuité mentale se révèle, éclatante, chez Guibert. On le vérifie aisément avec les développements stratégiques de la solution tactique qu'il a trouvée, avec l'ordre mixte, à la querelle de portée apparemment très limitée sur les formations de combat. Comment cela ? Le problème portait initialement sur le moment, à la fois terminal et culminant, des opérations militaires déroulées depuis l'entrée en campagne jusqu'à la bataille décisive. Il intéresse ce qui se passe en bout de chaîne, quand il faut produire des effets physiques supérieurs à ceux de l'adversaire. Puisque ces effets déterminent le sort de la bataille et, à travers celle-ci, l'issue politique du conflit, c'est là que doit être appliqué dans toute sa rigueur le principe d'efficacité : les valeurs comparées des effets physiques produits par les antagonistes sont logiquement érigées en étalon de mesure de l'efficacité *pour l'ensemble du duel*. Et si tous les faits et événements de guerre reposent sur cette pointe, le combat élémentaire, celui-ci doit avoir pour objet les effets physiques maximum, tous ceux techniquement et tactiquement concevables : ils ne peuvent être de feu *ou* de choc, mais de feu *et* de choc. Le principe de complémentarité, traduit par le concept d'ordre mixte, est un corollaire du principe d'efficacité.

Mieux : si l'ensemble des opérations se résume dans et se justifie par l'acmé de la crise, l'affrontement physique, comment la théorie ne serait-elle pas logiquement tentée de poser que ce moment de vérité, où se juge l'épreuve de force, doit être déterminé, préparé, tant dans ses objectifs que dans ses voies-et-moyens, par la totalité des opérations qui le précèdent ? Consé-

---

1. Paul Valéry, *Introduction à la méthode de Léonard de Vinci* (1894). Dans une note postérieure, Valéry corrige : « Le mot de *continuité* n'est pas du tout le bon. Il me souvient de l'avoir écrit à la place d'un autre mot que je n'ai pas trouvé. Je voulais dire : entre des choses que nous ne savons pas transposer ou traduire dans un système de l'ensemble de nos actions. C'est-à-dire : le système de nos pouvoirs. » Il est vrai que, dans l'état actuel de notre outillage, le vocable continuité n'est pas pertinent. L'important est qu'il évoque la notion de système, c'est-à-dire le *système de relations*, l'englobant organisé dans lequel s'inscrivent et se déterminent le ou les objets *en question*.

quence de « l'ensemble lié » des faits et événements en amont, comment ne pas inférer, par continuité, que ce paroxysme doit être contenu en germe dans « la succession continue de mouvement » qu'il achève et accomplit? C'est dans la continuité de la chaîne d'opérations antécédentes que doit se forger le dernier maillon et que l'on doit logiquement trouver la solution réconciliant les efficacités complémentaires du feu et du choc, de la défensive et de l'offensive.

C'est dire que la solution locale de l'ordre mixte n'acquiert sa valeur réelle que si elle s'inscrit dans un ensemble, dans le système d'opérations qui prépare le moment où elle interviendra. Pour justifier logiquement l'ordre mixte, Guibert ne s'accroche pas au plan subalterne de la tactique élémentaire où l'impasse semble irrémédiable à beaucoup, et où il ne peut prouver la validité pratique de sa solution théorique. Il se hisse au niveau supérieur de la grande tactique et de la stratégique. Dans cet espace théorique et pratique plus vaste, dans cet englobant opérationnel, les objectifs des combats élémentaires – les effets physiques de feu et de choc – ne sont plus perçus comme les données d'un problème isolé de ceux que pose la totalité des opérations précédant l'abordage de l'ordre de bataille adverse : ils s'y intègrent comme un moment dans une longue séquence, dans une continuité opérationnelle au sein de laquelle la difficulté soulevée par le passage de l'ordre en colonne à l'ordre linéaire doit s'évaporer. La solution préconisée avec l'ordre mixte est rendue possible et facilitée par les opérations antérieures qui, grâce à un calcul récurrent, doivent anticiper ce moment délicat et le préparer : le but stratégique global – la bataille décisive – soumet la totalité des opérations qui y conduisent à un principe de continuité qui détermine chacune d'entre elles *et* leur enchaînement logique.

Cela est clair dans l'analyse des « marches manœuvres » précédemment évoquées : « Cette espèce de marches, en un mot, est la préparation à la plus grande opération qu'il y ait, à la formation des ordres de bataille, aux batailles qui en sont la suite; car les mouvements, par lesquels l'armée passe de l'ordre de marche à l'ordre de bataille, sont tellement liés aux combinaisons de l'ordre de marche, qu'on doit les regarder comme une seule et même opération. Je ferai voir comment cet enchaînement existe [1]. » Au domaine englobant d'une action développée dans la totalité du champ spatio-temporel couvert par la guerre, Guibert demande d'abord de ramener chaque problème tactique local à ses justes proportions; ensuite, d'en préparer la solution. La grande tactique contient, à l'état de virtualités, les possibles de la tactique élémentaire.

---

1. *Essai général de tactique*, II, p. 8 et 9.

Nous verrons comment la grande tactique guibertienne est gouvernée par l'axiome de continuité. Mon propos, ici, est la fécondité heuristique d'une méthode qui pose le principe suivant : si deux (ou plusieurs) moyens (ou conduites) d'action sont également utiles, voire nécessaires concurremment pour accomplir une même fin, s'ils semblent cependant incompatibles, les conditions d'efficacité de l'un pesant comme des contraintes dirimantes sur celles de l'autre, si on ne parvient pas à accorder les exigences de leurs emplois respectifs, leur dualité (pluralité) ne doit pas être pensée selon une logique d'exclusion. On résoudra l'aporie grâce à une logique de la complémentarité dont on trouvera la clé en adoptant un autre poste d'observation, en se plaçant à un niveau d'analyse supérieur qui révélera comment les fonctions de ces moyens (ou conduites) s'intègrent dans la continuité opérationnelle. On s'évadera du plan subordonné où les objets de pensée se nient contradictoirement pour les soumettre à l'éclairage d'un domaine englobant : il recèle à la fois les raisons théoriques de leur coexistence dans une totalité, et la réponse pratique permettant la conjugaison de leurs fonctions respectives au sein d'un système dynamique.

C'est ainsi que Guibert utilise les instruments de l'époque – le système divisionnaire, par exemple – pour inventer une combinatoire des forces, de l'espace et du temps qui permet de composer des modes opérationnels à objectifs contraires, l'offensive et la défensive, grâce à une vision stratégique unifiante. Il applique systématiquement cette méthode aux multiples antinomies théoriques et blocages pratiques qui font problème au milieu du XVIIIᵉ siècle. Qu'il s'agisse des formations de l'infanterie, des ordres de bataille, de l'emploi de l'artillerie, du rôle de la fortification, des servitudes logistiques et de la mobilité des forces, de l'organisation des unités et de leur passage sur pied de guerre, etc., il ne s'obstine pas, pour sortir d'une impasse de nature technique ou tactique, à la considérer en elle-même, retranchée dans le champ étroit et borné de ses manifestations. Il tourne toujours la difficulté en opérant un *changement d'ordre de la problématique* : il transfère les problèmes particuliers de l'ordre tactico-technique, dans lequel ils s'installent, à l'ordre politico-stratégique qui les englobe et assure la cohérence de leurs solutions. Il élargit l'espace mental et inscrit l'objet en question dans la problématique globale de la guerre. Il le relativise en transformant un énoncé local en élément d'un énoncé général qui absorbe et dissout l'aporie.

Révolution copernicienne : un nouveau référentiel remplace la référence habituelle aux données techniques et tactiques. Il reconnaît le primat de la politique et de sa transcription stratégique sur les tactiques; consacre l'obligation méthodologique de penser tout fait de guerre par un cheminement du haut vers le bas, du déterminant politico-stratégique vers les déterminés opérationnels, sauf à le corriger par des boucles de rétroaction quand les voies-et-moyens possibles s'avèrent incapables des fins projetées. Démarche conforme à une praxéologie dont Guibert est le premier à identifier la logique spécifique : elle promet non seulement l'intelligibilité d'un objet complexe, la guerre, en éclairant sa relation avec les fins politiques et les positions relatives de ses moments-composants au sein de l'ensemble, mais également une fécondité heuristique dont la théorie guibertienne fait la preuve. Sa cohérence garantit l'efficacité d'une pratique désormais conçue dans sa continuité, comme une totalisation totalisante d'actions et d'effets élémentaires logiquement liés.

Un exemple actuel : l'une des difficultés fréquemment évoquées à propos de la dissuasion nucléaire du faible au fort. Pour dénier toute efficacité dissuasive à la menace de réaction nucléaire du faible devant une agression du fort, on invoque généralement que le fort pourrait toujours répliquer aux représailles du faible par une contre-riposte nucléaire capable de le détruire. Cette seule éventualité non improbable, très probable même, assure-t-on, suffirait à interdire au faible d'exécuter sa menace, dès lors non crédible : il ne saurait décider un suicide certain. C'est là le type même du raisonnement se cantonnant dans l'ordre tacticotechnique et, à ce niveau primaire de réflexion, il est vrai que le fort possédera toujours les moyens physiques d'anéantir le faible par une contre-punition nucléaire. Mais la capacité tactico-technique de réagir dont dispose le fort est une chose. Une autre la décision d'exécuter cette contre-riposte. Pour estimer sa probabilité d'occurrence, l'analyse doit s'élever au niveau politico-stratégique. Sauf à admettre l'éventualité de réactions viscérales, peu plausibles aujourd'hui avec l'image du désastre nucléaire à l'horizon d'un conflit armé, on doit poser que toute décision stratégique d'instances responsables serait motivée par une fin politique rationnelle : l'espérance de gain associée à ce projet doit être supérieure aux risques acceptés pour l'accomplir.

Or, dans la dialectique conflictuelle évoquée ici, le fort ne pourrait décider sa contre-riposte nucléaire qu'*après* avoir enregistré sur son territoire les dommages provoqués par les représailles du faible qui aurait répliqué à l'agression conformément à sa menace affichée. Ayant *déjà* acquitté le coût prohibitif de cette punition, le fort devrait alors, mais alors seulement, décider ou non sa contre-riposte. Il en est physiquemet capable. Mais en détruisant le territoire adverse, elle annulerait du même coup l'espérance de gain qu'il convoitait et qui justifiait *politiquement* son agression initiale : sa valeur lui semblait alors assez élevée pour balancer le risque de la réaction nucléaire du faible et pour l'autoriser à déclencher un conflit armé malgré cette menace suspendue. Dans ces conditions, comment déciderait-elle *ensuite,* sans incohérence, une contre-riposte qui contredirait si évidemment les conclusions de son calcul originel? La probabilité d'une conduite aussi irrationnelle n'est certes jamais nulle. Assez réduite toutefois pour que, dans les évaluations préliminaires à sa décision d'attaquer le faible, quand il anticipe l'enchaînement probable des calculs et des décisions induits de part et d'autre par son éventuelle agression, le fort doive admettre que sa victime serait justifiée de croire qu'il agira toujours rationnellement; qu'il reculera devant l'incohérence d'une seconde décision, la contre-punition, en contradiction aussi flagrante avec ses motivations politiques rationnelles de la première. Cette référence à la rationalité des jugements et à la cohérence des conduites politico-stratégiques fonde psychologiquement la crédibilité de la dissuasion nucléaire du faible au fort. Néanmoins, comme les contemporains de Guibert, les contempteurs de la dissuasion s'enferment dans un *cercle* avec lequel ils croient épuiser la logique conflictuelle. Ils ignorent qu'ils peuvent, doivent même sous peine de paralogisme, s'en évader avec une démarche *en spirale* qui ajoute deux autres dimensions au plan tactico-technique du cercle : celles de l'espace et du temps politico-stratégiques auxquels Guibert fait systématiquement appel pour dénouer les crises de la théorie et de la pratique.

CHAPITRE 5

NAISSANCE DE LA STRATÉGIQUE

Un système de guerre architecturé

Guibert ne cite Machiavel qu'en passant. Napoléon dit peu sur sa dette envers Guibert. Même discrétion chez Jomini et Clausewitz. Les reconnaissances en filiation seraient-elles si pénibles? L'archétype guibertien est trop chargé de sens pour ne pas autoriser de multiples interprétations. Si le Clausewitz de vingt-sept ans méditant la revanche d'Iéna retient surtout l'emportement passionné du Guibert de vingt-sept ans prophétisant les élans nationaux, le Bonaparte de vingt-sept ans invente une campagne d'Italie témoignant, pour son maître, que le calcul stratégique peut faire l'histoire. Guibert enseigne à anticiper *ce qui serait possible si,* à transcrire l'imaginaire dans la réalité avec le meilleur rendement. L'économie des moyens répond à celle des pouvoirs de l'intellect : les axiomes d'efficacité, de simplicité et de continuité se révéleront principes d'action accordés aux formes de guerre qu'appellera l'irruption de forces révolutionnaires domestiquées par un style. Il faudra moins de trente ans pour que, du discours d'origine, émerge le système de guerre complet qu'il porte.

Système architecturé : ayant posé la bataille décisive comme « base établie » de son art, Guibert doit logiquement définir le système d'opérations nouant ce moment capital, puis le dénouant dans une exploitation qui précipite l'irrévocable conclusion politique. Produit de la combinatoire stratégique, la bataille intervient dans l'*Essai* comme moyen exclusif de décision entre les projets antagonistes. Pour le vainqueur, elle multiplie les possibles politiques : rien qui lui soit interdit après. Au vaincu, elle ferme toutes les issues. La dialectique conflictuelle se résout dans un lieu et un moment privilégiés où culmine la montée en puissance de la crise. Lieu et moment vers quoi tend le développement continu de l'action et où il s'interrompt, avec une brusque retombée de l'effort militaire et le recueil des résultats par la politique. Présente à l'horizon de toute guerre, la mort parle là, et tranche.

Ce que Napoléon désignera comme « la pensée de la bataille [1] » s'inscrit au cœur des processus mentaux du stratège. Vers ce foyer converge la totalité des faits et événements qui, « en saine logique » composent la victoire et en tirent les conséquences. Le calcul politico-stratégique doit anticiper le dénouement souhaité et décrire son approche grâce à une démarche régressive. Entre l'ouverture des hostilités et le lieu, la date, la forme de la bataille voulue, Guibert insère l'imaginaire de la série de décisions et d'opérations qui l'engendreront par nécessité logique. Calcul des déterminations : les actions devraient contenir en germe, réaliser progressivement et nécessairement les conditions de telle forme de bataille choisie parmi les concevables parce que répondant au but de la guerre. Il faut « engager et gagner des batailles par manœuvres [2] » : science et art suprêmes qui résument les « tactiques élémentaires » dans un système de pensée et d'action dont la bataille fournit le *point de vue d'architecture*. Science et art se donnant pour fin l'invention du groupe de transformations tactiques dont elle est l'invariant.

Dans la guerre ancienne, les batailles ne résolvaient rien parce qu'elles surgissaient, dans le cours des campagnes, comme des actes isolés, des événements erratiques sans « rapports immédiats et nécessaires » avec les séquences antérieures et postérieures; comme d'aléatoires ruptures dans le déroulement indéterminé des opérations. Aléatoires quant au lieu, au moment, à la forme, aux résultats militaires immédiats et aux conséquences politiques : « Action enfantée par le hasard », dira Napoléon de la bataille de Hohenlinden. Les maîtres du calcul ne peuvent juger une victoire qu'à l'étalon de leur travail mental...

Appliquer le principe de continuité au calcul stratégique, accorder autant d'intérêt aux connexions entre les séquences opérationnelles qu'à celles-là même, c'est aussi réduire le champ des incertitudes : on compte prendre l'ascendant sur l'adversaire supposé moins calculateur, le priver de sa liberté d'action en conservant la sienne. On prévoit des manœuvres contre-aléatoires – que Guibert nomme « contre-manœuvres » – en réponse, non seulement au hasard objectif, mais aussi à la volonté ennemie, aux erreurs et défaillances des exécutants, aux pesanteurs structurelles de l'appareil militaire.

Chercher comment prédéterminer l'action autant que le permettent les incertitudes irréductibles, c'est soumettre son pilotage

1. « ... Une seule disposition prise sur les bords du fleuve (le Tagliamento) et à peine aperçue, ce que l'Empereur appelle la pensée de la bataille, doit conduire aux portes de Vienne. » (Las Cases, *Mémorial de Sainte-Hélène*.)

2. *Discours préliminaire*, p. XXXVII.

aux mécanismes continus d'un système opératoire afin que croisse la probabilité d'occurrence de la bataille; afin qu'elle soit livrée dans des conditions garantissant une probabilité de victoire élevée; afin que le succès engendre, entre vainqueur et vaincu, un rapport de forces résiduelles tel que, désarmé militairement, l'ennemi se reconnaisse incapable de poursuivre la guerre, donc soumis politiquement.

Avec le concept d'une « stratégique » continue et architecturée, Guibert prétend résoudre l'antinomie de la théorie et de la pratique. Son art du continu, reliant et organisant des praxèmes dont la bataille surdétermine les objectifs particuliers, se substitue à l'empirisme du discontinu et de l'inorganique alors en vigueur : il se pose comme un anti-hasard. Si le vocable « plan » revient fréquemment et s'il faut concevoir un « plan de campagne à plusieurs branches [1] », c'est pour permettre à la pratique systématisée d'absorber les aléas de la circonstance sans distorsions graves qui éloigneraient le but.

A deux siècles de distance, l'œuvre de Guibert reconstitue pour nous la trace des processus mentaux qu'appelle, chez l'homme de guerre, la tension d'une volonté politique dressée contre d'autres volontés et à laquelle ils proposent les instruments d'une liberté d'action constamment compromise et constamment sauvée. Discours sur « les grandes parties de la guerre », la stratégique ne pouvait être qu'un discours *fermé* dans la mesure où aucun des actes planifiés en vue d'une fin commune n'échappe à l'enchaînement logique de leurs relations de déterminant à déterminé. Discours *ouvert* aussi parce que les prescriptions du plan, avec ses diverses « branches » établies en fonction des hypothèses d'avenir, garantissent la liberté d'action capable de leur répondre sans remettre en cause l'intangible but, l'anéantissement de l'armée adverse.

Préférer la foudre au canon [2]

L'ouverture de l'opéra annonce les principaux thèmes. Conformément à ses axiomes d'efficacité et de continuité, Guibert veut que l'entrée en campagne s'effectue avec la plus grande célérité. Les opérations ne doivent pas traîner en longueur – la guerre est onéreuse – et l'appareil militaire doit être capable de réduire au strict minimum l'inévitable temps mort marquant le passage du temps de paix au temps de guerre.

Légères, comparativement aux peuples en armes qui leur

1. *Discours préliminaire*, p. XXXVI.
2. Napoléon : « C'est un principe de guerre que lorsqu'on peut se servir de la foudre, il faut la préférer au canon. »

succéderont, les armées du XVIII⁰ siècle souffrent pourtant d'une grande inertie. Accélérer leur mise sur pied suppose un minimum de préparation dès le temps de paix. L'*Essai* propose de renforcer les régiments de troupes réglées par les milices. Mieux : les unités du temps de paix et sur pied de guerre devraient être aussi homogènes que possible. Mobilisation et concentration sur le théâtre actif étant abrégées, le commandant en chef saisira la chance, trop souvent négligée, de surprendre l'adversaire dans une position d'équilibre très précaire et de moindre résistance, attardé dans le passage sur pied de guerre.

Avec la brutalité du coup de poing, l'armée conquerra d'emblée l'initiative. Elle s'imposera à un ennemi pris en flagrant délit de réunion. Elle procurera au chef une liberté sans précédent dans le choix de ses zones d'action et de ses objectifs. Frédéric II a illustré exemplairement cette aptitude à abréger les préliminaires : « Quand la guerre arrivera, son système sera celui de tous les grands capitaines de l'Antiquité; il en portera le théâtre hors de son pays; il préviendra l'ennemi; il fondra sur lui comme la foudre; il débutera par des batailles, parce que les batailles gagnées rendent maître de grands espaces... Mais pour prévenir ainsi son ennemi, pour frapper avant l'éclair, il faut être toujours prêt, il faut avoir, non des troupes désunies et dépourvues de tout ce qui est nécessaire pour la guerre, non les éléments d'une armée. mais une armée tout équipée, tout organisée, tout instruite aux grandes évolutions, tout accoutumée à ses généraux, comme ses généraux le sont à elle, tout disposée, en un mot, à marcher et à combattre. Voilà ce qu'aucune puissance n'avait alors en Europe, et ce que le roi de Prusse créa chez lui, dès la première année de son règne [1]. » Ce précédent autorise à recommander l'unité des directions politique et militaire et, après Guibert, la littérature militaire glosera abondamment sur ce thème.

Engagées avec une résolution qui ne se démentira plus, les opérations seront conduites jusqu'à la bataille qui, devant prononcer le verdict, sera livrée toutes forces réunies pour l'ultime coup de dés. Concentration et réunion ne seront donc pensées et exécutées que pour préparer ce point d'accumulation des effets physiques que le dispositif initial doit déjà annoncer. Guibert vérifie *a contrario* la validité de son modèle d'ouverture : au cours des campagnes de Hesse et de Westphalie, de 1758 à 1762, les deux partis, sauf Broglie dont il fait l'éloge [2], ont étalé leurs forces

1. *Éloge du roi de Prusse*, pp. 42 et 43.
2. Guibert marque ainsi sa reconnaissance envers le maréchal de Broglie qu'il connaît bien et dont son père fut le major général. Lui-même a servi sous les ordres du seul général ayant marqué son temps avec Maurice de Saxe et Frédéric II. Au cours de la campagne de 1759, commandant l'armée du Main devant Brunswick, Broglie articule ses forces en divisions permanentes et se distingue en plusieurs occasions, en particulier en remportant la victoire de

en cordon sans intention de les réunir pour l'épreuve décisive. Diluées en combats épisodiques, les opérations pesèrent peu sur l'issue du conflit. Leurs effets, distribués sur une trop longue durée, ne pouvaient modifier les rapports de force : pat stratégique sans conséquence politique.

Guibert blâme « cette manière de ne jamais faire la guerre en masse, de ne point manœuvrer avec toute son armée à la fois, de ne point oser donner de grandes batailles, enfin de se morceler, de se compromettre sans cesse en corps séparés, en mouvements de détails [1] ». Il vise les généraux médiocres et s'en prend également, sans le nommer, à Maurice de Saxe. Celui-ci professait que le but de la guerre pouvait être atteint par de savantes manœuvres portant des troupes très mobiles sur les lignes de communications de l'adversaire et le harcelant, tout en évitant l'enlisement dans la guerre de sièges et le hasard des grandes rencontres : « Il faut, écrit-il dans ses *Rêveries,* épuiser tous les moyens de vaincre avant d'en venir à une action; les habiles généraux cherchent moins à livrer des combats où les deux partis risquent également, qu'à ruiner l'adversaire par d'autres voies. » Définissant ainsi la stratégie indirecte que T.E. Lawrence et Liddell Hart remettront en honneur deux siècles plus tard, Maurice de Saxe se situait aux antipodes de Guibert. D'autant plus qu'il récusait tout système, en génial improvisateur convaincu du caractère contingent de l'action de guerre.

La battue

« Puisque les armées ne s'exercent, ne s'instruisent, ne s'aguerrissent que pour se mettre en état de gagner des batailles, et que ce sont les batailles qui décident et entraînent presque toujours le succès de toutes les autres opérations [2] », encore faut-il les obtenir de l'adversaire ou les lui imposer. C'est bien la première condition d'existence de la stratégique. Or, jusqu'au milieu du XVIIIe siècle, joindre l'ennemi sur le théâtre d'opérations, le traquer, l'acculer à

Bergen. Les théoriciens français et leurs disciples de la Révolution doivent plus à ce praticien éminent, qui annonce la manœuvre moderne, qu'à Frédéric II qui ne fit que porter à sa perfection le style de la guerre ancienne. Dans la *Défense du système de guerre moderne,* Guibert cite en exemple la fin de la campagne de 1761, rappelle comment Broglie articula ses forces en sept ou huit « corps » séparés afin d'assurer leur subsistance; comment il sut les rameuter à temps devant une menace ennemie après avoir constitué un détachement de sûreté. Par un remarquable combat retardateur devant le front du dispositif articulé, ce détachement couvrit la marche convergente des « corps » vers une position reconnue. Ils purent y prendre leurs dispositions à l'abri de toute surprise et contraindre ainsi l'adversaire à renoncer.

1. *Défense du système de guerre moderne*, II, p. 150.
2. *Ibid.*, II, p. 71.

quelque obstacle et le contraindre, malgré ses dérobades, à accepter le duel dans le champ clos d'une bataille rangée, n'est pas stratégiquement possible.

Les armées se déplacent d'une seule pièce – armée-bloc – sur des trajectoires linéaires. Devant un adversaire redouté ou des circonstances défavorables, elles peuvent s'esquiver latéralement ou battre en retraite sans qu'on puisse les intercepter. D'où les marches, contre-marches et tergiversations caractérisant « la guerre ancienne », jusqu'au moment de la rencontre acceptée par consentement mutuel. Aventure périlleuse, la bataille est un coup de dés entre adversaires dont les chances sont égales. Pour qu'il en fût autrement, il faudrait savoir réunir, sur le champ de bataille, des forces supérieures à celles de l'ennemi; ce qui est à peu près interdit aux armées indivisibles de l'époque, incapables d'agir du fort au faible.

Plusieurs théoriciens, dont Guibert, s'attachent à cette difficulté d'ordre technique et opérationnelle. Au lieu de courir à l'ennemi sur une direction unique avec une armée indivise, pourquoi ne pas multiplier les axes de marche empruntés par des corps séparés? Créant un réseau de forces, une sorte de filet articulé, ces pions exploreront tout l'espace du théâtre d'opération, découvriront l'ennemi, le traqueront. Par une judicieuse utilisation du temps et de l'espace, ils le fixeront et l'acculeront à une rencontre qu'il ne pourra éluder si la battue lui a coupé tous les itinéraires de retraite.

Séduisant en théorie, le dispositif articulé devient praticable grâce au système ou principe divisionnaire adopté en France dès 1759. On désigne ainsi, à la fois, une organisation et un concept d'emploi des forces – un système – dus aux efforts conjugués des praticiens et des théoriciens afin de remédier au défaut d'aptitude manœuvrière des armées-bloc. Aux ordres d'un chef unique, l'armée est fractionnée en éléments aux effectifs sensiblement équivalents et de structures interarmes identiques : les divisions. Leur composition respecte une proportion à peu près constante d'infanterie, de cavalerie et d'artillerie. Chaque division doit être dotée du nécessaire pour vivre et combattre isolément pendant un certain temps; c'est-à-dire à une distance du gros de l'armée calculée de telle sorte que celui-ci puisse être rameuté pour soutenir la division détachée, si elle était accrochée, avant que sa capacité de résistance soit épuisée. La combinaison des armes confère à chaque division une capacité, donc une autonomie de combat déterminée.

Le fractionnement n'est pas un but en soi. Le procédé permet d'utiliser à plein l'espace et le temps en combinant le mouvement et le combat des divisions qui sont à la fois autonomes, pour leur mission du moment, et coordonnées par le plan de manœuvre de l'armée. D'où un système d'opérations « dont les parties sont liées [1] » et s'inscrivant, dans l'espace-temps du théâtre, en une succession d'expansions et de contractions : le système articulé des forces peut procéder à des détachements de divisions pour traquer l'ennemi et les concentrer pour l'abattre. La manœuvre est donc valorisée. Elle ne se réduit pas aux quelques variantes de la direction unique sur laquelle progressait la totalité de l'armée indivise : elle devient le jeu complexe de forces ditribuées sur un réseau de directions, parfois divergentes, parfois convergentes, et capables d'actions diverses selon leurs missions temporaires. L'économie des forces succède à ce que Rüstow nommera « l'économie des directions ».

L'impérieuse nécessité du fractionnement fut souvent ressentie avant le XVIIIe siècle : chaque fois que, dans le cadre d'un plan général et pour obtenir un résultat précis, un chef dut diviser son but en objectifs élémentaires devant être atteints simultanément pour que la fin unique fût accomplie. Ainsi opérèrent Épaminondas marchant sur Sparte en trois colonnes, en − 373; Alexandre sur les bords de l'Hydaspe pour vaincre Porus. Gengis Khan progressait généralement sur trois colonnes distantes au minimum d'une journée de marche et Soubotaï fit converger trois colonnes sur le Danube, en 1421. Luxembourg à Fleurus, Berwick dans les Alpes, Villars entre Escaut et Deule, articulèrent leur dispositif. A Torgau, Frédéric II prit l'ennemi à revers avec le gros de l'armée et confia un détachement à Ziethen pour l'attaque de front (1760).

Mais il ne s'agissait que d'expédients temporaires : le succès obtenu, les forces se soudaient à nouveau en un bloc indivis. Le système divisionnaire institue au contraire une structure souple et permanente qui permettra de résoudre tous les cas possibles de marche à l'ennemi, de prise de contact, de préparation à la bataille, etc. Elle contient en puissance tous les dispositifs requis par chaque situation. Maurice de Saxe a pressenti que cette organisation des virtualités accroissait la liberté d'action : en 1747, il met sur pied des divisions permanentes pour marcher sur Liège et Maestricht. En 1759, et sur les conseils de son major général, père de notre auteur, Broglie répartit les divisions de l'armée sur une grande surface : on peut le considérer comme le véritable promoteur du système divisionnaire, définitivement adopté dans son principe. Les idées se précisant, en partie grâce à Guibert, et les essais se multipliant en temps de paix, le Conseil de la Guerre adopte, en 1788, les divisions militaires territoriales qui marquent une étape vers les divisions autonomes dans les armées de campagne [2].

1. *Défense du système de guerre moderne*, II, p. 96.
2. L'évolution se poursuivra. En 1793, Dubois-Crancé mettra la dernière main à la réforme. La nécessité et l'ardeur des généraux révolutionnaires dirigés par

Guibert paraît donc dans le moment où l'appareil militaire subit une transformation structurelle qui demeure l'un des grand événements de l'histoire des guerres. Les combinaisons opérationnelles, jusqu'alors linéaires, se conçoivent et s'inscrivent désormais dans plusieurs dimensions. Le principe divisionnaire porte en germe un changement radical dans les processus de création du stratège. Celui-ci doit désormais considérer des structures dynamiques dont chaque élément assume une fonction, selon sa mission particulière, dans l'espace et le temps. Mais ces fonctions élémentaires ne sont ni indépendantes ni permanentes : elles demeurent déterminées par le but global de l'armée qui assure leur composition. Elles en épousent les variations. Le travail intellectuel du chef consiste donc à concilier les exigences et contraintes que son but de guerre impose à l'action d'ensemble comme un principe unitaire et de continuité, avec celles que le principe d'efficacité dicte aux divisions temporairement engagées dans leur mission particulière : la pensée doit constamment conserver « la possibilité d'embrasser d'un coup d'œil l'ensemble et les détails [1] ».

La mise à mort

La portée de la novation divisionnaire est immense. Guibert, le premier, voit le parti que l'on peut tirer de la capacité manœuvrière offerte par ce système dont il rappelle l'ancienneté, tout en s'étonnant que l'on ait tant tardé à l'exploiter : « Qui pourra croire que les Anciens aient connu cet ordre de division et que nous ayons été si longtemps à l'appliquer à nos armées, devenues cependant si nombreuses et si compliquées? On lit dans Quinte-Curce que l'armée d'Alexandre était partagée en plusieurs divisions, il nous dit leur nombre, leur force et les généraux qui les commandaient : cela prouve que beaucoup de gens lisent sans fruit, et que les choses simples et grandes ne frappent pas la plupart des hommes [2]. »

Des mouvements des armées, il attend qu'ils construisent la bataille autant qu'ils l'amènent. Ils ne seront plus les lentes

Carnot donneront toute sa portée à la transformation. Bonaparte lui conférera les caractères qui valent encore de nos jours. Enfin, les effectifs augmentent avec le caractère national et totalitaire des conflits, il faudra construire l'indispensable pyramide de commandement par le procédé de duplication : en 1800, le nombre croissant des divisions conduira Napoléon à créer le corps d'armée ou groupement de divisions. En 1812-1813, il mettra sur pied l'échelon armée groupant des corps d'armée, mais la formule échouera faute de chefs capables de diriger de telles masses. Elle ne prendra sa forme définitive qu'en 1866-1870 avec Moltke. En 1916 apparaîtront les groupes d'armées et, chez les Soviétiques, au cours du second conflit mondial, les fronts équivalents en gros aux groupes d'armées.

1. *Défense du système de guerre moderne*, II, p. 2.
2. *Essai général de tactique*, II, p. 44.

marches processionnelles d'une masse rigide, mais des « marches-manœuvres » d'une structure souple ratissant le théâtre d'opérations, se modelant sur ses accident et contrôlant ses accès : une battue débusquant et forçant le gibier : « Si on est sur la défensive, il faut tenir les débouchés ou les points par où l'ennemi pourrait embrasser les flancs ou se porter sur les objets que l'on couvre. Si l'on est sur l'offensive, il faut tenir les débouchés par où l'on peut marcher à lui; il faut menacer les points qui l'intéressent; il faut, enfin, s'étendre pour l'embrasser et pour l'obliger lui-même à s'étendre, et par là à s'affaiblir [1]. »

Le dispositif articulé garantit la liberté d'action. L'armée est en garde sur toutes les directions dangereuses et sans consacrer, à sa sûreté éloignée, des détachements permanents irrécupérables pour le choc décisif. Ainsi est résolu économiquement le problème des troupes légères qui se sont multipliées pour assurer les tâches secondaires, mais qui sont perdues pour la bataille. On peut s'éclairer par des avant-gardes, se couvrir et stationner en sûreté sans être obligé de regrouper ses forces dans des camps, selon l'usage d'alors, perdant ainsi beaucoup de temps en fin de journée. Aussi Guibert attache-t-il une grande importance à l'avant-garde dont il a vu l'ébauche chez Frédéric II. Ouvrant la marche et éclairant les gros de l'armée, prenant contact avec l'ennemi, elle renseigne le chef et lui procure les délais nécessaires pour monter sa manœuvre sans hypothéquer sa liberté d'action : derrière elle, les forces en marche conservent la possibilité de se déployer au moment et selon le dispositif suggérés par l'attitude adverse : « Marcher avec son avant-garde... pour de là reconnaître d'une part le terrain et l'ennemi, et de l'autre observer l'ensemble de son propre ordre de marche, et pour diriger, avancer, ou retarder ses colonnes, suivant les circonstances et relativement aux mesures qu'elles lui dictent [2]. »

Mieux : tout en assurant la liberté d'action, les marches-manœuvres permettent simultanément d'entamer celle de son adversaire. On le paralysera en le plaçant devant une pluralité de directions d'attaque possibles et devant lesquelles il devra se mettre en garde également. Elles remplissent « le grand objet qui est de jeter l'ennemi dans l'incertitude et de diviser beaucoup ses forces [3] ». Cela devient possible avec l'aptitude aux expansions et aux concentrations rapides du système articulé. Les expansions ont pour objet d'embrasser le plus vaste terrain afin d'accroître la probabilité de rencontrer l'ennemi. Les concentrations font converger brusquement les colonnes de division sur le foyer, le champ de bataille choisi et, mieux encore, sur un point faible du dispositif

1. *Défense du système de guerre moderne*, II, p. 36.
2. *Ibid.*, II, p. 68.
3. *Ibid.*, II, p. 95.

adverse. On peut donc manœuvrer du fort au faible. En combinant l'économie des forces et l'économie des directions, le système divisionnaire multiplie les possibles tactiques.

La bataille peut dont être préparée à longue échéance, anticipée dans son existence sans l'être obligatoirement dans sa forme avant que l'ennemi, exactement reconnu, soit fixé. Le front total du dispositif de marche-manœuvre étant supérieur au front de bataille, le principe étant « d'embrasser et d'agir sur de grands fronts [1] », l'ennemi concentré prématurément en une seule masse sera aisément enveloppé en combinant les axes de marche des divisions indépendantes. Puis on prolongera cette approche par une attaque de flanc, à revers, ou sur les arrières de l'adversaire immobilisé par des pressions frontales : « Ce qui procure dans une attaque les plus grands avantages et l'avantage le plus décisif, écrit Guibert, c'est sûrement de tourner, de flanquer et d'embrasser l'ennemi. Il n'y a d'attaque bien entendue et suivie d'un succès heureux que celle qui embrasse et qui flanque l'attaque et, par conséquent, se développe sur un front plus grand que celui de l'ennemi [2]. » Si, au contraire, l'ennemi se dissocie et si les renseignements permettent de localiser ses détachements, on accentuera cette fragmentation, on se placera en position centrale afin d'écraser successivement les corps isolés et imprudemment livrés à leurs seules forces. Ainsi se dessinent les deux types de manœuvres, sur lignes extérieures et sur lignes intérieures, définies plus tard par Jomini. Dès lors, rien n'interdit, comme on le pensait jusqu'alors, de manœuvrer devant l'ennemi. Pour Guibert, « aucune évolution n'est impossible ni imprudente en présence de l'ennemi si on peut l'exécuter avant qu'il ne puisse la traverser » : une distribution calculée des divisions dans l'espace et le temps permet de manœuvrer en sûreté.

Quelle que soit la forme de la bataille imposée par le terrain et l'ennemi, il s'agit toujours de rechercher le maximum d'efficacité dans l'ultime affrontement, de « porter à son ennemi des coups imprévus et décisifs [3] ». Là intervient le problème des ordres de bataille – qu'il ne faut pas confondre avec les ordres ou formations de l'infanterie précédemment évoqués. Il s'agit du dispositif pris par l'ensemble de l'armée relativement à celui adopté par l'armée adverse pour engager la bataille. Les théoriciens discutent des mérites comparés de l'ordre parallèle et de l'ordre oblique. Mais ils insistent trop sur leurs caractéristiques géométriques; ce qui, pour Guibert, est une vue étroite des choses. L'essentiel demeure le but visé en adoptant tel ou tel ordre. Or, l'ordre parallèle est une

---

1. *Défense du système de guerre moderne*, II, p. 95.
2. Idée que Bonaparte retiendra : « C'est en tournant l'ennemi, en se portant sur son flanc, qu'on gagne les batailles. »
3. *Défense du système de guerre moderne*.

« disposition de bataille dont le front développé parallèlement à celui de l'ennemi, peut entrer en action à la fois avec toutes les parties qui la composent [1] ». Guibert dénonce les inconvénients de cette « disposition informe et d'instinct » : elle ne permet pas de concentrer les efforts sur un secteur vulnérable du dispositif ennemi. Les stratèges de talent l'avaient bien senti, dans le passé, puisqu'ils souhaitaient « porter l'élite de leurs forces à un des points de l'ordre de bataille, n'engager le combat que sur ce point, et mettre hors de prise toutes les autres parties de leur disposition [2] ». Définition de l'ordre oblique dont Épaminondas et Frédéric II donnèrent l'exemple, mais avec des armées-bloc et sans exploiter les ressources que propose désormais le système articulé des divisions.

C'est pourquoi, s'évadant des définitions géométriques qu'autorisait l'ancienne stratégie linéaire, Guibert généralise la notion d'ordre oblique en la traduisant en termes d'économie des forces : « Pour qu'un ordre de bataille puisse être réputé oblique, il n'est pas nécessaire que le front de cet ordre dessine exactement une ligne oblique par rapport au front de l'ennemi; car rarement les terrains et les circonstances permettent qu'une pareille régularité puisse avoir lieu. J'appelle donc oblique toute disposition où l'on porte sur l'ennemi une partie et l'élite de ses forces, et où l'on tient le reste hors de portée de lui; toute disposition, en un mot, où l'on attaque avec supériorité un ou plusieurs points de l'ordre de bataille ennemi, tandis qu'on donne le change aux autres parties et qu'on se met hors de mesure de pouvoir être attaqué par elles [3] ». La différence est considérable avec l'ordre oblique frédéricien, dispositif *a priori* : l'armée manœuvrait en bloc à l'approche du dispositif adverse, préalablement fixé de front par l'avant-garde prussienne, de telle sorte que, par une dernière conversion, elle se présentait obliquement au front ennemi dont elle pouvait attaquer une des ailes. Pour Guibert, l'ordre oblique est de « circonstance » : il ne consiste pas en un dispositif *a priori* adopté sous les yeux de l'ennemi en bataille, mais résulte des « marches-manœuvres » des divisions articulées, « opération la plus importante, car elle est la préparation à la formation des ordres de bataille et aux batailles qui en sont la suite ». Nous retrouvons le principe de continuité.

Ce principe général posé, les prescriptions de Guibert relatives aux attaques de flanc ou sur les arrières permettent d'engager la bataille en tirant parti de l'effet de surprise et du déséquilibre procuré par l'attaque du fort au faible. « L'ordre oblique se formant presque toujours sur une des ailes de l'ennemi et son objet

1. *Défense du système de guerre moderne*, II, p. 100.
2. *Ibid.*, II, p. 102.
3. *Ibid.*, II, p. 112.

alors devant être de la déborder et de la prendre à revers, il faut qu'aussitôt que le général a déterminé celle qui veut attaquer, les colonnes dirigent leur tête et marchent en écharpant vers ce flanc, de manière qu'au moyen du déploiement, l'aile qui doit engager le combat déborde l'ennemi et puisse le prendre en flanc [1]. » « Enfin si l'ennemi fait presser et pousser sans relâche, il se peut que d'une armée entière dans une telle disposition, il ne s'échappe personne pour aller porter la nouvelle du désastre [2]. » Carnot et Napoléon retiendront la leçon...

Ainsi, à l'accroissement de la liberté d'action stratégique, s'ajoute la liberté d'action tactique. Auparavant, les généraux ne décidaient leur plan de bataille qu'au vu des dispositions adverses pour la rencontre. Le système divisionnaire permet désormais de différer le choix des formes que prendra le choc décisif et d'adopter au dernier moment, en parfaite connaissance de cause, celle jugée la plus efficace. Nombreuses sont celles contenues, virtuellement, par le dispositif divisionnaire, l'ordre de marche articulé et les manœuvres préparatoires : « C'est cet ordre de marche, toujours le même, qui donne au général la facilité de combiner dans le moment et à la vue de l'ennemi tel ou tel ordre de bataille qu'il juge à propos. » D'où l'aphorisme de Napoléon : « Dans un art aussi difficile que celui de la guerre, c'est souvent dans le système d'une campagne qu'on conçoit le système d'une bataille. Il n'y aura que des militaires très exercés qui comprendront cela. »

C'est là un système de manœuvres ouvert ou à plusieurs entrées – « à plusieurs branches » –, une matrice de combinaisons également possibles, également praticables sur le terrain et obéissant toutes à la « pensée de la bataille » qui les finalise. Les composantes, les formes et les effets probables de ces actions possibles seront calculés à partir du nombre de colonnes, des distances qui les séparent – donc du temps nécessaire pour leurs concentrations ou leur éclatement – et de la valeur des forces ainsi déployées. Pour la première fois, l'art militaire prend conscience de sa logique opératoire et de la nature de son matériau : le temps, l'espace, les forces... et l'Autre.

Système et génie

Rien de plus séduisant pour l'esprit que le « système de guerre » guibertien. A deux cents ans de distance, rien de plus évident. Encore faut-il des hommes capables du calcul stratégique et qui ne se laissent pas détourner du but par les « accessoires ». Le mot

1. *Défense du système de guerre moderne*, II, p. 156.
2. *Ibid.*, II, p. 87.

revient fréquemment sous la plume de Guibert. Il pressent que, fascinés par la fécondité du système divisionnaire, les médiocres seront incapables de discerner l'essentiel dans les combinaisons possibles. Comprendre n'est pas inventer. Si le système est riche de virtualités théoriques, encore faut-il qu'il « se modifie, se plie, s'accommode aux temps, aux lieux et aux cas; parce que, dans la pratique, les systèmes absolus et exclusifs s'évanouissent toujours; et que, depuis la nature qui agit dans l'espace, jusqu'à l'homme qui agit dans un point, tout me paraît plein d'exceptions, de distinctions et de variétés [1] ».

L'articulation en divisions autonomes contient en puissance la concentration des efforts, la maniabilité et la souplesse. Elle recèle aussi le risque des fautes irréparables si l'on oublie qu'il faut « remplir le plus d'objets avec le moins de moyens possibles [2] ». La constitution de détachements, qu'exige la pluralité des tâches élémentaires procurant la bataille décisive, peut provoquer l'éclatement d'une structure conçue comme un tout au regard de ce but stratégique. Naguère, la rigidité de leurs axes de marche conduisait les armées-bloc à consacrer, à la garde des points clefs du théâtre (passages obligés, places fortes, etc.), des éléments permanents. De faible importance, certes, leur somme pesait lourd au moment de l'épreuve finale. Si, avec la nouvelle formule, les divisions doivent être découplées pour les manœuvres préparant la bataille et rameutées pour la livrer avec le maximum de forces, ne court-on pas le risque d'opérer trop tardivement leur concentration? Afin de ménager l'effet de surprise, ne sera-t-on pas tenté de maintenir trop longtemps le dispositif largement aéré sous prétexte de réserver, jusqu'au dernier moment, la possibilité de varianter les directions d'approche et d'attaque en fonction de la dernière position reconnue de l'ennemi? Sous prétexte qu'il « ne faut jamais manœuvrer devant l'ennemi [3] », ne sera-t-on pas tenté de conserver le futur le plus longtemps possible en suspendant le choix du point d'application des forces, ce qui impliquerait de différer la concentration? Ce faisant, ne risque-t-on pas de placer chaque division dans une situation précaire devant une éventuelle concentration d'un adversaire toujours capable, s'il sait manœuvrer, de devancer la nôtre?

S'il n'existe pas d'antinomie théorique entre la dispersion pour la manœuvre et la concentration pour l'effort décisif, la pratique est singulièrement plus délicate. C'est là qu'interviennent coup d'œil et calcul. Si Frédéric II conseillait de consentir « le moins de détachements possibles », jouant ainsi sur leur nombre, Guibert

1. *Défense du système de guerre moderne*, II, p. 14.
2. *Essai général de tactique*, II, p. 119. Excellente définition du principe d'économie des forces.
3. *Ibid.*, I, p. 53.

fait intervenir le temps et l'espace : « Il y a sans doute des opérations, des dispositions, des circonstances qui imposent la nécessité de former des corps détachés et des avant-gardes; mais autant qu'il est possible ces corps ne doivent pas être permanents [1]. » « Ne morceler une armée que le moins qu'il est possible... Tout l'art est aussi de s'étendre sans se mettre en prise, d'embrasser sans se désunir, de lier ses opérations ou ses attaques, de prendre des flancs sans le prêter, de donner échec enfin sans le recevoir [2]. » « C'est là que l'homme supérieur hasarde plus que l'homme médiocre, parce qu'en même temps qu'il connaît mieux les inconvénients de ce qu'il hasarde, il prévoit, il combine, il prépare mieux les préservatifs et les ressources [3]. »

Ces idées étaient dans l'air. Dans les *Principes de la guerre en montagne* de Bourcet. Dans l'*Essai sur l'influence de la poudre à canon*, Mauvillon insiste sur la nécessité de concilier détachements et concentrations : « Il faut que tous ces corps soient dans des positions où ils puissent se maintenir assez de temps contre des forces supérieures pour qu'on ait celui de venir à leurs secours. » On voit donc apparaître la notion de capacité de résistance d'un élément isolé. Dans ses *Éléments de la guerre* (1773), Le Roy de Bosroger reprend le principe de continuité : « Un général habile amène de loin une bataille par d'autres opérations qui forcent l'ennemi à faire ce qu'il veut, et le font, pour ainsi dire, arriver jusque sur le champ de bataille qu'il s'est préparé. » Le chevalier de Chastelux insiste sur la sûreté par le dispositif : « Il est nécessaire que l'ennemi ne puisse dépasser les flancs de l'armée et marcher sur ses derrières sans la rencontrer et, par conséquent, sans être obligé de la combattre. » Napoléon confirmera les dimensions et la puissance requises de l'esprit stratégique aux prises avec les exigences antinomiques d'une combinatoire de l'espace, du temps et des forces : « Le secret des grandes batailles consiste à savoir s'étendre et se concentrer à propos. » Ou : « Et précisément tel qui voudra conserver sous la main le plus de troupes possibles, tiendra son armée concentrée, enverra de faibles détachements à la garde d'un poste, d'un magasin; destinés ainsi à des tâches précises, ces détachements y resteront liés au jour de la bataille. Au contraire, le général qui répartit son armée sur un front assez étendu, peut couvrir par ce seul fait magasins et communications, sans y affecter de détachements spéciaux. Moins concentré la veille du jour décisif, il l'est davantage au moment critique. En résumé, la guerre a ses nécessités inéluctables, auxquelles il faut se plier; la seule manière de parer à tout est de s'étendre raisonnablement, en pleine connaissance de cause, avec

1. *Défense du système de guerre moderne*, II, p. 151.
2. *Ibid.*, II, p. 37.
3. *Ibid.*, II, p. 23.

l'idée bien arrêtée que les diverses parties de l'armée ne sont pas chargées de missions spéciales, que ce sont des bras étendus qu'on refermera soudain sur l'ennemi. Il faut s'étendre pour ne pas faire de détachements. »

Hanté par le principe de continuité, qui doit gouverner la logique opératoire, Guibert se refuse à voir dans la stratégique autre chose qu'une intégrale d'actions différentielles : la valeur propre de chaque moment opérationnel ne s'apprécie que par référence à la finalité globale. Offensive et défensive n'ont pas de significations propres. Ces postures ne reflètent pas plus le tempérament des chefs que les orientations du plan de campagne sont reflétées par le projet politique : quel que soit ce dernier, il s'agit toujours de détruire l'ennemi. Toutefois, la stratégique enchaîne nécessairement des temps forts et faibles dans la composition des tensions : elle épouse la durée, sans hiatus, à travers le *fondu enchaîné* des manœuvres, contre-manœuvres et épreuves de force. Développement variant son tempo avec la circonstance, le milieu géographique, l'état des forces et l'ennemi. Offensive et défensive ne sont que modes complémentaires du processus dialectique par quoi chacun tente de soumettre l'autre à sa loi. En langage cybernétique, elles traduisent, pour chaque partenaire du jeu stratégique, l'état instantané des tensions résultant de la composition des actions, réactions et rétroactions qu'il décide ou enregistre.

Le système divisionnaire offre à Guibert le moyen d'instaurer une continuité opérationnelle grâce à laquelle on construira la totalité dynamique des actions élémentaires en fonction de sa finalité globale. De ce principe de continuité procédera la liberté de création la plus efficace pour qui saura en exploiter la fécondité par des calculs précis. Art exigeant l'*économie des forces mentales :* intelligence prompte à embrasser à la fois l'ensemble et le détail des structures dynamiques, amies et ennemies, en perpétuelle évolution sur le théâtre d'opérations. Esprit capable d'inventer, en chaque instant, les actes exigés par la dialectique des forces mues par des volontés antagonistes et qui, aussi rigoureux que soient leurs calculs prévisionnels, ne sauraient éliminer l'aléatoire et le hasard. Caractère capable de discerner le « point central » de chaque situation et de négliger « l'accessoire », malgré les risques de tout choix, afin de mieux appliquer son énergie à l'acte capital au point et au mouvement voulus. « Tour l'art des mouvements ou des grandes manœuvres d'armée réside dans la tête du général [1]. »

---

1. *Défense du système de guerre moderne,* II, p. 68.

Statique et dynamique

La « grande guerre » substitue la manœuvre aux errements du temps et suppose la mobilité des forces. Sans doute, une armée n'est pas en continuel mouvement et occupe des « positions » d'attente entre les phases actives. Tout se passe cependant chez Guibert comme s'il s'accommodait mal des périodes statiques qui interrompent la « succession continue de mouvement » vers la bataille.

Il ne s'y résigne que sous condition : en vertu du principe de continuité, les postures d'attente s'inscriront dans « le système de guerre ». Le choix du lieu et du moment pour les positions, l'attitude qu'on y adoptera ne détourneront pas l'esprit de l'essentiel, la battue et la mise à mort : « C'est de l'état de repos qu'une armée passe à l'état d'action. Avant d'agir, avant de combattre, ou pour mieux dire, en attendant qu'elle agisse ou qu'elle combatte, et lorsqu'elle n'agit ni ne combat, il faut donc qu'une armée soit établie dans une position. Il faut que cette position soit telle que cette armée puisse y camper, y subsister, s'y défendre si elle est surprise et attaquée; couvrir ou menacer les points qui l'intéressent et, enfin, en déboucher avec liberté pour marcher où il peut bien être nécessaire de se porter... Le choix des positions est donc aujourd'hui une des principales branches de l'art de la guerre. Aux positions sont liés les campements, puisque c'est d'après les positions que les campements sont déterminés; les ordres de marche puisque l'objet des marches est toujours de porter l'armée d'une position à une autre; les ordres de bataille puisque, lorsqu'on est sur la défensive, c'est d'après la position qu'on occupe qu'il faut déterminer celui qu'on doit prendre; et que, quand on est sur l'offensive, c'est d'après la position qu'on veut attaquer qu'il faut le déterminer encore; les subsistances enfin, puisque ce sont les positions qui les fournissent, les couvrent et les procurent. » Une position « n'en sera pas moins une mauvaise position... si enfin elle ne favorise pas ses opérations ultérieures, en même temps qu'elle contrarie celles de l'ennemi [1] ».

La volonté d'utiliser à plein les ressources de l'espace et du temps [2], de ne pas se laisser distraire par les accessoires, est manifeste dans l'opinion professée par Guibert sur des positions plus figées dans l'espace et plus dévoreuses de temps : les places fortes. Il en conteste l'efficacité : « Sans les places, les guerres seraient plus dévastatrices, l'intérieur des États courrait plus de risque. Voilà de toutes les objections la plus fondée, et celle qui

1. *Défense du système de guerre moderne*, II, pp. 3, 4 et 10.
2. « L'art de la guerre consiste à gagner du temps. » (Napoléon à Joubert, 17 février 1797.)

milite le plus fortement en faveur des places. Approfondissons la soigneusement. De la manière dont se fait la guerre aujourd'hui, il est constant que (les places) empêchent les incursions et retardent l'invasion d'un pays. Il reste à savoir seulement si les places seraient des obstacles pour les armées autrement constituées que les nôtres, si une cavalerie infatigable et facile à nourrir, comme celle des Numides et des Tartares, craindrait de passer entre elles pour aller faire des courses dans le pays et rentrer par une province opposée. Reste à savoir si un général, homme de génie, à la tête d'une armée qu'il aurait accoutumée à la patience, à la sobriété, aux choses grandes et fortes, n'oserait pas laisser derrière lui toutes ces prétendues barrières, et porter la guerre dans l'intérieur des États, aux capitales mêmes [1]. »

Guibert intervient là dans une querelle d'école. Querelle de techniciens, d'abord, sur l'efficacité relative des différents systèmes de fortification devant la puissance croissante des feux d'artillerie. En 1741, Cormontaigne, ingénieur, publie une *Architecture militaire ou l'art de fortifier* que suivent un *Art militaire* et un *Traité de l'attaque des places*. Il ne remet pas en question l'héritage de Vauban. Montalembert s'en écarte en proposant un tracé plus économique et permettant une meilleure exploitation des feux d'artillerie. Il publie, de 1776 à 1796, la *Fortification perpendiculaire ou l'art défensif supérieur à l'offensif*, réfuté par le général Fourcroy alors à la tête du génie et contestant que l'on puisse faire mieux que Vauban et Cormontaigne. Deux autres sapeurs participent au débat : Le Michaud d'Arçon qui, dans sa *Défense d'un système de guerre nationale* (1779), prend Guibert à partie; Lazare Carnot, alors partisan convaincu de la guerre de siège dans son *Éloge de Vauban*. Il changera d'opinion, adoptera les idées de Guibert et de Grimoard sur la bataille décisive lorsque le Comité de salut public le chargera de responsabilités stratégiques.

Guibert dédaigne la polémique des techniciens. Seule l'intéresse la fonction des places fortes dans le nouveau style de guerre. L'étude de leur rôle, fondé sur les nouvelles règles d'efficacité imposées aux forces en campagne, doit remettre à leur juste place les débats sur le tracé et le profil de la fortification. On retrouve sa méthode : procéder du déterminant au déterminé, de l'englobant vers l'englobé. Les places de guerre, comme les positions, se déterminent rationnellement à partir des finalités politico-stratégiques. Il faut donc réexaminer le « rapport de la science des fortifications avec la tactique et avec la guerre en général [2] ».

Il se souvient du poids des places sur la conduite de la guerre au

1. *Essai général de tactique*, II, p. 81.
2. *Ibid.*, II, p. 82.

siècle précédent. Poids excessif paralysant des commandants en chef liés au réseau de places fortes pour leurs subsistances : « On verra toutes les erreurs dans lesquelles on est tombé, faute de n'avoir pas combiné les fortifications avec la tactique [1]. » « Le but des fortifications? C'est de mettre une troupe inférieure par le nombre, par le courage ou par la science des mouvements, en état de résister à une troupe qui lui est supérieure en quelqu'un de ces points. Donc toute fortification suppose des vues défensives, et n'est par conséquent qu'un pis-aller de la troupe qui s'y renferme; donc toutes les fois qu'un général se sentira la supériorité du génie, et qu'il verra ses troupes plus nombreuses et plus aguerries et plus manœuvrières, il se gardera bien de mettre des retranchements devant lui, il prendra l'offensive, il manœuvrera, il attaquera. Ou, si quelquefois il reçoit le combat, ce ne sera que parce qu'il aura mis l'ennemi dans la nécessité de le donner avec désavantage, ou parce qu'il préméditera un mouvement qui, avant le combat ou pendant le combat même, lui rendra l'offensive qu'il aura paru abandonner [2]. »

Outre le rappel obsédant de la nécessaire continuité, l'analyse de la fortification, objet de tactique élémentaire, remonte vers un objet d'ordre supérieur : la nature de la guerre, offensive dans son principe même si la conjoncture contraint à une défensive de circonstance et temporaire. Paradoxalement, ce sont les chapitres de l'*Essai* consacrés à la fortification qui éclairent le plus crûment sur la dynamique de la stratégie guibertienne, sur la volonté d'offensive. Non que l'*Essai* rejette toute défensive, nous l'avons vu. Mais « il n'y a de bonne défense que celle qui est offensive, et qui multiplie les obstacles sur les pas des assiégeants [3] ». Même bornée dans son objet et temporaire, elle sera une « défensive de grand genre », mordante, dynamique, simple variation de tempo dans l'enchaînement des opérations : « Je veux que l'ennemi ne puisse l'attaquer de vive force dans sa citadelle; il le désolera par des courses sur ses flancs, sur ses communications, sur le pays qui l'intéresse; il s'approchera de lui, il le resserrera, il l'assiégera; offensif et mobile, il prendra sur cette armée ainsi retranchée, tous les avantages que l'assiégeant a sur l'assiégé [4]. » L'histoire récente montre que la défensive reposant sur les places fortes est vouée à l'échec « tant il est vrai que le destin des places est toujours réglé par celui des combats, que les places ne sont qu'un accessoire, et que l'important, la chose à laquelle on doit s'attacher, c'est à avoir une armée supérieure en manœuvre, et maîtresse de la campagne [5] ». « Une armée bien constituée et bien commandée ne doit

1. *Essai général de tactique*, II, p. 82.
2. *Ibid.*, II, p. 83.
3. *Discours préliminaire*, p. XXX.
4. *Essai général de tactique*, II, p. 83.
5. *Ibid.*, II, p. 91.

jamais trouver devant elle de position qui l'arrête... Un général qui secouera, à cet égard, les préjugés établis, embarrassera son ennemi, l'étonnera, ne le laissera pas respirer nulle part, le forcera à combattre ou à reculer devant lui. J'ose imaginer qu'il y a une manière de conduire les armées plus avantageuse, plus décisive, plus faite pour procurer de grands succès, que celle que nous avons employée jusqu'à présent [1]. »

Guibert attaque violemment toutes les organisations défensives qui trahissent l'inertie naturelle des troupes et la pusillanimité de leurs chefs : « L'usage des lignes, absurdité qui rappelle cette fameuse et inutile muraille » de Chine, les « grandes positions retranchées » avec des « ouvrages continus [2] », enfin les places de guerre. Celles-ci ont achevé une évolution apparemment irréversible au point qu'on en vient à penser que « les places font, dit-on, la force d'un État [3] ». Ultime étape de l'analyse critique : parti de considérations tactiques, Guibert débouche une fois de plus sur la politique et ses relations avec la guerre. Les places de guerre « se sont trop multipliées, elles sont comptées pour beaucoup trop dans la balance des forces des États et dans le système actuel de la guerre. Elles ont rendu les guerres plus ruineuses, en ce qu'elles ont obligé de renforcer et de multiplier les armées; elles les ont rendu moins savantes et moins décisives, en ce qu'elles ont fait négliger la grande tactique, l'art des batailles, en ce qu'elles ont, en général, rétréci les vues et les opérations militaires [4] ».

Conduite d'autant plus inefficace et ruineuse que, par effet d'action-réaction, les États se sont engagés dans une véritable course à la fortification : « Ainsi, il s'élève à l'envi forteresse contre forteresse [5]. » Tout se passe comme si la polarité jouait dans les systèmes fortifiés comme dans la dynamique opérationnelle; comme si la peur d'être surpassés dans la défensive poussait les États à une sorte d'ascension vers l'extrême de la défense statique. Comment s'étonner que cette compétition dans la recherche des moyens de l'inviolabilité territoriale conduise à la paralysie réciproque? Qu'elle prolonge inutilement les guerres, les dévoyant de leur but, « faire le plus de mal possible à l'ennemi, et (de) décider promptement la querelle des nations [6]? » Comment imaginer que leurs ressources financières limitées permettront aux États d'acquérir à la fois les moyens d'une protection statique, invulnérable, et ceux qu'exige la dynamique guerrière sans laquelle la politique étrangère est impuissante? Éternelle dialectique des deux composantes, négative et positive, de la stratégie

---

1. *Essai général de tactique*, II, p. 105.
2. *Ibid.*, II, p. 82.
3. *Ibid.*, II, p. 91.
4. *Ibid.*, II, p. 93.
5. *Ibid.*, II, p. 88.
6. *Ibid.*, II, p. 89.

militaire : défense du patrimoine national et soutien de la politique
extérieure.

Comme il se doit, après la critique, des énoncés positifs disent
comment « les places peuvent être les plus avantageuses à un
État... C'est quand elles sont des places d'armes, des points
d'entrepôt et d'appui, des bastions dont une armée bonne et
manœuvrière est la courtine, ou en avant desquels cette armée
peut agir offensivement avec la sûreté d'en retrouver l'appui en
cas d'échec; ou enfin que cette armée peut abandonner à leur
propre force, en attendant les circonstances favorables d'attaquer
l'ennemi qui les assiège [1] ». Ainsi, toujours le souci d'intégrer
jusqu'à la fortification dans « la guerre de campagne », dans le
développement opérationnel. En petit nombre, équipées pour le
soutien des armées en campagne, ces « places du moment » seront
les pivots autour desquels s'articulera la manœuvre qu'elles
alimenteront. Au lieu de subordonner les opérations à une
infrastructure permanente et figée sur le terrain, comme on le fit
constamment sous Louis XIV, on ne concevra la défense statique,
on ne désignera et n'armera les places qu'en fonction des
exigences de la manœuvre, et seulement pour assurer la liberté
d'action des armées.

Carnot saisira le premier la portée de cette inversion dans les
rôles respectifs des places fortes et de la guerre de mouvement.
Ses instructions aux généraux de la République ne cesseront de
rappeler que la clef de la victoire n'est pas dans la défensive
obstinée, fût-elle efficace, mais dans l'acharnement offensif. Mais
c'est à Napoléon que reviendra d'appliquer systématiquement la
combinatoire guibertienne de la manœuvre soutenue par les
places. Il armera certaines d'entre elles, au cours de ses campagnes, pour la sûreté de ses approvisionnements et de ses services.
Places de circonstance qu'il nommera dépôts, pivots ou centres
d'opérations, reliés les uns aux autres et à l'armée par la ligne
d'opération. Termes significatifs soulignant le caractère contingent de ce réseau stratégique et sa subordination à la dynamique
opérationnelle.

C'est dans la problématique de la fortification, dans celle plus
générale des relations entre défensive et offensive à laquelle il est
logiquement conduit et par l'éclairage qu'elles projettent sur les
rapports entre « les constitutions militaires et les constitutions
politiques », que se manifeste le plus clairement la méthode de
Guibert, l'architecture de son « système de création ». Là, il révèle
tous ses pouvoirs de créateur de formes. Formes de la guerre qui la
réconcilient avec sa vraie nature et qui, du même coup, signifient
à la politique qu'elle doit enfin prendre conscience de la puissance
de ses instruments. « La guerre de grand style » accède à une autre

---

1. *Essai général de tactique,* II, p. 93.

dimension, à la fois intellectuelle et physique. Elle investit un espace mental sans commune mesure avec celui où ses contemporains s'exténuent à chercher de dérisoires solutions ponctuelles. Elle se déploie en combinaisons qui, se dégageant de la linéarité pour exploiter toutes les dimensions du matériau – forces, espace, temps – engendrent des formes opérationnelles plus complexes : *changement d'ordre des figures construites.*

Si Folard prônait lui aussi la bataille décisive et son exploitation, il supposait connues les réponses aux préalables : comment l'obtenir et la préparer de loin? Comment forcer l'ennemi à l'accepter? Souhaitant la mise à mort, il ignorait la possibilité et les conditions de la battue [1]. Les axiomes guibertiens d'efficacité et de continuité n'accèdent à un sens pratique que par la conquête de l'espace-temps et grâce à la manœuvre que permet le système divisionnaire. C'est la conjonction, imprévisible, d'une construction de l'esprit et d'un moyen matériel qui invente les nouvelles formes opérationnelles et un style de guerre rompant brutalement avec le précédent. Ce serait un contresens que de voir en Guibert celui qui ajoute à Folard et à ses contemporains ce qui leur manquait pour achever leur ébauche. L'art guibertien n'est pas la bataille décisive de Folard *plus* une phase d'approche : la bataille selon Guibert appartient à une manœuvre d'ensemble. Elle est *dedans* comme une séquence homogène de l'espace-temps stratégique. Les *univers stratégiques* de Guibert et des autres théoriciens n'ont pas le même nombre de dimensions. La mutation que la création guibertienne impose à l'art de la guerre est analogue, par sa portée, à celle de la peinture avec l'invention de la perspective centrale. Fille de guibert, la campagne d'Italie de 1796 rompt avec celles de la guerre de Sept Ans comme la *Trinité* de Masaccio avec les fresques de Giotto et de Gaddi. Analogie actuelle, la stratégie de l'âge nucléaire ne saurait s'identifier à la stratégie classique *plus* la stratégie nucléaire *stricto sensu* : elle intègre les deux dans une complexité neuve provoquant un changement d'état (fonction, mode, etc.) de la

---

1. Le chevalier Jean-Charles de Folard (1669-1752) servit sous Vendôme et Villars, passa au service des Hospitaliers, de Malte et de Charles XII de Suède. Mestre de camp d'infanterie, il se retira en France en 1719, après une dernière campagne en Espagne. Il publia en 1724 les *Nouvelles Découvertes sur la guerre* et, en 1727, ses *Commentaires sur l'histoire de Polybe* dans lesquels figure son fameux *Traité de la colonne.* Leur succès fut considérable et Frédéric II les commenta dans *L'Esprit du chevalier de Folard* (1761). Maurice de Saxe, qui avait rencontré Folard en Suède, resta en relations avec lui. Dans une certaine mesure, Fontenoy (1743) fut l'expérience décisive de la fameuse colonne de Folard, mais par Cumberland : elle échoua du fait de l'artillerie. L'œuvre de Folard marque, elle aussi, un moment important dans l'évolution de la pensée militaire. On ne saurait la réduire sans injustice, comme le fait Guibert, à l'apologie du choc et de l'ordre profond. Elle constitue le dernier état de la théorie de la stratégie linéaire dont elle tire toute la leçon.

stratégie militaire qui acquiert une nouvelle dimension, celle de
l'imaginaire et du verbe dans le mode dissuasif.

Le chapitre XVI de l'*Essai* répond au *Discours préliminaire*
comme l'interrogation de la guerre à celle de la politique. Le débat
militaire de l'offensive et de la défensive n'est certes pas nouveau.
Mais neuf son transfert au niveau de la politique : l'esprit qui
gouverne la conduite de la guerre ancienne reflète une conception
erronée de la politique incapable d'ajuster ses moyens à ses
ressources. Elle se soumet, en aveugle, aux limitations que lui
impose le choix d'une forme de guerre défensive exigeant de
coûteux investissements : le réseau des places fortes. Libérant l'art
militaire de la sujétion d'une défensive statique, Guibert ouvre du
même coup des perspectives moins étriquées à la politique.

Nourrir l'armée

Guibert n'oublie pas que le réseau fortifié construit par Vauban
n'avait pas pour seul objet la défense des frontières et d'obliger
l'envahisseur à des efforts longs et consommateurs d'effectifs pour
enlever les places. Celles-ci étaient également nécessaires à la
sûreté d'un système de subsistances toujours vulnérable.

Le souci d'efficacité manœuvrière l'incite à remettre en cause
celui dont il a éprouvé les défaillances, la lourdeur et le coût
excessifs et que le pouvoir central ne semble pas porté à réformer.
C'est, là encore, une pesanteur à la fois technique, sociologique et
politique héritée d'une très lente évolution et dont les tacticiens
dédaignent de rechercher les causes.

Les procédés utilisés pour assurer le ravitaillement des armées
en campagne ont varié au cours de l'histoire. Guibert rappelle
cette évolution en cherchant comment, à certaines époques, « les
armées (n'ont pas été) arrêtées par des formations de magasins et
par des calculs de subsistance [1] ». Le légionnaire de César portait
du blé pour dix-sept jours. Des convois le suivaient, transportant
des approvisionnements pour un mois qu'on renouvelait par achats
ou réquisitions. Pendant la guerre de Trente Ans, les Suédois
recoururent à tous les procédés : nourriture à la charge des
habitants, exploitation des ressources locales, magasins fixes ou
mobiles. Sous Louis XIV, la formule devint plus rigide : en
campagne, les armées évoluaient dans une zone limitée dont les
ressources eussent été rapidement épuisées s'il avait fallu s'en
tenir aux prestations habituelles. On constitua donc des magasins,
ou centres de ravitaillement, approvisionnés localement et, surtout, par des achats ou réquisitions opérés sur l'ensemble du
territoire national ou à l'étranger. Comme en d'autres domaines, le

1. *Essai général de tactique*, II, p. 107.

pouvoir central se substitua aux chefs d'armées pour le soutien des troupes en campagne.

Les magasins constituaient donc une infrastructure maillant les théâtres d'opérations. Comme la vie de l'armée en dépendait, on les mit à l'abri des coups de main dans les places fortifiées, servitude qui détermina la conduite de la guerre et la forme des opérations. Il fallut en effet équiper les théâtres éventuels – les secteurs frontaliers – avec un réseau de places de plus en plus aptes à résister, donc de plus en plus coûteuses. Les opérations s'inscrivant obligatoirement dans la zone des places, celles-ci jouèrent un rôle tyrannique durant toute cette période. Elles exigeaient des détachements permanents pour les couvrir ou les défendre, et la manœuvre des armées leur fut nécessairement asservie : évoluant dans une zone disposant d'un magasin, l'armée marchait quelque temps, ravitaillée par convois la reliant à cette place, jusqu'au moment où la durée des rotations et la capacité de transport rendaient cette liaison très aléatoire. Les dépôts ne pouvaient être éloignés les uns des autres de plus de cinq marches, 100 km environ. D'où la progression très lente des armées freinées par leur support logistique. « Il ne se fit presque plus, de part et d'autre, ce que j'appelle la grande guerre. La science parut consister à opposer place à place, magasin à magasin [1]. »

Frédéric II se rendit plus indépendant de ses subsistances en utilisant un système souple de magasins fixes, de provisions mobiles et de prélèvements sur le pays. Du côté français, les contraintes d'approvisionnement pesèrent lourdement sur la conduite des opérations au cours de la guerre de Sept Ans. C'est que les subsistances étaient confiées à des entrepreneurs de valeur souvent discutable, ne songeant qu'au profit et qui ne cessèrent d'intervenir dans la conduite des opérations, « les faisant, à quelques égards, dépendre d'eux [2] ». Pour peu que ces munitionnaires aient du talent et bénéficient d'une grande influence à la Cour – comme les frères Paris Duverney – ils supplantent aisément des généraux médiocres et interviennent dans la conduite de la guerre. En outre, ils avancent au roi l'argent destiné à l'achat des subsistances et que le Trésor est incapable de trouver.

Guibert dénonce âprement un « système (qui) contrarie les opérations de nos armées » et déplore que « nous ayons séparé la science des subsistances de la science de la guerre; qu'elle ne fasse pas un des objets de notre étude; que nous en ayons abandonné les détails à des mains étrangères [3] ». Il faut créer une école pour l'enseigner, remettre « l'administration des vivres entre les mains des militaires » afin de remédier « au défaut de rapport entre les

1. *Essai général de tactique,* II, p. 110.
2. *Ibid.,* II, p. 115.
3. *Ibid.,* II, p. 117.

combinaisons des généraux et celles des munitionnaires, nuisible aux opérations ». En bref, et conformément à la saine logique, renverser la tendance et rétablir la subordination de l'accessoire à l'essentiel, des subsistances à la manœuvre stratégique.

Il faut donc alléger les équipages, réduire le nombre des petits magasins, « diminuer les attirails » et « remplir le plus d'objets avec le moins de moyens possibles [1] », adapter le système aux besoins journaliers, aux ressources locales; ne jamais oublier « qu'une infinité de vues économiques ou militaires doivent influer sur ces objets étrangers à la guerre en apparence [2] ».

Surtout, on vivra sur le pays. Guibert insiste sur ce principe fondamental de la science des subsistances dont les implications sont telles qu'il en fait un principe d'économie de guerre. Là encore, et selon sa méthode habituelle, il passe du domaine des opérations à celui de la politique générale. Les armées de l'Antiquité, grecques ou romaines, « vivaient dans les pays où elles faisaient la guerre [3] ». Parce que les guerres de cette époque et même la guerre de Trente Ans étaient des « incursions », « le pays subvenait, comme il pouvait, à la subsistance des gens de guerre [4] ». De même Frédéric II : « Ses magasins étaient formés aux dépens du pays, et par les soins du pays même [5]. » Rien de tel en France où les entrepreneurs continuent d'accumuler leurs approvisionnements aux frais du roi.

Il faut donc suivre l'exemple des Romains : « Une autre vérité importante qu'on peut retirer de l'étude des guerres romaines, vérité dont le résultat contrarie bien nos systèmes de subsistances actuels, c'est que les armées vivaient dans le pays, et aux dépens du pays. *Il faut que la guerre nourrisse la guerre,* disait Caton dans le Sénat; et cette maxime de Caton était, chez les Romains, une maxime d'État. Dès qu'une armée avait mis le pied chez l'ennemi, c'était au général qui la commandait à la faire subsister; et celui-là avait le plus utilement servi la république qui, en faisant la campagne la plus glorieuse, avait le mieux entretenu son armée et rapporté, après la campagne, plus d'argent au trésor public. De là la solution de cet état de guerre presque continuel au milieu duquel fleurissait la république. Elle recevait de la guerre accroissement et richesse, comme nos États d'aujourd'hui, par la continuation désordonnée de leurs systèmes militaires, en reçoivent affaiblissement et misère [6]. »

Vivre sur le pays présente donc deux avantages. L'un d'ordre militaire : la logistique – comme la nommera Jomini – tombant

1. *Essai général de tactique,* II, p. 119.
2. *Ibid.,* II, p. 121.
3. *Ibid.,* II, p. 107.
4. *Ibid.,* II, p. 109.
5. *Ibid.,* II, p. 113.
6. *Ibid.,* II, p. 108.

dans le domaine de responsabilités du commandant en chef, les opérations ne seront plus paralysées par les entrepreneurs. L'autre, d'ordre politique : moins onéreuse, la guerre deviendra même une source de profit. Le pillage est nationalisé – car Guibert revient constamment sur la nécessaire discipline, la frugalité et l'austérité du soldat. Perspective séduisante pour le politique auquel de simples considérations logistiques suggèrent les grandes expéditions, les guerres d'invasion; en bref, la guerre offensive.

D'où un ensemble de propositions concrètes définissant un système logistique qui soutient la manœuvre stratégique. Le système divisionnaire permettant à une armée de distendre les liens entre ses divisions et de couvrir le théâtre pour vivre tant que la proximité de la bataille n'exige pas sa concentration pour combattre, Guibert préconise de multiplier les centres de ravitaillement. Chaque division disposera en propre d'une zone restreinte mais facilement exploitable pour ses subsistances. Une partie des vivres requis sur place sera distribuée directement sans être stockée. Une autre constituera des magasins, mais comme appoint et réserve. Ces magasins, on devra « les asseoir relativement aux opérations prochaines ou éloignées que l'on médite ». Donc pas d'infrastructure fixe, et il en est des magasins comme des « places du moment » : leur réseau, provisoire, s'inscrira sur le terrain en fonction des nécessités stratégiques.

Guibert invente le système dénommé plus tard bases et lignes de communication : « Je veux que, partant d'un fleuve, d'une frontière, elle (l'armée) ait, sur cette base des magasins et des entrepôts bien disposés relativement à leur sûreté et aux plans de ses opérations. » Les opérations commandant les accessoires, les lignes de communication et les bases s'adapteront à la situation. D'où, revenant à la fortification, la possibilité de s'en libérer, d'insérer le système de communications dans le système général des opérations qui en assurera la sûreté sans que l'on doive lui consacrer des détachements permanents et gros consommateurs d'effectifs. Napoléon ne procédera pas autrement.

Quand il ferme l'*Essai* sur le chapitre des subsistances, Guibert peut croire son pari gagné : il a dit de la « tactique » tout ce qu'il y avait à en dire. Ce dire se tient et convoque le faire. Mieux : en ne négligeant pas la problématique de ce qu'il considère comme accessoire – la fortification, la logistique – il prouve la puissance de sa théorie. En y incorporant jusqu'aux dernières inférences de son axiomatique, il prouve la cohérence de son discours et fait la preuve de sa validité. Il a bâti un authentique « système de création » en démontrant la valeur de sa boîte à outils intellectuels; ce qui l'absout du reproche, qu'on peut lui faire aujourd'hui, de ne pas soumettre cet outillage au contrôle épistémologique. Surtout, il devance toute critique dans la mesure où, pour être

valide, elle devrait se fonder elle aussi sur une autre théorie tout
aussi cohérente, tout aussi globale : celle de Guibert est un
système si bien verrouillé, une structure si solidement boulonnée,
qu'elle n'exige rien de moins qu'une théorie de même puissance,
quant au champ et à la rigueur, et de même cohérence, pour être
entamée.

Exemple fascinant et exaltant pour quiconque tente de construire aujourd'hui un modèle théorique. Quand la critique attaque
telle ou telle théorie stratégique actuelle, elle illumine violemment
l'une ou l'autre de ses assertions. Incapable d'investir et de
pénétrer le discours dans la totalité de son champ problématique
et heuristique, la critique s'en prend habituellement à tel problème ou énoncé local arbitrairement découpé dans l'ensemble
théorique. Elle leur oppose une interrogation ou une autre
proposition isolée que son isolement même protège de la réfutation
argumentée. Elle triomphe de ne recevoir en réponse que l'invita-
tion à considérer la totalité architecturée de la théorie contestée.
C'est pourtant dans cette totalité organisée que s'établit la logique
du discours, que se trouve la raison de l'énoncé critiqué. Et c'est
bien cette totalité structurée, systématique, qui renvoie la critique
à ses impuissances et la somme d'opposer totalité à totalité,
système à système, sauf à confesser sa légèreté, sa mauvaise foi ou
son ignorance.

Pédagogue de l'esprit créateur, Guibert l'est aussi de l'intelligence critique.

Le vieil homme et la modernité

La théorie ne procède pas exclusivement des puissantes inférences d'une axiomatique. Guibert enregistre aussi des faits –
puissance de feu, système divisionnaire, etc. – sur l'interprétation
desquels d'autres s'accordent avec lui. Il reconnaît sa dette envers
Frédéric II. Mais il formule concepts et principes en observant des
règles intellectuelles si strictes et si fécondes par l'étendue du
champ exploré et la rigueur des énoncés, que l'objectivité, la
validité et l'efficacité pratique des propositions théoriques lui
semblent à jamais assurées. Son analyse investit un si vaste empire
et s'enfonce si avant dans le détail, elle démêle si adroitement les
liens structurels organisant les éléments de son objet, que le corpus
d'assertions qui en procède modélise la seule logique opératoire
efficace. La science militaire qu'il fonde donne la clef de l'art
stratégique qu'il prophétise. L'histoire ne peut pas s'engager sur
d'autres voies...

Guibert croit avoir conféré son statut à une nouvelle discipline :
il lui suffit de comparer son discours à ceux de la littérature
militaire courante, a-scientifique selon son axiomatique. Ce qui

justifie sa critique des prédécesseurs : peu sont épargnés. Folard et ses disciples moins que quiconque, parfois injustement. Pourquoi tant d'assurance dans le dénigrement quand la conscience de sa différence et de ses raisons devrait l'éclairer sur celles qui poussaient les praticiens du XVIIe siècle à agir selon d'autres canons que les siens et dont il a beau jeu de dénoncer l'archaïsme? « On eut par exemple des armées beaucoup plus nombreuses; on multiplia prodigieusement l'artillerie. Louis XIV, qui en donna l'exemple, n'y gagna rien. Il ne fit qu'engager l'Europe à l'imiter. Les armées moins faciles à mouvoir et à nourrir, en devinrent plus difficiles à commander. Condé, Luxembourg, Eugène, Catinat, Vendôme, Villars, par l'ascendant de leur génie, surent remuer ces masses. Mais Villeroy, Marsin, Cumberland et tant d'autres, restèrent écrasés sous elles. Et comment les auraient-ils conduites? Les grands hommes dont je viens de parler n'introduisirent dans les armées ni organisation, ni tactique. Ils ne laissèrent point de principes après eux. Peut-être même, j'ose le dire, agirent-ils souvent par instinct, plutôt que par méditation. De là, il ne pouvait pas se former de généraux sous eux; de là, quand le génie de ces hommes privilégiés ne marchait plus à la tête des armées, on tombait dans la nuit de l'ignorance. On accusait alors la fortune, la nature, la décadence du siècle, la rareté des bons généraux. Il fallait bien qu'on s'en prît à ces causes chimériques. On regardait presque entièrement la science du commandement comme un don inné, comme un présent du ciel. On imaginait à peine que l'éducation et l'étude fussent nécessaires. La science de la guerre n'était développée dans aucun ouvrage, d'une manière lumineuse. La tactique surtout était une routine étroite et bornée [1]. »

Tant de sévérité surprend, même si elle épargne le génie de quelques-uns. Obsédé par sa « guerre de grand style », Guibert juge ces praticiens sur ses propres critères. Il veut ignorer qu'ils ne leur sont pas applicables et qu'il *doit* leur conférer une valeur intemporelle, sauf à ruiner ses prétentions scientifiques. Il sait mieux que personne, pourtant, que si ces généraux ne professaient pas l'anéantissement de l'ennemi comme l'unique et logique objet des opérations, c'est que n'existaient pas les moyens autorisant pareille ambition. L'instrument leur faisait défaut, qui aurait pu forcer la décision. On ne saurait leur imputer une carence de l'imagination. Ils durent se plier à la nature des choses. La guerre de sièges était la seule voie pour paralyser l'ennemi : indivisibles, les armées du temps étaient incapables de le forcer à la bataille. Le refouler en enlevant ses magasins fut le thème constant de leurs combinaisons, le seul but à leur portée.

Critique rétrospective avec l'outillage critique actuel, donc injustifiée, celle qui reproche à ces généraux d'avoir répugné à

1. *Discours préliminaire*, p. XXX.

fragmenter les lourdes masses de leurs armées pour leur donner plus d'aptitude manœuvrière. Critique d'autant moins fondée qu'il juge exactement les mérites respectifs des armes de choc et de jet dont dépend l'organisation. Longtemps, par sa faiblesse, le feu dut concéder le rôle décisif à l'arme blanche. Or, le combat par le choc était généralement bref : à valeurs égales, la supériorité du nombre décidait. Assailli par une armée groupée, un détachement isolé était rapidement détruit ou dispersé : on n'avait ni le temps de le secourir, ni la consolation de tirer parti de son sacrifice. Quel commandant d'armée aurait pris le risque d'éparpiller ses forces en corps isolés à la merci d'un ennemi rassemblé et frappant du fort au faible? Le feu devenant plus efficace avec l'augmentation de l'artillerie et la cadence accrue des feux d'infanterie, le choc perd de son importance. Corrélativement, l'infériorité numérique ne joue plus assez pour interdire toute résistance à un détachement. Un corps isolé n'est plus voué à l'anéantissement immédiat en cas de rencontre avec les gros adverses : le feu lui permet de prolonger la lutte jusqu'à ce qu'on vienne le secourir. Risquant moins à se framgenter, les armées oseront aérer leurs dispositifs et manœuvrer sur l'échiquier. Ce que les légionnaires ou les mousquetaires ne pouvaient permettre à César ou à Turenne, Maurice de Saxe ou Frédéric II l'obtinrent de leurs fusiliers. Le système divisionnaire aurait été impraticable sans les progrès du feu qui dotaient les corps isolés de la capacité de combat nécessaire et suffisante. Comment Guibert peut-il méconnaître ces réalités techniques et les contraintes qu'elles imposent aux formes stratégiques?

Par ses excès mêmes, la critique juvénile de l'*Essai* révèle la nature des difficultés rencontrées, par l'esprit le plus progressiste, pour accepter toutes les suggestions de son temps même si, sur d'autres voies, il le devance. Tout se passe comme si, négligeant les données techniques pour mieux condamner le passé, Guibert les déplorait et rêvait de quelque *stratégie pure* libérée de leurs déterminations. N'est-il pas étrange qu'il impute aux armes à feu la décadence de l'art alors que sa stratégique ne se conçoit – il le sait et le dit – qu'avec la puissance du feu? Il exalte le progrès en bon disciple des philosophes, mais considère que « la découverte de la poudre ne perfectionna pas l'art militaire. Elle ne fit que fournir de nouveaux moyens de destruction et porter le dernier coup à la chevalerie : institution que nos siècles de lumière doivent envier à ces temps d'ignorance! Les armes à feu retardèrent vraisemblablement le progrès de la tactique, parce qu'alors les armées s'approchèrent moins, et qu'il entra encore plus de hasard et moins de combinaisons dans les batailles[1]. » N'est-ce pas réhabiliter le choc... et Folard?

1. *Discours préliminaire*, p. XXIX.

Dans la même ligne, il déprécie le rôle de l'artillerie qu'il range parmi les « accessoires » : ce terme « convient parfaitement à ces moyens étrangers dont l'imagination humaine a cherché, dans tous les siècles, à augmenter la force des combattants [1] ». N'est-ce pas méconnaître que le progrès de l'armement obéit à sa pente : devancer les futurs adversaires dans la recherche de la supériorité des effets physiques de destruction? La stratégie des moyens naît de cette loi d'action-réaction qui engendre la course au nombre et à l'efficacité supérieure des armements. Rien de plus vain que de dénoncer la multiplication des bouches à feu qui entravent les armées, de déplorer que l'on voit « la même quantité de soldats qui, du temps des Turenne et des Gustave, composait une armée, ne servir aujourd'hui qu'à la manœuvre des machines de guerre d'une de nos armées [2]. A l'en croire, la puissance de feu est si recherchée pour elle-même qu'elle en oublie sa vraie finalité et qu'elle gêne plus qu'elle ne sert la manœuvre : « Dès lors, plus rien de grand, plus de science militaire [3]. »

Sans doute est-ce l'opinion du Guibert première manière. Il la reniera dix ans plus tard, mais sans renoncer pour autant à dénoncer les prétentions des artilleurs qui « attribuent une trop grande prépondérance à ses effets » et se croient « l'âme des armées [4] ». Cependant, les principes d'efficacité et d'économie des moyens lui suggèrent un emploi de l'artillerie si rationnel que les armées de la République et de l'Empire l'adopteront : « L'objet de l'artillerie, enfin, ne doit point être de tuer des hommes sur la totalité du front de l'ennemi; il doit être de renverser, de détruire des parties de ce front, soit vers les points où il peut venir attaquer le plus avantageusement, soit vers ceux où il peut être attaqué avec le plus d'avantage [5]. » « Si on sait employer l'artillerie, on forme de grosses batteries... on remplit enfin, non le petit objet de démonter un canon ou de tuer quelques hommes dans un point donné, mais le grand objet, l'objet décisif, qui doit être de couvrir, de traverser de feux le terrain qu'occupe l'ennemi et surtout celui par lequel il voudrait s'avancer pour attaquer... Au reste, il ne faut pas seulement considérer l'artillerie relativement au mal réel qu'elle fait. Elle agit sur le moral; elle ébranle les imaginations par son bruit, par ses dégâts, par l'horreur de ses blessures. Cet effet veut aussi être calculé, puisque, à la guerre, pour vaincre, il s'agit autant d'effrayer que de tuer [6]. » Guibert voit juste quand il pose l'effet psychologique comme la fin dernière de tout acte de guerre. Mais comment le produire sans transiter par un effet physique,

1. *Essai général de tactique,* I, p. 135.
2. *Ibid.,* I, p. 144.
3. *Ibid.,* I, p. 145.
4. *Défense du système de guerre moderne,* I, p. 294.
5. *Essai général de tactique,* I, p. 153.
6. *Défense du système de guerre moderne,* I, pp. 299 et 301.

destruction ou mort ? Comment ne pas être tenté de rechercher la supériorité des effets par celle du nombre ? Quoi qu'il fasse pour sauver la manœuvre pure, Guibert ne peut pas échapper à cette conséquence de son axiome d'efficacité. Son concept d'emploi de l'artillerie appelle les grosses batteries de Drouot et de Sénarmont.

S'il remet finalement l'artillerie à sa place, non sans ambiguïté, Guibert reconnaît l'intérêt des divisions, structures mixtes dans lesquelles les armes s'appuient mutuellement. Conservant leur autonomie, évitant de les mélanger, on combinera leurs effets en vertu du principe de complémentarité : « Ce n'est plus de *mélanger* les armes qu'il est question aujourd'hui, c'est de les *soutenir* : ces mots ne sont pas synonymes et leur signification est très distincte ; c'est de les mettre à leur place, c'est-à-dire à la place que le terrain et les circonstances assignent ; c'est dans aucun cas de ni les morceler, ni de les entremêler, parce que par leur nature, elles ne peuvent jamais faire d'efforts simultanés. L'une marche, l'autre vole, l'une a sa principale force dans le feu, et l'autre n'en a que par le choc ; l'une est essentiellement défensive, l'autre ne peut jamais l'être et n'agit jamais qu'offensivement [1]. » C'est donc en vertu de la logique de complémentarité ou d'économie des effets physiques et psychologiques que Guibert dénonce le particularisme des armes plus soucieuses de cultiver leur différence que de contribuer, selon leur vocation, à l'effet résultant. Ses évaluations des moyens, permettant d'exploiter la puissance du feu, n'en demeurent pas moins victimes des contradictions entre son modernisme passionné et les réticences de l'homme de guerre traditionnel.

Le conflit modernité-tradition le déchire plus douloureusement qu'il n'ose se l'avouer. Sans sacrifier aux stéréotypes du romantisme, nous savons que le génie lutte aussi contre l'héritage. Le plus créateur ne s'en délivre pas sans quelque nostalgie. Mais les disciples, manichéens, voudraient ignorer les contradictions et les accommodements du maître, qui sont pourtant dans la nature de l'esprit vivant. Notre admiration pour Guibert prend malaisément son parti de quelques fêlures dans son marbre.

« L'objet militaire... le premier et malheureux but... (est) de faire le plus de mal possible à l'ennemi et de décider promptement les querelles des nations. » Maxime claire, conforme à la nature de la guerre et au principe d'efficacité. Or, l'homme qui énonce cette vérité de la pratique exalte le combat à l'arme blanche, « seul genre de combat favorable au courage et à l'adresse », et déplore l'extinction de la chevalerie ! Le doctrinaire de la bataille d'anéantissement croit – ou feint de croire ? – que la décision pourrait être obtenue par la seule puissance de combinaisons si savantes que les

---

1. *Défense du système de guerre moderne.* I, p. 279.

pertes seraient faibles, que l'épreuve de vérité pourrait éviter l'épreuve du sang : « On vient de voir comment la science militaire a substitué l'ordre oblique à l'ordre parallèle et a rendu les batailles plus savantes et moins sanglantes. C'est un jeu de calcul et de combinaison qui a succédé à un jeu de hasard et de ruine. Il est heureux que la science militaire, qui est la science de la destruction, rende la guerre moins destructive en se perfectionnant. Il est heureux que ce puisse être l'habileté des généraux qui décide le sort des batailles, plutôt que la quantité de sang répandu. Enfin, dans un siècle où tous les arts ont fait des progrès, il est honorable, il est encourageant pour les militaires, que celui de la guerre se ressente de la propagation générale des lumières. » Nous surprenons ici, en flagrant délit d'utopie, le familier des philosophes, innocents de toute action, qui entourent Mlle de Lespinasse. Le technicien de la violence entre dans le jeu des cœurs sensibles et des optimistes : ils attendent de la science et des lumières qu'elle ne manquera pas d'universaliser, le règne de la mesure qui tempérera les passions politiques et adoucira les conflits. Ils veulent ignorer la « force des choses » qu'invoquera Saint-Just. La guerre de « grand style » chère à Guibert, ce sera la capitulation, presque sans combat, de Mack à Ulm. Mais aussi la boucherie d'Eylau, les 90 000 tués et blessés de la Moskowa. Hiroshima n'est pas loin.

Cependant, par-delà cette concession de la logique conflictuelle à la sensiblerie du siècle, nous percevons l'intervention d'un facteur moins conjoncturel. La réhabilitation inattendue des armes de choc, la dépréciation de l'artillerie et de la fortification, de tous les « attirails » auxquels il impute la régression de l'art, tout, dans la répugnance de Guibert devant le matériau physique de l'art, trahit l'un des traits constants de l'esprit militaire français : pour arracher la décision, il spécule plus volontiers sur la combinatoire opérationnelle – sur la manœuvre – que sur l'efficacité intrinsèque de matériels surclassant ceux de l'ennemi.

Si nous rapportons l'art militaire à son matériau – l'espace, le temps et les forces –, la recherche d'une efficacité supérieure à celle de l'ennemi, à travers quoi s'exprime la dialectique de volontés antagonistes cherchant à accomplir leurs desseins, ne peut passer que par deux classes de voies-et-moyens : ou bien, l'équipement de l'appareil militaire étant ce qu'il est, inventer des formes opérationnelles qui tirent parti, mieux que l'adversaire, des possibilités de manœuvre inscrites dans l'espace-temps du théâtre; ou bien, inventer les systèmes d'armes valorisant les effets physiques et instaurant une telle inégalité de puissance brute que l'adversaire soit incapable de compenser l'infériorité qualitative de ses forces par de savantes combinaisons manœuvrières. Dans le premier cas, la stratégie générale militaire met l'accent sur la stratégie opérationnelle; dans le second, sur son autre composante, la stratégie des moyens. Dualiste par nature, ce qui justifie l'expression voies-et-moyens, la stratégie militaire combine toujours ces deux modes qui ne se définissent pas isolément, mais relativement l'un à l'autre. Seule l'importance relative consentie à l'un aux dépens de l'autre caractérise la stratégie concrète en un lieu et un moment donnés. S'il est un lieu où doit être observé le principe guibertien de complémentarité, c'est bien celui de la composition harmonieuse des deux composantes de la stratégie militaire.

Sans souscrire absolument aux vues de Taine et d'Élie Faure sur les liens entre la création et les idiosyncrasies, constatons qu'il existe autant de styles stratégiques que de personnalités nationales. Depuis la cristallisation et la polarisation de la société occidentale en États-nations, l'art de la guerre refléta leurs tempéraments. En France, tout s'est passé comme si l'on répugnait à voir la guerre dans sa nudité. Comme si, la guerre étant acceptée, soumettre la volonté adverse n'était pas un but clair, légitime et impliquant qu'on n'impose pas à la violence d'autres limitations que celles dictées par son adéquation à la fin politique de la guerre, toujours déterminante.

Sans doute, dans toute aire de culture et de civilisation, des règles éthiques, règles du jeu politico-stratégique, sont toujours intervenues, par un instinct d'autoprotection des sociétés, pour modérer le déchaînement paroxystique de la violence. Souvent sans grand effet contre la volonté d'en finir par tous les moyens : l'esprit de chevalerie, que Guibert évoque avec nostalgie, n'a pas plus empêché les excès de la croisade contre les Albigeois que le code d'honneur des Junkers n'a su épargner à l'Allemagne la honte des camps de la mort. Aux chevauchées du duc d'Albe dans les Pays-Bas répond la répression des armées napoléoniennes que Goya ne nous permet plus d'oublier. Le pillage de l'ouest de la France par les Anglais du Prince Noir trouve un sinistre écho dans le sac de Magdebourg par les lansquenets de Tilly et les incendies du Palatinat par les mousquetaires de Louvois. La destruction d'Hiroshima et de Nagasaki sanctionne les atrocités couvertes par le code de Bushido. S'il n'est pas de peuple qui n'ait péché contre l'honneur des armes, c'est que l'exaspération des tensions est dans la nature de la guerre et leur contrôle politique un problème constant, souvent insoluble. Guibert, nous l'avons vu, a bien perçu le mécanisme de la montée en puissance des opérations militaires que Clausewitz analysera avec plus de précision encore.

La perception d'une rationnelle adéquation entre la mesure de la force et les fins de la politique ne suffit pas toujours à retenir gouvernements et armées sur la pente d'un radicalisme militaire irrationnel. Pour peu qu'elle s'étende et se prolonge, la guerre tend logiquement à se libérer des contraintes que lui imposent non moins logiquement le but stratégique et les déterminations politiques. Si n'intervenaient, dans la pratique, des facteurs de limitations du conflit et de modération de la violence, elle serait tentée de trouver, dans son développement et son résultat militaire, une fin spécifique et indépendante de la politique qu'elle oublierait de servir.

Cela dit, qui est au cœur de la dialectique conflictuelle, il reste que les voies-et-moyens adoptés pour forger et mettre en œuvre les instruments militaires ont longtemps traduit, avec une remarquable constance, les tempéraments des peuples et les tropismes intellectuels des théoriciens et praticiens. On pourrait bâtir une typologie des guerres d'après ces critères et ces invariants. Il fallut l'avènement d'une civilisation industrielle unifiant le monde par le langage universel de la science et de la technologie pour estomper les particularismes ethniques ou nationaux sous une commune vision des choses; pour que les styles stratégiques s'amalgament, eux aussi, en chassant « les fumées de vanité nationale [1] ». Mais, peut-on imputer au hasard la constance avec laquelle les armées françaises s'alignent tardivement sur le progrès technique, méprisent les archers britanniques à Crécy, l'artillerie lourde allemande en 1914, le binôme engin blindé-avion en 1940? Victorieux à Marignan, les canons français sont oubliés à Pavie et Monluc doit porter l'arquebuse pour convaincre ses subordonnés de la vanité des grands coups d'épée. Napoléon livre toutes ses campagnes avec la panoplie héritée du XVIIIe siècle et ne prête aucun intérêt aux suggestions de Fulton. L'artillerie périmée de son neveu sera écrasée par les canons prussiens se chargeant par la culasse. Avant 1914, pour Foch assistant aux évolutions des premiers appareils, l'aviation « c'est zéro », alors que Pétain, rappelant que « le feu tue », n'est pas entendu; et l'on sait quel combat Estienne dut livrer pour imposer le char.

Durant des siècles, plus encore depuis la Révolution et le mythe des victoires improvisées par le génie national, tout s'est passé en France comme si les effets physiques des armes comptaient peu au regard des résultats promis par une pure algèbre opérationnelle ou l'exploitation de l'élan populaire. C'est là la pierre de touche de l'intelligence stratégique, et la dépréciation de la stratégie des moyens est un invariant de notre pensée militaire. Il suffit, pour s'en convaincre, de rappeler la résistance rencontrée, dans les armées comme ailleurs, par notre jeune stratégie de dissuasion nucléaire. Dès lors qu'elle valorisait la stratégie des moyens au détriment de la stratégie opérationnelle, au moins dans un certain espace, elle devait inéluctablement se heurter aux séculaires oppositions des amateurs de grandes chevauchées et de guerre populaire.

Aux heures décisives d'une Révolution qui devait fixer à jamais

1. *Défense du système de guerre moderne,* I, p. 214.

notre mythologie nationale, l'influence de Guibert fut si grande que je le crois responsable en partie de notre incurable mépris pour la physique de la guerre. Ajoutée à notre non moins traditionnelle désinvolture envers le coût des moyens – mais là, au contraire, Guibert nous donne la leçon –, cette attitude bafoue les principes d'efficacité et de complémentarité.

Toutefois, responsabilité indirecte : celle d'un maître dont les épigones, comme ceux de Clausewitz et de Jomini, ont oublié les nuances du discours pour ne retenir que les assertions confortant leurs vues unilatérales. « Il en est à peu près de même dans toutes les doctrines naissantes [1]. »

1. *Défense du système de guerre moderne.*

CHAPITRE 6

HOMO POLITICUS
ET PHILOSOPHIE DE LA GUERRE

De la politique-système à la politique-destin

L'*Essai général de tactique*, c'est l'intrusion de la logique dans la pensée de guerre. *Le Discours préliminaire*, celle du système dans la politique. Ils soumettent au calcul ce qui se dissout ici en idéologie, là en improvisation.

La problématique et l'axiomatique des débuts, à coloration militaire, sont vite dépassées : interrogation et vision réductrices qui renvoient, en amont, aux origines des phénomènes conflictuels. Le : que faire, et comment, renvoie au : pour quoi faire. Éternelle question des fins de l'action et des justifications de l'acteur. Guibert débouche donc sur des objets de pensée plus généraux, sur le *champ d'influences* auquel est soumis son objet premier – la « tactique » – et dont dépend la validité de ses axiomes de choix. S'il bâtit sa théorie sur l'axiome d'efficacité, qu'est-ce qui l'autorise à le choisir, avec ses corollaires, parmi les possibles? Supposant une réponse à cette question fondamentale, quel référentiel invoquer ensuite pour définir les critères d'efficacité de la stratégique? Ainsi s'organise, par pro-férences, un réseau d'interrogations structurellement liées dans lequel s'inscrivent celles que suggère, par continuité logique, le problème local de la science militaire. Dire ce que doit être le duel de combattants ou de formations élémentaires, sur un quelconque terrain entre Alsace et Bohême, suppose que l'on connaît les raisons d'une lutte qui, à leur niveau, est lutte à mort : vaincre pour ne pas être vaincu, tuer pour ne pas être tué.

Or, au XVIIIᵉ siècle, le duel des individus ne signifie pas que leurs armées et *a fortiori* leurs États respectifs sont eux-mêmes engagés dans une lutte à mort : les dimensions de l'antagonisme et l'objet de l'affrontement ne sont pas les mêmes ici et là. Constamment présente à l'horizon de la guerre, la mort n'est jamais également proche, actuelle, pour tous ceux que mobilise le conflit. La plus acharnée des guerres comporte des phases de relaxation, d'attente et d'observation. La plus grande partie des armées en campagne n'est pas au contact de l'ennemi. Les hostilités déclarées n'impliquent pas que les États belligérants cherchent à s'anéantir. La mort physique de combattants ne signifie pas nécessairement que chacun des peuples se donne pour fin la mort politique de l'autre : abolir son statut de sujet d'une politique personnelle, le réduire à la qualité d'objet dans la politique du vainqueur, le priver de sa souveraineté et de son identité nationale. Le cas de la Pologne demeure l'exception après les trois partages contemporains de Guibert. Plus rare encore la suppression physique du vaincu par génocide dans le style de Tamerlan. C'est donc moins la destruction ou la mort, physique et politique, qui dévoile l'essence de la guerre que l'actualisation de la violence armée pour dénouer les crises politiques s'avérant sans issue avec le jeu des seules forces naturelles. Violence qui, selon le cas, opère aussi bien par la menace d'objectifs vitaux, par des prises de gages appuyant les marchandages diplomatiques, que par la bataille d'anéantissement.

Les errements du XVIIIᵉ siècle que l'*Essai* rejette comme contraires à l'essence de la guerre, illustrent cette *économie de la mort*. Le radicalisme de Guibert, conforme au principe d'efficacité, s'accorde mal à ce qu'il dit ailleurs sur la polyvalence de la violence : dès lors qu'elle intervient aussi bien en temps de paix que de guerre, ne devrait-il pas concevoir sa gradation dans la guerre elle-même? Contradiction d'autant plus inattendue qu'il recommande de subordonner l'organisation des armées à « l'espèce de guerre qu'on voudrait faire [1] ». Elle ne se résout qu'au niveau supérieur de la politique.

Un esprit de type totaliste ne saurait dire la nature, la structure et les fonctions de son objet – sa physique – sans le repérer dans ce qui l'englobe, sans le relier à ce qu'il n'est pas et cependant le détermine : sa métaphysique. L'axiome d'efficacité renvoie aux causes de la guerre, à ses motifs et enjeux, à « l'analyse métaphysique de l'origine de la force publique, de sa nature, de ses rapports avec les droits de l'homme [2] ». La stratégique se dévoile par référence à une métastratégique qui, en décrivant le milieu, les conditions d'éclosion, de développement et d'achèvement de la guerre, doit dire aussi sa fonction et surdéterminer les buts et modes stratégiques : la téléonomie de la stratégie n'est intelligible qu'à travers une téléologie du conflit. C'est dans le champ des activités sociopolitiques que Guibert doit nécessairement chercher le pourquoi de la guerre et de la paix.

Mais cette remontée aux sources dépasse son objet. Si le

1. *Discours préliminaire* p. XXXVII.
2. *De la force publique*, p. 7.

Discours préliminaire pose l'évidence d'un lien entre politique et militaire, s'il dénonce « ces ministres qui, n'étant pas généraux, contrarient toujours les demandes et les opérations des généraux; ces généraux qui, n'étant pas ministres, ignorent l'influence qu'ont les opérations de la guerre sur la politique et ce qu'il en coûte à l'intérieur des États pour soutenir la guerre [1] », Guibert se laisse embarquer. Par manie de continuité, il entend déchiffrer la politique en tant que telle, non comme matrice des guerres.

Il en donne la définition à la fois la plus générale et la plus architecturée : « La politique telle qu'elle s'offre à mes idées, est l'art de gouverner les peuples et, envisagée sous ce vaste point de vue, elle est la science la plus intéressante qui existe. Elle doit avoir pour objet de rendre une nation heureuse au-dedans et de la faire respecter au-dehors. De là, elle se divise naturellement en deux parties : politique intérieure et politique extérieure. La première sert de base à la seconde. Tout ce qui prépare le bonheur et la puissance d'une société est de son ressort... Il faut qu'elle voit tous ces objets avec génie et réflexion; qu'elle s'élève au-dessus d'eux pour apercevoir les rapports généraux et l'influence qui les lient les uns aux autres... Il faut, en un mot, qu'elle conduise de front toutes les parties de l'administration et, pour cela, qu'elle se forme un système général; qu'elle l'ait sans cesse devant soi, portant tour à tour les yeux sur lui, pour déterminer les opérations qu'il exige, sur le produit de ces opérations pour voir s'il concourt à l'exécution du plan général. Tandis que la politique intérieure prépare ainsi et perfectionne tous les moyens du dedans, la politique extérieure examine ce que le résultat de ces moyens peut donner à l'état de force et de considération au-dehors; et elle détermine, sur cela, son système. C'est à elle à connaître les rapports de toute espèce qui lient sa nation avec les autres peuples; à démêler les intérêts illusoires et apparents d'avec les intérêts réels; les alliances qui ne peuvent être que passagères et infructueuses d'avec ces liaisons utiles et permanentes que dictent la position topographique ou les avantages respectifs des contractants. C'est à elle à calculer ensuite les forces militaires dont l'État a besoin pour en imposer à ses voisins, pour donner du poids à ses négociations. C'est à elle à constituer ces forces militaires relativement au génie et aux moyens de la nation; à les constituer surtout de manière qu'elles ne soient pas au-dessus de ces moyens parce qu'alors elles épuisent l'État et ne lui donnent qu'une puissance factice et ruineuse. C'est à elle à y introduire le meilleur esprit, le plus grand courage, la plus savante discipline; parce qu'alors elles peuvent être moins nombreuses et que cette réduction du nombre est un soulagement pour les peuples... La politique intérieure ayant ainsi préparé une nation, quelles facilités ne

1. *Discours préliminaire*, p. XL.

trouve pas la politique extérieure à déterminer le système de ses intérêts vis-à-vis de l'étranger, à former une milice redoutable [1]!... »

Discours admirable. Banal aujourd'hui. Inattendu en 1772 : il s'attache plus aux structures fonctionnelles du pouvoir politique et à ses mécanismes qu'à ses finalités. Sans doute Guibert dit-il son objet : le bonheur. Rien d'original : le bonheur est à la mode encore que, trente ans plus tard, Saint-Just proclamera qu'il est une « idée neuve en Europe ». Neuve ou non, idée vague et posée par l'*Essai* comme un axiome de l'existence communautaire sans que son contenu pratique soit autrement élucidé. Sa valeur philosophique – métapolitique – n'est pas discutée. Il en laisse le soin aux philosophes. A moins, je l'en soupçonne, qu'il se désintéresse des fins supérieures tout en affichant ostensiblement des opinions progressistes.

Pragmatique, prenant ses distances avec les idéologies, Guibert ne se préoccupe ici que du système d'opérations, intellectuelles et matérielles, capables d'accomplir toute fin politique concevable. Il interroge moins la politique, puisqu'il écarte tout débat sur le projet qui la définit en hiérarchisant les buts qui expriment la volonté collective, que les voies-et-moyens du projet, quel qu'il soit. Glissement capital : le discours sur la politique dérape dans le domaine que nous reconnaissons aujourd'hui comme celui de la stratégie, au sens plein conféré à ce terme. Je la nomme *stratégie intégrale* parce qu'elle couvre le champ de toutes les évaluations, décisions et conduites humaines en tant qu'elles concourent à la réalisation du projet communautaire. Elle mobilise à son profit les forces de toute nature en travail dans tous les secteurs d'activité de cette société. Stratégie intégrale qui calcule, coordonne et distribue ces multiples forces en fonction des buts projetés; qui organise et pilote l'action d'ensemble selon un « plan fixe [2] » tel que, selon Guibert, l'ancienne Rome en a donné l'exemple presque parfait. Stratégie intégrale qui s'efforce « de diriger les intérêts particuliers vers l'intérêt général [3] » et dont la pratique est possible sous condition d'admettre que « toutes les parties du gouvernement ont entre elles des rapports immédiats et nécessaires. Ce sont des rameaux d'un même tronc [4] ». Système architecturé et finalisé globalement par le projet. Système reflétant, comme celui de la « tactique », la volonté de rationalité et qui doit, lui aussi, construire le futur en défiant les oppositions adverses et les aléas de la contingence. D'où la nécessité d'un « plan qui doit embrasser toutes les parties de l'administration, la gloire publi-

1. *Discours préliminaire*, pp. XV à XVII.
2. *Ibid.*, p. IV.
3. *Ibid.*, p. III.
4. *Ibid.*, p. XI.

que et la félicité particulière; le bonheur de la génération
présente et celui des génération futures; qui doit être conduit à
sa fin, sans relâche et à travers les événements de plusieurs
siècles [1] ».

Vision présomptueuse qui suppose, sinon la pérennité du projet
politique, au moins la continuité des grandes orientations. Ambition de planificateur indifférent au contenu du projet et à l'idée de
l'homme qui l'a dicté. Elle les évacue pour ne retenir que les
opérations de la stratégie qui le réifie. Tout se passe comme si
Guibert rêvait d'une *entreprise politico-stratégique* si rigoureusement montée en système qu'elle serait indépendante des variations
des idées et du sentiment collectifs. Tout se passe comme si un
invariant structurel et fonctionnel permettait de concevoir un
modèle universel d'action collective finalisée sans tenir compte des
individus et des groupes en place, de la personnalité des décideurs
et agissants. Rêve de technocrate obsédé d'efficacité et posant
l'existence de méthodes, de calculs, de décisions et d'opérations
qu'utiliserait nécessairement l'*homo politicus* anonyme dans une
situation géopolitique quelconque. C'est pourquoi, il faut « bien
distinguer la puissance véritable, fondée sur la bonne proportion et
constitution d'un État, avec l'apparence de puissance, fondée sur
une trop grande extension de possessions, sur des triomphes
momentanés, sur les talents d'un grand homme, en un mot sur tout
ce qui ne peut pas durer [2] ». Triomphe de la logique opératoire et
de la systémique...

Cette interprétation mécaniste du discours guibertien s'impose
d'autant plus que, s'il évoque souvent les réformes nécessaires, il
se désintéresse de la conquête du pouvoir et ne traite que son
exercice. Pour Guibert, la politique intérieure n'est pas lutte pour
le pouvoir, mais stratégie pour la production des éléments du
bonheur : « Elle prépare et perfectionne tous les moyens du
dedans. » Aucune allusion aux oppositions internes, aux divergences d'opinions sur la formule de ce bonheur et sur les voies-
et-moyens pour l'obtenir. Si bien des philosophes politiques
s'égarent dans les fumées doctrinales et sombrent dans l'utopie,
l'algèbre guibertienne est ici coupée des réalités : l'exercice du
pouvoir ne saurait être isolé des luttes pour sa conquête. Étrange
omission chez un homme qui ne cesse de rappeler les relations, de
nature cybernétique, entre les politiques intérieure et extérieure.

Peut-être Guibert, conscient de son audace, préfère-t-il observer
quelque devoir de réserve. Si l'enquête politique s'impose à lui
pour l'intelligibilité de la guerre, il sait aussi qu'il braconne sur un
terrain de chasse interdit à ceux qu'il nomme les « sous-ordres ».

1. *Discours préliminaire*, p. XV.
2. *Ibid.*, p. XX.

Domaine réservé, sacré. Sans doute, la pensée frondeuse du siècle
ignore les tabous : le roi peut avoir reçu l'onction sainte et guérir
les écrouelles, il n'est plus que le signe conventionnel d'un pouvoir
dont les plus audacieux cherchent scientifiquement – péché contre
le droit divin! – à démonter le mécanisme à défaut d'en contester
la légitimité. Tenter de comprendre, c'est mettre en question la
magie des apparences. Fasciné par la souveraine liberté d'un
pouvoir central qu'il doit supposer incontesté sauf à renoncer à la
guerre de grand style, Guibert se grise d'en imaginer le fonctionnement idéal à défaut d'en exercer les prérogatives. D'où sa
politique absolue, sans grand rapport avec les imperfections de
l'époque. Sans doute est-il facile de jouer les démiurges dans
l'imaginaire, de négliger les frictions imputables à la viscosité du
matériau avec quoi et contre quoi se fait l'histoire. Il sait que
« pour refondre une constitution, chose plus difficile que de la
créer, il faudrait être souverain [1] ». L'abstraction est redoutable :
la critique incontrôlée du système entraîne celle des valeurs. Le
réformateur de bonne compagnie se mue en philosophe au
marteau qui abat les idoles, dénonce les impostures et dévoile des
forces insoupçonnées ou camouflées.

Venant après Hobbes, Locke, Mably, Montesquieu et Rousseau
et ne désirant pas rivaliser, Guibert n'interroge-t-il la politique que
pour justifier sa guerre de grand style? Celle-ci lui masque-t-elle
une passion autrement virulente de novateur politique? Préconise-
t-il une refonte des institutions et des structures étatiques pour
instaurer les conditions d'un style de guerre efficace? Conçoit-il
au contraire celui-ci comme l'instrument d'une politique dynamique qui découvrira son but à travers ses succès? Accorde-t-il le
primat à la politique qui rêve l'avenir ou à la stratégie qui
construit ce qu'elle peut avec le présent? Ni l'*Esprit des lois* ni le
Contrat social, ni les systèmes progressistes imaginés un peu
partout ne disposent de l'arsenal procurant aux réformateurs les
moyens de réformer. Guibert possède sa boîte à outils, sa théorie
« tactique ». Changer les habituels rapports entre les États,
bouleverser l'équilibre européen pourrait éveiller les peuples à la
conscience de leur existence. Tentation d'inverser la relation de
déterminant à déterminé entre politique et guerre, d'ériger la
situation conflictuelle en déterminant universel et d'attendre de la
guerre autre chose que ce qui est?

Globalement, l'œuvre de Guibert est politique. Elle s'ouvre sur
une tragédie, *le Connétable de Bourbon*. Les deux autres, *les
Gracques* et *Anne de Boleyn*, ont également la politique pour
ressort. Leur écriture ne vaut pas mieux que celle de Voltaire,
Crébillon ou Ducis. Mais on discerne ce qui le retranche des
hommes de lettres. Dramaturge ou panégyriste de Catinat, de

---

1. *Essai général de tactique*. Introduction, p. 11.

l'Hospital et du roi de Prusse, leur psychologie l'intéresse moins que leur fonction dans l'histoire, leur insertion dans le système, les raisons de leur maîtrise des mécanismes, ou celles de leurs échecs. Il se mesure avec des héros de la création politico-stratégique, non avec des drames du sentiment. La tragédie grecque ou racinienne dressait ses victimes contre leur destin, restituait le style solitaire de qui se mesure désespérément avec les puissances de mort et se débat pour trouver un sens à sa vie condamnée. Guibert est fasciné par le pathétique d'une histoire qui se constitue par le jeu de forces et d'idées en quête d'acteurs possédés. Comment peut-on être l'auteur ou la victime de la politique absolue? Phèdre l'intéresse moins que Nicomède...

Désormais source unique du tragique, substituée aux caprices des dieux jouant avec les petites passions des créatures, la politique écrit la nouvelle genèse avec et contre les hommes qu'elle piège. Déplacement considérable : la politique n'est plus jeu de princes ou de chancelleries. Elle investit le champ entier de l'existence, se soumet pensées et actions. Le destin personnel s'évapore dans la combinatoire de forces collectives dévorantes. Les dieux imprévisibles s'effacent devant l'idole rationnelle. L'État totalitaire prétend tout assumer : il a tout calculé. Le rêve de Guibert, peut-être...

A Erfurt, après une représentation du *César* de Voltaire, Napoléon dit à Goethe : « Le destin, c'est la politique » ou : « De nos jours, la tragédie, c'est la politique. » Aphorismes équivalents : il n'est pas dupe de sa puissance et connaît que sa liberté démiurgique – le daîmon goethéen – sert une fin qu'il ignore. C'est que, entre l'*Essai* et 1808, l'histoire aura donné vie et forme à la pensée de Guibert et consacré la tyrannie d'une politique ne laissant rien au hasard. Un peuple aura pris conscience de ses pouvoirs. La guerre lui aura révélé des forces qui s'ignoraient. Une guerre inspirée du modèle guibertien, accordée à la politique centralisée, systématisée, qu'esquisse le *Discours préliminaire*.

La tragédie des temps modernes se noue avec la Révolution et Napoléon. Elle sur-déterminera les destins individuels par des conflits révélant les dimensions ignorées de la condition humaine. Elle roulera des peuples, enivrés de leurs mythes et de leur puissance, vers une fin aussi obscure que l'était, avant Œdipe, l'interrogation de la Sphynge. Mais la réponse à l'énigme n'est plus l'homme. Ni l'*homo sapiens* ni l'*homo faber,* hommes-personnes, mais l'*homos politicus,* l'homme des religions séculières [1]. Introducteur des nouveaux temps, Guibert souhaite que le

---

1. Philippe de Ségur rapporte un autre propos de Napoléon, la veille d'Austerlitz : « C'est une erreur de croire les sujets tragiques épuisés. Qui

bonheur et la puissance d'une nation ne reposent pas sur « les talents d'un grand homme », que le « système de création » politique soit si exactement calculé que l'exécution ne dépende pas des exécutants. Par son idolâtrie d'un appareil d'État dont les mécanismes et l'autorégulation soumettent l'obscure et anonyme volonté collective à la loi de l'efficacité, il appelle autant le Napoléon d'une politique-fatalité que le Saint-Just de « la force des choses » qui, dans un langage rappelant étrangement celui de notre auteur, réclamera que « la République établie embrasse tous les rapports, tous les intérêts, tous les droits, tous les devoirs, et donne une allure commune à toutes les parties de l'État ».

Stratégie intégrale et guerre

La politique guibertienne se donne pour objet non seulement la conquête du bonheur mais aussi celle de la « puissance ». Puissance pour quoi faire? Dans un espace géohistorique donné coexistent des entités sociopolitiques distinctes procédant d'une double prise de conscience : celle, par leurs membres constituants, de leur appartenance à une même collectivité fédérée par le principe unitaire qui fonde l'État-nation dans son identité et que traduit le projet politique. Celle également de leur différence avec les autres entités du même ordre et construites, elles aussi, autour d'un principe unitaire. Le système dynamique constituant la communauté internationale traduit donc la dialectique de l'identité et de l'altérité : au sein de la pluralité, chaque unité doit persévérer dans l'être (survivre) et exprimer son être (vivre) par des modes d'existence et des activités conformes à son identité. Chacun exige d'être reconnu de chacun dans son être et son existence. D'où un champ de tensions hétérogènes composant, d'une part, des relations de concurrence, de compétition, voire d'hostilité dans la mesure où la différence est perçue et vécue à travers des intérêts divergents; d'autre part, des relations de coopération, d'entente, voire d'alliance, quand l'iden-

étudiera la politique et ses prescriptions inexorables verra jaillir une source abondante d'émotions fortes. Tout ce que le fatum fournissait à Eschyle ou Sophocle, les poètes modernes le retrouveront dans la politique, cette fatalité aussi dure, aussi impérieuse, aussi dominatrice que l'autre. Que faut-il pour cela? Mettre ses personnages dans une situation où cette nécessité politique se dresse subitement devant eux, leur donner des passions dangereuses, des affections humaines, ce qu'il y a de plus contraire à cette loi d'airain et les faire plier malgré eux sous la puissance invincible. Tout ce qu'on nomme coup d'État, crime politique, deviendrait de la sorte un sujet de tragédie où l'horreur se trouvant tempérée par la nécessité, on verrait se développer un intérêt aussi neuf que puissant... Il y a de ces deux principes, fatalité antique et politique moderne, dans l'Iphigénie française. »

tité s'étend de l'un à l'autre sur certains intérêts communs.
Les relations entre unités sociopolitiques sont irréductibles à l'état de guerre de chacun contre chacun et contre tous conforme à l'état de nature selon Hobbes, et faute d'une conscience universelle ou d'un pouvoir supra-étatique; ni, à l'inverse, à l'état de paix non moins conforme à cet état de nature selon Locke. Sauf dans la situation extrême de la lutte à mort, dans laquelle l'un nie radicalement l'autre et refuse de reconnaître aucun trait de son identité, et dans celle de l'identité absolue abolissant toute différence, tout pluralisme, les rapports sociopolitiques sont nécessairement ambivalents : ils combinent, de chacun à chacun et avec tous, à la fois et simultanément des oppositions et des convergences. Le projet de chacun trouve avec les autres, à la fois et dans le même instant, des intérêts litigieux, contradictoires, et des intérêts communs, accordés. Combinaison variant sans cesse en nature et en degrés. Dynamique qui dénonce l'inadéquation, aux réalités politiques, des catégories manichéennes d'ami et d'ennemi. La véritable polarité, plus générale et reflétant mieux l'essence du politique, me semble celle de l'Un-l'Autre. Dialectiques de l'identité et de l'altérité, de l'unité et de la pluralité éclairant toutes les nuances du spectre conflictuel entre la coopération et la guerre, et réservant la possibilité de tous les degrés de coopération et de guerre [1].

Le critère du politique, le signe qui permet de reconnaître la nature politique d'un problème, la relation spécifique et fondamentale à laquelle on peut réduire toute activité et toute fin politique sera donc pour nous celle de l'Un et de l'Autre au sein d'un ensemble englobant. Critère révélateur pour la pensée guibertienne. Aucune pluralité dans sa vision de la politique intérieure : identité absolue, de principe, dès lors que le système rationalisé, le *pouvoir cybernétique* serait instauré. Ni paix résultant de la réduction des tensions, ni guerre civile, mais un équilibre fonctionnel résultant d'une parfaite autorégulation interne du système. L'Autre s'efface devant l'unité totalisante, totalitaire.

Cependant le système étatique s'inscrit dans un système englobant : l'ensemble des autres États. La logique sociopolitique et l'histoire disent que chaque État-nation est un système ouvert en relation constante de coexistence avec les autres. On s'attend que

---

1. Ce n'est pas ici le lieu de développer ces notions fondamentales pour la philosophie du conflit, la polémologie, la stratégie – et l'épistémologie stratégique. Le concept Ami-Ennemi de Carl Schmitt (cf. *la Notion de politique* 1927, trad. française Calmann-Lévy 1972), et celui d'adversaire-partenaire, rénové par la stratégie nucléaire et qu'on trouve chez T.C. Schelling, H. Kissinger et R. Aron, nous sont familiers. Je crois néanmoins nécessaire une catégorie plus englobante et plus féconde pour la compréhension de l'objet-conflit englobant l'objet-guerre.

Guibert décrive le fonctionnement de ce système de systèmes ouverts et en infère les lois de génération des conflits et des guerres. Or il tend, là aussi, à sacrifier la pluralité au profit de l'unité. Non seulement l'*Essai* n'affiche aucun nationalisme outrancier et exclut les grandes entreprises conquérantes, mais il donne comme fin à la politique extérieure d'être indifférente... à l'extérieur : « Que devrait être le but de la politique des peuples ? Celui de se fortifier au-dedans, plutôt que de chercher à s'étendre au-dehors; de se resserrer même, s'ils ont des possessions trop étendues; et de faire, pour ainsi dire, en échange, des conquêtes sur eux-mêmes, en portant toutes les parties de leur administration au plus haut point de perfection [1]. » Dans l'*Essai*, la « sage politique [2] » privilégie le « bonheur » aux dépens de la « puissance ». Contrairement à Machiavel, il donne la priorité à la politique intérieure sur l'extérieure au point que le projet guibertien tourne à l'autarcie : l'identité nationale est cultivée comme si la structure pluraliste du système international autorisait une indépendance quasi totale de chacun envers chacun. Indifférent aux autres, l'État idéal pratiquera une « politique extérieure... uniforme et stable... Il ne sera pas jaloux de leur richesse. Il ne le sera pas de leurs conquêtes. Il n'ira pas les troubler dans leurs possessions lointaines... Cet État aura rarement à négocier avec ses voisins. Presque tous les intérêts des autres nations lui seront indifférents. Il aura eu l'art de rendre sa prospérité indépendante d'elles. Peut-être n'entretiendra-t-il point d'ambassadeurs [3] ». Type parfait d'*autisme politique*...

Néanmoins l'autarcie n'exclut pas la sécurité. Là intervient « la puissance ». On retrouve Leibniz, mais avec un ordre de priorité inverse : « Ma définition de l'État ou de ce que les Latins appellent République est : que c'est une grande société dont le but est la sûreté commune. Il serait à souhaiter qu'on pût procurer aux hommes quelque chose de plus que la sûreté, à savoir le bonheur, et l'on doit s'y appliquer, mais du moins la sûreté est essentielle et sans cela le bien cesse [4]. » Hobbes résume aussi le « bien du peuple » dans « la sécurité et la prospérité [5] ». Aussi autarcique qu'il se veuille, Guibert doit compter avec l'existence des autres et la sécurité suppose la possibilité de la guerre.

Qu'est-ce que la guerre? Pour Guibert, « un fléau mais inévitable et même au-devant duquel il faut savoir quelquefois aller [6] ».

1. *Discours préliminaire*, p. X.
2. *Ibid.*, p. X.
3. *Ibid.*, pp. XXI et XXII.
4. Lettre à M. de Palaiseau citée par P. Janet, *Histoire de la science politique*, 1887, II, p. 247.
5. *Leviathan*, chap. XXX : « The safety of the people » et « All the contentments of life ».
6. *Défense du système de guerre moderne*, II, p. 214.

« Il est bien triste d'imaginer que le premier art qu'aient inventé les hommes ait été celui de se nuire, et que, depuis les commencements des siècles, on ait combiné plus de moyens pour détruire l'humanité que pour la rendre heureuse. C'est cependant une vérité bien prouvée par l'histoire. Les passions naquirent avec le monde. Elles enfantèrent la guerre. Celle-ci produisit le désir de vaincre et de se nuire avec plus de succès, l'art militaire enfin... Il s'éleva sur la terre des ambitieux; et cet art, perfectionné par eux, devint l'instrument de leur gloire. Il fit dans leurs mains le destin des nations. Il détruisit ou conserva les empires; il précéda enfin, chez tous les peuples, les arts et les sciences, et y périt, à mesure que celles-ci s'étendirent [1]. »

Guibert éclaire la fonction déterminante des tensions et de l'art de la guerre dans la vie et la mort des civilisations : coloration héraclitéenne. Il passe rapidement sur l'étiologie des conflits réduite à un lieu commun sur la condition humaine. Il ne cesse de le répéter aux philosophes, « ou pour parler plus juste (aux) gens faisant profession de philosopher [2] », leur rappelant les graves conséquences, pour le bien public, du pacifisme et de l'antimilitarisme délirants : « Posons d'abord et avant tout, comme une base incontestable, que la philosophie s'élève en vain contre la guerre, qu'elle n'en détruira pas l'usage. Pour la détruire, il faudrait anéantir les passions, il faudrait créer des peuples d'anges. Encore voyons-nous que l'orgueil et l'ambition finirent par les mettre aux prises avec leur créateur. Si la guerre est un résultat infaillible des passions de l'espèce humaine, il faut donc un art de la faire et des hommes qui s'y consacrent. Cette base posée, déclamer contre la guerre en vers et en prose, porter des anathèmes philosophiques contre elle, c'est battre l'air de vains sons; car sûrement les Princes ambitieux, ou injustes, ou puissants, ne sont pas contraints par là. Mais ce qui peut et ce qui doit nécessairement en résulter, c'est d'éteindre peu à peu l'esprit militaire, de rendre le gouvernement moins occupé de cette importante branche de l'administration, et de livrer un jour la Nation amollie et désarmée, ou, ce qui revient à peu près au même, mal armée, et ne sachant pas se servir de ses armes, au joug de Nations aguerries qui auront eu moins de lumières peut-être, mais plus de jugement et de prudence. Parlerai-je d'une autre erreur plus étrange encore, c'est celle qui fait penser à des gens de beaucoup d'esprit, mais égarés par leur cœur, qu'un jour il n'y aura plus de guerre, que les peuples et souverains se rendront sur cela à l'évidence de la raison et des lumières [3]. »

Réminiscence de l'état de nature selon Hobbes : « Tant que les

1. *Discours préliminaire*, p. XXV.
2. *Défense du système de guerre moderne*, II, p. 208.
3. *Ibid.*, II, pp. 210 et 211.

hommes vivent sans une puissance commune qui les maintienne tous en crainte, ils sont dans cette condition que l'on appelle Guerre, et qui est la guerre de chacun contre chacun. La guerre ne consiste pas seulement en effet dans la Bataille ou dans le fait d'en venir aux mains, mais elle existe pendant tout le temps que la Volonté de se battre est suffisamment avérée [1]. » J'ignore si Guibert a lu Hobbes, mais Diderot lui dit la même chose : « Comme les princes n'ont point de tribunal sur terre qui puisse juger de leurs différends et de leurs prétentions, c'est la guerre ou la force qui peut seule en décider et qui en décide ordinairement [2]. » À quoi s'oppose le *Contrat social :* « L'homme primitif est naturellement pacifique et craintif... L'honneur, l'intérêt, la vengeance, toutes les passions qui peuvent lui faire braver les périls et la mort sont loin de lui dans l'état de nature. »

On regrette que Guibert identifie aux jeux des passions le principe agonistique qui régit la coexistence des volontés de création politique. Rousseau .devait pourtant l'éclairer sur la différence entre les agressivités individuelle et collective : « La guerre n'est point une relation d'homme à homme, mais une relation d'État à État, dans laquelle les particuliers ne sont ennemis qu'accidentellement, non point comme hommes, ni même comme citoyens, mais comme soldats, non point comme membres de la patrie, mais comme ses défenseurs [3]. » Il ajoute : « Si je voulais approfondir la notion de l'état de guerre, je démontrerais aisément qu'il ne peut résulter que du libre consentement des parties belligérantes; que si l'un veut attaquer et que l'autre ne veuille se défendre, il n'y aura point état de guerre, mais violence et agression. » Idée que reprendra Clausewitz : « La guerre a plutôt une raison d'être pour le défenseur que pour le conquérant, car la guerre ne commence pas avant que l'invasion ait suscité la défense. Un conquérant est toujours ami de la paix, comme Bonaparte le disait constamment de lui-même; il voudrait bien faire son entrée dans votre État sans opposition. Pour l'en empêcher nous devons choisir la guerre et par conséquent faire à l'avance nos préparatifs. En d'autres termes, c'est justement le camp le plus faible, celui qui doit se défendre, qui doit toujours être armé pour ne pas être surpris. Ainsi le veut l'art de la guerre [4]. »

Paradoxe apparent : c'est bien à la victime de l'agression qu'il revient de décider la guerre ou de capituler. Tout partisan de la paix qu'il soit, Guibert refuse évidemment la soumission et se sépare des philosophes et juristes qui ont tenté d'asseoir la paix sur

1. *Léviathan*, I, 13.
2. *Encyclopédie*, article « Guerre ».
3. Rousseau, *Du contrat social*, livre I, ch. IV.
4. *De la guerre*, livre VI. Dans ses *Cahiers sur Clausewitz*, Lénine souligne ce passage d'un « Ah! Ah! spirituel ».

des plans de désarmement militaire et moral. Les plans de paix n'ont pas manqué pour en appeler à la raison contre l'irrationalité de la guerre. Pierre Dubois (*De recuperatione terrae sanctae*), à la fin du XIII⁰ siècle, proposait d'unifier la chrétienté en l'engageant solidairement contre les infidèles. Emeric Crucé (*Le Nouveau Cynée ou discours des occasions et moyens d'établir une paix générale et la liberté du commerce pour tout le monde*, 1623) suggéra de transférer le besoin d'activité des hommes vers les grands travaux d'utilité publique. Le grand dessein de Sully, le projet similaire de Leibniz et le plan de paix de William Penn (1693) procédaient d'intentions analogues.

Ces utopies ne retinrent guère l'attention. Au XVIII⁰ siècle, elles font plus de bruit : le *Projet pour rendre la paix perpétuelle en Europe* (1728) de l'abbé de Saint-Pierre, discuté par les Encyclopédistes, suppose, comme Gibbon, que l'Europe issue du Grand Siècle a trouvé son assiette, qu'on peut maintenir le *statu quo* par un acte de renonciation à la guerre et par les voies de la conciliation et de la médiation – ce qui attire les sarcasmes de Frédéric II : « La chose est tout à fait possible, il ne lui manque qu'une chose : le consentement de l'Europe et quelques bagatelles de cet ordre. » Pour Rousseau , le projet suppose « un tel concours de sagesse dans tant de têtes et un concours de rapports dans tant d'intérêts, qu'on ne doit guère espérer du hasard l'accord fortuit de toutes les circonstances nécessaires. » Voltaire lui-même, si cruel pour les hommes de guerre dans *Candide* et le *Dictionnaire philosophique* et qui recommande aux Polonais de ne pas résister à leurs voisins, plaisante le « bonze saint Pierre ». Ce maigre succès ne découragera ni Jérémie Bentham (1789), ni Kant (*Zum ewigen Frieden,* 1795) qui se hasarderont sur ce terrain alors que s'ouvrait l'ère des grandes guerres nationales...

Guibert demeure lucide : « Il a passé par la tête de quelques rêveurs de bien public, que les guerres pourraient se décider par de petites armées; que les souverains pourraient convenir entre eux de n'entretenir que des armées proportionnées à l'étendue de leurs États et à leurs moyens. Mais cette chimère s'évanouit au premier examen. S'il pouvait y avoir jamais un Congrès de souverains assemblé pour traiter du bonheur du genre humain, il serait plus aisé d'y réaliser le projet de paix perpétuelle, que d'y former de pareilles conventions; car qu'est-ce qui établirait cette proportion [1]? » C'est nier toute possibilité de désarmement sans un pouvoir supranational capable de substituer un état civil à l'état de nature.

Le solipsisme politique qui entraîne l'*Essai* à nier la réalité des dépendances vitales entre États ne va donc pas jusqu'à admettre la capitulation devant l'agression. Les conflits armés sont dans la

---

1. *Défense du système de guerre moderne,* II, pp. 215 et 216.

nature des choses. La guerre peut être la tentation offerte, à un agresseur peu scrupuleux, par un État débile ou un peuple abruti de « vices ». La conduite de Frédéric II justifie même la guerre offensive, *ultima ratio* d'États condamnés à terme par leur faiblesse relative et ne pouvant survivre qu'en prenant les devants et en exigeant d'être reconnus avant que le rapport des forces militaires ou la conjoncture ne jouent contre eux. C'est disculper la guerre préventive par des arguments d'efficacité stratégique et ouvrir la porte à tous les excès. Éternels et insolubles problèmes de la guerre juste, déjà traité par Jean Bodin, Grotius, Vattel et Montesquieu, et de la définition de l'agresseur : « S'il est des guerres injustes, il en est de nécessaires [1]. Sans pouvoir étayer mon opinion sur des textes indiscutables, Guibert me semble tenté de regarder la guerre comme l'une des phases d'un processus biologique par laquelle certaines sociétés, demeurées à l'état infantile, s'efforcent d'accéder à une forme viable.

L'autarcie politique n'implique logiquement que la guerre à finalité défensive devant une agression. L'*Essai* s'en tient, apparemment, à cette riposte qui sauve la morale. Mais le principe d'efficacité réapparaît dans l'ordre des voies-et-moyens. Guibert refuse les atermoiements et, par une sorte de revanche sur ses concessions aux Lumières, il ne conçoit plus qu'une guerre d'anéantissement; défensive sans ses origines, elle ne peut être qu'offensive dans sa forme : « Si enfin, malgré sa modération, il (ce peuple) est offensé dans ses sujets, dans son territoire, dans son honneur, il fera la guerre. Mais lorsqu'il la fera, ce sera avec tous les efforts de sa puissance; ce sera avec la ferme résolution de ne pas poser les armes qu'on ne lui ait donné une réparation proportionnée à l'offense. Son genre de guerre ne sera pas même celui que tous les États ont adopté aujourd'hui. Il ne voudra pas conquérir pour garder ses conquêtes. Il fera plutôt des expéditions que des établissements. Terrible dans sa colère, il portera chez son ennemi la flamme et le fer. Il épouvantera, par ses vengeances, tous les peuples qui pourraient être tentés de troubler son repos. Et qu'on n'appelle pas barbarie, violation de prétendues lois de la guerre, ces représailles fondées sur les lois de la nature. On est venu insulter ce peuple heureux et pacifique. Il se soulève, il quitte ses foyers. Il périra jusqu'au dernier s'il le faut; mais il obtiendra satisfaction, il se vengera, il assurera, par l'éclat de sa vengeance, son repos futur. Ainsi la justice, modérée, attentive à prévenir le crime, sait, quand le crime est commis, se rendre inexorable, poursuivre le coupable, appesantir sur lui le glaive des lois et ôter, par l'exemple, aux méchants commencés, la tentation de devenir criminels [2]. »

---

1. *Défense du système de guerre moderne*, II, p. 208.
2. *Discours préliminaire*, pp. XXII et XXIII.

Guerre d'incursion et punitive, et non guerre de conquête. Guerre imposée, mais sans rapport avec les errements du siècle : la juste défense n'exclut pas l'efficacité dans la résolution du litige. Mais la modération des fins politiques de la guerre est-elle si claire dans la pensée de Guibert? Le *Discours préliminaire* ouvre au passage d'autres perspectives, moins raisonnables : en contradiction avec l'apologie du neutralisme auquel conduit le vœu de fermeture au monde environnant, il évoque une politique de « grandes affaires ». Là, Guibert se prend à rêver d'une autre sorte de guerre, une « guerre de grand style » sans parenté avec la guerre punitive. Guerre offensive, cette fois, au service d'une volonté conquérante : « Mais, supposons qu'il s'élevât en Europe un peuple vigoureux, de génie, de moyens et de gouvernement; un peuple qui joignît à des vertus austères et à une milice nationale, un plan fixe d'agrandissement, qui ne perdît pas de vue ce système, qui, sachant faire la guerre à peu de frais et subsister par ses victoires, ne fût pas réduit à poser les armes par des calculs de finance, on verrait ce peuple subjuguer ses voisins et renverser nos faibles constitutions, comme l'aquilon plie de frêles roseaux [1]. » Quel est le vrai Guibert? Le modéré ou l'apologiste de la guerre de conquête, donc d'agression? Celle-ci n'est-elle qu'une hypothèse d'école ou répond-elle à un vœu plus profond que dissimulent les concessions au cosmopolitisme pacifique? La volonté d'efficacité militaire triomphe et contamine nécessairement la politique. On voit mal comment un peuple « de génie » s'accommoderait d'une existence repliée dans la neutralité...

Guibert se démasque involontairement et ses lecteurs ne s'y tromperont pas. D'autant moins que, poursuivant son incursion dans la sacro-sainte politique, l'*Essai* lui demande les moyens de la grande guerre en se fondant sur son rapport avec la « constitution militaire ». Qui veut conférer aux opérations le style le plus efficace n'en recevra les moyens que d'une politique planifiée, rénovée, voire révolutionnaire puisque la politique-système exige d'autres structures que celles qui existent. De la physique politico-stratégique, il glisse à sa métaphysique et *doit* souhaiter un ordre sociopolitique rompant avec l'ordre établi. Qu'il le veuille ou non, le réformisme politique réintroduit l'idéologie qu'il avait évacuée. Ne songe-t-il pas à une république quand il évoque la leçon de Rome et de la Suisse : « J'admire donc la politique des Romains dans leurs beaux jours, lorsque je la vois fondée sur un plan fixe; lorsque ce plan a pour base le patriotisme et la vertu; lorsque je vois Rome naissante, n'être qu'une colonie faible et sans appui; devenir rapidement une ville; s'agrandir sans cesse, vaincre tous ses voisins qui étaient ses ennemis; s'en faire des citoyens ou des alliés; se fortifier ainsi en s'étendant, comme un fleuve se

1. *Discours préliminaire*, p. VII.

grossit par les eaux qu'il reçoit dans son cours. J'admire cette politique, quand je vois Rome n'avoir jamais qu'une guerre à la fois; ne pas s'aveugler par ses succès, ne pas se laisser abattre par les revers; devenir la proie des Gaulois et des flammes, et renaître de ses cendres. J'admire Rome enfin, quand j'examine sa constitution militaire, liée à sa constitution politique; les lois de sa milice; l'éducation de sa jeunesse; ses grands hommes passant indifféremment par toutes les charges de l'État, parce qu'ils étaient propres à les remplir toutes; ses citoyens fiers du nom de leur patrie, et se croyant supérieurs aux rois qu'ils étaient accoutumés à vaincre [1]. »

Tout se passe comme si, pour lui, le rapport de conformité idéal entre style de guerre et style politique ne pouvait s'instituer que dans un régime démocratique qui n'implique nullement l'abolition de la royauté. Les troupes mercenaires n'existent que pour pallier une carence sociale : « Dans la plupart des pays de l'Europe, les intérêts du peuple et ceux du gouvernement sont très séparés; le patriotisme n'est qu'un mot; les citoyens ne sont pas soldats; les soldats ne sont pas citoyens; les guerres ne sont pas les querelles de la nation; elles sont celles du ministère ou du souverain. Cependant, elles ne se soutiennent qu'à prix d'argent et au moyen des impôts [2]. » Carence révélatrice, plus que toute autre, de la dysfonction entre les politiques intérieure et extérieure, signe irréfutable de la faillite d'un régime et d'une société, cette indifférence populaire, naturelle ou entretenue, à la défense de son patrimoine et de son sol. En un temps où la formule de cette défense s'écrit : un homme = un fusil (ou un cheval), que l'on refuse un fusil à l'homme ou que cet homme ne revendique pas le droit au fusil, c'est lui dénier non seulement tout droit sur sa terre, mais aussi celui d'exister par et pour soi.

La métaphysique de l'objet-guerre entraîne Guibert fort loin : ultime implication de l'axiome d'efficacité opérationnelle. On comprend mieux pourquoi il devait ouvrir l'*Essai* par le *Discours préliminaire* qui en assure l'intelligibilité. Le propos politique n'est ni gratuit ni surajouté : il assure la cohérence théorique de la science militaire. Le *Discours* est la clef du discours « tactique » et celui-ci rétroagit sur la politique : la révolution de l'art militaire appelle, par continuité, sinon la révolution, au moins la réforme sociopolitique. Si la guerre est l'affaire du soldat-citoyen, la politique devient nécessairement celle du peuple. La boucle est fermée.

Gardons-nous d'entendre avec nos oreilles la revendication de liberté qui s'affirme de livre en livre chez Guibert. La cité selon son cœur est la république romaine. Il s'agit moins de libérer les

---

1. *Discours préliminaire*, p. IV.
2. *Essai général de tactique*, II, p. 92.

individus de leurs aliénations que de les associer dans un corps sociopolitique équilibré et dont la cohésion est obtenue par la pratique de la « vertu ». Le consensus n'est que le consentement, forcé s'il le faut, à l'intégration de chacun dans le tout public. Rien de plus aliénant que la vertu imposée. Si la politique de guerre se subordonne celle du temps de paix selon les exigences de l'efficacité, il faut bâtir une cité « où la profession de soldat soit honorée; où la jeunesse reçoive une éducation guerrière; où les lois inspirent le courage et flétrissent la mollesse; où la nation, en un mot, soit préparée par ses mœurs et ses préjugés à former une milice vigoureuse [1]. »

Le matériel humain

L'appel de l'*Essai* au dynamisme national spécule sur la passion des masses sensibilisées par un danger extérieur perçu comme une menace pour le bonheur. Comment utiliser les forces populaires? Le citoyen doit être soldat et, en cela, l'*Essai* suit Diderot : « Il faudrait que dans chaque condition, le citoyen eût deux habits, l'habit de son état et l'habit militaire. » Rousseau également qui, dans ses *Considérations sur le gouvernement de Pologne et sur la réformation projetée en avril 1772,* préconise la nation armée et le système des milices : « Toutes les victoires des premiers Romains avaient été remportées par de braves citoyens... Une bonne milice, une véritable milice est seule capable de remplir cet objet. »

L'*Essai* demeure assez imprécis sur la formule permettant au citoyen d'être soldat. Il semble rejeter la conscription sous la forme adoptée par la Prusse, initiatrice en ce domaine sans pour autant posséder une authentique armée nationale; c'est-à-dire – et ceci est capital pour Guibert – sans que soit instauré un accord du cœur et de l'esprit entre le peuple, son gouvernement et son armée. D'ailleurs, en France, pays le plus peuplé d'Europe, la conscription fournirait des effectifs pléthoriques. On résisterait mal à la tentation de constituer ces armées de masse, incommandables et peu manœuvrières, que Guibert proscrit comme la solution de facilité offerte aux stratèges sans imagination. Il veut, plus modestement, réformer l'esprit dans lequel sont exploitées les ressources des milices pour compléter les troupes réglées; rétablir la liaison entre l'armée et la nation en restaurant des valeurs affaiblies ou inexistantes, comme la patriotisme et le sens civique, et en réformant la condition du soldat qui doit se sentir citoyen comme le citoyen doit se savoir soldat en puissance. D'où son programme d'éducation militaire pour la jeunesse : exercices corporels et instruction civique.

1. *Discours préliminaire,* p. XXXIII.

Les difficultés soulevées par les milices, première formule des réserves instruites, sont anciennes. Aux premiers temps de la monarchie, les rois convoquaient le ban et l'arrière-ban en cas de péril national. Puis François Ier et Henri II tentèrent de former des légions territoriales. Quand les Impériaux menacèrent Paris, en 1636, on recourut aux levées en masse et plusieurs ordonnances appelèrent sous les armes les nobles et les corps de métier. Appliqué tantôt à tout le royaume, tantôt à quelques généralités, tantôt aux seules paroisses rurales, tantôt étendu aux villes et aux campagnes, le procédé fut employé par Richelieu et Mazarin. Cet appel était facilité par la persistance d'institutions plus ou moins militaires ou paramilitaires datant du Moyen Age : milices bourgeoises, compagnies de francs-archers et d'arquebusiers. L'organisation évolua : les besoins en effectifs s'accroissant, Louvois recourut à une sorte de service obligatoire. Le règlement du 29 novembre 1688 étendit à tout le royaume l'institution des milices provinciales : les paroisses durent désigner au sort des hommes de vingt à quarante ans, non mariés, groupés en compagnies de cinquante sous les ordres de la noblesse locale. Équipés aux frais de la paroisse, ils s'exerçaient aux armes et pouvaient renforcer les troupes régulières : pendant la guerre de la Ligue d'Augsbourg, trente régiments de milice (25 000 hommes), dont beaucoup étaient d'anciens soldats, se comportèrent fort bien. Mais, dans la pensée de Louvois, ce ne fut guère qu'un expédient. Au reste, l'expérience suscita de nombreuses récriminations à cause des dispenses. Des émeutes troublèrent souvent les opérations de tirage au sort.

Supprimées en 1697, les milices réapparurent en 1726. Jusqu'alors armée auxiliaire pour le temps de guerre, elles constituèrent désormais une réserve permanente d'infanterie. Conservant leurs cadres en temps de paix, elles furent astreintes à des exercices périodiques. Jusqu'à la chute de la royauté, la France disposa ainsi d'une double armée : troupes réglées, recrutées par enrôlements volontaires et mercenaires, et milices provinciales. Cette organisation théorique subit les contrecoups d'une politique changeante : si d'Argenson lui porta intérêt, la guerre de Sept Ans, où 104 000 miliciens furent tués, et la longue période de paix qui suivit, la firent négliger. Choiseul la reconstitua de 1762 à 1766 par tirages successifs, avec de nombreuses exemptions dans la clientèle des privilégiés. Puis l'institution déclina et Saint-Germain ne la laissa subsister que sur le papier. Reprise de 1775 à 1780 avec un régime plus régulier et plus équitable, le dernier tirage au sort eut lieu en 1778. D'abord organisées en bataillons, les troupes provinciales furent enrégimentées à titre permanent. A chacun des soixante-dix-huit régiments de ligne alors existants, Montbarey attacha un bataillon de garnison qui prit le nom du régiment correspondant. Cette assimilation nominale avait pour but de lutter contre l'opinion défavorable que les réguliers affectaient à l'égard des miliciens. Néanmoins, aucune tendance à l'amalgame : l'armée de ligne se replia sur elle-même. On l'installa dans des casernes et son particularisme ne fit que s'accentuer.

Devant ce legs de l'histoire monarchique, on comprend que Guibert hésite à préconiser la levée en masse : projet utopique sans de radicales réformes politiques. Il se rabat sur une meilleure utilisation des ressources. Pour éviter les habituels inconvénients des solutions intermédiaires, il vante l'efficacité des petites armées dont la cohésion et la maîtrise professionnelle autoriseront le style opérationnel dont il rêve. Il ramène ainsi le recrutement et l'organisation à leur objet : un appareil militaire de qualité qui satisfasse à des normes d'efficacité précises. Pour Guibert, le facteur déterminant le succès des opérations est la mobilité. Plus précisément, la maniabilité ou aptitude à la manœuvre. Seules les troupes réglées répondent à cet objet.

Il faudra le dernier ouvrage, *la Force publique (1790)*, pour que soient traitée dans son ensemble l'organisation militaire, définis les divers systèmes de forces nécessaires et leurs rapports : armée régulière permanente, destinée à combattre l'ennemi « du dehors », recrutée essentiellement par enrôlements volontaires stimulés par des mesures financières et sociales originales; « milice nationale (qui) doit être universelle », recrutée, organisée et décentralisée dans les municipalités et ayant pour mission, « au-dedans », la « conservation de la liberté publique... et le maintien des lois [1] ». Indépendante de l'armée régulière, la milice doit en être « le frein et le contrepoids », et ceux du pouvoir exécutif. Sauf exception, Guibert n'imagine pas qu'elle puisse fournir des réserves instruites à l'armée en cas de crise extérieure.

Je ne puis analyser dans son détail ce traité des rapports entre la force armée et le système politique dans un régime démocratique. *La Force publique* est plus un discours juridique et constitutionnel que stratégique. Les militaires lui ont prêté peu d'attention. On y retrouve une problématique toujours actuelle des institutions intéressant *à la fois* la défense extérieure et la défense intérieure; le souci d'équilibrer le pouvoir politique et l'instrument de la violence armée par une organisation multipliant les garanties de sécurité et de contrôle; la volonté d'accorder les coûts et l'efficacité. Livre magistral : le stratège devient homme d'État. Livre méconnu bien qu'il ait donné autant à penser que l'*Esprit des lois* et le *Contrat social* aux législateurs républicains.

Les idées de Guibert sur la double solution, selon le principe de complémentarité, de l'armée de métier et des milices, n'auront pas de suite immédiate. Pressés par la guerre, les hommes de

1. *De la force publique,* p. 53.

la Révolution suivront plutôt Servan de Gerbey, collaborateur de
l'*Encyclopédie* qui publie en Suisse, en 1780, un ouvrage rédigé en
1771 : *le Soldat-Citoyen*. Après une critique sévère des institutions militaires héritées de Louvois, il met l'accent, lui aussi, sur le
redressement moral et la revalorisation de la condition militaire. Il
propose de rendre le service obligatoire « pour tous les citoyens
sans distinction d'état depuis l'âge de dix-huit ans jusqu'à celui de
quarante ans ». Les « provinces », véritables circonscriptions militaires, fourniraient ainsi des « légions » interarmes, avec leur
état-major et leur école pour l'instruction des recrues. Enfin – et
cela est nouveau – Servan propose que, en temps de paix, l'armée
soit utilisée à de grands travaux d'intérêt général selon un
programme saisonnier : « ... à faire des chemins, à creuser des
canaux, à défricher des terres, à élever des monuments » au
printemps et en été; à des manœuvres en automne, et à des
travaux d'artisanat ou de culture en hiver, période durant laquelle
les hommes regagneraient leur village. La conscription selon
Servan, qui deviendra ministre en mars 1792, entrera dans les
mœurs françaises. On peut s'interroger sur la validité de cette
solution à l'ère nucléaire. Relisons Guibert...

Stratégie et économie

Selon Valéry, « une guerre dont l'issue n'a été due qu'à
l'inégalité sur le champ de bataille et ne représente donc pas
l'inégalité des puissances totales des adversaires est une guerre
suspendue ». Le concept de puissance totale demeure flou au
XVIIIᵉ siècle, bien que Guibert parle souvent de « puissance » dans
cette acception globale : les facteurs démographiques, économiques et psychologiques déterminent le poids relatif des États dans
le système international. En fin d'analyse, la puissance, dans le
sens de capacité d'agir au dehors, se résume à l'époque en capacité
financière.

Guibert constate, comme ses contemporains, que toutes les
carences de la politique militaire procèdent des difficultés de
trésorerie. Il rappelle constamment que la science militaire doit se
soucier autant des coûts que de l'efficacité – et il donne l'exemple
quand il évoque la fortification et les subsistances; que le potentiel
de défense s'identifie autant aux ressources financières qu'aux
capacités opérationnelles des armées; que l'esprit de défense
national est sensible au poids de la guerre sur le peuple écrasé
d'impôts.

Le financier Law propose une solution économique dont l'hu-
mour masque un sentiment fort répandu au temps où les racoleurs
se disputent les mercenaires : « La victoire appartient toujours à
celui qui à le dernier écu. On entretient en France une armée qui

coûte 100 millions par an; c'est 2 milliards pour vingt ans. Nous n'avons pas plus de cinq ans de guerre chaque vingt ans, et cette guerre, en outre, nous met en arrière de 1 milliard au moins. Voilà donc 3 milliards qu'il nous en coûte pour guerroyer cinq ans. Quel en est le résultat? Car le succès définitif est incertain. Avec bien du bonheur, on peut espérer de détruire 150 000 ennemis par le feu, le fer, l'eau, la faim, les fatigues, les maladies. Ainsi les destructions directe ou indirecte d'un soldat allemand nous coûte 20 000 livres, sans compter la perte de notre population qui n'est réparée qu'au bout de vingt-cinq ans. Au lieu de cet attirail dispendieux, incommode et dangereux, d'une armée permanente, ne vaudrait-il pas mieux en épargner les frais et acheter l'armée ennemie lorsque l'occasion s'en présenterait. Un Anglais estimait un homme 480 livres sterling. C'est la plus forte évaluation et ils ne sont pas tous aussi chers, comme on sait; mais enfin, il y aurait encore moitié à gagner, en finance, et tout en population, car, pour son argent, on aurait un homme nouveau au lieu que, dans le système actuel, on perd celui qu'on avait sans profiter de celui qu'on a détruit si dispendieusement [1]. »

Guibert énonce le problème du coût de la guerre en termes évidemment plus réalistes. Si son axiome d'efficacité suggère la bataille décisive, celle-ci procurera aussi l'avantage, en dénouant rapidement la crise, d'obérer au minimum le trésor royal : solution optimisant l'efficacité et le coût. En outre, en un temps où la puissance totale des États s'inscrit dans le secteur financier, la vraie victoire, celle qui créera une situation irréversible aux dépens de l'adversaire, s'obtiendra en lui faisant porter le poids économique du conflit. C'est pourquoi Guibert préconise de porter la guerre sur le territoire de l'ennemi : celui-ci nourrira l'armée qui le vaincra, sera affaibli par les réquisitions, pillages et destructions, séquelles de toute campagne militaire. L'armée doit vivre « du fruit de ses conquêtes, savoir faire la guerre à peu de frais et subsister par ses victoires [2] ». Il faut « savoir faire servir la guerre à nourrir la guerre... Si je suis dans un pays ennemi et que ce pays soit abondant, je suspends les dépenses de la régie pour tout le temps qu'il peut y fournir : je vis à ses frais. »

Enfin, s'il n'ose pas le dire ouvertement, Guibert souhaite que l'armée devienne un instrument de rapport et que les investissements qu'elle représente soient rentables. Aussi pose-t-il cyniquement que l'exploitation des territoires conquis soit organisée et non plus abandonnée à la cupidité des chefs et de la troupe. De telles leçons sont toujours entendues. Bonaparte s'en souviendra dans sa proclamation à l'Armée d'Italie et en remplissant les coffres vides du Directoire.

---

1. Cité par Denis de Rougemont dans *l'Amour et l'Occident* (1939).
2. *Discours préliminaire.*

L'économie de guerre conçue par Guibert retentit sur la politique extérieure et conforte les positions autarciques du *Discours préliminaire*. Il met en garde contre les alliances ne procurant que des avantages illusoires : « Cet État, vigilant à réprimer ses injures, ne sera, par sa politique, l'allié d'aucun peuple; mais il sera l'ami de tous [1]. » Circonspection qui évite les engagements inconsidérés et coûteux. Soudoyer et soutenir des alliés incertains ou indociles aggrave les difficultés financières. Dictée par le sentiment, une alliance est un poids mort grevant la liberté d'action. Dans leur calcul stratégique, politique et militaire doivent prévoir les défaillances, disperser leurs forces sur des théâtres secondaires : « Quand on a promis par les traités un corps auxiliaire, cela conduit bientôt à fournir une armée [2] » qui est perdue pour l'effort au point décisif.

Une seule justification pour les alliances : on demandera aux associés moins une collaboration effective aux opérations militaires que l'extension de l'espace de manœuvre et, surtout, le support logistique des armées et une participation aux frais de l'entreprise. Économie de guerre...

Realpolitik

Le réalisme politique ne scandalise plus aujourd'hui. Deux siècles de stratégies intégrales de plus en plus dévorantes et de conflits dévoyés en luttes à mort ont sécrété d'étranges morales de l'efficacité. Mais la position de Guibert est insolite : en son temps d'humanisme teinté de sensiblerie, le rappel des évidences pourrait passer pour amoralisme et refus des Lumières, heurter la bienséance philosophique. Pourtant on l'écoute, on le sacre grand homme. L'Académie le reçoit. La pensée militaire sort de son ghetto. Elle s'impose contre le génie moraliste du siècle de Louis XIV – Pascal, La Bruyère et Fénelon – qui a dénoncé la guerre sans la moindre nuance et avec une exemplaire méconnaissance de la politique; contre Voltaire : « La conduite de la guerre est comme les jeux d'adresse qu'on n'apprend que par l'usage, et les jeux d'action sont parfois des jeux de hasard. » D'ailleurs, si elle existe, la science de la guerre n'a-t-elle pas été inventée « par un homme qui n'était pas militaire, par Machiavel... Il apprit à l'Europe l'art de la guerre... On la faisait depuis longtemps, mais on ne le savait pas ». *L'Histoire de Charles XII* ne démontre-t-elle pas que le génie militaire est improvisateur?

Guibert triomphe de ce simplisme; provisoirement, car il demeure l'une des constantes de l'intellectualité française. Surtout

1. *Discours préliminaire*, p. XXIII.
2. *Éloge du roi de Prusse*, p. 136.

de l'aveuglement, ou de l'imposture, d'une pseudo-philosophie identifiant morale personnelle et morale de l'action collective. Non que sa responsabilité autorise le politique à toutes les transgressions. Mais le bien public est exigeant pour qui l'assume au nom et par consentement de tous : « Le roi de Prusse ne s'embarrassait pas de l'Empire. Il lui importait peu à qui tomberait cette vaine dignité qui n'ajoute rien à la puissance. Sa politique n'était pas de se fortifier seulement par l'affaiblissement des autres. Il voulait un accroissement plus réel; il lui fallait la Silésie pour consolider son royaume. C'était là le complément et la sûreté de la fortune de la Maison de Brandebourg. En l'obtenant ou en l'obtenant pas, il s'agissait pour lui de régner ou de trembler le reste de sa vie. Je laisse après cela aux publicistes à peser quels étaient ses droits. Sans doute, cette morale abstraite et sublime qui se place dans le Ciel, et qui laisse à ses pieds et les leçons de l'histoire et les passions des hommes, ne doit approuver aucune de ces raisons de prévoyance politique, de nécessité d'État, de convenance locale, de circonstance unique, qui déterminèrent le roi de Prusse. Mais peut-être les Chefs des nations sont-ils quelquefois obligés, même sans ambition, de se souvenir que c'est sur la terre qu'ils habitent, que leur vue doit s'étendre au-delà du moment, et que par une guerre prudente et heureuse, qui affligera passagèrement la génération contemporaine, ils peuvent sauver, à la postérité, des torrents de sang et de larmes. Quels hommes, à la vérité, il faudrait que fussent ces chefs des nations, pour peser ainsi le présent et l'avenir, et pour oser, avec une confiance qui semble ne pouvoir appartenir qu'à la Providence, mettre la main aux destinées des peuples [1]? »

Guibert est trop sensible à l'histoire, création continuée de la cité humaine, pour ne pas épouser la querelle de ceux qui la font avec et contre ceux qui la subissent ou la récusent. Les figures de proue ne se contentent pas d'apparaître, au lieu et moment voulus, pour accoucher la société des hommes en mal de transformation. L'homo politicus de « grand style » n'est pas seulement le produit nécessaire d'une époque qui l'appelait obscurément et qui, à défaut de Frédéric II et de la Prusse, de Napoléon et de la France, aurait sécrété quelque autre instrument d'une évolution inscrite dans la nature des choses. Si « le destin, c'est la politique » et si sa politique-système veut éliminer les aléas du talent, Guibert invente paradoxalement le héros politique. Piégé par son axiome d'efficacité, il consacre innocemment un principe de sélection des hommes et des peuples : la « grande guerre » et la politique de « grandes affaires » supposent une telle maîtrise qu'elles sanction-

---

1. *Éloge du roi de Prusse*, p. 55.

nent nécessairement la valeur des instruments que les hommes
inventent pour reconnaître la réalité et pour faire l'histoire.
Guibert croit introduire la logique dans la guerre et le système
dans la politique. Il ignore qu'il inaugure les temps de l'héroïsme
romantique, tant il est vrai que « nous ne connaissons pas l'action
que nous accomplissons » et que « nous ne savons pas ce qu'il en
adviendra [1] ».

2. Nietzsche : *La Volonté de puissance*, III, 42.

CHAPITRE 7

LA ROUTE VERS LA GUERRE TOTALE
OU LA LOGIQUE DE L'IRRATIONNEL

La règle du jeu

Par-delà les divergences d'opinion sur la fonction stratégique de la bataille perce un désaccord plus profond qui s'accentuera par la suite et cristallisera en deux écoles : celle de la *stratégie directe* cherchant la décision par les voies rapides et radicales de la guerre décisive et, si possible, d'anéantissement; celle de la *stratégie indirecte* répugnant aux confrontations coûteuses et spéculant sur les effets différés et cumulatifs d'actions multiformes et plus nuancées. Ces écoles ne traduisent pas le principe d'efficacité dans le même langage opérationnel. Elles n'adoptent ni le même critère d'efficacité, ni les mêmes normes d'action pour définir les effets physiques demandés aux opérations militaires afin d'atteindre le but de guerre et d'accomplir le projet politique.

Provoqués par l'impérialisme de Louis XIV, les conflits acharnés de la fin du règne entraînèrent l'Europe dans des guerres d'épuisement ponctuées par des batailles meurtrières. Le Siècle des lumières adopte des vues moins irrationnelles sur la fonction de la violence dans le règlement des litiges. Une règle du jeu politico-stratégique est reconnue par tous : les chancelleries ne répugnent pas à la guerre. Elles la veulent bornée dans ses buts, modérée dans ses voies-et-moyens. Elles mesurent leur effort de guerre aux enjeux, toujours limités, de querelles dynastiques qui n'ont pour objet que de réaménager les conditions de l'équilibre européen.

Les despotes éclairés et les gouvernements philosophes savent le prix des guerres. Les trésors seraient vite épuisés par une succession de grandes batailles consommant trop de soldats de métier, fort coûteux, difficilement remplaçables et décimés par un mal endémique, les désertions. Les pertes sont lourdes quand les belligérants, voulant en finir pour tel ou tel motif conjoncturel, interrompent leurs savantes manœuvres et vident leur querelle dans une bataille livrée par consentement mutuel. Maurice de Saxe lui-même dut faire des entorses à sa doctrine de la manœuvre substitut de la bataille. Tous ces facteurs convergent pour conférer, aux risques inhérents à la bataille rangée, une valeur que les cabinets et les états-majors jugent excessive eu égard à leurs espérances de gain. Certes, la technique des armements, la logistique et la structure-bloc des armées ne favorisent pas la recherche de la bataille décisive. Plus significatif cependant : on ne reconnaît pas celle-ci comme une solution conforme à l'esprit des relations internationales et aux mœurs du temps qui refusent l'idée de lutte à mort. La disparition du vaincu comme entité politique souveraine est inimaginable. Les adversaires sont aussi des partenaires liés par au moins un intérêt commun : éviter la ruine des finances publiques et de l'État dans une bataille dont l'issue est toujours aléatoire. On préfère peser sur la volonté adverse en misant sur les ressources de la stratégie indirecte, en spéculant sur les effets psychologiques de menaces et de contremenaces, de prises de gages, de pressions locales, de forces occupant ou menaçant de piller une province précieuse. De là, un style de guerre tout en manœuvres calculées pour avancer les pions sur l'échiquier, marquer des points et soutenir une diplomatie qui exploite les avantages acquis. Style formaliste, militairement compassé mais très subtil au niveau de la stratégie intégrale. Style contre lequel Guibert s'élève au nom de l'efficacité militaire, bien qu'il réponde aux exigences et contraintes sociopolitiques du temps.

Sans doute Frédéric II fait-il exception, qui recherche la bataille décisive. C'est que sa faiblesse relative n'autorise pas la Prusse à nourrir de longues et épuisantes campagnes. Sa « Realpolitik », visant à l'insérer dans le cadre de la vieille Europe, perturbe trop l'équilibre des situations acquises pour ne pas susciter constamment de nouvelles coalitions. Elle doit se débarrasser de ses adversaires en les écrasant successivement au cours de batailles que la supériorité de l'art frédéricien rend peu onéreuses : « Les petits génies songent à tout conserver, les gens de tête s'attachent au contraire au principal ressort. Sacrifiez donc toujours la bagatelle et courez à l'essentiel. L'essentiel se trouve où est le grand corps des ennemis [1]. » La réponse frédéricienne à une conjoncture exceptionnelle est érigée par Guibert en principe de portée universelle. Elle illustre sa thèse, à lui qui s'estime le seul capable de déchiffrer le message : Frédéric II montre que la bataille permet de tester la cohérence de la politique générale et celle des « constitutions militaires, cette partie de la politique ». C'est pourquoi le système guibertien généralise et pousse à la limite la stratégie directe que Frédéric II n'a sans doute adoptée

---

1. Frédéric II, *Instruction à ses généraux*.

que par défaut, sa position inconfortable dans la société des États ne l'autorisant pas à souscrire sans risque mortel à leur règle du jeu.

La première moitié du XVIIIᵉ siècle a donc porté à son point de perfection l'art de proportionner l'emploi et le niveau de la violence à la gravité des litiges, à la valeur des espérances de gain et des risques qui justifient à la fois le recours aux armes et le contrôle de la force déployée. Si rudes que soient les campagnes pour les peuples et les troupes, si onéreuses pour les États et dommageables pour les biens privés, elles ne menacent pas l'ordre sociopolitique établi. Elles ne ruinent pas les chances de réconciliation après la signature de la paix. L'annexion d'une province change les liens de sujétion mais respecte les statuts internes, les coutumes, la langue, tout ce qui fonde l'identité. La guerre limitée, plus interdynastique qu'internationale, reflète aussi bien l'accord des mentalités que l'homogénéité des projets politiques.

Si, avec la conscription, la Prusse de Frédéric-Guillaume Iᵉʳ a tenté d'identifier peuple et armée, Frédéric II demeure plus modéré que le laisse soupçonner son style opérationnel. En France, le ministre Saint-Germain réforme l'appareil militaire mais juge monstrueuse l'idée d'une nation constamment sous les armes. Ses *Mémoires* précisent que l'armée ne doit recruter que les éléments les plus inutiles de la population afin de ne pas compromettre l'activité économique; que, pour faire la guerre, il faut bien se garder de détruire la nation – ce qui laisse entendre qu'on ne redoute aucune menace mortelle venant de l'extérieur et qu'on privilégie la politique intérieure.

Ambitions politiques limitées et conduites stratégiques modérées procèdent d'une conviction générale que Gibbon traduit en philosophie de l'histoire. Contre Hobbes, il constate que les peuples reconnaissent leur appartenance à un même domaine de civilisation, patrimoine commun de l'Europe. Ils ne feront plus la guerre pour menacer l'indépendance de leurs voisins ou les spolier. Son unité intellectuelle promet à la société européenne un avenir serein que ne sauraient troubler des volontés de conquête ou d'hégémonie. Victoire totale et civilisation sont antinomiques. Les armées européennes sont exercées, « par des conflits tempérés et sans décision », pour ne constituer qu'une seule grande armée capable de s'opposer, le cas échéant, aux hordes de « barbares » – qu'il ne désigne pas. D'ailleurs ces barbares n'acquerraient le savoir et les armes de l'Europe qu'en cessant d'être barbares, donc de vouloir conquérir. « Un philosophe peut se permettre d'étendre ses vues et de considérer l'Europe comme une grande République dont les divers habitants ont atteint le même niveau de politesse et de culture. La balance des forces continuera d'osciller... mais... des événements particuliers ne peuvent altérer essentiellement notre bien-être général, le système des arts, des lois et des mœurs qui distinguent si avantageusement, au-dessus du reste de l'humanité, les Européens et leurs colonies [1]. » On ne peut mieux formuler la règle du jeu.

Celle-ci procède aussi d'une meilleure évaluation des vrais intérêts des nations. Au XVIIᵉ siècle, les conflits cessèrent d'être religieux – sauf avec les séquelles de la révocation de l'édit de Nantes (guerre des camisards). Ils avaient été stimulés par la concurrence économique : les États vivant dans une constante rivalité commerciale, chacun croyait ne pouvoir accroître sa prospérité qu'aux dépens des autres. La coexistence impliquait compétition, mais à l'intérieur de limites raisonnables : tarifs douaniers et prohibitions, armes essentielles, étaient soutenus par l'intervention calculée des forces armées. En se déplaçant souvent vers les autres continents et de la terre vers la mer, le style des opérations avait contribué à modérer les conflits : non décisive par nature, la guerre maritime s'adaptait bien aux objectifs commerciaux qui l'emportèrent sur les autres jusqu'à la guerre de succession d'Espagne, première lutte à mort entre l'Europe coalisée et le perturbateur français.

La prééminence, nouvelle, de la stratégie économique dans la stratégie intégrale s'affirme avec la première révolution industrielle et le progrès accéléré que connaît l'Europe au milieu du XVIIIᵉ siècle. La théorie économique se constitue avec l'école des physiocrates, autour de Turgot et Quesnay, que prolonge Adam Smith en Angleterre. Tous professent que la paix sert mieux que la guerre les intérêts fondamentaux des nations. Pour Montesquieu, « deux nations qui négocient ensemble se rendent réciproquement dépendantes; si l'une a intérêt d'acheter, l'autre a intérêt de vendre et toutes les unions sont fondées sur des besoins mutuels ». Il suppose que la disposition des peuples « à l'abomination et à la faute » diminuera avec l'extension des échanges. Pour les physiocrates, les guerres procédant d'une rivalité commerciale entraînent de telles dépenses qu'elles ruinent les belligérants, quelle qu'en soit l'issue. Selon l'*Encyclopédie*, « si la guerre enrichit quelques-uns des anciens peuples, elle rend misérables les peuples modernes ». Les conflits pour le « profit économique » étant aberrants et leurs effets réels contraires aux résultats recherchés, il faut bien en conclure qu'ils cesseront comme ont disparu les inexpiables guerres de religion. A la modération des conflits du mercantilisme balbutiant doit succéder l'ère de paix du mercantilisme triomphant.

La philosophie de l'histoire et la science économique s'accordent donc pour valoriser, dans la dialectique fondamentale de l'Un et de l'Autre, ce qui relève de l'identité : l'identité culturelle et celle des intérêts matériels occultent les conflits engendrés par le sentiment d'altérité. L'étiologie des conflits étant mieux assurée,

---

1. Gibbon, *Decline and Fall of the roman empire*, 1776.

la raison et l'intérêt bien compris feront le reste. Non seulement le XVIIIᵉ siècle fut l'une des périodes les moins belliqueuses de l'histoire, selon le sociologue Sorokine, mais la critique socio-économique se croit autorisée à extrapoler et à anticiper le futur : triomphe définitif des Lumières.

Il est vrai que les intérêts limités en jeu dans les conflits dynastiques ont, avec la complicité du sentiment général, imposé à la guerre un style plus conforme à la raison. Vrai aussi que la stratégie militaire est conditionnée par des facteurs sociologiques et économiques. Les philosophes du temps ont raison de noter la convergence de toutes ces données, leur influence limitative sur les projets politiques, la probabilité et le niveau de violence des guerres. Mais la règle du jeu politico-stratégique est par définition temporaire : elle reflète un état de culture et de civilisation. Elle suppose un accord, explicite ou non, sur ses termes. Qu'un fait nouveau rompe l'équilibre des puissances, altère le climat général en modifiant la hiérarchie des intérêts, elle sera remise en cause et la conscience de l'altérité ravivée.

Dans sa hâte à maîtriser l'avenir et à couper irrévocablement l'humanité de sa préhistoire, la philosophie historique et politique de l'époque simplifie abusivement la problématique de la guerre. La démarche pseudo-scientifique des physiocrates ramène les antagonismes à des causes économiques dont ils surestiment le poids sur la stratégie intégrale. Ils oublient que les peuples sont des systèmes vivants, complexes, que leurs motivations et conduites sont intraduisibles dans le seul langage de l'existence matérielle. Dans vingt ans, le réveil sera brutal...

La mutation guibertienne ou l'apprenti sorcier

Guibert note la convergence des séries de déterminations culturelles, techniques, économiques et sociopolitiques qui limitent les projets politiques et modèrent les conduites stratégiques; « la nécessité où sont tous les États de ne pas compromettre au fort d'une action générale des armées qui font toutes leurs forces et leurs destinées [1] ». On le sent séduit, parfois, par une règle qui « rende la guerre moins destructive en se perfectionnant ». Il semble même se réjouir que « la guerre se ressente de la propagation des lumières », puisque les batailles sont devenues « plus savantes et moins sanglantes. C'est un jeu de calcul et de combinaisons qui a succédé à un jeu de hasard et de ruine [2] ».

1. *Défense du système de guerre moderne*, II, p. 105.
2. *Essai général de tactique*, II, pp. 30 et 31. Les pages 6 à 10 de l'Introduction, intitulées « Influence que le génie des peuples, l'espèce de leur gouvernement et de leurs armes ont sur la tactique », constituent le premier, le plus brillant aussi des exposés sur la règle du jeu politico-stratégique.

La clef de la rationalité serait-elle là, dans la guerre limitée?

Mais les hésitations du cœur cèdent vite devant l'impératif de la logique guerrière : « ... Sous le point de vue de la philosophie et de l'humanité, il peut être heureux que, soit l'effet des places, soit celui de la routine établie, les guerres se passent ainsi en petites opérations, en alternatives de places prises et reprises, au lieu de conquérir et de ravager comme elles faisaient autrefois. Mais, à envisager l'objet militaire, l'art de la guerre y a sans doute perdu puisque ses effets sont moins grands; puisqu'enfin ils ne remplissent pas le premier et le malheureux but qu'ils doivent avoir, celui de faire le plus de mal possible à l'ennemi, et de décider promptement les querelles des nations [1]. » Le cœur ne peut rien contre la nature des choses. Naïf qui prétend échapper à la loi : l'essence de la guerre s'oppose aux adoucissements d'une règle du jeu qui est pure convention et ne vaut que ce que valent les accords tacites. Quelle que soit la règle, si la guerre est déclarée, comment refuser de la faire conformément à sa nature? Elle sait vous y contraindre : qui méprisera les avantages procurés par la bataille décisive, tant du point de vue de l'efficacité que de celui du coût, si elle est possible? La destruction des forces adverses s'imposera comme le but exclusif, le seul pertinent, quels que soient les stratégies, défensives ou offensives, les situations conflictuelles et les projets politiques.

Dans l'*Essai,* tout se passe comme si, pour accorder sa pratique à sa nature, l'art stratégique tendait invinciblement à trouver en lui-même sa propre fin, à se couper des déterminaisons sociopolitiques concrètes pour atteindre l'absolu d'une *stratégie pure*; comme si la règle du jeu devait être évacuée de tout discours sur la guerre; comme si la raison de la règle niait l'esprit de la guerre.

Moment décisif pour l'évolution des guerres : Guibert provoque une redoutable inversion dans les relations logiques de déterminant à déterminé entre politique et stratégie militaire. En est-il conscient? Les réticences de l'*Essai* n'expriment-elles pas le sentiment de buter contre une contradiction entre la sacralisation du principe d'efficacité et des données politiques que les physiocrates disent définitivement établies? Il lui faut choisir : admettre l'intangibilité de la règle du jeu ou universaliser son modèle logique de guerre efficace. Il hésite. Après avoir postulé une politique autarcique conforme à la règle et qui en exagère même les termes restrictifs, il se laisse aller à des hypothèses plus audacieuses. Dès lors qu'il décrète que l'affrontement doit culminer dans un paroxysme de violence tel que le vaincu se soumettra sans discussion, la série des actions antécédentes est nécessairement contaminée par ce but radical : de proche en proche, vers

1. *Essai général de tactique,* II, p. 89.

l'amont, il n'est pas de but de guerre, donc de projet politique, qui se soit vicié par la volonté d'en finir au plus vite et à jamais. Il ne demande pas à la seule *bataille* de décider sans appel, mais aussi à la *guerre* considérée dans sa totalité qui la prépare; puis, par extension, à la *politique*. Un différend local, un litige sur un enjeu limité, voire une guerre défensive, se transforment invinciblement en conflit généralisé, en lutte à mort mobilisant toutes les énergies nationales et attaquant la substance des peuples.

L'*Essai* trahit fréquemment ce glissement conceptuel de la bataille décisive vers son englobant, la guerre d'anéantissement : « Reste à savoir si un général, homme de génie, à la tête d'une armée qu'il aurait accoutumée à la patience, à la sobriété, aux choses grandes et fortes, n'oserait pas laisser derrière lui toutes ces prétendues barrières et porter la guerre dans l'intérieur des États, aux capitales mêmes [1]. » L'apologie de la guerre défensive déterminée par une politique autarcique conforme à la règle du jeu dérive vers celle de la guerre offensive. La lutte pour l'existence dégénère en guerre de conquête et d'hégémonie.

D'ailleurs les moyens ne manqueront pas pour cette entreprise si le citoyen devient soldat. Jusqu'à maintenant, « les guerres ne sont pas les querelles de la nation, elles sont celles du ministère ou du souverain [2] ». Si elles étaient perçues par les citoyens comme leur affaire, si le peuple devenait le sujet de la politique nationale au lieu d'en être l'objet impuissant et indifférent, quelle formidable énergie serait mise au service de la stratégie militaire : « Mais qu'il existe un État libre, un peuple qui ait des mœurs, du courage, du patriotisme; un peuple qui fasse la guerre à peu de frais, parce que tous les citoyens s'armeront pour la défense commune sans exiger de salaire; un peuple qui se gouverne par lui-même, et qui, par conséquent, dans les temps de crise, mette nécessairement à sa tête l'homme le plus éclairé et le plus digne, je dirai qu'un tel pays peut se passer de places, qu'il doit même s'en passer, afin de conserver sa liberté; qu'en n'ayant point de places, il ne court aucun risque d'être subjugué; premièrement il y a à parier que ses armées plus braves, mieux constituées, mieux commandées, arrêteront l'ennemi sur la frontière; si le contraire arrive, l'État ne sera pas en danger pour la perte de quelques lieues de pays; ses citoyens se rassembleront de toutes parts contre l'ennemi commun. Plus l'ennemi aura de succès, plus il faudra qu'il s'étende, et qu'il s'affaiblisse; où sera l'ennemi, là sera sa frontière, parce que, si je peux m'exprimer ainsi, l'État ne fera que se replier lui-même, et que partout où il restera de la terre et des hommes, l'État subsistera encore [3]. »

1. *Essai général de tactique*, II, p. 91.
2. *Ibid.*, p. 92.
3. *Ibid.*, p. 92.

Apparemment, il ne s'agit là que d'un concept stratégique défensif qui formule, avant Clausewitz, celui du point limite de l'offensive s'épuisant, par son succès même, dans la profondeur du territoire envahi. Il s'agit aussi – et c'est la coupure radicale avec le passé – du concept de la nation en armes, instrument de la lutte à mort. Instrument qui autorise toutes les stratégies et tous les projets politiques. En particulier, le passage de la stratégie provisoirement défensive à la contre-offensive générale refoulant un envahisseur essoufflé et ne s'arrêtant pas avant d'avoir, à son tour, envahi le pays agresseur. Ces grands mouvements de flux et de reflux n'ont rien de commun avec la règle du jeu admise au temps de Guibert. Ils caractérisent bien la lutte à mort et les grandes guerres nationales qui, depuis 1792 et jusqu'à 1945, succéderont aux guerres limitées du Siècle des lumières.

Guibert apprenti sorcier : l'*Essai* nous apparaît aujourd'hui dans toute son ambiguïté. Rien ne nous autorise à dire qu'il privilégie la guerre offensive au détriment de la défensive, d'ailleurs plus cohérente avec le projet de bonheur et la politique-système qu'il postule. Mais ses échappées sur la stratégie offensive, l'axiome de la bataille décisive appelant, par continuité mentale, une guerre d'anéantissement, les allusions à la nation armée renvoyant la règle du jeu au musée de l'histoire, tout autorise une lecture polarisée : celle de la stratégie directe et d'anéantissement.

C'est cette seule lecture qui s'imposera aux Conventionnels, à Carnot, à Saint-Just, quand la République s'engagera dans une guerre perçue comme une lutte à mort ; à Napoléon qui rappellera constamment son obsession de la bataille décisive et lancera la grande contre-offensive à partir des frontières naturelles ; à Clausewitz professant que « la destruction de la force armée de l'adversaire est la pierre d'angle de toutes les combinaisons [1] », avant que l'analyse le conduise à des vues plus nuancées. Lecture aussi des épigones de Napoléon et de Clausewitz qui, oubliant les circonstances de leurs œuvres, généraliseront abusivement leurs assertions et rechercheront la victoire à tout prix par la destruction de l'adversaire, au mépris de finalités politiques rationnelles. Les temps approchent, en effet, où les litiges ne porteront plus, comme le déplorait Guibert, sur des intérêts dynastiques ou commerciaux, sur de dérisoires querelles de frontières, mais sur ce qui fonde l'identité d'une société, sur des conflits de valeurs manichéennes. Parce que l'existence de la Grande Nation sera mise en question, parce que la République voudra être reconnue des autres dont elle récusera pourtant l'appartenance à un même domaine d'humanité, le temps des demi-mesures sera révolu. La notion de règle du jeu

1. *De la guerre*, Introduction.

n'aura plus de sens. La lutte à mort appellera la guerre à outrance. La politique générale sera entraînée vers ses extrêmes irrationnels par l'implacable logique de l'efficacité stratégique.

Le Guibert de l'*Essai* ne voit pas encore que chaque victoire acquise dans cet esprit crée l'irréparable entre vainqueur et vaincu et engendre d'interminables conflits. Il annonce l'irruption du démos dans la guerre et la politique. Appelant les nations organisées à la défense de leurs intérêts, il leur offre l'occasion de prendre la mesure de leurs forces par l'action même. Comment croire que les meilleurs motifs ne s'obscurciront pas sous l'exaltation qu'appelle la jouissance de cette puissance révélée? Comment supposer qu'une raison collective saura borner la volonté de puissance? Quelle raison dira la raison? Éveiller les peuples à la conscience de ce qu'ils sont, de ce qu'ils signifient dans l'histoire et de ce qu'ils peuvent dans l'immédiat, c'est inéluctablement leur souffler la tentation de soumettre l'Histoire à leur histoire. C'est offrir d'équivoques justifications à des mobiles peut-être inavouables, refoulés par tradition ou condamnés par la morale internationale et la règle du jeu, mais que l'explosion d'un élan vital délivre brutalement des interdits. Pour avoir voulu une science politico-stratégique dégagée de l'empirisme, Guibert crée malencontreusement les conditions de l'hubris nationaliste. Pour avoir confondu la notion d'énergie et celle de masse sensibilisée et motivée, il autorise à identifier la cause juste et les intérêts de tel peuple, de tel État. Cette ambiguïté entraînera la sujétion du but aux prétextes; celle de l'intérêt des peuples aux impulsions malaisément contrôlables de leurs mythes.

Si rien ne se perd des exercices de l'esprit créateur, le cas Guibert montre exemplairement comment le discours sur la guerre infléchit, rompt même le développement historique. De proche en proche, la passion d'une théorie stratégique efficace le conduit à de redoutables positions et propositions politiques auxquelles il associe des moyens que les politologues et philosophes contemporains ne pouvaient qu'ignorer. La politique s'équipe d'une stratégie militaire et celle-ci rétroagira sur la politique qui ne pourra manquer de se vouloir à la mesure de pareils instruments. « Il eût mieux valu que ni Rousseau ni moi n'eussions jamais existé », confessera Napoléon dans un moment de faiblesse lucide. C'était rejeter Guibert aux enfers de l'histoire.

« Je n'ai pas voulu cela »...

Dix ans après l'*Essai* paraît la *Défense du système de guerre moderne* : « Je dois avouer qu'on me trouvera ici quelquefois en contradiction avec le Discours préliminaire de l'*Essai général de tactique*. Quand j'ai fait cet ouvrage, j'avais dix ans de moins. Les vapeurs de la philosophie moderne échauffaient ma tête et offusquaient mon jugement. Il est si aisé dans l'âge où l'on ne réfléchit pas mûrement, dans cet âge où l'on tire, si j'ose m'exprimer ainsi, tout son esprit de son âme, de se laisser aller à des illusions par lesquelles elle croit s'améliorer et s'agrandir [1]! »

Palinodie? Guibert prend congé de sa jeunesse. Une œuvre qui émanait de la raison ardente est contestée par son auteur pour sa complaisance envers l'esprit du temps. Mise en question de soi par soi qui ne manque pas d'allure. Etre ou paraître : à l'interrogation essentielle pour le jeune Guibert à peine émancipé de la tutelle intellectuelle de son père, l'homme mûr répond sans hésiter à impliquer dans son autocritique l'intelligentsia qui contribua tant à sa célébrité. Mademoiselle de Lespinasse morte depuis trois ans, il a écrit l'*Éloge d'Éliza,* deux tragédies, une étude sur la Prusse, les *Éloges* de Catinat et de l'Hospital. Louis XVI règne depuis cinq ans et la grande crise, consécutive à la guerre de Sept Ans, n'est plus qu'un souvenir. Une importante littérature militaire confère à l'armée française un rayonnement qu'exalte sa participation à la guerre d'Amérique. Il est temps, songe Guibert, de mettre un peu d'ordre dans un acquis aussi anarchique que considérable. Bilan d'autant plus opportun qu'il n'est plus le théoricien pur et trop enclin, dans l'*Essai,* à se griser d'abstractions. Auprès du ministre, il a mesuré les difficultés de la transcription pratique des théories et les illusions du critique devant la complexité et la viscosité des faits.

La *Défense* se veut la « réfutation complète du système de M. Mesnil-Durand » et de l'école de Folard; surtout, la critique du théoricien qu'il fut par le praticien qu'il est devenu en préparant les réformes de Saint-Germain. Plus modéré que celui de l'*Essai,* le Guibert de la maturité prend conscience des ambiguïtés, voire des imprudences consacrées par le retentissement de son ouvrage. Il se prend à redouter l'usage que pourraient en faire des disciples trop enthousiastes. La renommée bâtie sur l'équivoque déçoit autant que le silence. Il n'ignore pas que toute grande œuvre demeure un temps cachée et que son ésotérisme involontaire est un pari sur la survie; que le secret de son efficacité à terme réside dans la problématique qui la fonde contre le passé et qui la constitue comme la plus exigeante interrogation de l'avenir.

Il est vrai que, selon Napoléon, « la plus belle des inspirations n'est souvent qu'une réminiscence », et Guibert sait ce qu'il doit aux grands anciens. Vrai aussi qu'un ouvrage comme l'*Essai* ne déploie ses pouvoirs de transformation que s'il fait lever des questions improbables sans lui. Cependant, mieux il rompt avec le passé par l'ampleur et la rigueur de l'interrogation, plus il

---

1. *Défense du système de guerre moderne,* II, p. 209.

multiplie les risques d'équivoques : l'applaudissement va au révolutionnaire parce que les temps de la Révolution semblent proches sans qu'on sache pour autant à quoi elle engage et sur quoi elle débouche. Parce qu'il perçoit que la célébrité de l'*Essai* compromet ses vertus maïeutiques, Guibert veut prévenir les contresens qui ne manqueront pas à une leçon aussi insolite. Le discours était trop systématique, trop totaliste, trop lyrique pour que les praticiens ne fussent pas tentés de lui demander plus d'alibis que de conseils. Il pressent que l'appel du vide théorique et la force des choses solliciteront certaines de ses assertions et les détourneront de leur sens. En les interprétant isolément au mépris de la cohérence qui les constitue en discours opératoire, en négligeant ce par quoi elles se tempèrent mutuellement, des praticiens pressés d'agir croiront de bonne foi y trouver des maximes d'application immédiate. Ils oublieront qu'un discours praxéologique ne vaut que par sa totalité structurée; que sa consistance, raison de son efficacité, exige le respect des déterminations réciproques organisant ses éléments. Guibert se montre donc deux fois prophète : avec l'*Essai,* modèle le plus probable d'avenir politico-stratégique; avec la *Défense* révélant les risques d'écarts et de développement irrationnel que recèleraient une lecture fautive de l'*Essai* et une action méprisant les réalités sur lesquelles il fondait sa critique.

La *Défense* lève donc une première équivoque : la force armée a pour objet premier de maintenir la paix. Non qu'il revienne sur l'inéluctabilité des guerres admise par l'*Essai*; mais il pose, sans ambiguïté cette fois, qu'il en faut réduire la probabilité et en modérer les excès naturels. La paix ne tend que trop à devenir « elle-même une prolongation de l'état de guerre »[1]. Valorisant la paix, il la dit possible grâce à un équilibre des puissances militaires détournant les perturbateurs de se risquer dans des aventures trop onéreuses : « Que pour la rendre plus rare (la guerre), pour l'éloigner d'elle, il faut que la France soit assez puissamment armée pour ôter à ses voisins le désir de l'attaquer, ou de ne rien faire qui nuise à ses intérêts[2]. » Proposition non isolée : l'*Éloge du roi de Prusse* rappelle que « la perfection véritable de la science de la guerre consiste à rendre la défensive supérieure à l'offensive, et à mettre mutuellement les nations à l'abri de s'envahir[3] ». Le maintien de l'ordre international est érigé en maxime politique.

Voici donc formulée clairement, pour la première fois dans l'histoire et en partant du concept de stabilité politique, la notion de stratégie militaire d'interdiction prenant la forme de la

1. *Défense du système de guerre moderne,* II, p. 246.
2. *Ibid.,* II, p. 272.
3. *Éloge du roi de Prusse,* p. 180.

dissuasion et même de dissuasion multilatérale... Guibert constate qu'un projet politique peut être accompli selon deux modalités stratégiques : soit en contraignant l'adversaire, par des actions de coercition, à se soumettre à notre volonté; soit en le détournant de contester l'ordre établi. Le premier mode répond à la visée d'un but positif, gagner quelque chose; le second à un but négatif, maintenir le statu quo. C'est à cette seconde voie que Guibert se rallie sans équivoque en épousant l'idéologie dominante du siècle qui refuse les bouleversements et spécule sur le pouvoir stabilisateur des échanges. Sans doute a-t-on toujours considéré l'équilibre par la crainte comme un facteur du jeu politico-stratégique : un projet n'a de sens que sous-tendu par des forces capables de faire échec aux contre-projets. Guibert rappelle que, depuis l'effondrement de l'Empire romain, les Européens, se sont affrontés parce qu'ils devaient édifier des États viables. Ils ne pouvaient le faire qu'en s'affirmant aux dépens de leurs voisins, voire par des conquêtes : ils se posaient en s'opposant. Désormais constituées, les nations peuvent borner leurs politiques au progrès intérieur et au rayonnement d'une « grande destinée », sans que celle-ci exige l'expansion territoriale. La France n'a nul besoin de devenir une « nation militaire » comme certaines autres, « reculées dans le continent ». Il lui suffit de se faire « respecter de ses voisins ».

La *Défense* reprend là les thèmes de l'*Essai* sur la politique extérieure autarcique. Mais les autres thèmes, ceux qui laissaient entrevoir des visées moins raisonnables et débouchaient sur une stratégie de puissance et d'expansion, disparaissent. Désormais, il ne s'agit plus que d'une stratégie modérée, voire conservatrice et se donnant pour but la défense d'un patrimoine inaliénable. Le projet politique est borné et la stratégie militaire doit s'adapter à ces limitations : « Aujourd'hui, enfin le système de guerre moderne est plus que jamais tourné à la défensive. Ce peut être un abus, ce peut être un vice de l'art, car le pour et le contre peuvent être également soutenus sur cela; mais c'est un résultat certainement avantageux à la tranquillité des nations et à la sûreté des empires [1]. »

Guibert abandonne donc la théorie de l'art pour l'art vers quoi glissait une stratégie radicalisante commandée par la bataille décisive et qui, dans l'*Essai*, contaminait la politique en lui ouvrant des perspectives ambitieuses. Il veut prévenir la tentation d'isoler le moyen de sa fin, d'inverser le rapport de déterminant à déterminé entre politique et stratégie. La *Défense* restaure cette relation fondamentale dans toute sa force logique et consacre sans ambiguïté la subordination de l'une à l'autre. Parfois perce comme un regret : celui de l'artiste qui renonce à la « guerre de grand style » forçant le pays ennemi et qui constate que « cet art (est)

---

1. *Défense du système de guerre moderne*, II, p. 269.

aujourd'hui destiné à la défense et à la protection plutôt qu'à l'attaque et à l'invasion ». Mais l'*homo politicus* prend définitivement le pas sur l'*homo strategicus* et lui enjoint de se cantonner dans sa fonction instrumentale.

En 1779, quelle autre fin proposer à la politique de la France, État achevé et puissant, que la « tranquillité » et « la sûreté », conditions premières du bonheur? Cet axiome posé, on peut certes concevoir une stratégie d'interdiction visant à dissuader tout adversaire potentiel de se lancer dans l'aventure conquérante. Si ce mode préventif échoue et s'il faut se résigner à la guerre active, celle-ci sera défensive. Ce que l'*Essai* considérait comme la négation de l'art, la *Défense* l'estime rationnellement adapté à la fois aux fins politiques et aux aptitudes de l'appareil militaire existant : « Cette prédominance de la défensive dans le système de guerre moderne tient à l'espèce de nos armes actuelles, qui sont plus favorables à la défense qu'à l'attaque; à la supériorité que les positions donnent aux troupes qui les défendent sur celles qui les attaquent; à l'usage habituel que les armées ont aujourd'hui de se poster; aux appuis favorables que prêtent les places de guerre; aux attirails immenses d'équipages et à l'artillerie que nos armées traînent à leur suite; aux embarras qui en résultent pour les grands mouvements et pour les subsistances; enfin à la difficulté d'agir offensivement avec tous ces embarras et malgré tous ces obstacles... C'est que tous les généraux médiocres entendent plus ou moins la défensive, et qu'il n'y a que ceux du premier ordre qui sachent manier l'offensive [1]. » Cependant, en dépit des apparences, « la défensive est devenue une des plus savantes et des plus difficiles parties de la guerre ».

L'analyse de l'outil militaire rappelle celle de l'*Essai*, encore que le Guibert politique de 1779 juge bon ce que le Guibert stratège de 1770 condamnait comme la négation de l'art : l'état de la technique favorise la défensive et l'art de la guerre « est essentiellement et primitivement devenu protecteur et conservateur [2] ». Toutefois, il craint que, de son apologie d'une stratégie d'interdiction et d'une politique extérieure modérée, certains concluent à l'inutilité d'une défense. L'opinion éclairée ne s'en tient-elle pas à l'idée que, désormais, les guerres deviendront de plus en plus rares en Europe? Aussi, après avoir dénoncé cette illusion, répète-t-il qu'un pays comme la France doit posséder une armée qui « réponde à la grandeur du royaume, à sa population, à son système politique et à toutes les circonstances qui l'environnent... Car, quoi qu'il en puisse coûter, il faut pouvoir défendre ses possessions et recueillir ce qu'on y sème, il faut conserver quelque considération et se mettre à l'abri de l'envahissement. Ce qu'il y a

1. *Défense du système de guerre moderne*, II, pp. 269 et 270.
2. *Ibid.*, II, p. 270.

de plus cher et de plus onéreux, c'est d'avoir une demi-armée; car avec cela on n'est jamais au niveau ni de sa politique, ni de son rang, ni du rôle qu'on doit jouer; et toute dépense qui est insuffisante et celle qu'il faut vraiment regretter [1]. » La stratégie d'interdiction exige une « armée formidable, bien commandée, et faisant la guerre avec toutes les lumières du système de guerre moderne, (elle) est comme ces barrières utiles qu'on établit sur les frontières pour éloigner la contagion ».

L'apologie de la défensive, serait-elle « une défensive de grand genre [2] », conduit à la réflexion sur la nature et l'organisation des forces armées. Là s'éclairent les vrais motifs de sa conversion à la guerre limitée que Guibert estime conforme à l'esprit du temps et à la politique française. Des philosophes refusant les armées permanentes, instrument du despotisme, d'autres ayant cru lire dans l'*Essai* la levée en masse de citoyens jetés sur les frontières, Guibert fait marche arrière. Il dénie tout efficacité aux armées nationales improvisées et souhaite le maintien des institutions militaires qui font « des armées et des nations deux classes séparées, les habitants des pays où se fait la guerre n'en étant plus que spectateurs ». Les armées permanentes doivent être fortes, aussi bien en qualité qu'en volume, et constituées par des troupes réglées, troupes de métier excluant les milices nationales qui seront réservées à la « force du dedans ». « La sûreté, la nécessité à part, l'intérêt des nations modernes est encore d'entretenir des troupes réglées pour faire la guerre, plutôt que de faire la guerre elles-mêmes. » Formule sans équivoque, sur un objet capital, de nature politique et dont Guibert ne méconnaît pas les implications. Nous voici très loin des soldats-citoyens de Servan, voire des citoyens-soldats qu'appelaient les vues démocratiques de l'*Essai*.

Guibert pressent un grave danger en germe dans l'armée citoyenne qu'il avait souhaitée « quand les vapeurs de la philosophie moderne échauffaient (sa) tête ». De l'armée nationale à la nation armée, il n'y a qu'un pas. Et la nation armée est vouée, par la nature des choses, à la barbarie de la guerre tribale. Il le démontre en invoquant aussi bien l'histoire ancienne que l'actualité : dans la guerre que les Insurgents livrent aux Anglais depuis 1774, « on vient de voir récemment en Amérique que la guerre devient plus désastreuse et plus cruelle quand les habitants y prennent part [3] ». Dix ans plus tard, *la Force publique* reviendra sur cette idée qui l'obsède et dont les premiers excès révolutionnaires confirment le bien-fondé : « Si vous faites participer les milices nationales, c'est-à-dire le fond de la nation à la guerre,

1. *Défense du système de guerre moderne*, II, p. 272.
2. *Ibid.*, II, p. 269.
3. *Ibid.*, II, p. 261.

alors la guerre changera de nature, alors elle se fera à plus grand frais encore car il faudra payer ces milices nationales quand on leur fera quitter leurs foyers... De là l'augmentation des impôts, de là la guerre pesant de plus en plus sur les peuples. Mais ce ne sera pas là le plus grand changement. Il en arrivera un plus funeste aux nations. C'est que les faisant participer elles-mêmes directement à la guerre, la guerre les enveloppera directement de toutes ses horreurs. Aujourd'hui, elles ne la sentent que par des accroissements de subsides; même celles qui sont vaincues, même celles dont le pays en devient le théâtre, n'éprouvent point de calamités désastreuses. Il ne se verse de sang que dans les armées et la générosité, l'humanité y suspendent les coups dès qu'on est vainqueur... jamais on n'incendie, et on ne ravage le pays... et la discipline se fait gloire de conserver tout ce que la nécessité ne consomme pas. Mais quand les nations elles-mêmes prendront part à la guerre, tout changera de face; les habitants d'un pays devenant soldats, on les traitera comme ennemis. La crainte de les avoir contre soi, l'inquiétude de les laisser derrière soi les fera détruire. Tout au moins cherchera-t-on à les contenir et à les intimider par des ravages et des désolations. Rappelez-vous dans l'histoire la barbarie des anciennes guerres, de ces guerres où le fanatisme et l'esprit de parti ont armé les peuples; voilà ce que vous allez faire renaître. Ah! c'était une heureuse invention que ce bel art, ce beau système de guerre moderne qui ne mettait en action qu'une certaine quantité de forces consacrées à vider les querelles des nations, et qui laissait en paix tout le reste, qui suppléait le nombre par la discipline, balançait les succès par la science et plaçait sans cesse des idées d'ordre et de conservation au milieu des cruelles nécessités que la guerre entraînait [1]. »

Le premier et contre le courant qu'il a amorcé, Guibert dit le risque de l'amplification incontrôlée de la violence, de l'ascension à l'extrême du conflit : l'engagement de plus en plus total des nations, mobilisant toutes leurs ressources, humaines et matérielles, dans les conflits inexpiables, dans la lutte à mort. Les pulsions des masses tendront à dominer, puis à gouverner les formes stratégiques qui, par surenchères successives des moyens engagés, substitueront leur propre recherche d'efficacité à celle des fins politiques qu'elles offusqueront. Il dénonce ainsi la guerre totale engendrée par la prédominance des facteurs démographique et psychologique, le second n'étant que la conséquence du premier. Pour faire face à l'Europe coalisée, les stratèges de la Révolution et de l'Empire s'engageront dans cette voie de la guerre de masse, de la stratégie du nombre et des gros bataillons. Plus tard, l'âge industriel mettra le progrès technique au service des masses levées

---

1. *De la force publique*, pp. 117 et 118.

par les nations en armes dont elles multiplieront encore la capacité de violence irrationnelle.

Seul Guibert discerne une mutation dans son siècle finissant. A côté du soldat-robot de Frédéric II s'ébauche la figure d'un soldat conscient d'assumer le destin de son pays et d'incarner, face aux puissances du Mal, les vertus héroïques d'un peuple assuré de sa vocation messianique. Il reproche à la philosophie de son temps de lui avoir soufflé certaines pages de l'*Essai*. C'est en philosophe, pourtant, qu'il apprécie désormais leur regrettable retentissement sur des esprits peu préparés à saisir les rapports entre politique et guerre; trop sensibles aussi aux séductions de la politique romantique et ne pouvant discerner que l'appel aux forces populaires conduit immanquablement aux conflits apocalyptiques. Il suffira que se précipite une évolution, dont il relève les premiers indices dans la guerre d'Indépendance américaine, pour que cette stratégie dispose des moyens adéquats. L'apprenti sorcier constate déjà que l'*Essai* a imprudemment préparé les esprits à accepter, à désirer les situations paroxystiques. Valmy ouvrira les temps nouveaux : ceux d'une politique viscérale combinant les pulsions ethniques et idéologiques. Goethe le notera avec son habituelle lucidité : « De ce lieu, de ce jour, s'ouvre une ère nouvelle dans l'histoire du monde. »

Guibert n'a pas voulu cela. Trop tard! Les officiers de l'armée royale passant à la Révolution se souviendront de l'*Essai* et oublieront les correctifs et les « préservatifs » de la *Défense du système de guerre moderne* et de *la Force publique*. Si l'*Essai* triomphe à Valmy, il triomphera également à Leipzig avec les Prussiens levés par Stein et Scharnhorst et exaltés par Fichte et Clausewitz dans le langage de Guibert. La révolution qu'appelait le jeune Guibert sera accomplie et les nationalismes européens prendront le relais. La politique implacable de la lutte à mort succédera au commerce dynastique qui savait se garder de la démesure. Les voies sont ouvertes, qui conduiront de la guerre totale à la guerre intégrale, à la *guerre des mythes,* forme séculière des guerres de religion.

Guibert pressent que son œuvre marque un tournant capital dans l'évolution des idées, une coupure praxéologique inaugurant de nouvelles conduites stratégiques et d'autres ambitions politiques. Modestement amorcée par une réflexion technique sur le combat efficace, elle a dérivé vers une philosophie de la guerre qui exige à son tour une philosophie politique, voire une philosophie de l'histoire. Qu'il ait conclu sa recherche angoissée sur un appel à la sagesse alors qu'apparaissaient les prodromes de la Révolution, révèle sa prémonition d'un monde hanté, pour des générations, par la tragédie des peuples affrontés. Avant Saint-Just, Napoléon et Hegel, il a divinisé l'État. Avant Clausewitz, il a vu la guerre comme instrument de la politique. Avant les pangermanistes et

Ludendorff, il a soumis aux folles exigences de la guerre totale une politique radicalisant les antagonismes, évacuant les intérêts communs et condamnée à l'hostilité de système. Une politique tentée d'effacer toute différence entre la guerre et la paix.

Le repentir tardif de Guibert et sa prescience des désastres invitent à s'interroger sur l'aveuglement des politiques et stratèges qui, depuis 1789, se laissèrent surprendre par le processus irréversible d'une évolution vers le pire. Ils se lancèrent dans l'aventure belliqueuse au mépris de la logique stratégique : incapables d'anticiper les conséquences sociopolitiques du mauvais usage de la violence. Incapables d'imaginer que la course à l'extrême militaire pût dénaturer les entreprises polico-stratégiques. Sans doute excusons-nous d'autant moins cet aveuglement que nous sommes éclairés sur les risques que les belligérants accepteraient aujourd'hui avec l'ultime degré de violence autorisé par les armements nucléaires.

Là réside la différence fondamentale entre les évaluations politico-stratégiques de notre temps et celles de Guibert. Nous possédons sur lui l'avantage de pouvoir évaluer, avec une faible marge d'erreur, la nature, les dimensions et les résultats d'un éventuel conflit nucléaire. Évaluation possible *avant* son déclenchement. Tout se passe comme si ses effets probables étaient *visibles* avant que d'être réels : l'anticipation n'est pas spéculation gratuite. Si les analyses diffèrent sur le détail du désastre, leur accord est entier sur le fait qu'il serait inacceptable pour quelque puissance que ce soit et que la notion de victoire militaire serait privée de sens; sur la rareté des buts de guerre justifiant l'acceptation désespérée d'un tel risque. Les moralistes disputent même de leur existence. C'est dire que l'armement nucléaire et la peur raisonnée ont réintroduit la raison dans la politique et la stratégie.

Jusqu'au second conflit mondial inclusivement, les guerres s'engageaient dans l'ignorance de leurs développements possibles et des apports imprévisibles de la stratégie des armements. La course à la puissance et à l'efficacité s'accélérait dans tous les domaines affectés par la lutte. Les formes et styles de guerre les plus aberrants surgissaient sans que politiques et stratèges pussent contrôler leur émergence et leur évolution parce qu'incapables d'anticiper les effets d'armes en gestation. La logique de la dialectique conflictuelle impliquait l'ascension à l'extrême de la violence : nul ne l'ignorait, mais nul ne pouvait prévoir les modalités du processus, ni les risques qu'il comportait. Les combattants de Valmy ne pouvaient pas plus imaginer Eylau ou Wagram que ceux de Charleroi les charniers de Verdun, ceux de Dunkerque les hécatombes de Stalingrad et de Dresde. Tout conflit s'engageait entre des belligérants aveugles, nécessairement optimistes quant à leurs chances de victoire payante. Ils savaient

seulement qu'ils devaient vaincre : la logique de la guerre totale
débouchait sur une politique irrationnelle soumise à la loi de la
capitulation inconditionnelle. La plupart des grandes guerres des
XIXe et XXe siècles s'achevèrent dans l'oubli des motifs qui les
avaient déclenchées et furent conduites de telle sorte qu'elles
portaient en germe la prochaine guerre. Victoires illusoires,
toujours démenties par la guerre suivante. En nous contraignant
enfin à la guerre limitée et couverte par la défense dissuasive
inventée par Guibert, l'arme nucléaire ne nous sauve-t-elle pas
enfin de l'irrationalité? Pour la première fois, une arme est assez
efficace pour surdéterminer tous les calculs politico-stratégiques,
pour que la guerre totale soit claire et que cette clarté même la
prive de tout sens. Pour la première fois, le calcul logique du
probable est possible et dévoile l'impossible. Éphiphanie de
l'irrationalité...

Que, dans l'histoire moderne, Guibert ait été l'un des rares à
avoir dit ses craintes trop fondées et prévu les événements qui nous
ont fait ce que nous sommes, voilà qui témoigne d'un génie
singulier. Son mérite n'était pas mince, ni son courage : il lui
fallait battre sa coulpe publiquement et brûler ce qu'il avait adoré.
Mais, quoi qu'il fît, il demeurerait l'auteur de l'*Essai général de
tactique*. Il avait alors dénoué tant de contradictions, coagulé tant
de recherches parcellaires, conféré tant de rigueur aux idées
séduisantes, qu'il permettait aux impuissants de la politique et de
la stratégie de nourrir l'espoir d'une jeunesse retrouvée. Quoi qu'il
pût faire pour inciter à la prudence et pour prévenir les contresens
désastreux, il devait demeurer à jamais tel qu'en lui-même enfin
l'*Essai* l'avait changé. Nul discours n'est innocent...

CHAPITRE 8

LA VOIX ET L'ÉCHO

Origine, développement, émergence

Abandonné aux seuls historiens, ou techniciens, ou tacticiens, un objet de pensée aussi composite et variable que la guerre – ou la stratégie – échappera probablement à leur prise. Au surplus, que peuvent révéler les formes mortes et les recettes d'immédiate efficacité sur la fonction des armes dans la génération continue d'un monde dont nous échappent encore bien des lois de transformation? On n'en aura jamais fini de chercher comment interroger sur leur sens le fait-conflit et son mode extrême, la guerre. Sens qu'altèrent ou renouvellent les grandes fractures dans l'évolution technique, sociale ou idéologique. Dans ces temps de crise, les mues du langage de la force ne sont pas intelligibles, à chaud, pour ceux, politiques et stratèges, qui l'utilisent dans les échanges d'information et d'énergie en quoi se résume la dynamique des systèmes sociopolitiques.

Comme Hegel le notait pour la philosophie [1], il est à craindre que la philosophie de la guerre et la théorie stratégique, pensée de la violence soumise aux règles du Grand Jeu politique, ne puissent parler utilement qu'avec retard sur les faits; au terme seulement des processus de transformation substituant un état de la chose-conflit à un autre, un type de guerre à un autre. Esprit de l'escalier regrettable quand on attend légitimement de la théorie qu'elle aide à lire l'événement et à piloter, en temps réel, les phénomènes conflictuels. Mais, dans l'histoire de la pensée stratégique, tout se

---

1. « Pour dire encore un mot de cette manière de donner des recettes indiquant comment le monde doit être, la philosophie, en tout cas, arrive toujours trop tard. Pensée du monde, elle n'apparaît qu'à l'époque où la réalité a achevé le processus de sa formation et s'est parfaite... Quand la philosophie peint gris sur gris, une forme de la vie a vieilli et elle ne se laisse pas rajeunir avec du gris sur gris. Elle se laisse seulement connaître. L'oiseau de Minerve ne prend son vol qu'à la tombée de la nuit. » (Hegel, Préface à *la Philosophie du droit*.)

passe comme si un temps d'incubation ou de décantation, parfois
considérable, devait s'écouler entre l'amorçage d'une évolution
dans les formes de guerre et le jour où l'on sait enfin identifier ses
causes, éclairer sa nature et mesurer ses conséquences. Écart entre
l'origine vraie du processus, non perçue dans le moment, et son
émergence dans la conscience collective après une phase de
développement plus ou moins occulte; émergence avec les premiers discours théoriques qui tentent d'interroger systématiquement le phénomène, d'organiser ses interprétations fragmentaires
et d'ordonner les pratiques empiriques qui se sont succédées
depuis l'origine-rupture.

Deux siècles séparent ainsi la naissance de l'arme à feu en
Europe et la reconnaissance de sa fonction décisoire. Lent
développement théorique parant d'abord au plus pressé : la refonte
de la fortification urbaine sous l'impulsion des architectes et
ingénieurs italiens ayant, les premiers, éprouvé l'efficacité de
l'artillerie française. Cette primauté du feu s'affirme peu à peu
sur le champ de bataille, mais ne s'installe comme une évidence
qu'au milieu du XVIIIᵉ siècle. Tout se passe alors comme si sa
réalité émergeait soudain des tâtonnements de la pratique et des
limbes de la pensée théorique; comme si elle contraignait celle-ci à
donner sens à deux siècles de guerres que, rétrospectivement, l'on
juge improvisées par des primitifs d'une stratégie qui attendrait
ses classiques... Émergence manifestée par la profusion des
discours, la confusion des problématiques, l'âpreté des controverses, et que signale avec éclat l'entreprise récapitulatrice de
Guibert. Œuvre critique : elle résume les interrogations antérieures et contemporaines, éclaire les contradictions pratiques. Œuvre
fondatrice : parce qu'elle donne la clef du passé en éclairant ce qui
a commandé le développement stratégique depuis l'origine – la
première arme à feu –, elle ouvre aussi l'avenir en montrant que la
stratégie future ne peut être quelconque, qu'elle sera déterminée
par les implications du fait majeur enfin devenu clair, le feu.

L'histoire des guerres et de la stratégie est ainsi coupée par
quelques grands moments de rupture dans le développement
longtemps indécis des phénomènes conflictuels, par des phases
d'accumulation dans le processus d'évolution : le long silence ou la
confusion théorique s'interrompt. La nébuleuse d'interrogations
brouillonnes se résout. Ainsi, quand s'ouvre la Première Guerre
mondiale, les belligérants n'ont pas encore tiré l'exacte leçon de
leur entrée dans l'âge industriel et ont préparé leurs armées sur les
modèles de Napoléon et de Moltke : les nouvelles énergies, pétrole
et électricité, ne seront vraiment prises en compte par la théorie
stratégique que plus tard. Quant à l'énergie nucléaire, sommes-
nous assurés, trente ans après l'événement-origine de 1945, d'en
avoir accepté, voire compris toutes les conséquences?

Si les retards de l'émergence sur l'origine sont si importants, c'est qu'on ne dispose, en général, que d'instruments d'observation et d'interprétation conçus pour les faits et phénomènes conflictuels familiers; pour ceux qui hier motivaient et déterminaient l'action stratégique. On se sent intellectuellement désarmé devant l'irruption d'un fait nouveau d'importance majeure et, d'instinct, on répugne à l'accepter dans sa singularité importune. Il faudra pourtant, sauf à être éliminé de la scène historique, consentir tôt ou tard à reconnaître rétrospectivement, comme un moment singulier sur la courbe d'évolution, comme un moment à la fois origine et rupture, tel événement capital ayant bouleversé le milieu et les conditions de l'action politico-stratégique ou imposé une mutation à son matériau. Il faudra remonter à cet instant zéro découpant un avant et un après dans l'histoire des conflits et des guerres; l'arracher à la confusion de phénomènes emmêlés; réviser les premières lectures de l'événement et le purger des interprétations erronées ou intéressées; discerner et dire en quoi et pourquoi ce facteur de transformation a provoqué une double coupure : coupure praxéologique d'abord, la conduite de l'action ne pouvant plus être, après l'irruption du fait nouveau, ce qu'elle était auparavant; coupure épistémologique, l'action ne pouvant être pensée avec les instruments intellectuels usuels et exigeant le renouvellement de la boîte à outils, voire l'invention d'un matériel mental adapté à la jeune réalité.

C'est pourquoi, depuis que les États luttent pour la dominance ou pour survivre et que, périodiquement, les données de leurs combats sont remises en cause par un accident de l'histoire – une percée technique, une secousse sociale, une effervescence idéologique –, le musée imaginaire des grands styles stratégiques se renouvelle. Dans ces périodes de crise, quand s'ébauchent les nouvelles problématiques, théoriciens et praticiens remplacent par d'autres, répondant mieux aux exigences de l'efficacité, les *campagnes et batailles de maîtres* invoquées jusqu'alors pour leur puissance didactique : elles ne disent plus rien d'utile sur la réalité conflictuelle qui émerge enfin d'une longue période de maturation. Il faut d'autres modèles... Ainsi s'enfoncent dans le purgatoire ou en remontent, selon qu'ils se taisent ou répondent aux pressantes difficultés du moment, les monuments de la théorie et de la pratique révérés dans les écoles ou invoqués plus ou moins consciemment sur le terrain.

Ainsi Machiavel pense en Romain de la haute époque l'organisation militaire de son temps. L'ordre oblique frédéricien et la colonne massive des élèves de Folard s'appuient sur le modèle thébain, la bataille décisive de Guibert sur celui de Frédéric II. Jomini et Clausewitz font constamment référence au style Napoléon de la guerre d'anéantissement. Plus tard, Schlieffen invoque Hannibal et Cannes pour éclairer la manœuvre de débordement et d'enveloppement des ailes ennemies que préconise son plan de

1905. Faute d'espace libre pour une manœuvre d'aile, c'est le
modèle Austerlitz que suivent le plan Manstein de 1940 et les
« Kesselschlacht » de la guerre germano-russe : rupture et fragmentation du dispositif adverse, percée profonde et écartement
des lèvres de la brèche, enroulement des ailes ainsi créées dans le
front ennemi, enveloppement et destruction des fragments isolés
les uns des autres. Lawrence d'Arabie cherche des modèles de
manœuvres moins coûteuses et ressuscite Maurice de Saxe.
Strategy de B.H. Liddell Hart est le musée imaginaire des grandes
stratégies indirectes. Plus près de nous encore, la lecture immédiate de l'événement nucléaire de 1945 fut faite par référence à la
doctrine Douhet de la guerre aérienne totale se donnant pour but
d'abattre la volonté de l'adversaire en détruisant ses œuvres vives,
sa substance, par des bombardements massifs. Puis le développement de la stratégie nucléaire conduit à abandonner ce néo-
douhétisme et à construire *ex nihilo,* sans précédents historiques,
des modèles de stratégie dualiste combinant la dissuasion
nucléaire pour protéger les espaces sanctuarisés et la guerre
limitée à l'extérieur de ces espaces. Développement inachevé,
selon toute probabilité, et en quête de modèles. Nous interrogeons
en vain l'histoire : elle ne peut pas plus nous répondre aujourd'hui
sur le feu nucléaire qu'elle ne le pouvait à Machiavel, et même à
Guibert cherchant à faire passer dans la réalité son rêve de
bataille décisive qui utiliserait à plein les ressources d'une
stratégie exploitant la puissance du feu.

S'il faut distinguer entre les origines toujours floues et les
véritables commencements d'une science qui peut revendiquer son
autonomie parce qu'elle donne sens à des phénomènes embrouillés, l'œuvre guibertienne marque bien l'accession de la stratégie au
statut de discipline filtrant et organisant des connaissances rigoureuses, et de méthode indiquant comment penser l'action collective efficace en climat conflictuel. Elle marque le saut de l'ordre
du savoir invertébré et fragmentaire reflétant la précarité des
idéologies dominantes, la gratuité des règles du jeu ou l'aveuglement devant l'évolution d'une technique dynamique, à l'ordre
d'une connaissance fondée sur la mise au jour de régularités et
d'invariances autorisant le calcul stratégique. Mais la coupure
épistémologique est si abrupte, de dimensions si exceptionnelles
par ce qu'elle rejette et annonce, que l'idée même de musée
imaginaire proposant ses modèles à Guibert s'accorde mal avec
celle que nous nous faisons de sa puissance d'invention. Il exalte
bien le modèle Frédéric II mais il ne lui sert guère que d'alibi pour
une volonté de création qui contourne et déborde tous les modèles.
Surtout, posant en axiome l'existence d'une logique de l'art
stratégique, le discours guibertien entend se dégager du lieu et du
moment, dominer les styles; plus exactement, les réduire au
« grand style » qu'il prophétise. Périlleuse passion d'une perfection

intemporelle condamnant Guibert à placer sous le même regard, à la fois l'ensemble et le détail de l'entreprise politico-stratégique, à les observer d'une hauteur égale, d'une altitude telle que les accidents heureux du génie s'effacent devant l'anonyme nécessité qui soumet les actions à la structure d'un agir.

C'est là une très vieille espérance praxéologique, balbutiée avec la première réflexion sur la guerre et la politique et les premiers recueils de recettes pour le bon usage des armées; avec Platon (*Laches, Protagoras, Euthydème, la République*), Thucydide (*Histoire de la guerre du Péloponnèse*) et Xénophon (*Cyropédie, Mémorables, Helléniques*). Espérance qui soutient le développement théorique quand, après de longues périodes de relaxation, la recherche coagule en œuvres majeures. Espérance constamment ridiculisée par les aléas d'une action dont les praticiens ne cessent de rappeler la contingence. Mais espérance qui semble enfin s'accomplir avec Guibert; ce n'est pas seulement la vérité de la puissance du feu qui émerge dans les années 1770, mais aussi, dans la lumière des Lumières, la possibilité – l'illusion (?) – d'une science stratégique.

« J'ai été le précurseur... »

A deux cents ans de distance, l'entreprise guibertienne nous apparaît, dans un ensemble chaotique d'ébauches théoriques, comme le lieu et le moment privilégiés où se croisent et se nouent, s'éclairant mutuellement et combinant leurs effets, trois processus de transformation. Moment-confluent exceptionnel pour nous, observateurs et acteurs en aval : nous avons vécu, jusqu'à l'événement nucléaire de 1945, sur les suites du passage d'un système militaire à un autre constitué au temps de Guibert; sur celles de la naissance d'une stratégie comme moyen conscient et comme calcul de la politique, comme méthode pour penser l'action collective; sur les effets d'une dérive sans précédent de la politique qui échappait alors aux acteurs traditionnels pour glisser aux mains des anciens figurants – et Guibert désigne les nouveaux protagonistes, le peuple et les citoyens. Lieu-carrefour, cette pensée critique et fondatrice où convergent et trouvent leur sens les grands courants de l'évolution sociopolitique. Discours proposant des repères, les amers indispensables à quiconque explore les phénomènes conflictuels et reconstitue la généalogie de la stratégie afin de l'arracher à l'empirisme.

Sans doute, à deux cents années-histoire de cette œuvre témoin, la reconstruisons-nous sur un parti architectural qui doit beaucoup à notre centre de perspective, à ce que nous attendons aujourd'hui de tout discours stratégique, passé et présent, pour l'intelligence et la conduite de notre action. Comme celle de toute théorie, la place de l'œuvre guibertienne dans les bibliothèques imaginaires des stratèges a changé depuis 1790 avec les discours tenus et les pratiques cataloguées : au Guibert de l'*Essai,* prophète du Napoléon de la guerre d'anéantissement et modèle du « grand style » stratégique, succède aujourd'hui le Guibert de la *Défense* qui rappelle le primat de la règle du jeu, sur-déterminante, et la raison de la guerre limitée quand la violence menace de quitter le champ du rationnel. Non seulement l'apport de Guibert a modifié rétroactivement ce qu'on attendait et pensait avant lui de ses prédécesseurs, mais ce que nous pensons aujourd'hui de son œuvre et les raisons pour lesquelles nous l'interrogeons nous obligent aussi à réévaluer celles auxquelles nous faisions traditionnellement référence pour nos analyses et nos calculs. Depuis notre entrée dans l'âge nucléaire, nous avançons dans l'inconfort sur une ligne de crête théorique, balançant entre deux versants : celui de la non-guerre que suggère la démesure de la violence nucléaire ; celui du recours aux armes, y compris nucléaires, que pourraient exiger de graves litiges. Nous hésitons entre les deux lectures de Guibert. Nous en appelons tour à tour au politique modéré de la *Défense du système de guerre moderne* et au stratège efficace de l'*Essai général de tactique.* Guibert – Janus d'autant plus actuel que la stratégie d'une puissance nucléaire doit combiner la non-guerre par l'interdiction dissuasive protégeant son espace sanctuarisé avec la menace de représailles nucléaires intolérables, et une stratégie d'action positive soutenant ses intérêts à l'extérieur de cet espace avec les voies-et-moyens habituels, mais en se gardant d'amorcer un irréversible processus d'escalade. Composition dialectique de la modération et de l'efficacité, de la violence virtuelle et de la violence actualisée, dans un langage de la force enfin rationalisé. Langage encore en gestation que nous balbutions : les stratèges nucléaires doivent parler simultanément, et non successivement comme Guibert, celui de l'*Essai* et celui de la *Défense* qu'il estimait incompatibles.

C'est donc à une œuvre perçue dans sa totalité synchronique, comme un corps fermé, une structure achevée construite dans la conscience la plus aiguë de ses fins et de ses moyens, que nous faisons appel, aujourd'hui comme toujours, pour guider et justifier notre action. Nous reconstituons, dans un ensemble monté en système, des faits et objets de pensée qui se croisèrent ou se succédèrent durant les trente-cinq années d'une vie active. Nous soumettons à un ordre déterminé – ordre d'utilité – ce qui jalonna le long et scrupuleux cheminement d'un homme de chair dans la nuit de l'incertain et du contradictoire. Je reconnais avoir figé ici dans un ordre artificiel, ordre de commodité intellectuelle, ce que fut sa naturelle effervescence de créateur ; avoir capté et réorganisé l'héritage brut afin qu'il nous aide à guérir de nos bégaiements stratégiques. Si nous procédons couramment à cette transmutation quand nous sollicitons les Maîtres de notre musée ou bibliothèque imaginaires, Guibert en sort ici transformé en Titan de la stratégie : maître de ses pouvoirs dès son éveil intellectuel, il n'aurait tenu qu'un seul discours répondant à un unique défi perçu immédiatement dans son langage définitif. Discours clair et cohérent qui se serait développé linéairement, dans un flux égal et la sérénité d'un exercice mental ajoutant le mot au mot, l'énoncé à l'énoncé pour élever l'édifice parfait de la théorie conçue dans sa totalité organique dès la première interrogation...

Sans doute les singularités de la biographie – le misérable petit tas de secrets, disait Malraux – sont tout aussi incapables que les grossières déterminations de la sociologie politique de rendre compte de l'unicité des processus de création et de l'œuvre-résidu ; de ce qui fait que celle de Guibert est aussi irréductible à l'existence de l'homme-Guibert qu'à celles de ses contemporains. Biographie et sociologie sont trop souvent le refuge et l'alibi de qui *parle* art ou science sans avoir mis le pied dans un atelier ou un laboratoire – dans un poste de commandement militaire ou de direction civile. Sa relative obscurité a, jusqu'à maintenant, protégé Guibert de ces éclairages polarisés et anamorphoses qui favorisent la captation de l'œuvre au profit de chapelles ou de partis intolérants ; expérience dont Clausewitz et Machiavel, trop renommés pour être abandonnés à eux-mêmes, furent les victimes.

Il est vrai pourtant que la simple honnêteté envers Guibert, auquel nous lie une dette immense, exige plus d'attention fraternelle à la haute aventure de l'homme, à celle de l'esprit qui épouse son époque, même quand il se bat contre elle. Si, pour l'utiliser à nos hautes et basses œuvres, il faut rassembler l'œuvre héritée dans une vision totalisante et structurante, n'oublions pas qu'elle est fille du temps charnel et de la durée mentale d'un homme passé par de multiples étapes de recherche et par des certitudes successives qui confessaient autant d'incertitudes. Pensée sans cesse relancée par ses victoires comme par autant de défaites. Il affirme contre tel prédécesseur, dénonce le simplisme de tel contemporain, énonce des règles mais s'interroge sans avouer, bien sûr, ses instants d'arrêt anxieux sur le mot et la formule à peine écrits et posés dans leurs sens provisoirement définitifs. Pour peu qu'elle se prolonge, se nourrissant du silence qui lui répond, toute question de soi par soi se perd dans des perspectives méta... métastratégiques, métapolitiques, métaphysiques, etc. Concupiscence de l'intellect, suggère Pascal, qu'on s'étonnerait de rencontrer dans ces mauvais lieux de la guerre de l'homme contre l'homme s'il n'était l'inventeur du calcul des probabilités sur quoi se fonde la logique stratégique...

Contrairement au Guibert épure de quelque cerveau universel et intemporel, le Guibert diachronique – non moins réel, non

moins utile pour qui attend un surcroît d'efficacité d'une connaissance moins sommaire des processus de création – devrait dire le
cheminement historique de l'homme, ses premières questions
osées ou faussement naïves, ses premières approximations, ses
audaces, détours et repentirs, ses convictions et ses remises en
cause, ses autocritiques, autocensures, autocondamnations et autoapprobations – et le doute, surtout, pudiquement masqué par la
conversation des salons ou la rhétorique académique. Comme tout
esprit de génie, Guibert ne peut s'interdire de tenir plusieurs
discours, simultanés ou successifs, dans plusieurs langues et sur
plusieurs registres. Mais avec le temps, comme par un besoin de
cohérence et de pureté qui éliminera les bavures et les excès d'une
trop exubérante et trop indisciplinée volonté de création – lyrisme
romantique –, sa probité et sa rigueur intellectuelles dégageront
peu à peu, de cette gangue trop riche, le noyau dur d'une pensée
dépouillée et consacrée au seul bien public; pensée avec laquelle,
au seuil de la mort, il sera enfin accordé, en paix. Mais lente, très
lente – le rythme d'une existence – démarche, réductrice d'une
foule d'antinomies et de contradictions. Pour les observateurs
extérieurs et lointains que nous sommes, progression apparemment
facile, linéaire, continue; effaçant obstacle après obstacle, avec
l'aisance du virtuose maître de son instrument, opérant le plus
facilement du monde la synthèse des moments dialectiques.
Guibert cependant avance pas à pas, hésite, revient en arrière
parfois sur un discours antérieur que sa mémoire rappelle inopportunément, puis repart armé de neuf par un événement ou un
fait qui confirme son analyse ou son sentiment. Variations dont
nous ne voudrions retenir aujourd'hui que le thème central qui les
a provoquées...

Ainsi, sous son architecture serrée et sa rigueur hautaine,
l'œuvre de Guibert est *aussi* celle d'un homme qui entend ne rien
renier des singularités de son époque et ne pas se dérober aux
dures exigences d'une quête intellectuelle dont il pressent les
risques quand la bêtise s'affirme de plus en plus tyrannique... Qu'il
se sente en conflit avec ceux-là mêmes qui applaudissent aux
outrances juvéniles de l'*Essai* quand le langage de la mesure parle
dans la *Défense,* n'est-ce pas la suprême dérision – Pygmalion
auquel Galatée parlerait le langage étranger d'un autre créateur?
Ainsi le Guibert temporel s'achemine douloureusement, d'équivoque en équivoque, d'incompréhension en incompréhension, vers la
sagesse presque intemporelle du *Traité de la force publique* qui
ose encore parler raison, dans le style le plus impersonnel, le plus
neutre, quand s'arment déjà les puissances de la déraison.

Trop clairvoyant pour ignorer que, dans un domaine aussi
encombré d'idées reçues, une authentique problématique n'en a
jamais fini d'interroger; trop passionné pour ne pas souffrir des
réponses provisoires à sa quête d'un étrange absolu intellectuel;

trop éclairé sur les impuissances de l'esprit pour ne pas parier sur les compensations de l'enthousiasme; trop poète pour n'être pas obsédé de rigueur, et trop architecte pour ne pas construire un édifice refusant d'être jamais « débris d'on ne sait quels grands jeux [1] », Guibert se devait de tout risquer, carrière et vie personnelle, dans l'aventure intellectuelle la plus ambitieuse. A ses propres yeux, il a échoué. Il en meurt. Pourtant quelle éclatante réussite, pour nous qui mesurons, à sa trace dans l'histoire, la puissance d'invention qui l'arrache à la foule des grands stratégistes de son siècle! En un temps où mûrissaient les chances d'un Monde et d'un Homme neufs, on comprend ses variations, voire ses palinodies, ses audaces comme ses retraits : il n'était que le primitif d'un art qui attendait ses classiques. Il ne pouvait qu'illuminer le langage désuet de l'époque par les éclairs d'un discours prophétisant les temps nouveaux.

C'est pourquoi il ne put éviter les pièges de son siècle : outrances de la raison, hâte du pragmatisme, naïveté de l'optimisme, pièges de l'esprit qui se croit délivré des idoles. Son dernier cri : « J'ai été le précurseur de beaucoup d'opinions qui fondent aujourd'hui la liberté et j'ai propagé la vérité en un temps où il y avait du courage et du danger à la dire [2] » est autant le repentir de l'apprenti sorcier que son défi à l'oublieuse postérité.

Ce cri nous atteint comme la confession d'un homme découvrant, aux portes de la mort, que liberté et vérité ne sont que les masques de puissances intouchables; que la Vertu de 1789 peut appeler la Terreur de 1792; que la Politique peut devenir Tragédie pour avoir joué de forces qui, nées de l'homme, se refermeront sur l'homme désormais prisonnier d'une histoire s'accomplissant autant par le mythe aveugle que par l'intelligente volonté des figures de proue.

1. Paul Valéry.
2. *Traité de la force publique.* Avant-propos.

Troisième partie

VARIATIONS SUR JOMINI
(1779-1869)

CHAPITRE 1

L'ACTEUR, L'AUTEUR ET LE CRITIQUE

Quel créateur n'a rêvé d'héritiers assurant à son œuvre cette survie par quoi les aventures de l'esprit, même les plus folles, espèrent se justifier? Pour peu que ses dernières années lui consentent ce qu'il faut d'ennui ou de sérénité pour revenir sur ce qu'il fut, pour soumettre à une ultime correction l'ouvrage déjà livré au temps, le héros de l'action ou de l'intellect, du faire ou du dire, s'essaie à la critique de soi par soi.

Lucidité de la onzième heure, et cruelles opérations : juger, au nom de ce qui aurait pu être, ce qui fut et que l'histoire pétrifie? S'accommoder de l'échec, de la chance manquée, de la perfection naguère méprisée ou insoupçonnée, du dernier regard sur le possible d'hier à jamais improbable? Tempérée par la certitude d'avoir construit en toute fidélité à une vocation, la conscience d'une existence inachevée ou faussée ne saurait prendre son parti du silence public. Un *autre,* fût-il impitoyable, demeure le témoin nécessaire auquel en appelle quiconque prétend avoir marqué son passage. Aucune Sainte-Hélène ne peut enlever, à l'homme enchaîné, la foi en sa résurrection dans la mémoire collective, ni l'espoir d'une exacte intelligence de ses actes et de ses projets. Calcul *in extremis* d'une *espérance historique*...

C'est ce qui rend si pathétiques les Mémoires signés de noms illustres, que leur célébrité tienne à l'éclat de la réussite ou à celui d'un échec. Singulièrement, celles des *têtes,* politiques ou militaires, dans lesquelles se forma et se joua, fût-ce en quelques heures, le destin d'un peuple : entreprises collectives conduites par un maître d'œuvre assumant, par délégation ou hasard, le projet commun, ou l'imposant à force de volonté. Seul capable de concevoir le grand dessein dans sa totalité organique, il peut être tenté de ne voir qu'un matériau d'œuvre dans le corps social des autres réduits à leur fonction instrumentale, médiatrice entre sa volonté de création et l'histoire. La grande politique et la guerre engagent, jusqu'à la mort aveugle, tant d'acteurs involontaires arrachés à leur innocente liberté que les chefs suprêmes ont souvent connu la sacralisation des pères fondateurs et des patriarches; comme si le sacrifice des innombrables obscurs et sans-grade exigeait cette exaltation *par réversion*. Délégation si naturelle d'un pouvoir empruntant au surnaturel, que les sociétés démocratiques et les régimes populaires les mieux avertis sur les rôles des masses et des individus dans l'accouchement de l'histoire, et les plus soupçonneux devant « le grand homme », doivent le tolérer, voire l'inventer quand il y va de leur existence.

Aussi, quelle anxiété devant le verdict de l'histoire, quels plaidoyers dans les testaments des grands ténors! Les batailles perdues sont rejouées. Les vaincus réclament un jugement en appel, suggèrent l'acquittement en évoquant qui le rapport des forces, qui les fautes des subordonnés, qui « Sa Majesté le hasard » (Frédéric II). L'abondante littérature parue dans tous les camps depuis 1945 trahit les espoirs de procès révisés chez tous ceux qui ne pouvaient prendre leur parti de faillites pourtant évidentes. Littérature hagiographique – bien que, « à la guerre, un grand désastre désigne toujours un grand coupable » (Napoléon) – et discours trop souvent décevant pour les curieux de la mécanique mentale. Au tournant d'une page, la fulgurance du trait de génie déchirant le gris d'un récit qui veut garder sa distance – celle de l'histoire? Mais ces détours scrupuleux des réponses au *pourquoi* quand nous attendons celles, trop rares, au *comment*...

Effectuant le bilan critique de ses paris successifs contre les États de l'Europe – avec, pour enjeu constant, la maîtrise d'un monde abordant aux temps modernes et cherchant, dans la violence, le mot et la formule de nouveaux équilibres – Napoléon se souvint, sur son rocher, d'un officier suisse, son cadet de dix ans, dont l'étrange génie l'avait intrigué dès 1805. L'année précédente, à vingt-cinq ans, Jomini avait publié les deux premiers tomes de son *Traité des grandes opérations militaires* [1]. L'Empereur les avait lus à Schönbrunn, peu après Austerlitz, et Maret a rapporté le commentaire : « Que l'on dise que le siècle ne marche pas! Voilà un jeune chef de bataillon, et un Suisse encore, qui nous apprend ce que jamais mes professeurs ne m'ont enseigné et ce que bien peu de généraux comprennent... Comment Fouché a-t-il laissé imprimer un tel livre? Mais c'est apprendre tout mon système de guerre à mes ennemis; il faut faire saisir ce livre et empêcher qu'il ne se propage. » Maret objectant qu'il était trop tard, l'ouvrage étant déjà distribué, et que la saisie exciterait la curiosité, Napoléon parut convaincu : « Au fait, j'attache peut-être

---

1. Titre complet : *Traité des grandes opérations militaires, contenant l'histoire critique des campagnes de Frédéric II comparées à celle de l'empereur Napoléon. Avec un recueil des principes généraux de l'art de la guerre*. Cet ouvrage reprend, sous une autre forme, le *Traité de grande tactique* de 1803 que Jomini, insatisfait, a détruit.

trop d'importance à cette publication. Les vieux généraux qui commandent contre moi ne lisent plus et ne profitent pas de ces leçons, et les jeunes qui les liront ne commandent pas. »

Qui était cet Antoine Henri Jomini assez important pour exciter l'attention d'un Napoléon, assez insignifiant dans le monde militaire pour ne pas ébranler les idées reçues? Il était né à Payerne, dans le canton de Vaud, le 6 mars 1779, d'une famille bourgeoise originaire d'Italie. Vers l'âge de douze ans, doué pour le calcul et la géographie, attiré par les armes, des démarches sont effectuées pour son admission à l'école militaire du prince de Wurtemberg, à Montbéliard. L'école étant transférée à Stuttgart, on abandonne le projet. La Révolution l'empêchant d'acheter une charge de cadet dans le régiment suisse de Vatteville, alors au service de la France, Jomini prépare une carrière commerciale à Aarau. En 1795, il commence un apprentissage de banque, à Bâle, tout en se passionnant pour la guerre : il a découvert Frédéric II... Agent de change dans le Paris du Directoire, à la banque Mosselmann, quand Bonaparte se révèle en Italie, il rédige un journal des opérations militaires et lit les œuvres de Frédéric II. En 1799, décidément peu doué pour les affaires, il est aide de camp de Keller, ministre de la Guerre helvétique. Capitaine, chef du secrétariat de la guerre, puis chef de bataillon en 1800, près des nouveaux ministres Repond et Lanther, il réorganise leur département, propose l'uniformisation des règlements de manœuvre et des tenues, fait adopter des réformes tout en poursuivant ses études sur les opérations du moment : il prétendra, plus tard, avoir prédit la manœuvre de Bonaparte qui, à travers les Alpes, s'achèvera à Marengo. En 1801, Jomini abandonne sa charge, se rend à Paris, reprend ses activités commerciales. En 1803, il commence la rédaction d'un *Traité de grande tactique* – se référant ainsi au premier ouvrage de Guibert – et demande un emploi à Murat, gouverneur militaire de Paris. Éconduit, il s'adresse sans plus de succès à M. d'Oubril, chargé d'affaires de Russie en France; puis à Ney. Celui-ci a lu le *Traité* et, témoignant d'une singulière clairvoyance, s'attache le jeune auteur et l'emmène comme aide de camp volontaire au camp de Boulogne. Dès lors, la vocation de Jomini va pouvoir s'exprimer : la campagne de 1805 – celle d'Ulm et d'Austerlitz – est ouverte, et Ney commande le VIe corps.

Attaché à Ney comme une sorte de consultant, Jomini ne tarde pas à manifester un exceptionnel sens stratégique en anticipant sur les intentions de l'Empereur et en intervenant pour redresser une erreur du maréchal devant Ulm. Il le persuade que les ordres de Murat ne s'accordent plus, parce que dépassés, avec l'esprit de la manœuvre d'enveloppement conçue par Napoléon : en s'engageant sur la rive droite du Danube, Ney découvrirait la rive gauche par laquelle Mack pourrait encore s'échapper. Sur les conseils de

Jomini, il intervient donc à temps, à Elchingen, pour couper la dernière voie de retraite des Autrichiens qui espéraient rejoindre leurs alliés russes en Bohême. Mais l'Empereur avait perçu les hésitations du maréchal : accouru à son état-major, il est rassuré par les explications du jeune Suisse qui l'a reçu en l'absence de son patron. Après Austerlitz, la lecture du *Traité* confirme donc Napoléon dans son jugement : le 27 décembre 1805, il nomme l'auteur colonel d'état-major et premier aide de camp de Ney qui avait demandé qu'on récompensât ses mérites. Statut moins précaire, dont le premier effet sera d'éveiller l'animosité de Berthier, major général de la Grande Armée, qui ne cessera de multiplier tracasseries et vexations envers le parvenu qu'il soupçonne de vouloir accaparer la confiance du maître.

Doué du rare privilège d'observer *in vivo* et d'un œil sec la plus extraordinaire aventure qu'osa jamais rêver le romantisme; capable de percevoir et d'interpréter les exceptionnels moments de l'histoire-en-acte; sachant apprivoiser leur singularité par des formules simples au point de révéler, au Prométhée déchaîné, les plus secrets mobiles de ses actes et leurs subtils enchaînements, Jomini fut reconnu comme l'un des héritiers intellectuels de celui que Clausewitz nomma « dieu de la Guerre ». Peu s'en fallut que sa méditation retrouvât, en passant par l'expertise de l'art militaire napoléonien, le système englobant d'une *entreprise politico-stratégique* que les généraux et rois vaincus s'entêtaient à réduire au bonneteau d'un joueur diabolique ou aux secrets d'une nouvelle *ars magna*. Conjonction sans doute unique dans l'histoire des guerres : celle du virtuose de l'action et de l'amateur autodidacte que rien ne destinait au rôle ingrat d'exécuteur testamentaire. Mais destin inachevé et œuvre qui tourne court, en réponse aux conquêtes éphémères et à l'aventure sans lendemain.

Presque malgré lui, Napoléon esquisse, à grands traits nerveux, une Europe monstrueuse qu'il tente vainement de soumettre à sa passion d'ordre rigoureux, à sa volonté de secouer le vieil édifice jusqu'aux fondations pour le mieux reconstruire selon son style. Mais le XIXᵉ siècle, qu'il veut ouvrir à l'universel, ne fera qu'achever, plus dangereusement, les ébauches d'États ultranationalistes que le XVIIIᵉ avait masquées d'un illusoire cosmopolitisme de salon. Jomini observe les « luttes de géants » qu'appellent l'irruption de mythes révolutionnaires et les forces, longtemps étouffées, de masses nationales soudain révélées à elles-mêmes. Mais, par méfiance devant les abusives prétentions du savoir sur la guerre, il se risque peu hors de son système fermé de *stratège pur,* et borne son analyse à celle des opérations. S'il induit hardiment concepts, principes et maximes de son observation des pratiques comparées, il ne songe guère, par excès d'historicisme ou par honnêteté d'expert mesurant sa compétence, à relier sa lecture d'un art militaire évolutif à la totalité synchronique des déterminations du phénomène-guerre : la complexité n'est pas son propos. Il ne tente pas de refondre, dans un corpus d'énoncés utilisant les nouveaux langages des sociétés en mutation, la matière vieillie d'une pensée sur la guerre qui récuse, désormais, les limitations raisonnées et les interprétations mécanistes du Siècle des lumières. Il ne veut éclairer que l'action physique des armées dans l'espace géographique d'un théâtre alors que la guerre apparaît, sous ses yeux, comme un mode non exclusif d'un phénomène-conflit plus essentiel, résumant les multiples et incessantes tensions entre le Même et l'Autre dans le système sociopolitique.

Personnage discuté dans sa vie comme dans son œuvre, il se singularise sans effort en un temps où l'originalité était chose courante. Mais il demeure attaché, par trop de liens culturels, au XVIIIe siècle englouti pour assumer, dans son exigeante nouveauté, l'héritage de la Révolution et de l'Empire. Si, à Sainte-Hélène, Napoléon crut devoir louer son critique pour ses facultés d'analyse, il en voyait sans doute les insuffisances : celles de l'autodidacte fasciné par son savoir laborieusement conquis, et que sa conscience orgueilleuse d'expert enferme dans les limites d'une spécialité où il se pose en égal des meilleurs. Nul mieux qu'un stratège devenu chef d'État et prenant, de toute sa hauteur de législateur et de créateur d'histoire, l'exacte mesure des rapports entre politique et guerre, ne pouvait discerner, sous l'éclatante maîtrise de Jomini, la timidité d'une intelligence confinée dans un domaine – l'art militaire – isolé de son enveloppe : l'art politique; mieux, *la poétique historique.*

Pourtant, dans la région de la stratégie opérationnelle pure où se mesurent deux esprits d'égale acuité mais de champs non superposables, quel plaisir, pour l'inventeur et son critique, de s'entendre à demi-mot dans un langage codé dont ils goûtent, seuls, les subtilités! De quel poids sont les silences mêmes, qu'ils savent traversés d'identiques calculs! Plus qu'une conjonction miraculeuse de deux processus mentaux aboutissant à une même conclusion, l'extraordinaire rencontre de Mayence, en octobre 1806, révèle une complicité d'artistes jouissant de leur commune différence avec autrui : le dialogue jaillit du choc de deux esprits qui se reconnaissent et se sentent justifiés l'un par l'autre. Napoléon a convoqué Jomini pour l'interroger sur la Prusse et son armée qu'il se prépare à attaquer. Sans doute connaît-il le mémoire que le Suisse a rédigé pour Ney [1] et, comme il souhaite le garder au Grand Quartier pour la campagne imminente, Jomini

---

1. En septembre 1806, pressentant l'inévitable conflit avec la Prusse, Jomini écrit ses *Observations sur les possibilités d'une guerre avec la Prusse et sur les opérations qui auront vraisemblablement lieu, rédigées pour le maréchal Ney.* Il publie le Ve volume du *Traité des grandes opérations,* qui paraît avant les IIIe et IVe : traitant de la guerre napoléonienne, Jomini en espère un succès d'actualité.

avance quelques objections : « Si votre Majesté le permet, je la rejoindrai dans quatre jours à Bamberg. – Qui vous dit que je vais à Bamberg? – La carte de l'Allemagne, Sire. – La carte? Il y a cent autres routes que celle de Bamberg sur cette carte. – La carte de l'Allemagne, Sire, et vos opérations d'Ulm et de Marengo. Pour faire au duc de Brunswick ce que vous avez fait à Mack et à Mélas, il faut aller sur Gera; et pour aller sur Gera, il faut passer par Bamberg. – C'est juste, soyez dans quatre jours à Bamberg; mais n'en dites rien à qui que ce soit, pas même à Berthier : personne ne doit savoir que je veux aller de ma personne à Bamberg. » Cette conversation, rapportée plus tard comme « le rendez-vous de Bamberg », étonne assez Napoléon pour qu'il s'en souvienne à Sainte-Hélène. Mieux : la campagne de 1806 se déroule conformément aux prévisions de Jomini qui est aux côtés de Ney à Iéna, et à Berlin avec la Grande Armée.

Qu'importe donc si la maîtrise de la stratégie opérationnelle, dont Jomini témoigne dans la pratique comme dans la théorie, apparaîtra plus tard comme une abusive identification du phénomène-guerre à l'une de ses composantes. L'ignorance ou la réduction voulue de la complexité ne peuvent faire que ce moment de connivence n'ait pas existé, qui suppose un travail mental, fût-il appliqué à une fraction du réel conflictuel, dont un Ney ou un Berthier sont incapables si l'on en croit Napoléon, puisqu'il demande la discrétion à son complice. En fauve de l'action, à supposer même que cette problématique l'intéressât, l'Empereur se garderait bien d'interroger Jomini sur l'étiologie des conflits ou la fonction politique de la violence, sur la métaphysique de la guerre : il suffit à son projet qu'en soit connue et maîtrisée la physique. Pour lui, l'officier suisse, dont « la montre, dit Sainte-Beuve, a été réglée pour toujours sur celle du grand capitaine », est l'un des instruments de choix grâce auxquels l'idée peut se faire chair, le projet exécution, la théorie pratique, sans que le démiurge doive redouter la dégradation entropique de son énergie créatrice et la dérive de son impulsion. Avec des Jomini, songe-t-il, à chaque étage du système complexe qu'est la Grande Armée, parfaits récepteurs, interprétateurs et transmetteurs de l'information portée par sa décision et la nourrissant en retour, le *bruit* serait réduit, qui la dénature : le fonctionnement du système global ferait l'économie des pertes en ligne, des erreurs de communication et des fautes de lecture qui pénalisent habituellement toute entreprise collective issue d'une pensée mère. Celle-ci dégénère à transiter par les nombreux agents, acteurs locaux, assurant la nécessaire médiation entre le vouloir-faire et le fait, entre le *poiein* et le *poiema*. Mais imaginons des Jomini, avec leur parfaite connaissance de la nature et de l'économie du jeu guerrier, placés à tous les *nœuds* de l'action collective, là où s'intègrent les fonctions de ses diverses composantes et se résume l'information de l'amont et de l'aval sur son propre développement, là où la combinatoire des forces, de l'espace et du temps peut accorder les intentions connues ou anticipées de l'étage supérieur et les données conjoncturelles : leur médiation garantirait la synergie des savoirs, des calculs et des décisions élémentaires. La pensée-mère n'aurait plus qu'à tempérer son optimisme en prenant ses assurances   contre les inévitables défaillances mécaniques d'un lourd appareil de forces physiques... et contre le hasard!

Mais les Jomini sont rares. Quand ils existent, les pesanteurs psychosociologiques des armées, comme celles de tout corps social strictement hiérarchisé, retardent leur émergence aux premiers rangs, là où leur compétence s'exprimerait enfin. A quoi s'ajoutent les aléas de toute carrière dans les temps difficiles. Si Berthier n'a cessé de gêner l'ascension de Jomini [1], celui-ci, comble de malchance, tombe malade des suites de la campagne de Russie et ne peut participer à la première phase de la campagne de 1813. Or, dans cette période critique, le renouvellement des cadres lui aurait permis d'atteindre les sommets. Ayant rejoint l'armée le jour de la bataille de Lützen, Jomini est nommé chef d'état-major de Ney pour la seconde fois. Il semble que Napoléon ait songé à lui confier un rôle plus important puisque, en 1814, il déclarera au prince Wenzel-Lichtenstein : « Si Jomini n'avait pas été malade, il serait devenu maréchal de France. » Occasion manquée : après la bataille de Bautzen, pour avoir omis d'envoyer à temps un état de situation au Q.G. impérial, Jomini, porté par Ney en tête du tableau d'avancement pour le grade de général de division, en est rayé par Berthier et mis aux arrêts. Ecœuré, Jomini passe au service du tsar Alexandre (14 août 1813) dont il devient le conseiller militaire.

Trajectoire peu banale. Comment devient-on Jomini? Pour nous, qui le devinons plus à la lecture de son œuvre qu'aux accidents de sa carrière, les limites mêmes que notre critique reconnaît à son discours ont un sens et une vertu pédagogique. Nous l'interrogeons moins sur sa biographie que sur ce qu'il dit et sur l'utilité, pour nous, de ce dire. Sans l'œuvre, l'événement qui appela son intervention sur le terrain ne serait plus aujourd'hui qu'un moment mort : que nous enseigne son heureuse influence sur Ney, si ce n'est la rareté du coup d'œil stratégique et celle du parfait binôme que doivent constituer, par les talents et les caractères complémentaires, le grand patron et son chef d'état-major? Tandem si exceptionnel que l'histoire militaire le signale :

1. En 1811, Napoléon engage Jomini, qui a commencé la rédaction de l'*Histoire militaire et critique des guerres de la Révolution*, à traiter les campagnes de 1796 et de 1800. Il met à sa disposition les archives du Dépôt de la Guerre. Mais Berthier, qui a entrepris la même étude, entrave ses recherches.

Napoléon-Berthier, Hindenburg-Ludendorff, Foch-Weygand... A un siècle et demi de distance, la circonstance reprend ses dimensions vraies pour l'analyse critique et la théorie de notre temps. Ce qu'il est convenu de nommer la leçon de l'histoire n'est pas attachée, pour évaluer la portée de l'œuvre jominienne, à l'exacte restitution des batailles d'Elchingen et de Bautzen dans lesquelles notre héros tint un rôle émérite [1]. Avec le temps, sa contribution, comme celle de Clausewitz en 1815, n'est plus qu'un élément marginal dans le système des actants et des actions de cette époque. Aussi singulière qu'elle soit, son histoire personnelle ne nous intéresse que si elle a engendré l'une des œuvres majeures grâce auxquelles nous saurions démonter le mécanisme, approcher le sens et le *noyau logique* – s'ils existent – de l'histoire collective. Un savoir s'est constitué par des cheminements non quelconques, assez détaché du lieu et du moment pour nous éclairer, à grande distance de sa genèse et par-delà les éclats de l'anecdote, sur l'existence et la nature des transformations violentes capables de changer la face du monde. Crises récurrentes dont la fonction maïeutique est si constante, sous leurs diverses modalités, qu'elles doivent exprimer un fonds commun à toutes les cultures et civilisations et conserver quelque invariant dans leurs figures successives, de leur émergence à leur mort – la vocation au conflit de l'Espèce...

Notre curiosité et notre position de critique, au regard de l'activité intellectuelle d'un Jomini, supposent vérifiée l'hypothèse de cet invariant; à défaut, qu'on le pose en axiome et sachant qu'on s'aventure ainsi dans les régions malfamées de la philosophie de l'histoire. Aujourd'hui, interroger Jomini, ou tout autre de la famille, suppose que nous admettons l'existence d'une classe définie de faits et phénomènes de la vie sociale et politique qui déterminent ou, au minimum, conditionnent l'histoire universelle. Nous posons que l'ensemble sans cesse renouvelé des générations, de l'alpha à l'oméga de l'histoire, est engagé, contre l'affirmation de notre liberté personnelle, dans un processus de développement conflictuel utilisant les forces de violence collective selon une loi de notre nature qu'aucune jonglerie idéologique ou métaphysique ne saurait évacuer.

Si un principe de conflit peut être posé au cœur de l'histoire, Jomini ne conserve quelque chance de postérité, sous les couches de commentaires, que si le sien dégage son objet de ses manifestations accidentelles, de ses modes, formes et styles contingents; si son discours, quoique daté, est capable de fournir, au lecteur

1. J'ai évoqué, plus haut, comment Jomini intervint à Elchingen. Lors de la bataille de Bautzen, il convainc Ney de ne plus marcher sur Berlin comme il en avait reçu l'instruction, mais de se rabattre à l'est de Bautzen. Les demi-mesures du maréchal ne donnent pas toute l'ampleur désirable à la manœuvre suggérée par Jomini, et Blücher peut échapper.

quelconque, une grille de lecture applicable à des réalités sociopolitiques complexes et quelques règles de conduite aux protagonistes d'une politique assez lucide pour se fonder sur le principe de
conflit.

On discerne, ici, ce qui menace de caducité, voire de nullité, le
discours sur la guerre : l'historisme, la référence exclusive au
singulier, à ce qui ne se répète jamais; ou, à l'inverse, la
fascination du rationnel, la réduction de l'action collective à ses
constantes claires. Faire leurs parts respectives à l'historique et au
logique, dans le composé qu'est l'action de guerre, discriminer le
stochastique et le constant n'est pas si aisé : la *critique du
jugement stratégique* bute nécessairement sur leur combinatoire.
Toute problématique de la guerre, toute théorie générale de la
stratégie – dans son acception extensive d'aujourd'hui – invitent
nécessairement à interroger le théoricien sur ses tropismes intellectuels et sur sa méthode pour résoudre cette difficulté épistémologique. Que la nécessité d'éclaircissements, sur ce point
capitalissime, ait été rarement ressentie par les théoriciens – et
cette rareté même est significative –, que les praticiens l'aient
contournée avec des aphorismes contradictoires sur les principes
ou la contingence de l'action de guerre, montre assez l'embarras
des uns et des autres devant un objet hybride. Embarras sans
conséquence apparente pour le praticien : la complexité semble se
dissiper dans l'action même et devant chaque situation [1]. Le calcul
et la décision résolvent la nébuleuse, tranchent dans les derniers
doutes par un coup d'état mental. Ils résument, dans l'invention
d'un acte irréversible, le travail d'une pensée soumise à deux
systèmes de contraintes : celles de la logique spécifique de l'action
violente collective, celles des données de situations concrètes,
uniques. Processus qui renvoie le débat épistémologique, sur la
théorie stratégique, à la psychologie de l'invention – à la poétique.

Si, aujourd'hui, nous questionnons Jomini, ce ne peut être que
pour ses lumières sur la guerre considérée comme une action,
comme un travail collectif par quoi un ordre de choses sociopolitiques est transformé. Nous l'interrogeons sur sa propre
interrogation, sur sa position de théoricien. Sur le choix, parmi
d'autres également concevables, d'une méthode d'observation,
d'analyse et de restitution, dans un discours pertinent et cohérent,
d'un objet-guerre devant lequel un outillage intellectuel et critique
plus puissant que le sien ne nous laisse guère moins désarmés. Plus
désarmés même : notre objet – la fonction et la conduite de la
violence dans la dynamique du système international – a changé

---

1. Cardinal de Retz : « Quelle foule de mouvements tous opposés! Quelle
contrariété! Quelle confusion! L'on l'admire dans les histoires, l'on ne la sent pas
dans l'action. » *(Mémoires.)*

de dimensions et la guerre *stricto sensu* n'est plus perçue comme sa seule modalité. Nous nous prononçons avec beaucoup moins de présomption qu'il y a cent cinquante ans sur la guerre, ses raisons et sa conduite. L'entrée dans l'âge nucléaire a provoqué une coupure dans l'évolution, depuis Jomini, des relations entre la politique comme fin et le bon usage de la violence armée comme moyen. Mais cette rupture n'est pas seulement dans la pratique : elle a appelé, nécessairement et conjointement, une révision de la théorie. Nous aussi avons dû affiner nos concepts, nos principes, règles d'action, normes d'efficacité; inventer de nouveaux instruments d'observation et d'analyse, et des langages congrus aux nouvelles données. Les difficultés rencontrées dans cette quête d'intelligibilité et de critères pour l'économie de l'action, suggèrent la prudence dans nos assertions; aussi, et surtout, la critique sans cesse reprise de nos outils d'analyse et de jugement stratégiques. La valeur de notre épistémologie est une nécessaire caution pour la validité de nos édifices théoriques et de nos pratiques.

L'assurance du discours jominien, justifiée même par l'approbation de Napoléon et la rencontre rarissime entre un créateur et son critique, semble aujourd'hui excessive. Toutefois, malgré les pesanteurs de l'héritage, ce discours est assez neuf en son temps et prend si clairement en compte la coupure provoquée par la Révolution et l'Empire dans la pratique guerrière, il inaugure si magistralement une nouvelle problématique de la stratégie opérationnelle et enrichit le corpus de concepts avec un tel souci de rigueur, que sa démarche nous paraît exemplaire : avec Clausewitz, mais sur un autre registre, Jomini est le témoin et le théoricien d'une rupture. Il la constate, la situe et mesure les écarts avec l'héritage par d'incessantes références à l'art de la guerre du passé. Coupure évidente pour nous; mais il fallait être intellectuellement équipé pour en définir sur-le-champ la nature et en évaluer les conséquences. Singulièrement armé même, puisque Jomini n'attend pas que Napoléon ait quitté la scène pour commenter son jeu et dire pourquoi et en quoi il innove : le théoricien participe à l'action de 1803 à 1815 et l'observe du dedans, sans la distance habituellement requise par le jugement objectif. Autre parenté avec ses émules de l'âge nucléaire : eux aussi doivent comprendre et inventer dans le mouvement même d'une stratégie qui, quoique opérant dans l'imaginaire, n'en est pas moins action quotidienne et invention.

La similitude de position entre Jomini et nous, au regard d'une double coupure dans la pratique et la théorie stratégiques, devrait révéler des analogies entre ses interrogations et les nôtres, entre leurs nécessités dégagées des faux problèmes. Les tâtonnements de sa démarche et la rigueur progressive de son œuvre devraient éclairer les causes de nos propres échecs pour définir une méthode d'analyse et des concepts opératoires adaptés à une réalité essentielle qu'il nous faut, comme lui, extraire de la complexité floue et fluide de faits sans précédent. Les différences mêmes, entre nos réponses et les siennes à des questions identiques, révéleront la nature et le sens de la brisure intervenue après la longue phase d'évolution continue que la guerre a connue depuis Jomini. Celui-ci s'installe donc, dans la généalogie de la stratégie, comme l'un de ces pères fondateurs dont les systèmes de pensée, en inaugurant une nouvelle époque de la théorie, conservent leur valeur de référence pour les critiques comparées de leurs successeurs : même vieillis et dépassés par l'histoire, les précurseurs disent encore pourquoi ils le furent...

Dépouillée de l'anecdote, la biographie de Jomini ne nous est pas indifférente dès lors qu'elle dévoile, serait-ce fragmentairement, le fonctionnement d'un esprit et la raison de ses produits. Son œuvre est la trace d'une dynamique mentale; la somme jamais achevée de problématiques changeant de centres d'interrogations, d'énoncés et d'assertions sans cesse repris dont nous ne connaissons les repentirs que par la succession des ouvrages. Ceux-ci se recouvrent souvent et progressent par systématisations de plus en plus rigoureuses et exhaustives, par la constitution de théories de plus en plus consistantes, de plus en plus *dures*. Sans doute, outre les livres publiés, dossier clos de l'enquête, notre curiosité souhaiterait connaître les ébauches, esquisses, brouillons, toutes les traces du travail, sans cesse recommencé, de la pensée sur son objet et sur elle-même. Mais nous manque l'équivalent jominien de la correspondance de Napoléon, des carnets d'esquisses de Delacroix ou des divers états de *La Jeune Parque*, toutes ces scories de la fonte mentale raffinant son produit brut. A défaut, et puisqu'il fut aussi acteur du « drame effrayant et passionné » qu'est la guerre, demandons à son jeu quelques clartés sur l'apprentissage de la maîtrise.

CHAPITRE 2

UN GUERRIER INDIFFÉRENT

Chacun s'enracine à sa façon dans son temps. Qu'il l'épouse ou s'y débatte, nul ne devient ce qu'il est sans un style grâce à quoi il s'essaie à résoudre les conflits de sa liberté avec les pressions du milieu et les suggestions de l'époque. Nous pouvons même imaginer un homme assez sûr de soi, ou assez candide, pour prétendre à la neutralité et à l'autonomie dans les pires bouleversements. Un homme traversant les révolutions d'un pas tranquille, comme si la mise en question autour de lui d'un ordre considéré jusqu'alors comme naturel, lui était non moins naturelle. Neutre et autonome, celui-là qu'affectent aussi peu le non que le oui consentis par la foule à des idées dont, pour sa part, il ne ressent ni la nécessité ni les vertus contraignantes : une intelligence à sang froid pour laquelle l'histoire-qui-se-fait est lieu de problèmes et non théâtre de passions. Processus mentaux d'observateur et non d'engagé; de géomètre, non de poète épique...

En 1799, Jomini a vingt ans. La frénésie révolutionnaire, qui n'a pas épargné son pays natal, a seulement frôlé l'adolescent, sans le marquer. A peine soupçonne-t-on ce qu'il en pense. Au double contact d'une Europe travaillée par la virulence d'un *mythe* affirmant avoir réinventé les valeurs universelles et d'une autre, fermée sur soi et aveuglément confiante en ses formules surannées, la Suisse est plus un carrefour diplomatique et militaire qu'un foyer ou une caisse de résonance idéologique. République helvétique par la grâce de Brune et du Directoire, puis Confédération par celle de Bonaparte, elle accueille les plénipotentiaires venus traiter à Bâle, et ses vallées voient passer Souvorov allant chercher la défaite à Zurich, devant Masséna. Bon gré mal gré dans l'orbite française, elle est fatalement affectée par un conflit qui s'éternise et dont le dénouement demeure imprévisible. En dépit de ses distances prises avec l'histoire depuis plus de deux siècles, et sans être un enjeu déterminant, la Suisse est engagée, plus qu'elle le sera jamais, dans la redoutable partie opposant deux époques de l'homme. Chaque citoyen peut encore espérer l'issue qu'il croit la plus favorable aux intérêts de son canton et aux siens.

Jomini devrait, lui aussi, opter pour l'une ou l'autre. Choix malaisé : quel homme être, lequel ne pas être? A vingt ans, la coloration lyrique des événements peut séduire et voiler les réalités de situations trop ambiguës pour céder au seul entendement. Le cœur commande, tout calcul est faussé par l'intrusion de l'irrationnel. Non que ce dernier doive être évacué : lorsque, dans un même espace géohistorique, coexistent, en une parfaite mésintelligence, deux univers sociopolitiques également convaincus de leur nécessité, de leur valeur et de leur pérennité; lorsque, dans l'un, les formules radicales des prophètes de l'absolu et les décrets de tranchants législateurs s'incarnent dans des systèmes politiques, des styles sociaux et des formes culturelles fondées sur la négation de l'Autre, qui prétendrait opter entre ces orthodoxies autrement que par élection du cœur? Entre les définitions de l'Européen et de la modernité que proposait l'idéologie des révolutionnaires et celles que leurs adversaires tiraient du seul refus d'admettre le changement, comment un jeune homme aurait-il choisi son camp en s'en remettant à la seule raison politique? Au sens de l'histoire, peut-être...

Jomini n'est pas torturé par les exigences de la logique politique qui conduit les passionnés à l'échafaud et les cyniques au pouvoir. Ce dont meurent les obsédés de pureté sert la volonté de puissance des réalistes dont la lucidité spécule autant sur la bêtise que sur la foi d'autrui. Toute révolution a ses Brutus et ses Marc-Antoine, ses Saint-Just et ses Bonaparte... et, dans leur ombre, la foule innombrable des hors-jeu : les figurants, mais aussi les solitaires murés dans leur royaume intérieur et menant leur conquête de soi comme si l'événement était insignifiant. Ils ne l'accueillent, dans le champ de leur attention, que pour l'occasion d'observer, *in actu* ou à une autre échelle, tel phénomène suggérant ces questions qui stimulent une raison de vivre. A de tels esprits, l'histoire n'est qu'une *préparation* pour l'exercice de l'intellect.

Pour Jomini, tout se passe comme si choisir entre les deux Europe ne posait qu'un faux problème; comme s'il devait, par nature ou vocation, demeurer étranger au conflit qui arrache un nouveau monde à l'ancien. Le gagnant lui importe si peu, selon toute apparence, qu'il changera de parti à deux reprises : en 1804, il entre au service de la France après avoir pris langue avec le chargé d'affaires russe à Paris, ce qui trahit déjà une belle indifférence aux couleurs du drapeau. En 1813, il passe dans le camp des Alliés, chez le tsar. Ceux qui crurent en un « cas Jomini » n'ont pas manqué de dénoncer cette ambiguïté caractérielle : comment le jeune homme, puis le général de brigade de trente-cinq ans, peuvent-ils être aussi peu fixés dans leurs sympathies, aussi indifférents au camp auquel ils demandent l'occasion

d'exprimer leur personnalité? Comment s'affirmer libre à ce point
alors que, dans les temps modernes, l'homme de guerre n'a de sens
et ne s'épanouit que s'il aliène une part de ses libertés dans les
structures rigides et exclusives d'un ordre militaire? Comment
faire la guerre sans épouser une cause quand, précisément, les
querelles de princes tournent en conflits inexpiables de peuples
trouvant leur identité et manifestant leur vitalité dans un nationalisme forcené?

La crise ouverte en 1789 n'a pas affecté uniquement un régime
ou un ordre social. Elle a favorisé, appelé même l'émergence et la
formulation de concepts sociopolitiques que l'Europe policée des
despotes éclairés et des philosophes – leurs complices parfois –
aurait perçus comme une régression, un retour en barbarie. Déjà,
l'ère des mythes s'annonce : leurs projets totalitaires se substitueront aux politiques mesurées et soucieuses, avant tout, de préserver le délicat équilibre du système européen. Les conflits naîtront
d'antagonismes aussi absolus dans leurs enjeux, leur violence et
leurs conséquences, que l'étaient peu ceux que motivaient la
dévolution d'héritages dynastiques et le mercantilisme d'une
bourgeoisie en mal de puissance. L'esprit du XVIIIᵉ siècle est bien
mort, et son libéralisme paradoxal que les excès de la Convention
révéleront comme l'ombre la lumière, *a posteriori*. Jomini pénètre
innocemment dans le cirque d'une Europe où se déchirent des
peuples devenus nations, comme s'il ne relevait d'aucun peuple et
d'aucune nation. Sa vie et son œuvre signifient, aussi clairement
qu'il est possible, la volonté presque agressive de garder ses
distances avec la circonstance pour mieux l'identifier, l'observer et
en tirer thèmes et variations intellectuels sans compromettre
l'objectivité que confère la plus stricte neutralité : « Devant cette
sanglante table de jeu que représente l'Europe du début du
XIXᵉ siècle, Jomini observe les partenaires passionnés, mais il ne
joue pas. Seul le jeu l'intéresse, et il juge les coups [1]. »

Lansquenet au service d'un empire issu d'une nouvelle Réforme
qui n'avait pas disputé sur les relations de la personne avec Dieu,
ou sur la nécessité d'intercesseurs, mais sur le contrat de l'individu
avec une société bousculant l'ancienne hiérarchie de médiations
entre les libertés et les pouvoirs, Jomini ne combat pas pour un
parti. La notion même de parti, communauté de sentiments autant
que d'idées, lui paraît dépourvue de sens et d'intérêt pour la
conduite économique d'une action fondée sur un calcul des forces
mécaniques, et pour la pensée de cette action. Il se veut pur de
toute fraternité autre que celle des intelligences appliquées à un
objet défini, la guerre; objet que sa passion de rigueur limitera,
par principe de méthode, à ses composantes claires, mesurables.

S'attachant, sans se lier, à qui promet le théâtre le plus vaste

1. Lucien Nachin, *Lettre à l'auteur*, 26 juillet 1950.

aux opérations de son esprit, il agit et analyse en parfaite innocence. Il écarte les motifs et les alibis que se donnent, autour de lui, tous ceux grâce auxquels, pourtant, son objet existe. Alors que la disponibilité des condottieres de grande race, les Sforza et Wallenstein, manifestait absence de scrupules et volonté de préserver la liberté d'action pour tirer promptement avantage de la circonstance, l'indifférence politique ouvre à Jomini la voie royale de la liberté d'esprit : il peut goûter, dans sa plénitude, le plaisir de vivre sans passion la passion des peuples. Traducteur en *langue neutre et critique* d'une tragédie qu'il côtoie et commente avec la distance du chœur antique, il impose d'instinct à son œuvre, comme à ses gestes, le ton hautain du témoin privilégié capable de comprendre les actes avant les acteurs; de les juger avant que soit venue, pour eux, l'heure du verdict ou de la sérénité. Il prend la pose détachée du chroniqueur judiciaire auquel importerait peu le sort de l'accusé, mais la hargne de l'avocat général et l'adresse des plaidoiries.

On chercherait en vain, dans la littérature de guerre, un auteur aussi désengagé, n'obéissant qu'à ses seules lois de fonctionnement. Son écriture même est plate : aucune emphase, aucune touche passionnelle, aucun accent lyrique; nul recours, même déguisé, aux puissances de choc grâce auxquelles on tente de toucher le lecteur et de le circonvenir. Nul n'est moins racoleur que ce mercenaire sachant ne pouvoir atteindre la précision dans l'analyse et l'exactitude dans le discours qu'en négligeant délibérément la part viscérale de soi, en refusant d'entendre le premier mot qu'échangent cœur et intelligence. Née du seul souci de dire, en idiome de technicien, les relations entre des objets systématiquement dépouillés de l'accidentel, reconstitués dans leur structure la plus indépendante des situations – des *figures* universelles –, son œuvre emprunte les voies de la rigueur qui aboutissent, ailleurs, à la mathématique ou à la poésie pure. Pour ce Suisse, l'art et la science de la guerre ignorent les frontières. Critique d'une histoire qui s'élabore sous ses yeux, avec la chair des hommes, il imagine un art stratégique désincarné que des maîtres pratiqueraient par le seul recours à l'entendement. Il en parle comme si tout conflit était réductible à un jeu abstrait et gratuit, entre partenaires consentant aux mêmes règles et peu sensibles à la cruauté de l'issue. Doit-il, à son passage dans la banque, son sens très moderne des opérations portant sur les *signes* des valeurs échangées, et dont le résultat, dans le compte de puissance de chaque belligérant, s'inscrirait dans la seule balance militaire entre deux colonnes, crédit et débit? Lui-même ne tolère, dans sa recherche, que ce qu'il faut de rêve et d'ambition pour retomber, par instants seulement et comme par impuissance, dans les ornières de « l'humain, trop humain ».

Dans ses deux comportements, choisissant son camp en 1804 et en 1813, il n'obéit à la pression d'aucune passion ou raison politiques : l'image exaltante de la Grande Nation, comme celle d'une Europe libérée de la tutelle française, ne trouble pas une frigidité de l'âme qui procède autant du tempérament que du système mental hors duquel point de salut pour lui. Il peut consentir quelques paroles ou pages d'encouragement banal, applaudir même à l'une ou l'autre des causes : monnaie d'échange, tribut rituel, bonnes manières ou pourboire social qui assurent une totale autonomie à un esprit trop vif sur la relativité des vérités pour tolérer la tyrannie d'une orthodoxie. Comme Goethe lors des guerres de 1813-1814, il observe d'une position en retrait, connaît et décrit dans les nuées d'un Olympe hors de portée des Titans. Marginal dans un monde en mue et divisé contre lui-même, loin des cénacles et des coteries dont les calculs l'écœurent, il dénombre les échecs intellectuels imputables à la confusion passionnelle des ordres autant qu'à celle des valeurs : physiciens égarés dans la métaphysique, poètes appelant aux armes, peintres qui font des « batailles » à défaut de peinture; pour un Chénier ou un Chateaubriand, un Kleist ou un Körner, que de versificateurs laborieux s'essoufflant à glorifier ou maudire! Aussi Jomini se garde-t-il des mauvaises fréquentations que sont, pour les authentiques créateurs, ceux que Napoléon, de son verbe simplificateur et méprisant, rejetait comme « idéologues ».

Quelles polémiques, après sa décision de quitter les rangs de la Grande Armée, en 1813, et quelles condamnations sans appel! Les censeurs oublient que Jomini était libre : sans attaches civiques, puisque Suisse servant à titre de volontaire. Libre en esprit, surtout, pour avoir conquis l'autonomie du mercenaire sur les sentiments naturels et sur les habitudes contractées aux côtés de Ney, depuis le camp de Boulogne. Le transfuge scandalise et, dans le crépuscule de l'Empire, l'abandon des compagnons d'armes manque d'élégance, fût-il dicté par la jalousie de Berthier, les vexations répétées, le ressentiment d'un orgueil blessé, le dépit d'une ambition et d'un travail médiocrement récompensés, la conscience d'une valeur non reconnue. Malgré cet orgueil, nourri par la confiance que lui marqua l'Empereur, comprenons que les motifs de Jomini tiennent moins à sa personne qu'à la sacralisation de son art : il pardonnerait volontiers aux collègues chamarrés du Grand Quartier la condescendance avec laquelle ils le traitent en général de brigade aux états de service peu fournis. Mais il n'admet pas que, par une confusion des valeurs révélatrice de leur ignorance, des hommes-mâchoires réduisent à la geste héroïque des sabreurs une action dont la complexité même mobilise *aussi* les meilleurs cerveaux, et qui fournit sa raison d'être au mercenaire.

D'ailleurs, s'il est surtout officier d'état-major auprès de Ney, lors des campagnes de 1805, 1806 et 1807, s'il le suit en Espagne

(1808) – ce qui lui donne l'occasion de difficultés avec le roi Joseph et Soult –, s'il passe ensuite au Grand Quartier, auprès de Berthier, et rejoint l'Empereur après Wagram (1809), Jomini est aussi désigné comme gouverneur de Vilna, puis de Smolensk lors de la campagne de Russie. Il ne réussit que médiocrement dans ces fonctions actives, ce qui lui attire les réprimandes de l'Empereur. Il est encore engagé sur le terrain, aux côtés du général Éblé qui doit prendre ses avis sur l'emplacement des ponts sur la Berezina : n'a-t-il pas reconnu les environs de Borisov, quelques semaines auparavant, persuadé qu'il était que la retraite deviendrait inéluctable? Emporté dans la déroute, jeté à l'eau, sauvé *in extremis,* on lui ordonne de regagner Paris où une nouvelle armée est mise sur pied. Malade, il ne participe pas à la première phase de la campagne de 1813, ne rejoint que le jour de la bataille de Lützen et, le 4 mai, est à nouveau nommé chef d'état-major de Ney; et l'on sait son rôle décisif lors de la bataille de Bautzen (21 mai 1813) – ce qui lui vaut sa proposition sans suite au grade de général de division, puisque Berthier l'écarte. Il décide alors « d'abandonner les drapeaux ingrats où il n'avait trouvé qu'humiliation et qui n'étaient pas ceux de sa patrie suisse ».

Son passage chez les Russes – qu'il rejoint le même jour que Moreau! – n'est en rien la trahison dont ses détracteurs l'accableront jusqu'à fausser les jugements portés sur l'œuvre. Jomini ignore les tourments de tout homme balançant entre les divers motifs qu'une crise suggère également à ses actes, les déchirements du soldat entre les obligations du loyalisme et les exigences de conscience : dans les temps troublés, lequel ne s'est senti guetté par la schizophrénie? Mais, pour un Jomini, pour un apatride ou un sans-parti, l'unité de l'esprit ne peut guère être rompue : il ne peut trouver qu'en soi ce qui justifie *sa* guerre. D'ailleurs, sa décision n'est pas improvisée : en 1809 déjà, ses rapports difficiles avec Berthier l'avaient poussé à lui demander le commandement d'un régiment, puis à lui offrir sa démission – acceptée. Rappelé par un ordre impératif de Napoléon et bien qu'il ait déjà pris langue avec les Russes, il cède et rejoint la Grande Armée. La rupture définitive du 14 août 1813 ne sera donc que la conclusion d'une longue interrogation à la fois sur ses mérites réels et sur le choix du camp l'assurant de leur juste reconnaissance.

Il n'est pas sûr que Jomini ait sauté le pas avec bonne conscience. Plus tard, il ne manquera pas de revenir sur ses raisons dont il sent bien qu'elles sont peu convaincantes pour ses pairs : « Je sais fort bien qu'il eût été plus convenable de le faire en 1810 d'une manière simple et légale; aussi n'avais-je rien négligé pour y parvenir : la contrainte seule m'en avait empêché, ainsi que je l'ai déjà démontré. Le moment de l'armistice (de Pleiswitz, 4 juin 1813, signé entre Napoléon et Metternich) combiné avec celui d'une injustice criante, fut donc le seul qu'il me fut permis de choisir. Un juste ressentiment l'emporta sur tous les scrupules d'un vice de forme, parce que j'avais le sentiment que le bon droit était de mon côté. » Heureusement, pour la paix de son esprit, l'absolution est venue de haut. A Sainte-Hélène, Napoléon a remis les choses au point devant Montholon : « C'est tout à fait à tort qu'on attribue au général Jomini d'avoir porté aux Alliés le secret des opérations de la campagne... Cet officier ne connaissait pas le plan de l'Empereur... Et l'eût-il connu, l'Empereur ne l'accuserait pas du crime qu'on lui impute. Il n'a pas trahi ses drapeaux comme Pichegru, Augereau, Moreau, Bernadotte. Il avait à se plaindre d'une grande injustice, il a été aveuglé par un sentiment honorable. Il n'était pas français : l'amour de la patrie ne l'a pas retenu. »

« Pas français », certes. Mais si le mercenaire n'oublie pas qu'il est suisse, il sait ce qu'il doit à la France. Lors du grand reflux, après Leipzig, il répugne d'abord à combattre en France avec des Alliés et, ne pouvant tolérer qu'ils violent le territoire helvétique, il obtient du tsar l'autorisation de se fixer à Weimar ou Gotha. Velléité : il ne peut laisser passer l'occasion d'observer la chute d'un empire et les derniers sursauts du génie militaire isolé face à la surpuissance d'une coalition. Il rejoint donc les envahisseurs peu après et les suit jusqu'à Langres, tout en s'abstenant de participer aux opérations. Informé des intrigues menées à Paris pour y appeler les Alliés, lorsque ceux-ci le consultent après leurs échecs de Champaubert, Sézanne et Montmirail, la passion de l'expert l'emporte sur ses scrupules d'honneur et d'ancienne amitié : il conseille de marcher sur la capitale; donc, de viser directement la fin politique du conflit en négligeant un but stratégique – la défaite des dernières forces françaises – superflu dès lors que le pouvoir aura changé de mains. Quant à lui, il se rend à Zurich comme si vérifier sur place la justesse de ses vues lui était trop pénible.

Au dernier acte du drame, le guerrier n'est donc pas si indifférent que son existence et sa carrière le donnaient à penser. La mémoire du cœur le rend plus vulnérable. Il n'oublie pas Ney qui, le premier, lui prêta attention et lui mit le pied à l'étrier, qu'il servit presque sans interruption, de 1803 à 1810, comme le plus proche collaborateur. Ney avec lequel ses relations furent sans doute tourmentées puisqu'ils se brouillèrent en 1810 pour se réconcilier en 1813 et reconstituer leur fameuse équipe. Aussi, revenu à Paris en 1815 avec le tsar, quand s'ouvre le procès du maréchal, Jomini intervient en sa faveur avec une telle chaleur, au risque de complications diplomatiques avec la France, qu'il frôle la radiation du cadre des généraux russes dans lequel il a été intégré... Enfin, il oublie si peu la France que, s'étant beaucoup dépensé pour favoriser un rapprochement entre Napoléon III et le tsar, ayant conseillé celui-ci, sans succès, lors de la guerre de

Crimée, vieillissant, il se retire à Passy où il meurt le 29 mars 1869. C'est à Passy que Thiers, rédigeant son *Histoire du Consulat et de l'Empire,* est venu recueillir son témoignage.

Jomini retrouve ses racines suisses quand, au Congrès de Vienne, il rédige une notice sur la nécessité de réunir la Savoie à son pays natal, et quand, en 1822, il publie *Deux épitres d'un Suisse à ses concitoyens.* C'est encore avec sa sensibilité de Suisse qu'il rédige, en 1833, une *Lettre stratégique sur Charles le Téméraire.* Les défaites du Bourguignon à Granson et Morat (1476) marquent non seulement le commencement de sa fin, mais aussi l'émergence des Cantons dans la grande politique européenne. Moment capital : leurs victoires consolident indirectement le royaume de France et révèlent leur puissance militaire insoupçonnée. Ces montagnards apparaissent comme les meilleurs fantassins de l'époque, les premiers capables d'offensive. Capacité sans égale, disponible – elle ne sert pas une politique d'État centralisé – et ces deux qualités, rarement associées, n'échappent pas à l'œil aigu de Louis XI : il possède déjà la meilleure artillerie d'Europe développée de celle constituée par Bessoneau et les frères Bureau pour son père. Les réformes antérieures ayant échoué à lui donner une bonne infanterie, il engage donc 6 000 Suisses, en 1480, et les utilise comme instructeurs de ses fantassins nationaux, au camp de l'Arche. Cet amalgame produira la première infanterie française permanente (Bandes de Picardie) capable, elle aussi, d'attaquer; et ce sont ces forces qui, avec « les chevauchées d'Italie » de Charles VIII et Louis XII, ouvriront l'époque moderne de la guerre, celle des armes à feu.

Nul doute que, dans sa critique de la stratégie du Téméraire, Jomini relève, avec fierté, le rôle déterminant de ses ancêtres mercenaires dans la grande transformation de l'Europe; dans une Renaissance qui, pour l'art militaire, se manifesta par une rupture avec les pratiques d'une chevalerie agonisante. Lointain héritier des montagnards qui avaient changé le cours de l'histoire, étranger ayant su marquer ses distances avec les lutteurs passionnés qui combattaient sous ses yeux, Jomini était assurément l'observateur le mieux placé pour percevoir les analogies entre deux époques de mutation dans l'art militaire; pour déchiffrer le sens des faits embrouillés qui, sous ses yeux, coupaient l'histoire en deux, un avant et un après.

Le mieux placé? A nos yeux, sans doute : nous pesons l'œuvre avec la sensibilité du critique devant un discours dont nous pourrions ignorer l'auteur et ses tourments. Mais, à la veille de sa mort, en 1869, Jomini fait ses comptes : que d'échecs sous la réussite apparente! Lucide, il ne peut les imputer qu'à son cosmopolitisme anachronique et il mesure, enfin, tout ce qu'il aurait gagné à « ajouter le mobile de la patrie à celui de ses devoirs personnels ».

CHAPITRE 3

GUERRE ET JEU DU SEUL

Ce que, par leur ton neutre, l'existence et la recherche jominiennes perdent en élan, en pouvoir de séduction – en lyrisme –, elles le gagnent en rigueur et en puissance didactique, en grand indice de généralité. En dépit de traits dignes de M. Prud'homme, mais se plaçant d'emblée hors de prise des partis et de la péripétie, Jomini accède sans effort à un type universel de soldat professionnel, parfois irritant, souvent surprenant, jamais quelconque. Type fréquent au Siècle des lumières : la carrière des Maurice de Saxe, Lloyd Gribeauval, parmi d'autres, avait reflété le cosmopolitisme à la mode. Assez curieuse de tout pour ne pas s'étonner qu'on se passionnât pour l'esprit des armes comme pour celui des lois, l'Europe d'alors était assez policée pour trouver les plaisirs de la guerre aussi naturels que ceux de l'amour; assez tolérante pour admettre qu'on changeât d'adversaire selon les caprices de l'occasion. Après les premiers feux de la Révolution, les emportements nationalistes ont dévalorisé ce type classique du soldat de métier. Il faudra, plus tard, la grande aventure coloniale pour que l'éloignement permette de concilier le service du pays, l'indépendance et la conquête de soi par l'exercice des armes. Mais, en son temps de fureurs, Jomini, mercenaire et cosmopolite, fait figure d'attardé. Le voyageur Stendhal – qu'il a peut-être croisé lors de la campagne de Russie – aurait apprécié son égotisme; non sans relever, cependant, des attitudes, des mots, des aigreurs, des petits riens révélateurs d'un défaut d'altitude, de cette hauteur dans le silence qui désigne les grands aventuriers de l'action et de l'esprit.

Attentif à ce qu'il sait sur lui-même pour s'être éprouvé dans l'action commune, conscient de sa puissance de travail, de ses dons d'analyste et de son génie militaire trop souvent condamné à compenser par la pure spéculation, il confronte ses forces latentes aux accidents du moment et à la complexité de problèmes

intéressant le sort du monde : bilan comparatif qui lui permet
d'évaluer ses propres chances de réussite; celles d'un premier rôle,
à la mesure de ses pouvoirs, sur la scène de la guerre et de la
politique. Ce jeune homme, évadé d'emplois subalternes dans des
maisons de commerce et qui ose écrire, à vingt-quatre ans et sans
expérience, un *Traité de grande tactique,* qui essuie les rebuffades
de Murat quand il se croit apte à conduire des armées, se persuade
être le seul à savoir qui sont et que peuvent un Frédéric II et un
Napoléon. Il se refuse à lire les récentes campagnes d'Italie
comme un enchaînement de miracles ou comme une série heureuse, mais singulièrement improbable, de paris aveugles. Dans la
guerre et la politique, comme dans n'importe quel art, le concept
romantique d'inspiration ne donne pas la clef de l'invention : les
origines, la genèse et le développement d'une action collective
conçue et pilotée pour transformer un *système humain* – la nature
et les liaisons de ses éléments, les conditions et les modalités de son
fonctionnement, de sa dynamique – doivent avoir un *sens*; cela
dans la triple acception d'évolution orientée, de fin, d'intelligibilité. Sens plus difficilement déchiffrable que celui d'un système
mécanique ou biologique : causalité, déterminisme, rationalité,
hasard et nécessité, etc., ces clefs des sciences de la Nature et de
leurs applications technologiques n'ouvrent pas toutes les portes de
la connaissance et de la maîtrise de l'entreprise politico-stratégique. Cependant, à défaut de comprendre et d'inventer par la seule
puissance ordonnatrice de la raison constituante, de l'entendement
éclairant son objet et gouvernant ses calculs par « le pouvoir des
règles [1] », l'*homo politicus* et *strategicus* ne doit manquer ni de
raisons, ni d'instruments de pensée grâce auxquels l'agir, produit
d'*une certaine économie mentale,* n'est quelconque ni dans sa fin
ni dans ses modes opératoires.

Dès son entrée en politique et stratégie, Jomini ne peut éluder la
question centrale pour l'apprenti comme pour le maître, quoique
venue d'inquiétudes bien différentes : que peut un homme? Que
peut l'homme voué aux armes, qui accepte la violence de groupe –
État ou autre – comme un fait incontournable et constant de la vie
de notre espèce, comme un objet de la Nature puisque celle-ci en
est modifiée dans l'ordre physique comme dans l'ordre sociopolitique; faits et objets sur lesquels mordent aussi peu les refus de la
morale que le volontarisme utopique de l'irénisme? Que peut un
homme qui entend constituer son savoir sur ce fait-objet, en le
purgeant de toute affectation de sensiblerie ou de bon sentiment
pour mieux participer au grand jeu collectif des forces de
violence? Participer comme observateur, certes, mais surtout
comme protagoniste; qui, ayant reconnu l'efficacité désormais
limitée des règles, critères, normes, etc., couramment admises,

1. Kant : *Critique de la raison pure,* p. 141.

cherche comment accroître les chances de progrès stratégique en renouvelant cet outillage ou en l'appliquant autrement à des problèmes énoncés différemment.

Jeu collectif, l'entreprise politico-stratégique; plus précisément, l'épreuve de force, la stratégie militaire et la guerre. Les systèmes humains complexes que sont les armées ne constituent qu'un élément très différencié du système englobant – l'État-nation coexistant avec des systèmes homologues au sein d'un système international englobant – dont la vocation, le projet politique et les contraintes de coexistence conflictuelle déterminent la finalité et les modes d'action conjoncturels. Dans cette architecture systémique – des systèmes de systèmes emboîtés – si les fins, les volontés, les opérations sont collectives, une âme bien née, consciente de ses capacités et de leur utilité au bien commun, ne saurait se satisfaire de servir dans le rang. Elle doit faire plus et contribuer à l'invention, voire inventer à la place que lui assignent le savoir et la volonté de devenir ce qu'elle est. L'histoire montre à Jomini que l'esprit de l'agir collectif n'est pas incompatible, sous réserve de sûretés, avec l'intervention des « figures de proue » dont le génie consiste à révéler, à la communauté agissante, les raisons encore voilées, et qu'elle ignore, de son obscure volonté de création. Le jeu de tous ne trouve son sens que par le langage du seul : maïeutique de l'histoire par la puissance médiatrice du héros, héraut du collectif. Engels peut prétendre, non sans arguments, que « ce n'est pas le libre esprit créateur des génies militaires qui a bouleversé les stratégies, mais l'invention de meilleures armes et le changement dans la structure sociale de l'armée ». Mais, à ce radicalisme matérialiste, à ce déterminisme aveugle, Napoléon peut légitimement opposer la liberté de l'esprit qui, devant la pluralité des décisions possibles, prend en charge le réel et assume la responsabilité de l'ordonner autrement : « Une armée n'est rien que par la tête. » Affirmation que l'on trouve déjà dans Polybe rappelant « une vérité dont certains ne conviennent pas sans difficulté, à savoir que, à la guerre, le résultat final des actions entreprises est dû, dans la plupart des cas, à la compétence ou, au contraire, à l'incompétence des chefs [1] ». De toute évidence, la réalité de l'action collective est irréductible à l'une ou l'autre de ces assertions : la liberté du maître d'œuvre doit constamment composer avec les déterminations de son matériau; elle conçoit et travaille sous contraintes ou, si l'on préfère, elle est conditionnée.

Jomini est conscient des degrés de liberté, toujours limités, du jeu du seul au sein du système collectif. Mais, par tempérament et pour avoir reconstitué la pensée des maîtres, il est tenté de surévaluer leur autonomie au regard des données sociopolitiques,

---

1. Polybe : *Histoire*, livre XI, III, p. 15.

techniques, idéologiques, etc., qui déterminent le jeu des forces physiques et leurs effets possibles dans le lieu et le moment. N'est-ce pas grâce à la connaissance exacte, non seulement de ces facteurs imposés, mais aussi des règles spécifiques de l'action stratégique, qu'ils surent trouver, dans ces contraintes mêmes, dans l'obstacle intellectuel à surmonter ou tourner, le motif exaltant leurs pouvoirs d'invention et l'indication des seules solutions concevables? En fermant certaines issues théoriques et en délimitant le champ opératoire dans lequel l'esprit doit chercher la réponse efficace, la juste évaluation des contraintes du faire force l'entendement à les défier et à trouver les *couloirs d'invention* qui les tournent. Jomini discerne que le génie militaire, comme celui opérant dans tous les arts, réside dans la stimulation des puissances de l'imagination créatrice sous l'effet des contraintes mêmes qui découragent le banal artisan.

Pour avoir posé en principe que l'action de guerre est intelligible et pris la mesure des hommes d'exception qui ont tiré le meilleur parti de cette compréhension, Jomini se hausse à leur mesure. C'est dire qu'il croit échapper à toute mesure; à celle-là, au moins, que lui appliquent la plupart de ses compagnons d'armes. Pourtant, aussi porté qu'il soit au jeu du seul, à l'exercice gratifiant de l'intelligence et de l'autorité dans les hauteurs de la hiérarchie, il doit bien reconnaître qu'il suppose l'énergie, l'organisation et le jeu du système des forces matérielles et humaines, le travail d'une armée. Paradoxalement, le mercenaire ne cesse de revendiquer son appartenance à une communauté, serait-elle temporaire. La condition militaire et les armées, communément dépréciées, voire méprisées, par ceux-là mêmes qui les acclament dans les temps difficiles, il les regarde, non comme une sécrétion aberrante et accidentelle de sociétés malades et perfectibles, mais comme des expressions naturelles de l'humaine condition et une nécessité de l'histoire accouchée par la violence.

C'est pourquoi Jomini se sent solidaire, non de telle armée, mais de toutes et dans tous les temps. Il se veut homme de guerre universel et se reconnaît dans tous ceux qui l'ont faite et pensée. C'est pourquoi, aussi, type parfait d'introverti qu'exaspèrent le formalisme des états-majors et le psittacisme des gens de cour, il n'est pas si retranché dans une solitude dédaigneuse qu'il méprise les « grandeurs d'établissement » par quoi se manifeste extérieurement l'appartenance à *l'ordre militaire*. Nativement soldat, il ne conçoit sa vie que corsetée, coulée dans cet ordre. Il l'imagine volontiers aussi rigoureusement structuré, aussi contraignant et isolé de la société civile par la vocation, les valeurs et le rituel, que peut l'être tel ordre d'Église de la communauté des fidèles. Il possède le sens aigu de la hiérarchie, bien qu'il la tolère mal quand elle s'exerce au détriment des vraies capacités – les siennes. S'il montre un faible pour les promotions, décorations et autres manifestations de la gloriole, c'est qu'il s'agit bien, pour lui, des signes allusifs de réalités essentielles : les membres de l'ordre sont tous voués, chacun à sa juste place, à faire l'histoire en tranchant, par l'*épreuve du sang,* d'inextricables contradictions que le jeu des forces sociales naturelles ne parvient pas à résoudre.

L'ordre militaire n'est certes pas réductible à la liturgie par quoi l'obsession de la mort est compensée par l'exaltation de l'honneur, et le poids des servitudes individuelles par le culte de la grandeur indivise. Mais si, selon Vauvenargues, « il n'y a de gloire achevée que celle des armes », cette gloire unique, dont l'ordre tout entier charge quelques-uns de ses grands maîtres, ne leur est acquise que par le consentement muet de tous. Consentement à la règle, qui régit jusqu'aux détails; au style surtout, que les maîtres ès arts de guerre imposent à leur volonté d'efficacité et qui exalte leur puissance d'invention. Jomini sait bien que l'œuvre de guerre, travail collectif, n'est possible que si le rigorisme et l'absolutisme de l'ordre assurent la convergence des pensées et des actes de chacun; que leur synergie résulte, d'abord, de la reconnaissance par tous d'une fin contingente, mais impérieuse, qu'il leur faut atteindre par l'engagement; qu'elle procède aussi, plus profondément, du double sentiment d'assumer un héritage et de prolonger, en maillon d'une chaîne insécable, la lignée des bâtisseurs et gardiens du conscient et de l'imaginaire collectifs. Chacun à sa place, quelle que soit sa fonction dans l'ordre, se sait conservateur et ultime recours d'une « certaine idée » que le groupe cité, peuple, État, s'est faite peu à peu de soi sous ses divers avatars historiques. Idée manifestée par l'affirmation constante d'un être sociopolitique singulier et transhistorique, revendiquant son identité et sa souveraineté dans l'ensemble des cités, peuples et États. Quel que soit le régime politique du moment, le soldat français se sent solidaire de tous ses anciens qui, dans toutes les armées institutionnelles ou improvisées depuis la chute de Rome, ont combattu pour inventer la France, pour l'aider à persévérer dans l'être qui se constituait à travers les formes transitoires du royaume, de l'Empire et de la République. Ce que les insensibles au fondamental ont souvent dénoncé comme une conscience asociale de caste est, pour le soldat de métier, la conscience orgueilleuse d'être, parmi tous les créateurs de l'histoire nationale, celui dont la seule existence rappelle à la fois les origines, la continuité et la fragilité de l'héritage commun.

C'est pourquoi, bien que voué à penser et dire le faire collectif, Jomini respecte l'acte brut du guerrier authentique et souvent anonyme qui, à sa modeste place, à l'avant ou à l'arrière, exécute. Action locale, ponctuelle, simple mais nécessaire. Comme tous les arts, celui de la guerre est « tout d'exécution », selon la formule de Napoléon : aussi brillante et prometteuse qu'elle soit, la conception n'est rien que forme vide, schème mental privé de sens.

L'action de guerre est une somme, une intégrale plutôt, d'actes élémentaires – de praxèmes – tous nécessaires, dans la totalisation totalisante de leurs effets locaux, à l'existence, à la cohérence et au sens de l'œuvre achevée qu'est une campagne. Jomini sait que le discours sur l'œuvre pèse peu, auprès d'elle, dans les évaluations de la renommée. Il peut déplorer que des analyses trop sommaires du phénomène-guerre le réduisent aux faits inscrits dans l'espace et le temps bornés des opérations militaires. Il peut savoir que les événements du champ de bataille, *traces* du duel physique, ne sont que des moments et des points singuliers dans le continu d'une histoire et l'étendue d'un espace géopolitique où le conflit combine une pluralité de forces, celle des armes n'étant que l'une parmi toutes celles qu'engagent les peuples. Il n'en demeure pas moins que la gloire frôle d'abord tous ceux qui, à quelque rang qu'ils servent, hasardent le destin collectif dans l'acte de violence, dans la destruction et la mort échangées; que le soldat est élu par le risque reconnu et accepté, par la lucidité du courage parfois inutile, par le caractère sacré que la race incorrigible des hommes confère à la guerre, suprême épreuve de vérité.

Si peu sensible qu'il soit aux trompettes de l'épopée, Jomini n'est pas aveugle aux effets seconds de cette sacralisation : s'il aspire à un accomplissement, il le voit d'abord comme celui du chef de guerre, de l'homme de terrain; secondairement, comme celui du critique ou esthète. En 1803, son premier livre ne lui sert que de caution et de sauf-conduit pour pénétrer dans un monde militaire où il fait figure d'étranger, voire d'intrus. En dépit de ses succès littéraires et de l'intérêt que lui manifeste Napoléon, il passera longtemps pour l'apprenti qui n'a pas fait ses humanités dans la pratique de la guerre, qui ignore la sanction de l'expérience. Il n'a pas eu à *décider,* à fournir cette *preuve par l'évidence* de la compétence, dans l'exécution, que réclament ses compagnons d'armes et qui, consacrant son talent, justifierait sa prétention à les commander. Aussi est-il déchiré entre le sentiment de son infériorité de combattant devant les maréchaux qui refondent l'Europe à la suite du démiurge illuminé, et celui d'une supériorité intellectuelle qui le pousse imprudemment à des comparaisons peu flatteuses pour les étincelants centaures à petite tête, ou à confronter ses mérites avec leur chance. Impitoyable, il évalue leur gloire à son juste poids, et enregistre les cruelles contrevérités de l'histoire schématique dans la mémoire des foules. Un Murat, un Berthier – « cet oison dont j'avais fait une espèce d'aigle », dira Napoléon – prendront place dans la galerie légendaire où leurs portraits entoureront celui de l'Empereur; et, sur la cimaise d'en face, l'archiduc Charles, Schwarzenberg, Blücher, Wellington... A ce musée, quels livres opposer pour gagner la postérité? Jomini connaît la puissance suggestive des victoires engendrées par le coup d'œil, la décision, la charge et le panache, et la vertu des pseudo-mots historiques qui les parachèvent. Contre la magie du geste et du verbe, contre la littérature de communiqués ou de bulletins éclatants de fanfares, aucun ouvrage nourri de la plus exigeante pensée ne saurait prévaloir, même le mieux fait pour former les illustres capitaines de l'avenir.

« Je ne suis pas un savant », dira-t-il un jour comme pour se faire pardonner. « Je suis un investigateur qui a eu les yeux ouverts et qui a trouvé un bon filon. Je suis à cent lieues d'être un homme de cabinet, un Stubengelehrte comme disent les Allemands, je suis plutôt un vrai soldat. » Vrai soldat : y en aurait-il de faux? Craint-il de n'être pas reconnu? Ce n'est là qu'une phrase, un simple procédé de compensation qui trahit l'inconfort de sa position. Toute sa vie, il aspirera au premier rôle dans l'exécution. Grand rôle qui lui sera toujours refusé et déception à laquelle le grade de général en chef, conféré par le tsar Nicolas Ier, n'apportera qu'une dérisoire consolation : le grade n'est pas la fonction qui s'identifie à la responsabilité de celui qui calcule et décide en dernière instance, qui prend sur soi de trancher dans les incertitudes, qui *doit* oser parier pour en finir avec une information toujours imparfaite et imposer sa volonté malgré ses derniers doutes. C'est bien la décision, opération d'une extrême complexité et difficulté, mobilisant toutes les ressources de l'entendement et du caractère, qui, pour Jomini, résume les qualités spécifiques du « vrai soldat » et définit la nature du chef militaire.

Officier d'état-major, préparateur des décisions prises par un autre, il sait mieux que personne qu'il n'est pas de commune mesure entre les fonctions de décideur et de conseilleur; encore moins entre qui fait et qui dit le faire. Le « vrai soldat » connaît, d'instinct, ce qui l'isole de la société naturelle des hommes : s'il décide – c'est-à-dire choisit un but et émet des ordres qui, véhiculant un savoir, un pouvoir et un vouloir, obligent le réseau de ses subordonnés au devoir de changer l'ordre des choses –, le processus de transformation déclenché et son résultat sortent de la normale. L'action militaire n'est ni l'action contre la Nature, ni celle du chef d'entreprise comptable de l'efficacité économique et de l'équilibre social de son affaire, ni celle de l'État en temps de paix : le chef militaire est comptable de la mort des autres et du destin de la collectivité menacée. Ordonner, à d'autres, d'agir avec la mort de chacun et la perte d'identité de tous à l'horizon de leurs actes, c'est se placer dans un champ mental où les dimensions morale et métaphysique affectent nécessairement le calcul stratégique sur les données physiques. Spéculer *en raison* sur l'efficacité des forces de mort exige, du « vrai soldat », des qualités hors du commun qui ne relèvent pas de la seule intelligence des situations : « On se fait une idée peu juste de la force d'âme nécessaire pour livrer, avec une pleine méditation de ses conséquences, une de ces grandes batailles d'où dépend le sort d'une armée, d'un pays.

Aussi trouve-t-on rarement des généraux empressés à livrer bataille », constate Napoléon.

Reconnaître la singularité de l'acte de guerre par l'observation et l'analyse est une chose; une autre, en faire l'expérience par l'engagement total de l'intelligence et du caractère que requiert la décision du chef, chargé d'une *mission* sur le théâtre. Jomini ne cesse d'appeler le moment où l'ordre militaire le soumettra enfin à cette épreuve de vérité, faute de quoi son savoir ne sera pas pris au sérieux. Mais jamais ne lui sera offerte l'occasion de tenir les fils de commande derrière le décor, et d'animer directement les acteurs d'un drame dont il aurait conçu le thème. La protection de Ney semble l'autoriser, pourtant, à toutes les ambitions. A Donauwerth, en 1805, son intervention évite au maréchal une interprétation erronée, parce que dépassée, des directives de Napoléon. Brillante entrée dans la carrière active, mais qui inaugure la fonction qu'il ne cessera désormais d'assumer, tant dans les rangs alliés que dans la Grande Armée : il débute comme *souffleur* – selon ses propres termes [1] – et le restera toute sa vie. Consultant recherché, ici et là, par ceux qui perdent le fil de leur pensée et de leurs actes, écarté dès que les événements retrouvent un tempo naturel. Comment ne jugerait-il pas de haut ces tâcherons qui se satisfont de décisions empiriques et d'une efficacité moyenne, qui se glorifient d'éviter le pire alors que le talent consiste à soumettre l'action aux principes d'une économie calculée, garante du rendement maximal dans le travail des forces?

D'ailleurs, le métier de souffleur n'est pas sans risques : une défaillance sur la scène et le voilà tenu pour responsable; un succès, on l'oublie dans la distribution des applaudissements. Et tel qui fut l'obligé nourrit bientôt un vif ressentiment envers l'homme des situations difficiles dont la seule vue rappelle l'imposture des gloires empruntées. Ainsi se rendent insupportables les éminences grises connaissant bien de quelle paille est faite la marionnette gonflée de son importance. La mésaventure qui advient à Jomini en 1810, lorsque Ney se brouille avec lui et l'abandonne à la jalousie de Berthier, n'a vraisemblablement d'autre cause que l'inévitable exaspération du maréchal trop conscient de rester l'éternel débiteur. Même cause et mêmes effets, en 1813, quand, adjoint par le tsar au généralissime Schwarzenberg pour discuter les plans d'opérations en son nom, il est fraîchement accueilli à l'état-major allié où ses interventions provoquent des frictions qui ne cesseront plus. Les transfuges n'ont jamais bonne presse et Marbot rapporte les propos de l'empereur d'Autriche, le voyant à table avec le tsar : « Je sais bien

---

1. « J'ai fait par moi-même une terrible expérience de ce pitoyable rôle de souffleur d'un quartier général », *Précis de l'art de la guerre*, II, p. 14.

que les souverains sont quelquefois dans la nécessité de se servir des déserteurs, mais je ne crois pas qu'ils les reçoivent dans leur état-major, et même à leur table [1]. » Pourtant, le « déserteur » parvient à faire modifier le plan d'opérations allié issu de la conférence de Trachenberg, qu'il juge d'une folle imprudence. Le 25 août 1813, au cours des opérations autour de Dresde, il propose d'enlever la ville, pivot des manœuvres de la Grande Armée sur l'Elbe, avant l'arrivée de l'Empereur. Mais les tergiversations de Schwarzenberg font échouer l'entreprise : le 26, Napoléon est à Dresde et bat les coalisés le 27. Le 30 août, Jomini suggère à Alexandre et Metternich la manœuvre qui aboutira à la défaite de Vandamme à Kulm. Malgré les difficultés persistantes avec les généraux alliés dont il dénonce l'incompétence – « Quand on fait la guerre de cette façon-là, il vaut mieux s'aller coucher » –, il souffle encore la solution lors de la bataille de Leipzig (16-18 octobre), mais déplore la mollesse de l'exploitation alliée. Le colonel (suisse) Lecomte rapportera plus tard que, à Leipzig, le tsar exposa à Jomini le plan adopté : « On a appliqué ici vos propres principes qui consistent à porter des coups décisifs sur la ligne d'opérations de son adversaire. – Oui, Sire, mais sans exposer sa propre ligne de retraite. Or, dans le plan adopté, votre ligne sera plus exposée que celle de Napoléon. » Décidément, les acteurs entendent mal le texte du souffleur et celui-ci ne s'étonne plus qu'ils « aient été toujours battus depuis dix ans »...

En 1826, le tsar Nicolas Ier, dont il a été le précepteur, le rappelle à Saint-Pétersbourg, lui confère le brevet de général en chef, lui demande d'établir divers projets d'organisation militaire, de diriger des grandes manœuvres et de créer une académie militaire... dont le commandement ne lui est pas attribué! En 1829, il participe, sans commandement effectif, à la campagne contre les Turcs et propose les mesures qui permettront la prise de Varna. En 1835, il est chargé de l'instruction militaire du tsarevitch, le futur Alexandre II, mais ses *Considérations sur la politique militaire de la Russie,* rédigées entre 1839 et 1843, provoquent l'irritation des ministres concernés. En 1854, quand s'ouvre le conflit entre la Russie, l'Angleterre et la France, conflit qui marque l'échec de ses efforts pour rapprocher la France de la Russie, « le vieux radoteur » prouve encore sa clairvoyance : Saint-Arnaud et Lord Raglan se portent en Crimée, comme il l'avait prévu, et il conseille de renforcer Sébastopol. « C'est étonnant comme le vieux général Jomini voit toujours juste », constate le tsar. En 1859, enfin, quand Napoléon III va s'engager dans la guerre d'Italie pour soutenir le Piémont contre l'Autriche, il consulte Jomini, retiré à Passy depuis 1856...

---

1. **Général baron de Marbot** : *Mémoires,* t. III, chap. XXIV (publiées en 1891).

Quoi qu'il fasse et quoi que lui doivent les protagonistes, nul ne songe à utiliser dans la pratique la vaste expérience du théoricien. Outre son cosmopolitisme anachronique, quelle secrète fêlure ont-ils décelée pour le cantonner dans les fonctions d'acolyte? Sans doute certains traits de caractère le rendent-ils incommode. Ce malade imaginaire, qui mourra à quatre-vingt-dix ans, affiche des ambitions jamais satisfaites. Sa susceptibilité de parvenu et son amour-propre toujours à vif s'accompagnent d'un esprit de critique n'épargnant personne et trouvant d'instinct le trait qui blesse. Sa liberté de propos s'exerce, sans distinction de rang, aux dépens de quiconque lui semble mériter le blâme de l'expert. Tout cela concourt à lui susciter des ennemis patients, attentifs à ses moindres écarts et aussi habiles à en tirer parti que roués dans l'art de courtiser opportunément le favori toujours provisoire du pouvoir. Finalement, dans l'entourage de Napoléon comme dans celui d'Alexandre, les inimitiés auront raison de lui. Aussi, sa vie durant, Jomini garde-t-il la hantise de l'erreur et de l'incompréhension publique : il rédige mémoire sur mémoire pour se défendre. Comprenons qu'il se soucie autant de sauvegarder ses droits d'auteur prioritaire que de prôner telle ou telle de ses maximes. Devant tous ceux qu'il croise pour la première fois, il revient sur l'appréciation de son passé qu'il devine peu conforme à l'idée que l'on devrait s'en faire, avec le besoin constant de devancer des objections qu'on ne songe pas à formuler. Chatouilleux et prompt, il ne laisse passer aucun jugement critique sans le réfuter, ce que relève Sainte-Beuve : « Retz a dit de M. de La Rochefoucauld qu'il avait un air d'apologie dans tout son procédé et dans sa personne. On pourrait en dire autant de Jomini. » Pour avoir refusé de gommer les aspérités de son personnage, de tempérer son assurance intellectuelle et tenté, malgré cela, de faire sa place parmi les grands de ce monde, Jomini était inéluctablement vaincu.

Son hypersensibilité, son approche abrupte, le souci d'être utile et reconnu, là où il sert, n'entament pas sa volonté d'objectivité dans les situations exceptionnelles. La gravité de la crise l'autorise à invoquer les règles de l'art, quand les antagonistes les méprisent trop visiblement : le « cas concret » devrait être, pour tous, le révélateur des erreurs de calcul et de jugement que lui seul perçoit et qui le scandalisent. Dans le feu de l'action, il souffle les manœuvres salvatrices moins pour assurer la victoire au grand patron qu'il sert à titre de volontaire suisse que pour éviter de monstrueux crimes de lèse-stratégie. Convié de participer à l'action, lorsqu'on lui pose une question digne de lui, il consent à entrer dans le jeu avec une passion insolite. C'est qu'il trouve l'occasion rare d'une expérience lui permettant de contrôler la validité de son système de pensée. Il engage son savoir, ses dons d'anticipation, sa maîtrise d'un art dont la pratique lui offre enfin la chance de prouver sa compétence. Chacune de ses interventions lui sert d'abord à vérifier la solidité de sa théorie. Ayant, sans bagage expérimental, pensé la guerre avec, comme seul matériel d'observation et seul langage, ceux que lui offrait l'histoire militaire, il lui faut confronter sur le vif les hypothèses suggérées par sa lecture interprétative du passé avec les inférences qu'autorise l'analyse instantanée de l'action; tenter de superposer les deux moments de l'art, le mort et le vivant, en utilisant le langage analogique. Il a reconstitué, par le seul exercice de l'esprit, les formes et styles de guerre concevables en son temps et dû longtemps spéculer sur leurs seules transcriptions intellectuelles, nécessairement réductrices et schématisantes. Mais il soupçonne les dangers de généralisations partant d'inventaires historiques qui résument, selon la perspective toujours arbitraire du théoricien, des faits et des événements singuliers, les uns rationnels, les autres aléatoires.

Il lui semble donc indispensable de recomposer et combiner, dans l'unité créatrice d'un cerveau unique, les deux natures et les deux fonctions de l'homme de guerre, généralement distinctes dans les personnes mais complémentaires dans l'action développée : celui qui conçoit, calcule, organise, distribue, dans la paix du cabinet ou dans la pénombre d'une tente lorsque le drame va s'ouvrir, qui remet un certain monde en question; et celui qui prolonge ce travail préparatoire et projette ses résultats théoriques dans le champ géopolitique ou l'espace des opérations militaires, qui engage et affronte des forces réelles difficilement contrôlables à travers la violence de leurs manifestations – incertitudes et contraintes avec lesquelles doivent *composer* les vecteurs de l'épure idéale du planificateur et du théoricien.

A vingt-quatre ans, rédigeant son *Traité de grande tactique*, Jomini ne connaît de la guerre que ce qu'en disent les livres, trop souvent subjectifs et dogmatiques. Il n'a pénétré l'esprit des opérations qu'en interprétant la symbolique des signes conventionnels sur les cartes des théâtres et les plans de batailles : la géométrie des cercles et rectangles représentant les armées, des flèches suggérant leurs mouvements relatifs sur l'échiquier, fixe les phases significatives du jeu des forces opposées. C'est là le seul langage abstrait capable d'évoquer la dynamique des opérations en figeant quelques moments privilégiés, porteurs de la décision finale. La littérature militaire n'en connaît pas d'autre, aujourd'hui encore, et bien des vocations militaires s'éveillèrent à rêver sur ces idéogrammes comme d'autres à imaginer leurs grandes explorations sur les vieux portulans. Écriture assez signifiante, assez allusive des formes et styles opérationnels efficaces pour qui sait la déchiffrer; mais elle réduit, à une mécanique « par figures et mouvements », les dynamiques croisées des systèmes antagonistes. Jomini doit donc passer de cette lecture à l'observation directe, devenir acteur dans la Grande Armée pour apprendre que, non seulement la connaissance du phénomène-guerre dans sa totalité, mais aussi celle du système des opérations militaires ne peuvent être approchées par la seule voie de l'analyse logique, par *l'esprit géométrique*. De trop nombreux facteurs de l'action, et non des moindres, échappent à l'interprétation méca-niste, pour qu'il ne saisisse pas toutes les occasions qui lui sont offertes de mesurer *in vivo* les poids relatifs du rationnel et du non-rationnel, du déterminé, de l'incertain et du hasard dans la décision réelle.

Dès qu'on sollicite son avis et qu'un rôle, se réduirait-il à celui de souffleur, lui revient dans l'action, il n'hésite donc pas à engager son capital de savoir théorique. Il tend, de toute son intelligence, vers le seul but qui compte en cet instant : penser comme s'il avait le pouvoir d'imposer à l'ennemi la pression de sa volonté, et convaincre ainsi son propre parti de sa juste vision des choses et de la pertinence de ses calculs prévisionnels. Dans ces moments d'exception, Jomini n'est ni suisse, ni français, ni russe; mais un homme collaborant à la plus inhumaine des entreprises, dans laquelle sa passion d'inventer découvre assez de thèmes et de motifs pour lui faire oublier sa volonté de distanciation. Le mercenaire indifférent et ironique devient le créateur intolérant auquel est livré, pour une fois, le matériau nécessaire à l'exercice de ses pouvoirs. Il est bien le cerveau unique – le seul parmi ses compagnons d'armes – confrontant et combinant deux ensembles d'informations : celles fournies par une réalité conflictuelle, matrice de problèmes actuels et contingents qu'il doit énoncer et résoudre; celles, mémorisées, résultant de son incessante interro-gation théorique. De l'intersection de ces deux ensembles procède un double travail de l'esprit : l'invention pratique, « l'exécution », est guidée par le savoir théorique, serait-ce négativement par l'évacuation des faux problèmes et des solutions incompatibles avec l'économie calculée de l'action. En retour, les difficultés concrètes, révélées par des problèmes contingents jusqu'alors insoupçonnés, et les solutions empiriques imposées par la pression de la circonstance rétroagissent sur le savoir théorique, le vérifiant ou appelant sa correction. Dans le champ mental unitaire d'un Jomini, théorie et pratique se nourrissent et se critiquent, s'enri-chissent et s'infléchissent par leurs apports mutuels.

Mieux : l'unification du travail théorique et du travail pratique, le transit continuel de l'information de l'un à l'autre dans un même esprit, invitent celui-ci à s'interroger sur les conditions d'efficacité du second, de pertinence du premier; donc sur la validité de l'outillage intellectuel utilisé pour agir sur le réel et pour com-prendre le vécu de l'agir. Les pensées de et sur l'action – la première anticipatrice, voire prospective, la seconde rétrospective – s'informent mutuellement dans une constante recherche d'adaptation réciproque qui n'est pas gratuite. L'une et l'autre sont gouvernées par un égal souci d'efficacité : efficacité de l'agir finalisé par le but stratégique; efficacité d'un savoir finalisé, lui aussi, puisqu'il n'a de sens que par l'aide qu'il apporte à l'agir. Se réfléchissant l'une sur l'autre, elles se révèlent mutuellement leurs carences qui peuvent tenir à une mauvaise observation de la réalité, à l'insuffisante rigueur des méthodes d'analyse et des calculs, au flou des concepts, aux contradictions internes des édifices théoriques, etc. En bref, l'unité du champ mental, dans une *praxis* se donnant pour fin la transformation d'un ordre de choses, impose non seulement la réduction des écarts, voire des antinomies, entre la théorie et la pratique : elle exige aussi la critique interne des méthodes du calcul pratique et des discours théoriques, des fondements des uns et des autres, de leurs axiomatiques et inférences respectives – et de leurs corrélations. Critique des instruments intellectuels et réflexion épistémologique auxquelles on ne peut valablement s'essayer sans avoir éprouvé les défaillances de l'entendement et du jugement à la fois dans la théorie et dans la pratique stratégiques; sans avoir connu les affres de la décision de guerre – décision de sang – et les tâtonnements de l'écriture décodant le message de la violence collective.

Ce n'est donc pas sans raison que Jomini, après son apprentissage, en 1796, sur les œuvres de Frédéric II, traduit, en 1818, les *Grundsätze der Strategie* de l'archiduc Charles, l'adversaire malheureux mais respecté de Napoléon : le Prussien et l'Autrichien savent de quoi ils parlent pour avoir assumé les deux fonctions du « vrai soldat » et du théoricien. Bien qu'il n'ait jamais connu les responsabilités de commandant en chef, Jomini a observé d'assez près le fonctionnement mental du décideur suprême pour savoir que cette compétence introduit celui-ci dans un ordre de questions singulier : la problématique stratégique d'un commandant en chef ne peut être celle du pur agir local... Il s'installe en un point nodal, au croisement de deux nécessités, à l'articulation entre les deux finalités de son action : en amont, celle du politique pour lequel cette action n'est qu'un moyen, parmi d'autres, de son projet global; en aval, celle des opérations militaires – le but stratégique – qui détermine leur économie. A lui seul, solitaire parmi les solitaires, le redoutable privilège du *pontife* : assurer le passage entre ces deux fins hétérogènes et pourtant liées par un rapport de détermination récriproque; inventer les voies-et-moyens de l'action la plus efficace, mais sans que cette quête d'efficacité la fasse jamais dériver au point de compromettre la relation de pertinence entre les deux ensembles de facteurs qu'intègre sa décision. Comment ce processus d'*invention sous contraintes* n'induirait-il pas, dans l'esprit de qui doit faire, de cruelles interrogations sur les fondements et les instruments de son travail? Pour avoir éprouvé la précarité de ses calculs et de ses décisions, le praticien ne peut échapper à la pensée théorique et critique, ne seraient-elles que fragmentaires, *par accès,* ou *a posteriori* dans le silence de la retraite. Comme le philosophe de l'histoire, celui de la guerre et de la création stratégique ne se manifeste que sur l'œuvre achevée : « L'oiseau de Minerve ne prend son vol qu'à la tombée de la nuit [1]. »

Sa position de consultant-mercenaire procure à Jomini le rare privilège de cette distance que les acteurs ne trouvent souvent qu'après avoir quitté le service. Lorsqu'il n'est pas requis comme souffleur et que la circonstance le confine dans le confort du spectateur, mais au premier rang de l'orchestre, il se retranche dans l'isolement hautain et sarcastique du critique impartial. Des questions suggérées localement par le déroulement de la bataille et, plus généralement, par l'issue de la campagne et le destin des empires, aucune ne l'émeut. Aucune ne l'arrache à la contemplation de l'échiquier et des joueurs. Impitoyable, il constate la médiocrité d'un jeu dont il vérifie, à la fois, les règles et leur méconnaissance par les protagonistes. A la fois dans l'action et hors d'elle, suffisamment informé sur les capacités et les situations respectives des adversaires, il récapitule et calcule les espérances de gain et les risques de chaque camp. A Eylau, observant les difficultés de Napoléon dues, d'abord, au retard de Davoust, puis à celui de Ney chargé de l'attaque sur les derrières des Russes, enfin à l'arrivée de Lestocq avec un corps prussien au secours de ces derniers, Jomini ne peut s'empêcher de s'écrier, au grand scandale de Caulaincourt : « Si j'étais Benningsen, pour deux heures seulement! » Un peu plus tard, en fin de journée : « Ce n'est plus Benningsen que je voudrais être; c'est l'archiduc Charles! Que deviendrions-nous s'il débouchait de la Bohême sur l'Oder avec 200 000 hommes? » A Leipzig, il revient en pensée dans le camp français abandonné peu auparavant et évalue les résultats qu'aurait pu donner l'exploitation rapide de l'attaque de Latour-Maubourg sur Gossa : « Si j'étais Bellune (le maréchal Victor), la bataille eût été probablement gagnée. »

Dans l'un et l'autre cas, Jomini se présente comme le modèle du stratège pur, du joueur d'échecs devant plusieurs parties simultanées. Mieux : n'étant pas sollicité par une mission qui l'engagerait, il se hisse sans effort au poste d'arbitre, non comptable de la partie. Mais l'arbitre ne peut juger qu'en altitude, à celle des commandants en chef : Napoléon contre Benningsen à Eylau, contre Schwarzenberg à Leipzig. Le coup d'œil ne prouve son acuité que s'il s'exerce sur l'ensemble du théâtre, dans un espace panoramique assez vaste pour percevoir les changements de situation tactique, en temps quasi réel, et pour évaluer leurs

---

1. Hegel : Préface à *la Philosophie du droit.* « Die Eule der Minerva beginnt erst mit der einbrechenden Dämmerung ihren Flug. »

conséquences stratégiques et politiques probables. Le stratège se différencie du tacticien par le changement de dimension – *d'ordre* – auquel il soumet l'ensemble des données locales du conflit. Le déplacement de telle pièce sur le terrain trouve sa raison et son sens – sa fin – non par la pièce adverse qu'elle menace ou dont elle se protège, mais par son incidence sur l'issue de la partie, totalisation totalisante des coups et de leurs effets. Comme le montrent ses critiques successives à Eylau, Jomini change non seulement de poste d'observation tactique en se plaçant dans la tête de l'un, puis de l'autre commandant en chef, tenus d'abord de gagner la bataille, mais aussi de dimension dans ses calculs prévisionnels : l'épreuve de force locale changerait radicalement de sens stratégique et politique avec l'intervention d'un nouveau joueur, d'un perturbateur extérieur – l'archiduc Charles – si l'Autriche entrait en guerre aux côtés des Russes.

Le « vrai soldat » se révèle ici, et autrement que semble le croire Jomini soucieux d'affirmer sa vocation dans la langue de ses pairs. Il va contre l'esprit public en se plaçant constamment hors jeu, au-dessus des partis, comme un homme – un mercenaire – osant trouver, dans le scandale de la guerre, un objet de passion intellectuelle, un motif d'exercice pour ses goûts et talents personnels. Il va contre l'esprit étroitement militaire en sortant, par système, du champ clos de la bataille et de l'espace des opérations pour juger, selon les critères de la grande politique, l'action de ceux qui meurent en méprisant les petits calculs des politiques. Jamais avant lui, me semble-t-il, ne s'imposa avec autant de désinvolture, contre les interdits, un type de soldat dont la pensée et l'action aient été à ce point socialement et psychologiquement *désaccordées*. Pensée et action anormalement libres. Jeu du seul dans lequel la passion d'imaginer chacun des coups appelé par la circonstance n'entame jamais la rigueur qu'il apporte à le penser *aussi* avant et après, comme s'il pouvait être rejoué sur d'autres hypothèses, avec d'autres données initiales ou d'autres résultats. Les épures concevables de l'architecte l'intéressent plus que l'édifice construit : celui-ci n'est jamais, paradoxalement, qu'une approximation de celles-là; un parti parmi d'autres, nécessairement peu satisfaisant pour l'esprit et réducteur de l'imaginaire. Peseur d'œuvres, Sainte-Beuve ne s'est pas trompé sur la volonté de perfection et la passion d'épuiser le virtuel qui retranchent Jomini de la communion d'acteurs engagés et condamnés, eux, à improviser et conclure dans l'instant : « On n'a devant soi qu'un amateur passionné et un connaisseur – j'allais dire un dilettante – épris de son objet. Que voulez-vous? Les natures spécialement douées sont ainsi, et mises en face de leur gibier, rien ne les détourne. Archimède est à son problème, Joseph Vernet est à sa tempête, Bélidor est à sa partie. Homme de l'art avant tout, Jomini ne pouvait retenir son impression sur la partie qu'il voyait engagée sous ses yeux, qu'il aurait voulu jouer, et dont il appréciait chaque coup à sa valeur; un coup de maître le transportait; un coup de mazette le faisait souffrir. Sa nature, qui se déclare pleinement ici, c'était d'être un juge et un conseiller de guerre indépendamment des camps. Il était bon, quand on était joueur, d'avoir un souffleur comme lui [1]. »

Sainte-Beuve va droit au fondamental, à ce qui justifie l'engagement radical d'un homme dans la grande aventure de la maîtrise : le déploiement et l'exercice lucide de toutes ses forces, celles du caractère et de l'esprit, de la raison et du cœur, appliquées, avec un secret plaisir esthétique, à faire quelque chose qui échappe à la dérision des choses banales. Les cautions d'artistes, que Sainte-Beuve offre à Jomini comme pour le défendre, ne sont pas plus innocentes, pas plus pures que l'idée reçue sur la guerre en leur siècle : qui pense la guerre et la fait opère alors dans et selon l'ordre naturel. Mais le soldat sans parti et « le dilettante épris de son objet », quand cet objet est la guerre, sont devenus des personnages peu supportables à la sensibilité de notre temps : dans notre monde d'affairistes et de partisans, le mercenaire a mauvaise réputation, encore qu'il n'ait pas disparu. Si les sarcasmes de Voltaire ne l'atteignaient pas au Siècle des lumières, il est aujourd'hui une figure emblématique du mal absolu, irritant la mauvaise conscience des sociétés malades de la violence et incapables de lui trouver un sens.

L'aisance avec laquelle Jomini ignore les grandes querelles de son temps pour n'épouser que celles lui proposant les plus subtiles énigmes de la technique et de la pratique militaires nous semble anachronique; un jeu du seul aussi puéril que malséant après deux guerres mondiales et avec la perspective de conflits hyperboliques ouverte par la prolifération des armes du génocide. Si, devant les mégamorts d'innocents promis par le maelström nucléaire, l'élection du soldat par la mort acceptée conserve son sens, car « la bombe » n'a pas supprimé *la* guerre, l'art et les vertus du guerrier passent malaisément pour exercices licites d'esthètes de l'action ou d'égotistes. Les causes de conflits sont altérées et leur dérive a déprécié les valeurs typiques des ordres militaires : aux antagonismes des classiques intérêts nationaux se mêle, se substitue souvent le messianisme conquérant des mythes sans frontières qui rassemblent, dans une même communion idéologique et une même passion révolutionnaire, des hommes de tous horizons, des masses analphabètes et des intellectuels en mal d'agir. Ces religions séculières ont leurs croisés : porteurs de valises, agitateurs, terroristes, conseillers militaires et combattants avec ou sans uniforme. Déracinés de leur milieu social dont ils récusent les valeurs,

1. Sainte-Beuve : « Le général Jomini » in *Nouveaux Lundis,* t. XIII (1869).

traîtres objectifs à leur patrie qu'ils dénoncent ou qu'ils combattent, se situant toujours *ailleurs,* ces professionnels de la subversion s'indigneraient d'être identifiés à des mercenaires : n'ont-ils pas, pour tout salaire, la bonne conscience du militant œuvrant pour la bonne cause ? Avec ces adversaires des appareils d'État traditionnels et des ordres militaires se rencontrent ici et là, au hasard du putsch ou de la guerre civile, les hommes de main et aventuriers qui, dans les zones de turbulence, manipulent une violence atomisée, ponctuelle, autant pour leur propre compte que pour leurs employeurs occasionnels...

La transmutation des anciennes valeurs d'action – fins de l'agir collectif, et de l'agir individuel en parasite du collectif – a bouleversé le milieu psychologique qui engendrait et portait l'homme de la guerre depuis l'époque de Jomini. Évolution ambiguë au regard des facteurs belligènes et des motifs, les clairs et les opaques, engageant groupes sociaux et individus dans le jeu de la violence : les raisons les plus nobles y croisent les plus irrationnelles et les plus sordides. Notre époque serait donc mal venue d'exécrer ou de tolérer le mercenaire selon la couleur de sa cause : l'histoire nous a appris la relativité juridique et morale, au regard de la nécessité politique, du partage entre les guerres justes et les autres, entre la violence légitime et l'autre. Et la définition de l'agresseur a prêté à toutes les arguties devant les hautes instances internationales depuis 1945 ; depuis Thucydide, chez les historiens.

On ne saurait donc, sans hypocrisie, reprocher à Jomini à la fois son sang-froid de clinicien et sa passion d'expert devant la violence endémique et les crises aiguës qui secouent les sociétés. Certaines en sont mortes, à jamais. D'autres ont su trouver, dans l'épreuve de force, l'épreuve de vérité et la thérapeutique qu'exigeaient d'elles leur instinct de vie et leur volonté de figurer, à leur juste place, dans l'histoire. Métastratégie, métapolitique, philosophie de l'histoire – toutes les *méta* – n'occupent guère le positiviste Jomini : s'il devient ce qu'il est par l'expérience passionnée *et* intériorisée de la guerre, il importe peu, à la qualité et à l'utilité de son savoir, que celui-ci procède d'une orgueilleuse liberté de l'esprit conquise sur la vision du tragique ou d'une froideur congénitale devant la souffrance des hommes, devant la fragilité de civilisations dont le destin est suspendu à la « fortune de guerre ».

CHAPITRE 4

RÉALITÉS POLITIQUES
ET ILLUSION ÉPIQUE

Découverte du politique

En 1799, Jomini atteint l'âge d'homme. Le cycle des extravagances révolutionnaires est clos. Inutile, songe-t-il, de faire oraison sur la légitimité d'une mise en question ayant affecté, dans sa totalité, la condition du Français et, par influence, celle de l'Européen. Pourquoi disputer sur les principes qui ont gouverné la pratique politique durant dix années : certains n'ont plus cours, les autres sont dévalués. On imagine mal ce type de critique rétrospective chez un homme peu enclin à subordonner ses observations de technicien à des considérations floues de philosophie politique.

Heureusement pour lui, l'horizon est dégagé. Une nouvelle dynamique transfigure la Révolution : son dernier avatar tourne vers l'extérieur les puissances de destruction et de re-création qu'elle avait appliquées si cruellement à la seule France. De centripètes, voici que les forces de métamorphose deviennent centrifuges : *le mythe en expansion* gagne l'Europe entière. Habituel épilogue des entreprises révolutionnaires et ironique vengeance du vieil ordre détruit, l'ordre impérial s'est imposé à la lassitude des Français par la volonté d'un homme seul. Voici l'Empire conquérant! Les rémanences du prosélytisme républicain peuvent justifier l'ubris de la nation la plus puissante et la mieux armée; mais elles la projettent, comme par surabondance de sève, dans un irrédentisme irrationnel sans autre finalité que celle, *indéfinie à horizon glissant,* qu'elle cherche en aveugle dans les fumées des victoires. Victoires à la Pyrrhus : la banale référence saute à l'esprit de qui observe l'enchaînement accéléré de conflits pervertis en duels à mort et la probabilité décroissante d'une solution impériale, à la romaine. Le développement chaotique d'une partie sans règle du jeu et sans issue négociable, donc sans terme prévisible, est l'effet nécessaire du vice caché de l'entreprise napoléonienne : l'inversion catastrophique que les triomphes militaires, tels qu'ils sont perçus par les joueurs, provoquent dans la relation logique entre la politique comme fin et la guerre comme moyen.

La pratique systématique d'une stratégie d'anéantissement à but absolu et cherchant la victoire décisive ne laisse qu'une issue aux ennemis successifs : leur capitulation. Ses effets cumulés ne peuvent qu'amenuiser les chances d'une solution politique globale et durable. Le traumatisme de désastres militaires aux suites politiques inacceptables suscite naturellement chez les vaincus, comme par réflexe du corps social menacé dans son intégrité et son équilibre homéostatique, les forces morales et physiques nécessaires pour réaffirmer leur identité contestée et rétablir les conditions de leur autonomie. Tout se passe comme si les effets différés, diffusant dans tout l'espace sociopolitique européen, d'une puissance militaire appliquée sans véritable économie, rétroagissaient sur l'entreprise impériale pour la vider de son sens, pour révéler la précarité de ses fondements; comme si, par ses dimensions mêmes – celles de ses buts, de son cadre spatio-temporel, des forces engagées et de la violence libérée – une action militaire de ce type ne pouvait que s'exténuer à courir après sa raison, après ses déterminations claires; comme si elle ne pouvait que repousser à l'infini, en éloignant les bornes de son théâtre, le moment où elle *devrait* enfin rencontrer un dessein politique cohérent, jusqu'alors implicite, et avec lequel elle serait accordée – une fin paradoxalement sécrétée, inventée par l'action même! Illusion épique, espérance toujours trompée par l'histoire...

Les grandes guerres d'invasion ont toujours buté contre « le point limite de l'offensive » défini par Clausewitz; situation-seuil dans laquelle les forces du parti défensif équilibrent enfin celles, essoufflées, de l'offensif. Moment critique pour celui-ci, le rapport des forces pouvant être inversé et l'initiative reprise par l'adversaire. Renversement de tendance affectant non seulement les buts stratégiques, mais aussi les visées politiques des belligérants; celles de l'envahisseur, surtout, dont l'échec stratégique révèle une erreur capitale dans l'évaluation du rapport entre la politique comme fin et la guerre comme moyen. Par analogie, définissons donc un autre concept de la stratégie militaire : celui de *but limite, associé à un niveau limite de violence. Seuil de rationalité* que l'action militaire ne saurait franchir sans se déconnecter de la politique qui doit la motiver et déterminer ses dimensions. Au-delà, la stratégie ne trouve plus qu'en elle-même sa propre fin : elle se développe comme une fonction indépendante. Il est clair que le seuil de rationalité politico-stratégique est conditionné par les données socioculturelles et l'état de la technique qui, dans une aire géographique et une époque de l'histoire, définissent un type de civilisation et la règle du jeu reconnue par la société internationale.

De son observatoire d'étranger, Jomini sent mieux que personne l'air du temps. Il a lu les œuvres de Frédéric II en 1796, à dix-sept ans, tout en rédigeant son propre journal des opérations militaires, celles de Bonaparte en Italie. Les différences de style ne tiennent pas seulement à celles des appareils militaires du Prussien et du Français : les formes opérationnelles, les buts stratégiques et fins politiques adoptés par l'un et l'autre reflètent les organisations sociales et les idéologies dominantes de leur temps, avec leurs dissemblances, voire leur négation réciproque. Sous l'Empire, la construction européenne savamment équilibrée du Siècle des lumières apparaît rétrospectivement comme une utopie réalisée aux nostalgiques de la modération politique et de la mesure stratégique. Sans doute, des prédicateurs de réalisme, comme le Guibert de l'*Essai général de tactique*, avaient, bien imprudemment, pensé la violence d'État en termes d'efficacité pure au risque que « la guerre de grand style » entraînât la politique dans les voies de la fureur nationaliste. D'ailleurs, Guibert avait reconnu les dangers d'une radicalisation de l'épreuve de force dès lors qu'elle mobiliserait les peuples eux-mêmes en engageant toutes leurs ressources physiques, démultipliées par la passion, au service de leur affirmation d'identité et de leur volonté de puissance [1]. Repentir tardif et appel au bon sens que la dynamique révolutionnaire et impériale n'avait pas permis d'entendre...

Jomini sait tout cela, sans y trouver matière à rêverie, scrupules, systèmes sociaux chimériques, calculs d'architecte politique sur le meilleur des mondes et les cités parfaites mais inhabitables. Il conserve la tête froide parmi les doctrinaires, les sceptiques et les habiles. Il prend acte de ce qui est et ne s'attarde pas en regrets, si toutefois il en souffre. Le hasard l'a fait devenir citoyen d'un empire; citoyen marginal, certes, mais emporté par le courant. Cependant, il ne peut s'aveugler sur la fragilité du système napoléonien. La seule existence d'un organisme aussi monstrueux dans sa nature qu'aléatoire dans son apparition – puisqu'il procède d'un pari renouvelé contre les aléas de la victoire – implique *artifice* : il doit tout à l'artiste qui l'invente au coup par coup; qui ajoute et retranche, et remembre l'espace sous la pression du succès ou les signes de dysfonctionnement d'un système trop complexe et hétérogène pour être régulé. Aucune épure claire, aucun parti affiché : l'édifice pousse tous azimuts, se développe empiriquement par rectifications successives, plus en réaction automatique aux coalitions renaissantes que par application d'un grand dessein. Les justifications *a posteriori* du *Mémorial de*

---

1. Le second Guibert, celui de *Défense du système de guerre moderne* (1779), ne sera pas compris.

Sainte-Hélène – une certaine idée de l'Europe – gomment la contradiction entre la volonté d'empire et celle d'identité que la dynamique unitaire éveillait dans la conscience des peuples.

S'il accepte l'Empire comme un fait, résultat nécessaire d'une évolution dont l'historien futur dira les origines et le processus, Jomini ne peut pas ne pas le percevoir comme une anamorphose, une figure abstraite de la politique plaquée sur des réalités imprudemment méprisées, et qui se vengeront nécessairement de l'imaginaire délirant. L'histoire lui a enseigné que les phases de composition et de décomposition d'un corps politique s'enchaînent selon une certaine logique du développement propre aux formations du vivant dès lors qu'y apparaissent des signes d'anomalie, des facteurs tératogènes. Il sait comment cristallise le rêve d'empire, dans quels cerveaux et avec quelles complicités ; comment le germe se développe, inégalement et à des vitesses diverses dans les différentes directions de l'étendue sociopolitique ; comment se constitue un système qui n'est pas seulement surdimensionné, hypertrophié, mais d'un autre ordre ; comment les facteurs de dérèglement et de dégradation organique l'entament du dehors et du dedans, s'amplifient, s'accélèrent, provoquant le dépérissement de l'idée d'empire, dénoncée comme anachronique, et l'éclatement du système devenu archaïque.

Comme sa génération, Jomini a médité Montesquieu. Il a dû trouver, dans les *Considérations sur les causes de la grandeur des Romains et de leur décadence* (1734), exercice de politique expérimentale, la double confirmation de sa méthode historico-logique et de son intuition : tout empire périra. La catastrophe finale trouve sa raison, non dans le dessein de la Providence comme l'affirmait Bossuet dans son *Histoire universelle* contre laquelle Montesquieu réagit, mais dans la nature et la dynamique même d'un système-empire dont la complexité organisationnelle est source de faiblesse et de carences fonctionnelles. Le Suisse a-t-il lu Gibbon qui vécut longtemps à Lausanne et dont le *Decline and Fall of the roman empire* fut publié en 1776 ? Certes, l'entreprise solitaire de Napoléon, brève séquence, a-t-elle peu de traits communs avec la lente construction du Sénat romain sur le dessein duquel Polybe, commenté tout au long du XVIIIᵉ siècle, ne cessa de s'interroger. Toutes ces reminiscences guident Jomini dans sa lecture de l'histoire récente. En 1827, le recul lui permet de publier, avec un grand succès, une *Vie politique et militaire de Napoléon racontée par lui-même au tribunal de César, d'Alexandre et de Frédéric*. Sans doute, après l'effondrement de 1815, est-il facile d'opposer les réussites œcuméniques d'Alexandre et de César ou le succès de Frédéric dans l'édification de la Prusse, à l'échec de Napoléon. La preuve par l'histoire récurrente semble dérisoire à qui connaît les pièges de l'action, les hésitations de l'histoire-en-acte, les incertitudes qui brouillent l'information des décideurs contraints de faire quelque chose avec un matériau fluide et évanescent, contre des adversaires tâtonnant dans la même nuit.

Cependant, l'idée de ces vies parallèles, à l'instar de Plutarque – autre référence pour les temps héroïques – et l'artifice rhétorique d'un tribunal des morts devant lequel les grands anciens font comparaître leur cadet, sont significatifs : Jomini se garde d'isoler la « vie militaire » de la « vie politique » de ses héros. « Admirateur de Napoléon jusqu'à l'injustice [1] », il reconnaît les apports positifs du génie guerrier, mais conseille, à d'éventuels successeurs, « d'éviter la démesure de son audace ». C'est que, si l'audace du manœuvrier sert utilement la volonté de vaincre et de conclure rapidement une campagne, elle l'égare quand elle le pousse à fixer un but absolu à toute guerre, à vouloir une victoire si radicale militairement que, par continuité, elle n'entraîne qu'une seule issue politique pour tout vaincu : se soumettre à la volonté sans appel du vainqueur et capituler; ne conserver aucun atout, aucune puissance résiduelle l'autorisant à contester les conditions d'une paix plus imposée que négociée. Véritable changement de statut : le vaincu n'est plus le sujet d'une politique souveraine, mais un objet de celle du vainqueur.

Et ainsi, de proche en proche, contre les ennemis successifs. Une relation de détermination réciproque s'établit entre le radicalisme stratégique et l'impérialisme politique, dès lors que le style des premières victoires a autorisé les grandes ambitions. L'épreuve de force n'est plus l'un des moyens d'une fin politique raisonnable, mesurée, qui, dans une société internationale *naturelle,* doit réserver sa juste place à chacun et ne nier ni son identité ni sa souveraineté. Le but stratégique absolu engendre une fin politique totalitaire, *contre nature,* que son anormalité même condamne à n'être jamais la solution finale du conflit de l'Un contre Tous : du duel à mort, dans l'ordre du stratégique, procède nécessairement la lutte à mort dans l'ordre du politique, la seconde régénérant les causes du premier – et ainsi de suite, dans un processus bouclé de rétroaction positive dont la spirale ne connaîtrait pas de terme si la puissance totale du lutteur isolé ne devait nécessairement, selon une logique mécanique, s'user contre celle des coalitions constamment renouées. Napoléon maîtrisait la science de la guerre, « mais son mépris pour les hommes lui a fait

1. Chateaubriand, *Mémoires d'outre-tombe* (3ᵉ partie, livre II). Il consacre deux pages à Jomini dont « les travaux... fournissent la meilleure source d'instruction ». Il rappelle sa carrière, son *Traité de la grande tactique* et son *Traité des grandes opérations militaires,* son passage chez les Alliés qui lui valut d'être « condamné à mort par un conseil de guerre de Bonaparte... Il a contemplé à l'envers la marche rétrograde de nos armées après avoir servi à les guider en avant. Son récit est lucide et entremêlé de quelques réflexions fines et judicieuses. On lui a souvent emprunté des pages entières sans le dire. »

négliger l'application. Ce n'est pas l'ignorance du sort de Cambyse ou des légions de Varus qui a causé ses revers; ce n'est pas non plus l'oubli de la défaite de Crassus, du désastre de l'empereur Julien, ou du résultat des Croisades; c'est l'opinion dans laquelle il était que son génie lui assurait des moyens incalculables de supériorité et que ses ennemis au contraire n'en avaient point. Il est tombé du faîte des grandeurs pour avoir oublié que l'esprit et la force de l'homme ont aussi leurs bornes et que, plus les masses mises en mouvements sont énormes, plus le pouvoir du génie est subordonné aux lois imprescriptibles de la nature, et moins il commande aux événements. [1] »

Le Suisse raisonnable retrouverait-il, d'instinct, le précepte de la mesure grecque – μηδέν ἄγαν – le langage de la tragédie qui voue Prométhée au vautour? Aucun Titan ne se révolte impunément contre l'ordre des dieux, qui n'est que l'ordre naturel des choses. Jomini, plus prosaïquement, en appelle à l'histoire pour dénoncer l'ubris de Napoléon. En bon mécanicien, en systémiste analysant le fonctionnement des appareils politiques et militaires, il note l'efficacité décroissante du « génie » quand les « masses » engagées augmentent : plus le système est lourd et complexe, plus nombreux ses éléments et leurs relations, plus diversifiées leurs fonctions élémentaires, et plus se dégradent l'énergie – la volonté et l'impulsion d'en haut – et l'information dans les deux sens entre le sommet et la base; plus s'accroissent la probabilité de dysfonctionnement et les écarts entre le voulu et l'obtenu. Jomini a constaté les effets néfastes de la dilatation des systèmes de forces quand, en 1812, Napoléon tenta de passer d'un système de corps d'armées à un système d'armées. Autrement dit, la démesure du caractère pousse aux entreprises démesurées. Les projets aberrants requièrent des moyens monstrueux dont le « mouvement » et le contrôle échappent au maître d'œuvre. Truisme? Mais ce phénomène est récent quand Jomini l'observe. Dans la mesure où cette sorte de statistique a un sens, il peut noter que la « dimension moyenne » d'une armée en campagne est passée de 40 000 hommes à la fin du règne de Louis XIV à 47 000 sous Frédéric II; de 45 000 sous la Révolution à 84 000 sous Napoléon (400 000 en 1812, dont une armée principale de 250 000 et deux armées auxiliaires de 80 000 et 70 000 hommes).

Tout se passe donc comme si la dégradation de l'énergie mentale et de la puissance créatrice du stratège – la réduction de sa capacité d'invention et de ses degrés de liberté intellectuels – était le prix à payer pour l'accroissement des capacités physiques, qualitatives et quantitatives, de ses moyens d'action – au moins au-delà d'un certain seuil de complexité; comme si les buts stratégiques et fins politiques que lui suggèrent ces capacités,

1. Jomini, *Traité des grandes opérations militaires*, t. III, 4ᵉ édition, 1851.

celles-ci les lui interdisaient par effet de viscosité, d'inertie. « Loi imprescriptible de la nature », se contente de noter Jomini comme une revanche de la raison des choses sur les projets déraisonnables de l'esprit. Toutefois, l'analyste devrait se demander si la relation entre les projets ambitieux et les moyens excessifs ne peut s'inverser : n'est-ce pas pour avoir hérité l'appareil militaire de la Révolution – des armées de masse levées par la conscription et la passion nationale – que Napoléon devient ambitieux et *doit* inventer « naturellement » des fins politiques et des buts stratégiques à la dimension de ces forces pléthoriques? Alexandre se serait-il lancé dans l'aventure asiatique s'il n'avait trouvé, tout fait, le remarquable instrument forgé par son père? De la démesure des projets impériaux et de l'hypertrophie de la Grande Armée, quelle est la cause, et quelle est la conséquence? Éternelle aporie de la causalité, de la détermination réciproque de la fin et des moyens dans un processus de développement cyclique : l'œuf et la poule...

La conclusion bute ici contre l'indiscernable, ce que néglige trop souvent l'étiologie des guerres : le surarmement engendre-t-il l'agressivité et le désir de guerre, ou ceux-ci celui-là? N'est-ce pas l'incapacité à fracturer le for intérieur de l'Autre à travers son effort d'armement – fait matériel observable – qui engendre la course entre des antagonistes condamnés « naturellement » à retenir, pour leur sécurité, les hypothèses les plus dangereuses et non improbables sur leurs projets politiques respectifs; et cela, faute d'information parfaite sur leurs intentions de guerre ou leur volonté de paix? La « loi imprescriptible de la nature » est bien la soumission des calculs à l'empire de l'indiscernable et des incertitudes. Sauf dans les situations exceptionnelles où l'information du politique et du stratège est parfaite, leurs opérations intellectuelles et jugements ne se fondent pas sur les valeurs d'une logique bivalente, dans la connaissance assurée du vrai et du faux, mais dans l'inconfort de perceptions, de représentations et de calculs où le probable, voire l'indécidable, sont l'ordinaire de l'entendement aux prises avec l'objet-conflit.

Le binôme politique-stratège

« L'opinion dans laquelle il (Napoléon) était que son génie lui assurait des moyens incalculables de supériorité » va donc, pour Jomini, contre la « nature » de la guerre et, plus généralement, de la politique. L'outrecuidance sous-estime dangereusement le poids des choses. Elle méconnaît les facteurs d'incertitudes qui devraient induire la prudence militaire et, surtout, la modération politique. Observons que, pour mesurer la démesure à quelque étalon d'adéquation entre l'efficacité dans la guerre et la raison politique, Jomini recourt à l'histoire : il convoque les trois figures de première grandeur – Alexandre, César, Frédéric II – avec lesquelles Napoléon présente un trait commun. Tous les quatre bénéficièrent du double statut, exceptionnel, d'autorité politique suprême et de commandant en chef effectif. La même *tête* concevait et décidait la politique, calculait et conduisait la stratégie qu'elle seule jugeait pertinente. Dans un champ mental unique s'effectuaient des opérations de nature différentes et ordinairement distinctes : la traduction de la fin politique en but de guerre et le choix des voies-et-moyens les mieux accordés avec ce but. Structure mentale idéale puisqu'elle garantissait l'unité de l'esprit aux prises avec deux grands problèmes : d'abord, assumer, avec le plus faible risque de discordance, la *fonction de transfert* entre les évaluations sociopolitiques et les calculs préparant l'action de guerre; ensuite, assurer, avec le rendement maximal, le transit de l'information et de l'énergie – décision et volonté – dans les deux sens, du haut vers le bas et du bas vers le haut, au sein du système complexe constitué par le centre politique et son appareil militaire. Statut de dictateur, au sens romain : maître de ses jugements et de ses décisions, capable de choisir aussi bien ses fins politiques que ses buts et voies-et-moyens de guerre, il est constamment en position de modifier les uns et les autres *motu proprio,* en cours d'action et à la lecture de ses résultats, afin de maintenir leur cohérence. Situation privilégiée de centre unique de calcul et de décision, capable de piloter son entreprise en mesurant les écarts entre le possible, le voulu et l'obtenu, surtout à l'étage où s'opère la délicate transformation de la fin politique en but de guerre.

Jomini mesure les avantages de cette unité de l'esprit : « Dans les guerres de cette nature – les guerres d'intervention dans une lutte déjà engagée –, l'essentiel est de choisir un chef d'armée à la fois politique et militaire », note-t-il [1]. Mais il ne s'agit là que du tact diplomatique requis du militaire opérant au sein d'une coalition où les divergences d'intérêts politiques ne manqueront pas d'apparaître pour peu que la campagne se prolonge : l'heureux choix d'Eisenhower, en 1943, confirme l'assertion de Jomini. Quand il traite « du commandement des armées et de la direction supérieure des opérations », inventoriant les diverses solutions concevables, « il faut nous borner, dit-il, à reconnaître qu'à égalité de mérite et de chances, un souverain aura toujours l'avantage sur un général qui ne serait pas lui-même chef de l'État [2] ». Situation si rare que Jomini passe rapidement pour examiner celle, courante, des deux fonctions séparées.

Redoutable, la *station centrale* du chef d'État-chef d'armée :

1. *Précis de l'art de la guerre,* I, p. 5.
2. *Ibid.,* II, p. 14.

qui l'occupe assume l'entière responsabilité de ses erreurs d'évaluations et de jugement. C'est pourquoi la démesure napoléonienne ne pouvait être appréciée que par comparaison avec les
entreprises de ses grands prédécesseurs; et Jomini ne se trompe
pas dans le choix de ses références. Après lui, les analystes ne
cesseront de reprendre le problème capital du partage théorique
des compétences; de la pratique, surtout, des relations entre le
politique et le militaire. C'est que, au centralisme dictatorial que
Napoléon illustra aussi bien par ses succès que par ses fautes
succéda la formule, constante jusqu'à notre époque, d'un tandem
politique-militaire. Une exception, non moins exemplaire : celle
d'Hitler rassemblant tous les pouvoirs quand la campagne de
Russie tourna mal. Non que, « depuis qu'on a imaginé de séparer
la toge de l'épée [1] », l'accord, imposé par les institutions sur la
dévolution des compétences, soit aisé à respecter par une équipe
dans la tourmente de l'action. De Gaulle a dit, dans « *Le politique
et le soldat* [2] », les raisons de frictions qui tiennent autant à la
nature de la guerre, action collective, qu'aux individus soumis à
l'épreuve des caractères. Il est vrai que le politique redoute d'être
embarqué dans une prolongation inutile du conflit, ou vers des
buts de guerre incompatibles avec son dessein ou ignorant les
contraintes extérieures. En 1918, Foch s'incline à contrecœur
devant Clemenceau, et Franchet d'Esperey doit arrêter son
offensive décisive en Europe centrale. De Gaulle n'obtient pas
sans difficultés qu'Einsenhower consente à la défense de Stras-
bourg, mais doit mater la rébellion des généraux en Algérie.
Truman, refusant l'extension du conflit au sanctuaire chinois,
relève MacArthur de son commandement en Corée. Inversement,
le soldat reproche au politique une conduite trop molle de la
guerre; Pétain, déplorant les faiblesses de l'arrière, en 1917,
proteste contre les ingérences du pouvoir, mal informé, dans la
conduite des opérations, comme le fit Turenne dans sa correspondance avec Versailles. Ou bien le militaire s'impose au politique
défaillant, contre toute logique, comme Ludendorff poussant
l'Allemagne dans une guerre totale qui entraîne l'intervention
américaine. A ces discordances parfois désastreuses du tandem, on
oppose l'entente presque parfaite de Bismarck et de Moltke, qui
ne connut que quelques tiraillements, en 1866, après Sadowa,
quand le premier, en prévision d'un éventuel conflit avec la
France, imposa au second de ne pas écraser l'Autriche; en 1871,
aussi, après Sedan et devant Paris. Autres harmonies : celle de
Carnot et de ses généraux; celle de Joffre et du gouvernement, en
1914; celle de Roosevelt et de Marshall.
    Et voici, aujourd'hui, avec les bouleversements techniques

1. *Principes de l'art de la guerre.* – Définition.
2. Titre du dernier chapitre de *Le Fil de l'épée* (1932).

provoqués par les systèmes balistico-nucléaires et électro-informatiques, une stratégie militaire devant introduire, dans ses procédures décisionnelles, des facteurs espace, temps et degré de violence si différents de ceux des temps prénucléaires qu'ils interviennent comme des contraintes dirimantes sur la politique des États. Le danger de démesure et de déraison est perçu avant même l'ouverture de crises aiguës dont chacun sait que le contrôle ne peut être garanti. L'image de ce risque exorbitant se surimpose à toutes celles que ses ambitions suggèrent au politique. Les aléas d'une stratégie nucléaire sont tels, avec la contraction de l'espace et du temps et avec la violence disponible, qu'ils rétroagissent en permanence sur les visées et les conduites du politique. Celui-ci est désormais contraint d'assumer *aussi* les fonctions du stratège militaire; d'unifier, dans un même champ de pensée, une politique et un calcul stratégique qui se déterminent réciproquement, au moins pour ce qui est de leurs limitations respectives. « L'audace de la démesure » n'a pas de sens quand le génocide n'est jamais tout à fait improbable...

L'histoire ne cesse donc de proposer des leçons, positives et négatives, sur la difficile application du principe de subordination de la guerre à la politique. Non seulement Jomini connaît l'histoire, mais celle qui se fait sous ses yeux et à laquelle il participe près des grands décideurs lui offre aussi un matériel expérimental. Mieux : une des situations historiques rarissimes permettant d'observer, au plus près, les mécanismes du centralisme dictatorial et le fonctionnement d'un esprit unifiant politique et stratégie; les intégrant même au point de confondre l'ordre des fins et celui des moyens dans le développement d'une action abandonnée à sa pente. Bilan de l'histoire et expérience vécue, les observations de l'une vérifiant les inférences de l'autre, permettent à Jomini de détecter, dans la construction impériale, les vices de forme et les erreurs de calcul portant sur la résistance du matériau premier de l'architecture politique : l'esprit des peuples, puisque l'épreuve de force est épreuve des volontés nationales. Il sait sur quels prodiges du génie solitaire – condamné à se répéter, parce que solitaire – et sur quels heureux hasards repose le sort d'une campagne, voire d'une bataille décidant de la campagne; que la durée du merveilleux et improbable édifice est liée moins à la constance de la volonté du maître de l'œuvre qu'à la problématique intelligence du plan chez les multiples artisans qui doivent le traduire en actes précis et convergents. Il sait que la puissance d'invention s'essoufflera devant les facultés d'apprentissage d'adversaires soutenus par la volonté de revanche des peuples. Sachant aussi, mieux que personne parce que mercenaire, de quelles régions obscures procède l'inavouable plaisir de l'homme de guerre gratifié par l'épreuve de ses forces – épreuve de vérité pour soi et mesure de ses limites – connaissant la tentation du grand jeu où tout est risqué dans un ultime coup de dé, il prévoit le moment inéluctable où Napoléon, ayant misé plus que son capital et surestimant son crédit, devra quitter la table.

Une vision aussi claire du cours des choses, des causes du déclin et de la chute des empires, et la prescience du désastre guettant quiconque cède à la démesure ne sauraient s'accommoder de concessions à l'enthousiasme guerrier. Le stratège Jomini en appelle à la raison politique des excès de la stratégie, et l'expert militaire se risque dans le rôle de prophète politique : en novembre 1806, il rédige un mémoire destiné à montrer « que le rétablissement de la Pologne sans le concours d'une des trois puissances qui l'avaient partagée était un rêve... et, qu'en cas d'un succès inespéré, il forcerait la France à d'éternelles guerres pour soutenir cet édifice sans base ». Initiative malencontreuse, qui lui vaut d'être rabroué par l'Empereur acceptant mal qu'un officier transgresse les règles du partage des compétences [1]. Que Jomini ait vu juste, les guerres avec l'Autriche, en 1809, et avec la Russie, en 1812, en témoignent. Nous importe plus encore le centre de perspective qu'il adopte ainsi en 1807 – comme en 1805 avec ses *Observations sur les possibilités d'une guerre avec la Prusse,* comme en 1814 en conseillant la marche sur Paris – pour évaluer les données de situation et préconiser une conduite. Il inscrit le problème spécifique et subordonné de la guerre locale dans l'espace englobant d'une politique générale nécessairement multipolaire. Une politique « sans base », fondée sur l'illusion de légitimité que procure la conquête, est génératrice « d'éternelles guerres ». La Prusse écrasée en 1806, la Russie battue en 1807 et l'Autriche en 1809 se sont, naguère, partagé la Pologne pour équilibrer leurs puissances dans une zone de turbulences. Comment accepteraient-elles qu'un perturbateur extérieur, *étranger,* remette en cause un ordre régional – leur ordre – qu'elles jugent légitime puisque fondé sur leur consensus? Pour Jomini, quoi qu'il pense des droits des Polonais, la question polonaise n'est pas... polonaise. Réaliste, il prend acte de la situation locale héritée du XVIIIe siècle. Il pense la politique conjoncturelle en termes de système européen intangible, gouverné par ses lois spécifiques de

1. Napoléon avait convoqué Jomini : « Je vais laisser Vandamme en Silésie pour y faire des sièges. Faites-moi une note des positions défensives qu'un corps de 25 000 hommes pourrait prendre au besoin contre des forces supérieures : cela me facilitera mes instructions. » Jomini s'essaie à comprendre le pourquoi de ces dispositions, le dessein politique qui les appelle. Si Vandamme est laissé en arrière alors que la Grande Armée va s'avancer en Pologne, vers la Vistule, c'est qu'on craint une intervention, dans le Sud, de l'Autriche jusqu'alors hors du jeu. Jomini n'entend plus parler de son mémoire, mais à sa première rencontre avec l'Empereur, celui-ci le remet à sa place : « Ah! vous voilà, monsieur le politique! Je savais que vous étiez un bon militaire, mais je ne savais pas que vous étiez un mauvais diplomate. Que chacun se mêle de son métier! »

fonctionnement : les rapports de forces et l'équilibre dynastique, malgré la dynamique révolutionnaire et l'éveil des consciences nationales, constituent l'ordre politique de référence pour les adversaires de Napoléon, et celui-ci ne peut le nier par décret de sa volonté.

Jomini enseigne donc à compter, comme Saint-Just, avec *la force des choses;* celle du milieu sociopolitique et culturel dans lequelle baigne le soldat, et dont il ne peut s'abstraire sans risque d'erreurs de calcul. Pour définir « la politique de guerre » et « la politique militaire ou philosophie de la guerre [1] », il ordonne l'ensemble des données exogènes à la stratégie militaire mais qui la déterminent. Son jugement politique s'affine lors des grands congrès – Vienne (1815), Aix-la-Chapelle (1818), Vérone (1822) – auxquels il assiste, et qui tentent de rebâtir la vieille Europe bouleversée; qui prétendent rétablir un ordre social à l'ancienne comme si l'histoire n'avait connu aucune fracture; comme si, en Allemagne, en Italie, en Espagne, l'agitation contre l'absolutisme restauré ne manifestait pas un décalage entre l'esprit de la Sainte-Alliance et celui des peuples. Jomini se montre plus sensible que beaucoup à l'air du temps : au Congrès de Vérone, il déconseille énergiquement l'intervention collective projetée pour rétablir l'ordre conservateur en Espagne. Il rencontre Wellington, avec lequel il doit s'entendre aisément puisque l'Angleterre s'oppose violemment à ce projet. A-t-il conversé avec Chateaubriand, représentant la France et qui voit, dans son engagement militaire en Espagne, l'occasion de restaurer son prestige en Europe? L'imagination vagabonde sur le dialogue possible entre le Suisse et le Français, tous deux admirateurs de Napoléon quoique avec de graves réserves; tous deux têtes politiques mais portant, sur l'affaire espagnole, deux regards divergents : Jomini en observateur hors jeu, Chateaubriand en acteur pressé d'exploiter la circonstance pour la France, certes, mais aussi pour tenir enfin son grand rôle [2]. On imagine leurs pesées comparées d'une situation mêlant turbulences sociales et querelles internationales. Le citoyen helvétique et le légitimiste ont perçu différemment les luttes des peuples et leurs espérances sous la domination française. Chateaubriand arrive à Vérone sans expérience sensible d'une mutation sociopolitique qu'il n'a observée que de l'extérieur et dont le radicalisme lui échappe encore [3]. Jomini a suivi Ney en Espagne, en 1808. Il a connu le renouveau du sentiment germa-

1. Titres des chapitres I et II de son *Précis de l'art de la guerre.*
2. « *Ma guerre d'Espagne, le grand événement politique de ma vie, était une gigantesque entreprise.* » (*Mémoires d'outre-tombe, troisième partie, livre X*). Chateaubriand a publié, à part des *Mémoires*, son *Congrès de Vérone, guerre d'Espagne, négociations espagnoles* (1838).
3. Il la percevra, dans toutes ces dimensions, quand il rédigera, entre 1834 et 1841, la conclusion des *Mémoires d'outre-tombe;* quand il publiera, dans la

nique stimulé, en 1813, par des promesses de libéralisme que les pouvoirs en place décevront après leur victoire. Expériences vécues sur le terrain de guerres inexpiables, dans la haine chauffée par des atrocités ne relevant plus des ordinaires « misères de la guerre », mais systématisées comme un moyen calculé de lutte à mort rationalisée – toute la distance entre Callot et Goya...

Politique régulée et principe de conflit

Avec sa conscience exigeante de professionnel, Jomini confesse préférer la maigreur du trait classique au foisonnement de l'ornement baroque : les armées de masse charrient trop d'impuretés pour que le stratège n'y perde l'esprit de son art. Avec les passions nationalistes exaltées par la Révolution et l'Empire, la politique interétatique a rompu avec son principe : « Le principe du maintien de l'équilibre doit être la base de la politique [1]. » A la fin de sa vie, il récapitule les leçons d'un siècle de conflits : « Les armées ne sont plus composées aujourd'hui de troupes recrutées volontairement du superflu d'une population trop nombreuse; ce sont les nations entières qu'une loi appelle aux armes, qui ne se battent plus pour une démarcation de frontières, mais en quelque sorte pour leur existence... Si une législation et un droit public nouveaux ne viennent pas mettre des bornes à ces levées en masse, il est impossible de prévoir où ces ravages s'arrêteront. La guerre deviendra un fléau plus terrible que jamais, car la population des nations civilisées sera moissonnée [2]. »

Cette idée, presque obsessionnelle, on la trouve bien avant ce bilan testamentaire. Les exégètes pressés de Jomini lui ont reproché de sacrifier les facteurs moraux de la guerre à la géométrie des opérations : ils devraient relire, dans le *Précis,* le chapitre consacré aux « guerres d'opinion » qui « sont terribles parce que l'armée envahissante ne s'attaque pas seulement aux forces militaires, mais à des masses exaspérées ». Et à propos des « guerres nationales » : « Ce spectacle du mouvement spontané de toute une nation se voit rarement, et s'il présente quelque chose de grand et de généreux qui commande l'admiration, les suites en sont si terribles que, dans l'intérêt de l'humanité, on doit désirer de ne le voir jamais. » C'est bien la difficulté à contrôler ce type de guerre qu'il déplore : une note précise « qu'il ne faut pas confondre ce vœu contre les levées en masse, avec les défenses nationales

Revue des Deux Mondes, en avril 1834, des pages prémonitoires intitulées *Avenir du monde* : « L'Europe court à la démocratie... »
1. *Précis de l'art de la guerre,* I, p. 5.
2. Troisième appendice au *Précis de l'art de la guerre du général Jomini relatif aux modifications nécessitées par les nouvelles inventions et par la dernière guerre de Bohême,* 1866.

prescrites par les institutions, et réglées par les gouvernements. » Il
préconise donc de repousser les agressions grâce à des sytèmes
militaires qui « régleraient ainsi la part que les populations
devraient prendre aux hostilités, ne les mettraient pas en dehors
du droit des gens, et poseraient de justes limites à la guerre
d'extermination ». La conclusion des chapitres sur la typologie des
guerres montre où vont ses préférences : « Je résume cette
discussion pour affirmer que, sans être un utopien philanthrope ni
un condottiere, on peut souhaiter que les guerres d'extermination
soient bannies du code des nations, et que les défenses nationales,
par les milices régularisées, puissent suffire désormais, avec de
bonnes alliances politiques, pour assurer l'indépendance des États.
Comme militaire, préférant la guerre loyale et chevaleresque à
l'assassinat organisé, j'avoue que, s'il fallait choisir, j'aimerais
toujours mieux le bon temps où les gardes françaises et anglaises
s'invitaient joliment à faire feu les premières, comme cela eut lieu
à Fontenoy, que l'époque effroyable où les curés, les femmes et les
enfants organisaient, sur tout le sol de l'Espagne, le meurtre de
soldats isolés [1]. »

Jomini, ici, rencontre Guibert. Non pas celui de l'*Essai général
de tactique,* prophète de la « guerre de grand style » manœuvrant
les masses armées mobilisées par la fureur nationale, mais celui de
la *Défense du système de guerre moderne* revenant sur ses
premières assertions. C'est que, comme la guerre d'Espagne pour
Jomini, la guerre d'Indépendance américaine révéla à Guibert le
risque d'amplification irrationnelle que l'engagement populaire
introduisait dans la définition des fins de la guerre et dans sa
conduite. S'il voit fort bien que « les nations entières... ne se
battent plus pour une démarcation de frontières, mais en quelque
sorte pour leur existence », tout se passerait-il, pour Jomini,
comme si la coupure, provoquée par les explosions nationalistes
consécutives à la Révolution et à l'Empire, était un phénomène
accidentel, aberrant, induit par la conjonction fortuite de facteurs
eux-mêmes contingents ? Une fracture dans le cours de l'histoire, si
exceptionnelle par ses origines et ses conséquences, que la
probabilité de sa répétition devrait être faible dans l'avenir ? De
fait, il est pris entre son désir d'un retour à la raison et la crainte
d'une irréversible dérive vers la déraison. A la fin de sa vie, peu
avant la guerre de 1870-1871 et la Commune, il doit bien convenir
que, malgré le retour de 1815 au système des politiques dynastiques, la multiplication des crises, dans une Europe secouée par les
soulèvements populaires, est le symptôme assez clair de la fièvre
récurrente du nationalisme. C'est parce qu'il doute qu'on puisse
jamais revenir à l'ancien ordre des choses, qu'il propose d'atténuer
le mal grâce à « une législation et un droit public nouveaux ».

1. *Précis de l'art de la guerre,* I, pp. 7 et 8.

Diagnostic et pronostic fondés; mais remède aléatoire, qui suppose le consensus d'une société d'États assez éclairés sur les risques partagés pour convenir d'une règle du jeu. Consensus universel, car il suffit d'un perturbateur, s'il est assez puissant, pour annuler la règle. La faiblesse de la prospective politique est, ici, patente : Jomini mise trop sur le volontarisme raisonné des États les plus clairvoyants. Il oublie que leurs décisions ne peuvent s'abstraire de l'état des choses, du système global. La politique intentionnelle de chacun, la plus radicale comme la plus modérée, ne peut échapper aux conditionnements de la politique objectivée, autour d'elle, par chacun et par tous. Elle ne peut s'imposer ni contre les données conjoncturelles – sociales, idéologiques, techniques, etc. – déterminant le système interétatique réel, ni contre la pente générale de l'histoire, qui définissent l'espace de liberté des décideurs. Le vœu jominien – la maîtrise de la violence d'État par l'autodiscipline de chacun et l'autorégulation du système – gomme, dans les réalités conflictuelles de son temps, celles qui, engendrées par la crise du début du siècle, sont assez prégnantes et chargées de sens pour conserver un avenir : les pulsions et impulsions des « populations » seront, désormais, déterminantes. C'est là un fait majeur, irréversible; un *invariant*, pour longtemps, des transformations que connaîtra le système international.

On sent bien, au ton de Jomini, qu'il craint d'être dupe de ses préférences de professionnel et de ses coups de sonde dans l'avenir. Souhaiter l'avènement du meilleur des mondes – du moins mauvais – n'est souvent que l'alibi du réalisme, et Jomini ne cesse de le prêcher. Son excursion hasardeuse dans la politique prospective et le démenti que l'histoire infligera à ses bons sentiments, comme à ceux de Guibert seconde manière, ont une vertu pédagogique. Ils rappellent aux doctrinaires que les projections politiques et stratégiques, dans un avenir apparemment ouvert à l'imagination, ne sont pas *libres*. Ils ne peuvent préconiser, comme seul pertinent, tel système futur pour la seule raison que, *réalisé*, il résoudrait tel problème posé par l'état des choses *actuel* et sur lequel achoppent les bonnes volontés. C'est confondre intention et donné objectif; supposer comblé, par un coup de force mental, le hiatus entre un futur parfait et un présent imparfait; supposer abolis, demain, des réalités majeures d'aujourd'hui, des données et facteurs assez caractéristiques, assez pesants pour conditionner, voire déterminer, la politique et la stratégie actuelles, et auxquels leur poids confère une durée de vie probable telle qu'il est déraisonnable de miser sur leur prochain dépérissement. Or, c'est sur cette disparition que spéculent les doctrines les plus volontaristes, bondissant dans le futur. Trop de doctrinaires oublient que les politiques et stratégies, qu'ils projettent dans l'avenir, n'ont quelque *chance de vie* que s'ils ont préalablement discriminé et évalué ces facteurs d'inertie et d'hystérésis, le noyau d'éléments durs autour duquel s'organisent les pratiques actuelles et qui, par leur dureté même, encadrent et conditionnent l'avenir. Cet *encadrement du crédit d'invention* par les invariants devrait interdire les débordements d'une imagination trop prompte à rêver.

Qui tente de penser la prochaine guerre, et d'inventer un système militaire efficace demain, est guetté par l'utopie. Redoutant par-dessus tout qu'on l'accuse « d'entrer dans l'avenir à reculons », le doctrinaire y saute sans un regard pour le présent, efface tous les *passages nécessaires* de l'un à l'autre. Il évacue les facteurs de continuité politico-stratégique, bien qu'ils ne soient pas tous supprimés par l'évolution de choses, serait-elle accélérée et coupée par des faits imprévisibles de mutation. Toute la difficulté de l'analyse théorique et de l'édification doctrinale réside dans le mélange de continuités et de discontinuités qui déterminent l'évolution du présent vers le futur. Une doctrine stratégique – nécessairement intentionnelle, volontariste, puisqu'elle doit guider l'action et sa préparation – n'est utile que réaliste; que si elle compte avec les pesanteurs de l'héritage, avec toutes les réalités actuelles et probables qui conditionnent aujourd'hui et conditionneront demain les stratégies objectivées de chacun devant chacun et devant tous. N'est-ce pas, par exemple, parce qu'ils gomment les contraintes actuelles du fait nucléaire que les projets de défense nucléaire européenne semblent si aisément et prochainement réalisables à certains? N'est-ce pas parce qu'on postule prématurément la maîtrise d'une éventuelle guerre nucléaire limitée ou le dépérissement prochain de l'effet de terreur dans l'esprit des politiques et les opinions publiques, que l'on impute si aisément, à tel ou tel État, l'intention de déclencher une guerre nucléaire, et que tant de scénarios se fondent sur l'assurance de la contrôler et de la gagner?

Si Jomini s'aventure en Utopie, au mépris des réalités dont il évalue mal la résistance, s'il préconise un système international, peu probable, qui sortirait enfin de l'état de nature par la soumission de tous à un code de bonne conduite – la participation réduite et contrôlée des « masses » et des « populations » à la guerre – il condamne donc, du même coup, les génies excessifs qui fascinent les foules et les conduisent au désastre. Les débordements des rêveurs d'impossible l'induisent à penser la politique et la guerre raisonnables, à en définir les conditions et les pratiques. Les « figures de proue » de l'histoire ont refusé les contraintes, violé les règles du jeu dominantes, pour finir par périr victimes des nouvelles règles qu'elles ont voulu imposer [1]. Transgression des

1. Dans *Figures de proue* (1949), René Grousset démonte admirablement la mécanique du jeu du seul contre tous, la fonction du génie accoucheur de l'histoire, le processus de l'innovation politique révélant les puissances cachées de

interdits, coup de force contre les sains principes d'équilibre, mépris des processus d'autorégulation du système interétatique, ces fautes capitales contre l'esprit de la politique trahissent une erreur de jugement sur la fonction de la violence armée.

L'effet d'entraînement des victoires décisives est tel, sur la volonté du conquérant – plus que sur son dessein – que les réalités prégnantes de la guerre et ses résultats tangibles, incontestables, occultent les nécessités de la politique. Effet psychologique, en retour, de la trop facile abdication de la volonté adverse : l'évaluation politique passe au second plan, résidu d'un calcul et d'une virtuosité stratégiques trop stimulants pour que le reste – l'environnement sociopolitique – ne soit pas perçu comme un simple décor. Pour Napoléon, la politique objectivée du système européen s'identifie, malgré toutes les forces de refus, à sa politique imaginaire. Le système réel est perçu et pensé comme si les autres volontés étaient annihilées, *ne devaient plus exister*; comme si l'ordre impérial imposé pouvait être un ordre de paix vrai, c'est-à-dire stable; comme si l'avenir était purgé de tout ce que l'ordre artificiel et contre nature recèle de facteurs d'auto-négation et d'autodestruction temporairement obscurcis. Pour Jomini, Napoléon méconnaît les conditions de l'état de paix : il les réduit au rapport brut des puissances militaires alors qu'une paix stable impliquerait la disparition de toutes les arrière-pensées que, précisément, nourrissent les refus de l'ordre nouveau. « On dirait qu'il fut envoyé dans ce monde pour apprendre aux généraux d'armées comme aux chefs des États tout ce qu'ils doivent éviter : ses victoires sont des leçons d'habileté, d'activité et d'audace; ses désastres sont des exemples modérateurs imposés par la prudence [1]. »

Regrettons que Jomini, se posant en « vrai soldat » et justement conscient de ne pouvoir l'être sans se poster au centre politique d'où l'espace entier de la guerre est visible, n'éprouve pas le besoin d'aller au-delà de son intuition : celle d'un fonctionnement normal ou régulier du système politique. Régulier ne signifie pas nécessairement pacifié, mais *régulé* : obéissant à des règles, dites ou non, mais admises par tous les sociétaires comme la condition impérative de leur coexistence, de la survie de chacun parmi tous;

---

son temps, devançant l'avenir en ouvrant les voies nouvelles jusqu'alors insoupçonnées. Puis, peu à peu, l'entreprise novatrice tend, par son succès même, à se fixer sur sa problématique et ses solutions originelles; elle s'ossifie dans ses conceptions et s'exaspère dans l'action, à rencontrer les résistances d'un milieu, produit de sa volonté de transformation et qui, par sa mutation même, soulève des problèmes nouveaux auxquels l'ancien inventeur n'est pas préparé. Incapable de répondre à ces questions qu'il a contribué à poser, débordé par le mouvement d'une histoire qu'il ne peut rattraper, celui qui fut une de ses « figures de proue » en est finalement rejeté comme « débris d'on ne sait quel grand jeu... ».

1. *Précis de l'art de la guerre,* I, p. 6.

d'une sorte d'harmonie, de consonance de l'ensemble sur le thème
essentiel de la pluralité dans la coexistence conflictuelle. Non que
les causes de dissonance et de désaccord puissent être supprimées,
mais leur légitime expression doit pouvoir être reconnue par tous
comme licite ; elle ne doit ni saper les fondements de l'ordre
international ni perturber à l'excès le fonctionnement naturel du
système. Conditions s'appliquant à la guerre : le passage de la paix
à la guerre ne doit pas être *quelconque*. La décision de rupture
sera fondée sur des motifs reconnus, prise selon des critères
d'intérêts conjoncturels ne mettant pas en question la pérennité et
l'identité des belligérants. Acceptée, l'épreuve de force se main-
tiendra à un niveau de violence compatible avec cette fin politique
modérée. Elle se conclura sur un nouvel ordre de paix négocié qui,
à son tour, ne doit pas être quelconque : toutes les exigences ne
sont pas permises au vainqueur, sauf à s'exclure de la communauté pour y avoir introduit un germe de discordance, de mal
sociopolitique irrémédiable.

L'idée d'un fonctionnement régulé du système international, par
opposition aux formes aberrantes des relations entre ses éléments,
n'implique pas que l'on attribue le caractère de normalité plus à la
paix qu'à la guerre, ou inversement, mais que l'on pense *politiquement* comme une continuité le discontinu des états de paix, de
guerre et de nouvelle paix ; comme une relation circulaire de
détermination réciproque les passages, les transits entre les états
enchaînés de paix et de guerre. Continuité supposant le règne
d'une raison politique surdéterminante au regard des raisons
conjoncturelles de litige ; raisons de recourir à la guerre, mais aussi
celles d'y mettre un terme. Concept de normalité, cependant, dont
on peut douter qu'il ait un sens dans la pratique : il suppose que
tous les membres de la société internationale souscrivent à la
raison du système ; que tous reconnaissent utile, nécessaire même
à l'expression de leur singularité dans la coexistence, ce principe
de régulation. Il suppose qu'aucun perturbateur n'attribue jamais,
à tel intérêt circonstanciel, une valeur d'enjeu de litige supérieure
à celles des intérêts communs qui fondent l'ordre communautaire.
Vision peu conforme à la réalité de la chose politique : la pluralité
des États dans un même ensemble – des sous-systèmes ouverts
dans un système fermé – et la coexistence du Même et de l'Autre
dans un même espace-temps géohistorique, traduisent leurs singularités essentielles, le croisement de leurs intérêts en partie
divergents et en partie convergents, de leurs projets politiques en
partie opposés et en partie accordés, et soutenus avec des volontés
autonomes plus ou moins affirmées. C'est dire que les relations de
chacun avec chacun et avec tous sont régies par un *principe de
conflit* selon lequel se composent oppositions et accords – tensions
négatives et positives – pour la promotion et la défense d'intérêts, permanents et conjoncturels, qui sont autant d'enjeux de

leur compétition, de leur lutte pour la survie et le mieux-vivre.
    Si la dialectique du Même et de l'autre, de la singularité et de la
coexistence, de l'autonomie et de l'interdépendance, est l'essence
du politique et si la dynamique du système interétatique s'éclaire
par le concept de conflit, on voit que celui-ci peut s'incarner dans
la pratique – selon les positions relatives concrètes de chaque État
devant chacun et devant tous, et selon le système complexe des
tensions positives et négatives conjoncturelles – dans une multitude d'*états de conflits définis par la résultante de ces tensions.*
Résultante plus ou moins négative ou positive et qui, le plus
fréquemment, caractérisera un état de conflit compris entre deux
extrêmes, deux états limites : *la lutte à mort,* négation radicale de
l'un par l'autre; *l'identification* de l'un et de l'autre dans la
reconnaissance d'une unité essentielle. Et, à ces deux modes de
relations politiques correspondent deux stratégies militaires à buts
également absolus : la guerre d'extermination ou stratégie
d'anéantissement; la paix définitive par constat de l'inutilité de
toute stratégie militaire de l'un devant l'autre, ou par intégration
de leurs stratégies devant les tiers. Entre ces deux bornes, états de
conflit extrêmes et théoriques – ils impliquent l'un et l'autre la
disparition, par absorption, de l'un des sujets de la politique
bipolaire –, s'étend donc, dans la pratique, le vaste spectre des
états réels de paix, de crises, de guerres. Aucun de ces états
n'annule toutes les tensions négatives ou positives : les adversaires
demeurent partenaires *par au moins un intérêt commun* : celui de
survivre à la guerre afin de persévérer dans leur être; et les
partenaires demeurent adversaires parce qu'ils n'ont pas que des
intérêts communs et que leurs projets politiques ne sont pas
identiques – comme le prouve éloquemment la conduite de la
guerre de coalisés.
    C'est bien cette continuité du *spectre des états de conflit* qui
interdit d'associer le concept de stratégie militaire uniquement à
l'état de conflit particulier qu'est la guerre, usage effectif de la
violence d'État et engagement des forces armées dans l'épreuve
des volontés politiques. Les appareils militaires pèsent *aussi,* par
leur seule existence, par leurs capacités d'action et d'influence,
dans les relations politiques – comme le révèle, aujourd'hui, la
stratégie de dissuasion nucléaire, encore qu'il en ait été toujours
ainsi mais sans que jamais, auparavant, on ait jugé utile de
théoriser ce mode de la violence virtuelle. Alors que le concept de
stratégie était lié, avant l'âge nucléaire, à celui de guerre *stricto
sensu,* la guerre ouverte n'est plus qu'un mode particulier d'une
stratégie militaire qui sert aussi la politique dans « l'état de paix »
et, plus généralement, dans tous les états de conflit. Toutefois,
dans la continuité du *spectre des stratégies,* la guerre – le passage
de la paix à la guerre – marque un état de rupture; une coupure
provoquée par l'exaspération des tensions négatives et le franchis-

sement d'un seuil critique – une catastrophe [1] – changement d'état qui se définit par l'actualisation de la violence jusqu'alors virtuelle. Il est donc logique que la théorie stratégique s'organise, non seulement autour des deux bornes du spectre, mais aussi du fait de rupture qu'est, politiquement, la décision de guerre et, stratégiquement, l'ouverture des hostilités. C'est donc par rapport aux deux valeurs extrêmes des états de conflits et à la valeur-seuil – le passage à la guerre – que le politique et le militaire doivent évaluer les situations concrètes et problématiser la fonction de la violence armée dans la politique du moment; plus précisément, les buts fixés à la stratégie militaire et les voies-et-moyens accordés avec ce but. Solutions, donc décisions, qui doivent être constamment révisées selon leurs résultats et l'évolution de l'état de conflit; adaptation permettant de monter ou de redescendre, à bon escient, dans l'échelle des états de conflits, afin de maintenir la pertinence entre la fin politique et le but stratégique actuels. Mais ce transit de la pensée politico-stratégique par tous les degrés de l'échelle exige une attention particulière au franchissement du seuil critique, aux raisons motivant la décision de guerre. La maîtrise du processus d'escalade ou de désescalade, dans les degrés de violence de la guerre, est en effet plus malaisée que le contrôle des facteurs belligènes et de la montée en puissance des tensions négatives dans les états de conflits infraguerre, comme les crises : la logique du duel, comme l'a montré Clausewitz, pousse vers l'extrême de la violence, et il est toujours difficile, dans la tension des volontés, de maîtriser tous les facteurs de modération qui, normalement, devraient freiner le processus.

Le principe de conflit permet donc de considérer la dynamique du système international dans sa globalité, et le spectre des modes et formes stratégiques dans toute son étendue; de lever la difficulté philosophique soulevée par la dispute sur la normalité, au regard des relations sociopolitiques, soit de la paix soit de la guerre. Pour les philosophies optimistes de l'histoire, la guerre n'est qu'une tache noire sur fond blanc de paix; pour les pessimistes, la paix, une tache blanche sur fond noir de lutte permanente et de guerres endémiques — encore qu'il faille se garder d'identifier le *polémos* d'Héraclite à la guerre *stricto sensu*... Ces divergences idéologiques ne sont pas sans conséquences pour l'état d'esprit des peuples et les conduites politiques comme l'ont montré, naguère, les doctrines pangermanistes et comme le confirment les multiples interprétations du marxisme-léninisme dans sa relation à la violence, et les spéculations sur les intentions de guerre soviétiques.

Ce long détour ramène à Jomini : le principe de conflit et le spectre des stratégies éclairent les contradictions que le génie

---

1. Dans le sens donné à ce concept par René Thom.

militaire excessif de Napoléon introduit dans sa politique. Sans doute le critique considère-t-il comme utopique un projet d'empire évacuant les insularités nationales : si Alexandre et Rome ont réussi l'assimilation des peuples conquis [1], revendiquer le patronage de Charlemagne, fût-ce avec la bénédiction forcée de la papauté, c'est nier tous les facteurs de différenciation et les forces centrifuges qui, précisément, ont prouvé dans les faits que, en Europe, le concept d'empire n'avait plus de sens depuis longtemps. L'anachronisme politique se double surtout, aux yeux de Jomini, d'une erreur de jugement stratégique : sans être une guerre d'extermination des peuples – comme celle de Tamerlan, à l'extrême du spectre stratégique –, la stratégie d'anéantissement napoléonienne demeure trop proche de cette borne pour être un moyen pertinent d'un dessein politique – donc d'un état de conflit – qui ne vise ni la négation radicale des adversaires ni leur assimilation forcée dans un système unitaire, mais au moins leur consentement à un ordre nouveau fondé sur leur souveraineté réduite. Un tel consentement supposerait la quasi-abolition des tensions négatives entre les membres associés dans l'empire alors que, nous l'avons vu, la paix non négociée, mais imposée, ne pouvait qu'exacerber les motifs d'hostilité et le sentiment de revanche.

Fin politique et but stratégique

On regrettera que la clairvoyance de Jomini et son instinct très sûr du rapport d'adéquation entre fin politique et but stratégique ne l'aient pas conduit à une analyse fine sur ce problème capital. Ses propos sur « le principe de maintien de l'équilibre (qui) doit être la base de la politique » et sur « l'audace » excessive de Napoléon ne reflètent que le bon sens du modéré et ses craintes devant l'irruption des passions populaires dans la conduite de la guerre. Toutefois, s'il n'a pas varié dans son admiration pour Frédéric II, encore qu'il reconnaisse le bond prodigieux effectué par l'art militaire de Napoléon, c'est bien parce que le premier a su, mieux que le second, harmoniser politique et stratégie; parce qu'il s'est bien gardé de contester la règle de coexistence de son temps, et que ses buts et son style de guerre ont respecté « le principe du maintien de l'équilibre » politique, « combinaison des siècles modernes, aussi admirable qu'elle paraît simple, et qui fut

1. Pour avoir lu Polybe, comme tous les théoriciens militaires du temps et à la suite de Folard, Jomini sait que, à l'origine de l'Empire romain, on ne trouve pas de « Cyrus ou d'Alexandre », mais des institutions politiques et militaires, des *opérateurs collectifs* (des actants) à la fois efficaces dans l'action et prudents, modérés dans l'exploitation des situations politiques favorables (cf. Polybe, *Histoire,* livre III, 1 et livre VI).

néanmoins trop souvent méconnue par ceux-là même qui auraient dû en être les apôtres les plus fervents [1] ».

Bien sûr, Jomini est assez réaliste pour savoir que le concept d'équilibre se traduit concrètement en équilibre dynamique, stationnaire : « Croire à la possibilité d'un équilibre parfait serait chose absurde. Il ne peut être question que d'une balance relative et approximative [2]. » Et si l'intérêt du système interétatique lui commande de ne pas tolérer des oscillations, et de trop grands écarts autour de cette position moyenne dans les rapports de puissance entre ses membres, il est salutaire, pour tous et pour chacun, que certains veillent à ce que toute dégradation de ces rapports ne soit pas irréversible. Il est légitime et licite qu'ils interviennent militairement pour rétablir le fonctionnement régulé, l'équilibre homéostatique du système : « L'histoire offre mille exemples de puissances qui ont déchu pour avoir oublié ces vérités : qu'un État décline lorsqu'il souffre l'agrandissement démesuré d'un État rival, et qu'un État, fût-il même du second ordre, peut devenir l'arbitre de la balance politique lorsqu'il sait mettre à propos un poids dans cette balance [3]. » Jomini évoque, ici, les « guerres d'intervention dans une lutte déjà engagée »; également, celles ayant pour « motif le maintien de ce qu'on nomme l'équilibre politique » en toutes circonstances. Il justifie du même coup, rétrospectivement, la politique constante de l'Angleterre contre les perturbateurs de l'ordre européen et les visées hégémoniques de Louis XIV et de Napoléon, ainsi que les « interventions » des puissances continentales contre ce dernier.

Comprenons bien que, si Jomini demeure un nostalgique du XVIIIᵉ siècle, ce n'est pas par aveuglement devant la fracture de 1789-1815. Au contraire, la prétention de la Révolution et de Napoléon à faire l'histoire, contre tous, lui semble le meilleur révélateur *en négatif* des avantages, pour tous, de la modération et de l'équilibre dans l'ordre du politique, de la mesure et de l'économie dans celui du stratégique, de la juste adéquation de l'un et de l'autre dans la pratique. A la soumission des ambitions étatiques à une règle de coexistence conflictuelle ne peut répondre qu'une *stratégie de guerre limitée* dans ses buts et dans ses voies-et-moyens. Sans doute, le fonctionnement heurté du système dynastique européen ne peut exclure les états de conflit exaspérant les tensions négatives; la guerre peut s'avérer utile, voire nécessaire à l'un des sociétaires pour trancher ses litiges. Toutefois, ceux-ci ne portaient, au temps de Frédéric II, que sur des enjeux bornés dont la dévolution n'engageait pas les peuples et ne compromettait ni la stabilité interne des monarchies du même type, ni le fonctionnement régulé de leur système global : chacune

1. *Précis de l'art de la guerre*, I, p. 5.
2. *Ibid.*
3. *Ibid.*

se reconnaissait dans le statut politique ambivalent d'adversaire-partenaire de chacun. Les états de conflit oscillaient autour d'un état médian, loin des deux extrêmes. Les buts et les voies-et-moyens de la guerre, ceux de Frédéric II comme ceux de ses adversaires, demeuraient limités, intentionnellement et non pas uniquement, comme on l'a souvent écrit, parce que les systèmes militaires de l'époque n'autorisaient pas techniquement la straté-gie d'anéantissement : celle-ci aurait été contradictoire avec les conditions d'une paix négociée. En d'autres termes, la guerre n'était jamais pensée comme une séquence rompant irréversible-ment la continuité des états de conflit; comme une phase retranchée d'un avant et, surtout, d'un après, dans le commerce politique. Perspective totalisante : le système des relations entre le Même et l'Autre, dans la coexistence conflictuelle, implique aussi que l'on ne survalorise pas les phases de rémission, les états de paix, au regard des phases de surtension, les états de guerre : ceux-ci sont aussi normaux que ceux-là, mais ils ne peuvent l'être que *sous contraintes.*

La leçon que Jomini tire ainsi, empiriquement, du parallèle entre Frédéric et Napoléon, et que confirme la théorie de son ennemi intime, Clausewitz, sera mal entendue par leurs lecteurs trop pressés et sottement chauvins. Sans doute, une théorie stratégique – *a fortiori* une doctrine – est-elle rarement innocente. Discours d'hommes enracinés dans leur sol et leur temps, qui ne disent que pour aider à faire, elle ne se constitue en savoir que pour l'agir; elle est *déjà* action. Perçue comme telle, le critique la lit, le plus souvent, avec les verres filtrants du partisan engagé; l'adopte ou la récuse selon qu'elle fortifie ou non son opinion, sert ou dessert sa propre action. La critique de démolition de notre stratégie de dissuasion nucléaire illustre, depuis les années soixan-te, le jeu intéressé des groupes de pression, étrangers et français, qui, sous couvert de consolider l'alliance atlantique, conforte la *tentation de l'empire,* au demeurant dans la nature des choses, qui travaille les États-Unis et leur clientèle cosmopolite. Les attaques ont porté sur la validité de la théorie de la dissuasion nucléaire du faible au fort. Mais, pour dénoncer son irréalisme, elles ont utilisé, sans souci de logique, les critères de validité propres à la dissuasion du fort au fort; elles ont négligé les axiomes politiques et techniques – l'autonomie de décision et la spécificité du risque nucléaire – sur lesquels se fonde notre stratégie, et posé en principe leur incompatibilité avec les exigences de l'Alliance.

Opération fréquente dans l'histoire des stratégies, ce détourne-ment de la théorie par une critique polarisée : au lieu de soumettre sa cohérence et sa consistance à une critique interne partant de l'axiomatique fondatrice, celle-ci est évacuée ou récusée par une critique externe lui en substituant une autre qu'une pétition de principe pose comme la seule pertinente. La même mésaventure a privé les discours jominien et clausewitzien de lecteurs objectifs dans le temps même où l'évolution des données de situation politico-stratégiques – virulence des nationalismes, seconde révolution industrielle, capacités d'effets physiques des systèmes militaires, etc. – s'accélérait et tendait invinciblement à fixer les théories et doctrines sur les modèles de stratégie d'anéantissement. Le paradigme de la guerre napoléonienne s'est imposé, depuis le milieu du XIXᵉ siècle jusqu'à la fin du second conflit mondial, non seulement aux militaires mais aussi aux politiques, comme la seule solution pertinente à la plupart des problèmes posés par l'action conflictuelle.

Les cheminements de cette problématique réductrice, qui ouvrit la voie à la guerre totale, apparaissent, avec la netteté de l'épure, à travers la querelle théorique ouverte, dans l'Allemagne des années 1880, par les travaux historiques de Hans Delbrück [1]. L'analyse comparative des stratégies de Périclès, Frédéric II, Napoléon et Moltke le conduit à relever, dans l'histoire universelle des guerres, deux formes de stratégies bien distinctes : *Vernichtungsstrategie* ou *Niederwerfungsstrategie,* d'une part; *Ermattungsstrategie* ou *Ermüdungsstrategie,* d'autre part – qu'on traduit respectivement par stratégie d'anéantissement et stratégie d'usure [2]. Si le dua-

1. Hans Delbrück (1848-1920), historien militaire, fut mêlé, comme expert et critique, à tous les débats de son temps sur la politique étrangère et la stratégie du IIᵉ Reich. Fervent adepte de la politique bismarckienne, précepteur d'un prince de Prusse, il enseigna l'histoire des guerres à l'Université de Berlin de 1881 à 1920. Ses activités de chercheur et de publiciste (dans les revues diplomatiques et militaires, *Staatsarchiv* et *Preussische Jahrbücher*) et ses fonctions de parlementaire au Reichstag lui conférèrent renom et influence. Il ne cessa de commenter les événements, en particulier durant la Première Guerre mondiale. Il fit initialement confiance au plan Schlieffen; mais les échecs allemands l'amenèrent à dénoncer les erreurs de jugement d'un commandement, le tandem Hindenburg-Ludendorff, qui s'entêtait dans la vaine recherche de la victoire décisive par une stratégie d'anéantissement incompatible avec les ressources des empires centraux et qui finit, contre toute logique, par subordonner la conduite politique de la guerre aux exigences d'une stratégie irréaliste. Mentionnons, dans son œuvre considérable : *Das Leben des Feldmarschalls Grafen Neidhardt von Gneisenau,* Berlin, 1882; *Über den Unterschied der Strategie Friedrichs und Napoleon,* Berlin 1886; *Die Strategie des Pericles, erläutert durch die Strategie Friedrichs des Grossen,* Berlin, 1890; *Krieg und Politik,* recueil d'articles publiés dans les *Preussische Jahrbücher, Berlin, 1918-1919;* surtout, *Die Geschichte der Kriegskunst im Rahmen des politischen Geschichte,* Berlin, 1900-1920, œuvre monumentale en sept volumes dont il rédigea les quatre premiers, les suivants, écrits par Daniels et Haintz, étant publiés après sa mort (1928-1936). A ma connaissance, aucune traduction française n'a été publiée de ces ouvrages auxquels historiens et critiques ont pourtant beaucoup emprunté.

2. A l'indécision du langage de Delbrück – deux mots pour chaque concept, mais usage plus fréquent du premier – répond aussi celle du lexique français dans lequel, depuis un siècle, nos analystes ont cherché les équivalences sémantiques reflétant les nuances des deux concepts fondamentaux. Le premier définit un but stratégique illimité ou radical ou absolu, consistant à anéantir, détruire, annihiler

lisme delbrückien procède de l'analyse historique, il prétend aussi se référer à la théorie clausewitzienne qui, elle aussi, distingue deux sortes de guerres, mais selon leur fin politique : ou abattre irréversiblement l'ennemi pour lui imposer une paix dictée, ou s'emparer de gages suffisants, quelle que soit leur nature, pour l'induire à négocier sur un nouvel ordre de paix que l'on estime avantageux [1]. Mais Delbrück simplifie Clausewitz en identifiant abusivement ces fins politiques *de* la guerre aux fins *dans* la guerre, les buts stratégiques : la stratégie d'anéantissement par la bataille *politiquement* décisive (stratégie à « un seul pôle », selon ses termes) lui semble le moyen exclusif de la première fin politique, alors que celle-ci peut être également atteinte par d'autres variétés stratégiques – occupation du territoire, blocus, destruction des ressources, etc. Quant à la stratégie à « deux pôles » – la manœuvre et la bataille non décisive –, elle répondrait à la seconde fin politique, alors que celle-ci peut être atteinte, aussi, par des batailles *militairement* décisives comme celles de Frédéric II.

Ce n'est pas là une vaine dispute théorique : au-delà de son interprétation précipitée de Clausewitz, la démarche de Delbrück engage un débat de fond avec l'appareil politique et militaire du IIᵉ Reich. Débat dans lequel, paradoxalement, les doctrinaires et praticiens en place commettent la même erreur dans la lecture de Clausewitz, dont ils revendiquent la caution, que dans celle de Delbrück qu'ils accusent de déprécier l'héritage frédéricien. L'historien n'avance-t-il pas, à l'appui de sa typologie stratégique, que Frédéric II a constamment pratiqué la stratégie d'usure et que l'éclat de ses victoires ne doit masquer ni la limitation de ses buts de guerre, ni la modération de ses desseins politiques? Crime de lèse-gloire nationale : le grand état-major allemand voit, dans les batailles décisives de Moltke, la lumineuse confirmation de la supériorité absolue de la stratégie d'anéantissement du type napoléonien. Il revendique pour Frédéric II, fondateur de la gloire militaire prussienne, le rôle de précurseur dans la théorie et la pratique de cette stratégie : comment son génie aurait-il pu s'accommoder de ces stratégies d'usure, de qualité inférieure et

---

(vernichten) l'ennemi ou à l'abattre, le renverser *(niederwerfen)* – ce qui justifie les expressions équivalentes les plus fréquentes dans la littérature française : stratégie d'anéantissement, ou de destruction, ou d'annihilation (aucun substantif usuel pour les actions d'abattre et de renverser). Le second concept définit un but stratégique limité (ou relatif ou partiel) consistant à user, épuiser *(ermatten)*, lasser, fatiguer *(ermüden)* l'ennemi – ce qui justifie les expressions équivalentes les plus usuelles : stratégie d'usure ou d'épuisement, ou encore d'attrition ou d'exhaustion (auxquelles ne correspondent aucune forme verbale). Ajoutons, pour être complet, que Clausewitz utilise parfois *Erschöpfung* pour *Ermüdung* (épuisement).

1. *De la guerre*, livre VIII.

pis-aller, qui ne cherchent pas à conclure dans une épreuve de force systématiquement recherchée [1] ?

Par ce long détour d'une polémique engagée une dizaine d'années après sa mort, nous retrouvons Jomini. Ses vues ont été confirmées, non seulement par Clausewitz, mais aussi par Delbrück. Elles ne cesseront de l'être jusqu'à nos jours, mais *a contrario* : par les erreurs de jugement des chefs militaires sur les conditions de pertinence – de cohérence globale – entre fins politiques, buts et voies-et-moyens stratégiques. Dans l'unité insécable de l'entreprise politico-stratégique, les théoriciens allemands et français du début du siècle ont découpé un objet, la guerre et, plus limitativement encore, ce que nous nommons aujourd'hui la stratégie opérationnelle. Ils ont isolé le *système des opérations* de son double étage de déterminations : but stratégique et fin politique. Non qu'on ne puisse et ne doive même penser ce système en soi, puisque sa structure et son fonctionnement sont caractéristiques du type d'action et de ses effets recherchés; puisqu'il obéit à des règles de synergie et d'économie interne spécifiques – je reviendrai sur ce point capital de la pensée jominienne. Que le chef militaire choisisse en logique – serait-elle probabiliste – parmi les modes opérationnels concevables devant tel ennemi et avec les appareils militaires du moment, ceux qu'ils jugent porteurs des plus grandes chances de succès, c'est là une démarche légitime, nécessaire même. Sous la condition expresse, toutefois, que ce calcul, interne au domaine stratégique, s'effectue à l'intérieur des bornes fixées par l'état de conflit et la fin politique contingents : si ceux-ci justifient le recours à la guerre, ils déterminent aussi le but stratégique – la fin *dans* la guerre – dans sa nature et ses dimensions. En d'autres termes, l'unité de la politique et de la guerre doit être préservée. La victoire ne peut être une fin en soi : sa dimension et les modalités de son acquisition demeurent subordonnées aux modalités du retour à l'ordre de paix que l'on souhaite ou accepte. La « plus grande victoire » militairement concevable peut contredire cette issue calculée : en érigeant la stratégie d'anéantissement en règle universelle de la conduite de la guerre, et la victoire décisive en

1. Je ne retiens que ce qui intéresse mon propos, dans cette controverse stratégique – *Strategie Streit* – déclanchée, dans les années 1886-1890, par la publication des textes de Delbrück sur les stratégies comparées de Périclès, Frédéric II et Napoléon. Ce débat revêt une grande signification comme révélateur du courant d'idées alors dominant, non seulement en Allemagne mais aussi dans la pensée militaire qui, dans la France préparant « la revanche », trouva, chez Napoléon et Moltke, les modèles d'une stratégie d'anéantissement érigée en dogme. Voir, dans Edward Mead Earle, *Makers of modern strategy*, l'article de Gordon A. Craig sur *Delbrück*, Princeton University Press, 1943; Gert Buchheit, *Guerre de destruction ou guerre d'usure*, trad. R. Dhaleine, Payot, 1943; Raymond Aron, *Penser la guerre, Clausewitz*, tome I, Gallimard, 1976.

norme d'efficacité transhistorique, le grand état-major allemand oubliait la leçon de Bismarck et de Moltke et, en répétant l'erreur de Napoléon, engageait la politique allemande dans des voies sans issue.

Ainsi, les conditions du rendement maximal, requises du plan Schlieffen, imposèrent la violation de la Belgique en 1914; décision politique, subordonnée aux visées stratégiques qui précipitera l'engagement politique et militaire de l'Angleterre. La stratégie de guerre à outrance, prônée et imposée par Ludendorff et Tirpitz avec l'intensification de la guerre sous-marine, justifiera l'intervention américaine. En exacerbant la volonté de lutte sans merci chez les Alliés, elle vouera à l'échec toutes les tentatives d'accommodement sur une paix négociée. D'ailleurs, logique avec lui-même, Ludendorff consacrera ce renversement catastrophique du rapport de détermination entre la politique comme fin et la guerre comme moyen. Si, dans *Kriegsführung und Politik* (1922), il se défend contre les critiques de Delbrück en prétendant, contre les faits, n'avoir pas interféré dans la conduite *politique* de la guerre, il révèle le fond de sa pensée en 1935, dans *Der totale Krieg :* les conceptions de Clausewitz, pour qui la politique ne s'identifie qu'à la politique étrangère, sont désormais dépassées, et « la guerre restant la suprême expression de volonté de vie raciale, la politique (*Gesamtpolitik,* politique globale) doit servir la guerre ». Nul doute que le IIIe Reich nazi n'ait trouvé, dans ces vues radicales, l'une des justifications théoriques de son entreprise. Se présentant comme une lutte à mort, celle-ci ne pouvait imposer à ses adversaires qu'une fin politique identique et les induire, eux aussi, à une stratégie d'anéantissement visant à la capitulation sans conditions de l'Allemagne, à une paix non négociable. Plus tard, la guerre de Corée posera, comme toujours, le difficile problème de l'accord entre la fin politique de la guerre, que Truman jugera limitée, et le but stratégique que MacArthur ne concevait que sous le mode de la victoire décisive au risque d'extension politique du conflit.

CHAPITRE 5

LA VIOLENCE, POUR FAIRE QUOI?

La violence en expansion

Les guerres hyperboliques ont dévoilé le sens des transformations entrevues par Jomini : amorcées avec celles des techniques militaires, elles ont contaminé tout le champ sociopolitique, opéré une véritable transvaluation de la violence d'État. Ses fonctions, dans les mécanismes du système d'États-nations, son statut classique d'*ultima ratio* de la politique régulée ont radicalement changé. En un siècle et demi, elle s'est imposée en facteur dominant, surdéterminant, des reconstructions historiques. Puissance métapolitique, métahistorique même, la violence débridée n'a cessé de remettre en question les valeurs unitaires et les modes de coexistence des peuples, quand ceux-ci accédaient au langage commun de la civilisation industrielle et scientifique et pouvaient en attendre une conscience plus prégnante de l'universel. Jomini est le témoin privilégié des origines et du démarrage du processus de mutation. Témoin à charge et dénonciateur, avec Clausewitz, des risques d'un détournement de la violence d'État hors de son champ rationnel. Né trente-sept ans après *l'Essai général de tactique*, il assiste au triomphe des vaticinations lyriques de Guibert; en France d'abord, puis contre elle. L'illusion épique se dissipe sous ses yeux. Il observe comment fut engendré et comment s'affirme, dans la pensée et l'action, le concept de guerre à but absolu; comment une variété stratégique, la stratégie d'anéantissement, accède au statut illégitime de paradigme; comment la pensée sur et de la guerre s'organise, en s'appauvrissant, autour de cette formule canonique et comment elle s'installe, en métastase, dans le corps sociopolitique.

Le retour à l'ordre de 1815 n'est qu'une restauration apparente de l'équilibre européen. Il n'a été possible qu'en retournant, contre le perturbateur français, des moyens et des modes d'action scandaleux pour les adeptes des vieilles règles. Le succès transitoire mais éclatant de Napoléon, puis celui, besogneux mais définitif, des coalisés sont trop persuasifs pour ne pas rassembler tous les acteurs sur une même lecture du drame, sur une même interprétation du discours de la guerre. La pratique a démontré la puissance d'une conception révolutionnaire de la stratégie : il ne reste plus qu'à intérioriser et théoriser l'expérience commune, à se laisser tenter par la trop facile induction; puis à dogmatiser par réduction du complexe au simple, du variable à l'invariant – pente banale... Les leçons jominienne et clausewitzienne sont trop nuancées pour que leur prudence soit perçue par ceux qu'éblouit le style solaire de la stratégie napoléonienne. En rapprochant la guerre réelle de sa forme absolue, de son pur concept – selon l'analyse de Clausewitz –, ce style fascine avec la puissance de séduction d'une œuvre d'art : le jugement esthétique transforme la pratique d'un moment en modèle transhistorique forçant l'imitation. Purgée de ses réserves, de ses rappels à la circonspection intellectuelle devant la complexité floue de l'action et de sa distinction entre concept et réalité, la théorie complète de la guerre est réduite à son résidu militaire et non plus saisie dans son unité avec la politique. Considéré en soi et pour soi, le système des opérations ne peut qu'ériger en recette infaillible de victoire, en dogme, une stratégie d'anéantissement et de la bataille décisive dont la beauté formelle, autant que ses preuves d'efficacité, emporte l'adhésion passionnée du praticien. Peu importe donc que les circonstances changent, que les conditions de l'homéostasie du système européen conseillent de s'interroger sur la validité du modèle reçu : celui-ci s'impose à tous, avec une telle force qu'il entraîne le politique et le soumet *nolens volens* aux axiomes de la stratégie.

Les responsabilités de la France sont gravissimes dans cette normalisation de la stratégie à but absolu et dans le renversement, consécutif, du rapport entre politique et guerre : le trio Guibert, Carnot – un nom pour l'équipe militaire de la Révolution – et Napoléon a engendré la longue lignée d'épigones qui, malgré les rappels à l'ordre des raisonnables, ont conduit l'Europe où nous savons. Responsabilités intellectuelles aggravées, sous la pression du danger, par l'appel de la Révolution aux forces et aux passions collectives, les meilleures comme les pires – ici, le pire est toujours sûr. Mobilisation des énergies dévoyées dans l'entreprise conquérante et qui, par le même mimétisme qui universalise le modèle stratégique, pousse les adversaires à armer les peuples quand ceux-ci ne se lèvent pas spontanément. Évolution irréversible, malgré la répugnance naturelle des monarchies : il leur fallait bien, contre toutes les bonnes raisons de la politique « du dedans », opposer armées de masses à la Grande Armée; plus tard, renforcer les armées de conscription par les réserves nationales pour multiplier la puissance du feu par celle des effectifs; puis, avec les progrès technologiques et l'explosion industrielle, avec l'empire des mythes sociopolitiques, bâtir et soutenir, avec toute la substance des nations, des appareils militaires composites, de plus en plus lourds et gros consommateurs d'énergies physiques et morales. Les trois facteurs – armées de masses à grandes capacités d'effets physiques, complexité technique et organisationnelle des systèmes militaires, engagement national intégral dans une action collective nourrie d'idéologie – ne cesseront plus de croître en dimensions et en effets amplificateurs de l'intensité de la violence guerrière : processus d'interaction dynamique, de rétroaction positive, les effets et exigences de chacun s'amplifiant sous les effets et exigences des deux autres.

A la suite de Jomini et de Clausewitz, on ne méditera jamais assez sur le sens de la rupture provoquée, dans la perception et l'emploi politique de la violence d'État, par l'armement et l'engagement total des peuples. Contre le Suisse et le Prussien, l'esprit de la guerre à la française l'a emporté sur celui de la politique régulée, et s'est universalisé. A l'échelle de l'histoire universelle, Waterloo n'est pas, comme on l'a cru, une victoire décisive de l'ordre sur le désordre, de la raison sur la déraison : elle n'ouvre qu'une brève phase de rémission, jusqu'en 1871. Après quoi, revivifié par ce temps de latence, ce qu'on avait tenu pour un accident de l'histoire fut reçu comme la nouvelle normalité : triomphe à retardement de la stratégie radicale de Napoléon et épiphanie de la guerre totale. Contre Delbrück, contre les tenants de la stratégie indirecte – Lawrence d'Arabie, Liddell Hart –, l'esprit de la guerre selon Ludendorff a gagné avec le second conflit mondial, apothéose de la guerre totale. Retour, même, à la stratégie timourienne, à la guerre d'extermination des populations, avec les bombardements aériens massifs dans l'esprit de Douhet et escaladant jusqu'à la vitrification d'Hiroshima...

Jomini avait raison de craindre l'impuissance des appareils étatiques à contrôler l'inflation de la violence, dès lors que toutes les énergies des peuples étaient mobilisées et consommées jusqu'à épuisement. C'est bien l'incapacité à inventer et à imposer de nouveaux modes de régulation sociopolitique au système interétatique de l'ère industrielle et scientifique qu'il faut accuser, non les surcapacités des appareils militaires ou les outrances de la littérature stratégique. Car si les doctrinaires du rendement militaire maximum et de la radicalisation des guerres n'ont pas manqué, nombreux aussi furent les théoriciens qui, dans la ligne Jomini-Clausewitz, ont rappelé à l'observation de l'unité politique-guerre; prêché le nécessaire accord par les pouvoirs régaliens d'un code modérateur, entre, d'une part, une politique réconciliant les singularités nationales dans la coexistence des États, et, d'autre part, une stratégie militaire tempérant ses tendances foncières à l'excès. Pourquoi les modérés furent-ils plus rarement entendus que les radicaux? Pourquoi le politique céda-t-il si facilement et si souvent à la tentation des solutions absolues imaginées par le militaire pour résoudre au plus vite son problème spécifique et immédiat, sans égard aux séquelles durables? Le politique lui-même ne les lui imposa-t-il pas en exigeant, par exemple, la capitulation sans conditions de l'adversaire d'aujourd'hui, qui sera nécessairement le partenaire de demain? Pourquoi, point capital, en est-on venu à mêler les affaires « du dedans » et celles « du dehors » – selon la dichotomie guibertienne; à transférer les querelles fétichistes internes dans l'espace des litiges interétatiques, comme si les problèmes nationaux devaient nécessairement chercher leurs solutions à l'extérieur des frontières? Faut-il imputer cette confusion des ordres aux grands mythes révolutionnaires, transnationaux par construction? N'est-il pas significatif que, par une sorte de repentir et de retour tardif à la raison politique, la France ait sagement érigé, en principe de sa diplomatie, la reconnaissance des États et non de leurs régimes, alors qu'elle fut à l'origine de la confusion des genres? Les ingérences dans les affaires d'autrui, au nom d'une vertu révolutionnaire imprudemment qualifiée d'universelle, ne pouvaient que dégrader la guerre, moyen exceptionnel de la politique d'État, en lutte inexpiable d'idéologies radicales dont le simplisme intolérant s'accordait avec la sensibilité grégaire et les élans spontanés des peuples.

L'historien et l'analyste trébuchent devant ces énoncés de problèmes politico-stratégiques sans autre réponse, depuis le début du XXᵉ siècle, que la preuve par l'évidence des conflits paroxystiques et des fautes contre la raison politique. Pour en éclairer les origines et les causes, il faudrait savoir débrouiller les entrecroisements du réseau de déterminations et conditionnements, de toute nature, qui ont commandé l'action conjointe des politiques et stratèges, et défini l'intersection de leurs problématiques respectives. Le critique a beau jeu de relever *a posteriori* les erreurs d'évaluation et de jugement des acteurs. Site confortable, celui du critique : son information rétrospective, qu'il est tenté d'estimer parfaite, ne coïncide jamais avec celle, lacunaire et floue, du politique et du stratège immergés dans le réel conflictuel, et qui tentent d'arracher une figure plausible de l'avenir au magma des incertitudes. Écart mental irréductible. A quoi s'ajoute la distance entre la bibliothèque du stratège en chambre qui, souvent, n'a jamais commandé à dix hommes, et la tente du chef de guerre voué à décider, dans le *bruit* brouillant la seule information utile, une action impliquant mort d'hommes.

Jomini reconnaît cet écart. Méditant sur la campagne de 1812, il se garde d'emboîter le pas aux critiques ayant hâtivement dénoncé « les fautes » de Napoléon : « Pour le condamner ou l'absoudre, il faudrait bien connaître les vrais motifs qui le déterminèrent ou le contraignirent à dépasser Smolensk, au lieu de s'y arrêter et d'y passer l'hiver, comme il en avait hautement annoncé le projet... Loin de vouloir m'ériger en juge d'un si grand procès, je reconnais que tous ceux qui s'en arrogent le droit ne sont pas toujours à la hauteur d'une pareille mission, et manquent même des renseignements nécessaires pour la remplir [1]. » Problème d'information récurrente, d'abord; de grille de lecture, ensuite. A supposer, songe Jomini, que je dispose de toute l'information qu'a traitée Napoléon pour décider, mes critères de jugement politique et stratégique, mon entendement, ma volonté – mon champ mental – ne coïncident évidemment pas avec les siens dans le moment où cette information se convertit en décision, en énergie motrice pour lui et les autres. Non seulement mon expérience qui, au mieux, m'autoriserait à « m'arroger le droit » de juger, ne recouvre pas celle de l'actant, mais rien ne m'assure aussi que sa décision *actuelle* ait procédé d'un traitement *banalisé* de l'information; que ses procédures décisionnelles se soient fondées sur quelque méthode d'analyse et de calcul tirée d'observations répétées et convergentes sur l'action antérieure – une sorte d'induction généralisant les expériences singulières. D'ailleurs, les maîtres n'ont cessé de dénigrer le bénéfice de l'expérience : à ceux qui l'invoquaient, Maurice de Saxe (ou Frédéric II?) opposait l'expérience de sa mule qui l'avait suivi dans vingt campagnes. Boutade de qui se sait incomparable parce qu'il *invente* dans le contingent. Mais Apelle avait raison, lui aussi, de rabrouer le cordonnier qui, après avoir justement dénigré le dessin d'un cothurne, s'aventurait plus haut. Éternelle querelle du métier et du génie natif, du créateur et du critique n'ayant jamais éprouvé son intelligence et son caractère contre les résistances du matériau; ce qui devrait inviter à l'humilité, non seulement le théoricien qui ose dire sur le faire sans avoir jamais fait, mais aussi le praticien dont le faire le mieux calculé doit compter avec la fortune – la fortune de guerre, disait-on jadis...

Les doutes de Jomini, et les nôtres, sur la validité de la critique nous rappellent à la prudence devant les constats de faillite des politiques et stratèges qui, d'erreur en erreur par excès, allèrent de catastrophe en catastrophe pour avoir abandonné la violence d'État à sa pente dans un moment de l'histoire où elle ne pouvait être maîtrisée qu'en renouvelant sa problématique. Celle-ci impliquait que l'on s'interrogeât, d'abord, sur les conséquences de l'éveil des peuples à la conscience de leur unité et de leurs intérêts collectifs; sur celles de la nationalisation et de la démocratisation de la guerre comme moyen d'une politique devenue l'affaire de chacun et de tous. Mieux informés et plus vite par une presse accessible à de plus grands nombres, puis par d'autres médias plus efficaces, vulnérables aux propagandes et désinformations qui se

---

1. *Précis de l'art de la guerre*, III, p. 29.

systématiseront en action et guerre psychologiques, les peuples, travaillés par les grands mythes nationaux – pangermanisme et panslavisme, au début du siècle – ou idéologies révolutionnaires, interviendront de toute leur sensibilité, de toutes leurs passions, dans la montée en puissance et en tensions négatives des crises belligènes : processus d'escalade, dans le spectre des états de conflits, plus rapide et plus irrépressible pour les gouvernements pris au piège des masses surchauffées, et qui purent malaisément régresser dans l'échelle des tensions pour négocier un règlement pacifique des litiges. Le franchissement du seuil critique dans les états de conflit – la décision de guerre – s'avéra plus probable : à la pression des opinions publiques s'ajoutait celle des systèmes militaires contraints de prendre rapidement les dispositions préparatoires aux hostilités qu'exigeaient la mobilisation, la concentration et l'engagement des armées de masses, ainsi que la rapide adaptation de l'appareil industriel à la guerre – toutes mesures difficilement réversibles. Le seuil critique de la guerre franchi, la montée vers l'extrême des états de conflit, vers la lutte à mort impliquant la stratégie d'anéantissement des forces armées, puis la destruction de la substance vive des belligérants, s'inscrivait dans la logique du duel. Cela, non plus pour un enjeu étatique limité, mais pour l'existence même des peuples totalement impliqués et conscients de jouer leur destin : fins politiques illimitées s'opposant polairement dans une négation réciproque si radicale qu'elle rendait improbable, entre les adversaires, l'émergence de tensions positives, la conscience d'un résidu d'intérêts communs les incitant à songer à l'après-guerre, à réduire l'intensité de la violence pour instaurer les conditions d'une paix négociée.

Guerre totale et théorie stratégique

La guerre totale était inscrite dans l'univers culturel de l'Europe dès lors que deux grandes révolutions, sociopolitique et industrielle, y multipliaient l'un par l'autre les pouvoirs de création historique des forces idéologiques et physiques. Conjonction exceptionnelle dont la résultante devait encore résonner avec une croissance démographique accélérée. Ce n'est pas fortuitement que ce style de conflit fut inventé, dans son concept et sa réalité, par la puissance la plus peuplée, la France. Goethe ne se trompa pas sur le premier signe de la mutation, Valmy : « De ce lieu, de ce jour, commence une nouvelle époque dans l'histoire du monde. » Ce n'est pas hasard si ce style primitif s'épanouit, ensuite, comme l'un des langages naturels des nations européennes assez puissantes pour prétendre transformer le monde à leur image et rivaliser dans la volonté d'empire; si l'Europe, victime non innocente de la perversion de la violence, a passé la main aux deux Grands qui assument aujourd'hui le double héritage de la puissance matérielle et du messianisme idéologique; si, tout naturellement, ils possèdent les moyens de la guerre hyperbolique à la mesure de desseins projetés sur la terre entière; si « la bombe » est apparue et fut perçue comme l'instrument adéquat pour le règlement du dernier compte entre les prétendants à l'*imperium mundi*. Sans doute la guerre fut-elle un phénomène trop universel pour que ses manifestations locales aient reproduit à l'identique les modes, formes et styles des conflits armés entre les puissances dominantes. Dans les entreprises extérieures, conquêtes coloniales ou opérations lointaines accompagnant leurs conflits directs sur le théâtre principal, elles ont pratiqué des stratégies militaires adaptées, dans leur but et leurs voies-et-moyens également limités, à des adversaires généralement plus faibles, à des terrains et milieux très différents.

N'est-il pas significatif que la théorie stratégique ait ignoré longtemps ces conflits extérieurs? Pourquoi la grande aventure des conquistadors, des grands coloniaux français, britanniques, etc., qui ont fondé d'immenses empires quand on se battait pour une province en Europe, qui ont ouvert l'espace extra-européen à des influences assez déterminantes pour y transformer hommes et choses, et si profondément qu'ils en demeurent marqués après le grand reflux, pourquoi ces entreprises militaires servant des fins politiques illimitées, quoique rarement formulées explicitement par les États, furent-elles négligées par les théoriciens? Pourquoi des stratégies aussi économiques dans leurs moyens et leur coût – eu égard à la valeur des enjeux politiques – figurèrent-elles en appendice, comme des arts mineurs, marginaux, dans les programmes des écoles de guerre européennes [1]? Pourquoi la stratégie maritime, qui pesa si souvent sur l'issue des conflits majeurs, dut-elle attendre la fin du XIXᵉ siècle pour être théorisée par Mahan et Colomb [2]? Jomini donne la mesure du faible intérêt de la pensée militaire du temps pour ces questions en se bornant à « quelques mots sur les grandes invasions et les expéditions lointaines » [3]. Typologie simplificatrice : il les amalgame, dans une même classe, avec « les grandes invasions continentales » (comme les campagnes des Valois en Italie, de Charles XII et de Napoléon en Russie), avec les opérations des « corps auxiliaires envoyés au loin pour secourir des puissances auxquelles on est lié par des

1. Dans l'ouvrage collectif d'Edward Mead Earle, *Makers of the modern strategy* (1943), un chapitre signé Jean Gottmann est consacré à *Bugeaud, Gallieni, Lyautey : développement de la guerre coloniale française*. Ils « fondèrent une nouvelle école de pensée... »

2. L'Américain Alfred Thayer Mahan publia *The Influence of sea power upon history* en 1890, et le Britannique Philip Colomb son *Naval Warfare* en 1891.

3. Titre du chapitre III, article 29 du *Précis de l'art de la guerre.*

traités défensifs ou des coalitions » (comme celles de Souvoroff en Suisse), et avec « les grandes descentes » amphibies « s'attaquant à de grands États ». Il mentionne *in fine* « les expéditions d'outre-mer; mais l'embarquement et le débarquement étant des opérations de logistique et de tactique plutôt que de stratégie, nous renvoyons à l'article 40, qui traite spécialement des descentes ».

Sans doute dit-il, à propos « des guerres nationales », que « la domination de la mer entre pour beaucoup dans les résultats d'une invasion nationale : si le peuple soulevé à une grande étendue de côtes, et s'il est maître de la mer, ou allié d'une puissance qui la domine, alors sa résistance est centuplée, non seulement par la facilité qu'on a d'alimenter le feu de l'insurrection, d'alarmer l'ennemi sur tous les points du pays qu'il occupe, mais encore par les difficultés qu'on opposera à ses approvisionnement par la voie maritime [1] ». C'est bien la première fois que la littérature militaire évoque les communications maritimes; mais il ne s'agit que du soutien logistique entre des théâtres d'opérations terrestres discontinus, non d'une stratégie maritime à laquelle la conduite globale de la guerre assignerait ses buts spécifiques afin de peser sur les vulnérabilités de l'adversaire. Sans doute, pris d'un repentir ou par souci d'être complet, Jomini rédige-t-il en 1829, peu avant la publication du *Tableau analytique des principales combinaisons de la guerre* (1830) et la prise d'Alger, un *Aperçu des principales expéditions outre-mer* [2]. On s'attend que le théoricien... théorise; mais il se borne à un inventaire, depuis les Égyptiens. Raccourci historique décevant : le discours diachronique très cursif n'est jamais croisé horizontalement par les coupes synchroniques récapitulant, en tels moments significatifs de l'évolution, les buts et modes stratégiques spécifiques de l'action à grande distance de l'espace national. Aucune note sur le sens de leurs variations, ni sur leurs rapports avec des fins politiques poursuivies par les États s'engageant dans l'espace ouvert à la stratégie, que nous nommons aujourd'hui indirecte, dans et par-delà les espaces maritimes. Jomini en reconnaît si peu les caractères spécifiques qu'il n'étudie ces « expéditions maritimes » qu'« à l'appui des maximes sur les descentes » en Europe. Identification révélatrice et traitement significatif du mépris intellectuel pour la politique et la guerre hors de l'espace continental et de ses approches : la fonction de la violence d'État n'est perçue et ne trouve son sens que dans l'esprit étroit de l'européocentrisme et de la stratégie directe, et terrestre, des grandes puissances. Le *Précis de l'art de la guerre* comme *Vom Kriege* s'accordent sur cette abusive réduction de leur objet comme si, pour ne considérer que les temps modernes, les conflits pour l'hégémonie ou l'équilibre en Europe n'avaient pas constam-

---

1. *Précis de l'art de la guerre*, I, p. 8.
2. Il figure en supplément à l'édition du *Précis*.

ment *composé,* depuis le XVIIe siècle, les stratégies terrestres, maritimes et d'outre-mer; comme si les résultats des campagnes sur mer et outre-mer n'avaient pas pesé sur l'issue des guerres continentales; comme si Trafalgar et le Blocus continental n'avaient pas scellé le destin du « dieu de la Guerre » impuissant sur mer.

Abusive, mais moins étrange qu'il y paraît, cette réduction de l'objet-guerre et de la théorie stratégique, depuis Jomini, à la guerre continentale. Dès lors que l'on posait en dogme la stratégie d'anéantissement des forces, étendue ensuite à la destruction de la substance de l'adversaire, dès lors que, dans le spectre des états de conflit, la guerre nationale ne pouvait être que totale et monter vers l'extrême de la violence en engageant toutes les énergies des peuples jusqu'à épuisement du plus faible et à une paix dictée, c'était d'abord sur terre, dans l'espace enfermant l'essentiel des ressources humaines et matérielles, à la fois cibles et enjeux du conflit, que la décision devait être recherchée. Sur terre, la source de l'identité et le centre de gravité de la puissance. Le reste, l'espace extérieur, était logiquement secondaire et le restera jusqu'à ce que, à son tour, il devienne un réservoir d'énergies indispensables à la conduite d'une guerre prolongée. Les opérations continentales furent nécessairement privilégiées, en Europe, quand la règle du jeu politico-stratégique voulait que la fin de la guerre s'identifiât à la capitulation de l'adversaire et à une paix imposée.

C'est pourquoi, *a contrario,* la guerre à fin politique modérée et à but stratégique limité du XVIIIe siècle s'achevait sur une négociation prenant en compte ses résultats outre-mer, donc sur mer. Les conditions du retour à l'équilibre européen intégraient ces profits et pertes extérieurs avec ceux des campagnes continentales. Pour les puissances coloniales comme la France et l'Angleterre, dont l'existence n'était jamais menacée par leurs duels, les enjeux disputés outre-mer pouvaient balancer la dévolution d'une province en Europe. Paradoxalement, la guerre à but limité était globale dans l'espace : elle couvrait plusieurs théâtres d'opérations et combinait stratégies directes et indirectes sur divers continents grâce à la stratégie maritime. Mais leur ensemble n'était pas théorisé : les campagnes en Europe et outre-mer se déroulaient sans liens véritables, dans un espace de guerre compartimenté par les grandes distances qui, pesant sur le temps d'information des centres de décision et sur le temps de réponse de leurs réactions, leur interdisaient de calculer et de distribuer leurs efforts dans une stratégie composite authentiquement globale. Paradoxalement aussi, l'avènement de la guerre à but absolu, après les essais malheureux de stratégie maritime de Napoléon, réduisit l'espace opérationnel au continent européen puisque les belligérants, directement visés à travers leurs frontières durent lutter pour leur existence. Ce type de conflit ne devint global que progressivement au cours de la Première Guerre mondiale, et il le fut d'emblée dans la Seconde parce qu'il fallut d'abord puiser, dans les empires coloniaux et chez les alliés d'outre-mer, les ressources nécessaires à la guerre totale prolongée; ensuite, parce que les grandes puissances insulaires, États-Unis et Japon, ne purent s'atteindre au cœur ou frapper leurs ennemis continentaux, en Europe et en Asie, qu'après de longues approches sur de multiples théâtres. Dans ces guerres à but absolu, la stratégie indirecte ne constitua qu'une manœuvre préparatoire à la stratégie directe d'anéantissement, non son complément ou son substitut comme au XVIIIe siècle : la règle du jeu, établie depuis 1792, s'imposait, intangible, et la fonction de la violence demeurait perçue telle que la voyaient les disciples maximalistes de Clausewitz et de Jomini.

La critique s'égare donc quand elle dénonce comme irrationnelle – dénuée de raisons – l'amplification de la violence, qui impliquait l'extension mondiale des conflits entre grandes puissances. Sans doute nous est-il facile de juger que, dans ses derniers avatars, la guerre totale est devenue *objectivement* irrationnelle. Nous constatons, après coup, que ses stratégies se sont effectivement déliées de leur sujétion à la politique raisonnable pour trouver en elles-mêmes leurs propres fins : la victoire militaire à n'importe quel prix politique, sans égard à l'ordre de paix ultérieur. Déconnection non délibérée : elle trouve ses raisons, fort claires à l'analyste, dans l'esprit du temps. Sa nécessité s'inscrit dans les effets croisés, multiplicateurs et redondants, de *données* de fait sociopolitiques et culturelles, de facteurs relevant pour les uns du rationnel – la science et les techniques réglées – et, pour les autres, de l'irrationnel – le nationalisme déréglé. Combinaison explosive qui n'échappe pas à la clairvoyance de Nietzsche : « C'est à Napoléon que nous devons de pouvoir pressentir aujourd'hui une succession de siècles guerriers qui seront sans égaux dans l'histoire; c'est à lui que nous devons d'être entrés dans *l'âge classique de la guerre*, la guerre scientifique en même temps que nationale, la guerre en grand (par les moyens, les talents et la discipline), que les siècles des siècles à venir nous envieront avec respect comme un échantillon du parfait [1]. »

Lorsque Raymond Aron, après d'autres – Liddell Hart, Lawrence d'Arabie –, accuse la génération des Foch et Ludendorff d'avoir trop aisément cédé à la pente de la guerre totale [2], nous

---

1. Nietzsche, *Le Gai Savoir*, 362.
2. Raymond Aron, *Penser la guerre, Clausewitz*, 2 vol., Gallimard, 1976. Magistrale étude de l'évolution de la stratégie dans ses relations avec la politique, du XVIIIe siècle à nos jours, rapportée à la théorie clausewitzienne de la guerre. A sa rare érudition, Aron ajoute une exceptionnelle analyse d'un discours génial, quoique inachevé, dont il restitue minutieusement la lente maturation, la rigueur

sentons bien qu'il s'installe dans une position de critique rétrospectif qui ne coïncide pas – et ne le peut – avec celle des
décideurs. Référée à un modèle étalon, l'histoire de la stratégie de
Aron aide à comprendre pensées et conduites passées en récapitulant les succès des uns, les erreurs des autres; histoire récurrente
– selon les termes de Bachelard – comptabilisant la totalité des
faits consécutifs à des décisions connues et jugeant leur somme
achevée à leurs conséquences désastreuses observables aujourd'hui; fautes que les acteurs auraient pu éviter, selon Aron,
s'ils avaient appliqué la leçon clausewitzienne sur les rapports
entre politique et guerre. Mais il est une autre lecture de la même
histoire, non récurrente celle-là : celle des politiques et des
stratèges eux-mêmes, qui pensent et agissent pour la faire, à la fois
immergés dans les flux d'information et d'énergies, et les pilotant
du dedans. Sous les pressions de la réalité historique *actuelle*, ils
inventent un futur – l'aval de la procédure décisionnelle – parmi
les possibles recelés par un état de choses qui n'est ni vide ni
quelconque, ni ouvert à toutes les libertés, à tous les choix. Un état
de choses défini et dense, chargé de tous les faits et événements
cumulés en amont, d'un héritage de déterminations qu'ils ne
peuvent évacuer et qu'ils traiteront comme un donné – une
information – contraignant ou utile, selon le cas, à leur action
finalisée. Le stratège-acteur ne se pose pas comme une origine, il
ne part pas de zéro, n'est jamais vierge : l'histoire en amont de son
discours et de ses décisions n'est pas un sédiment neutre et plat de

méthodologique et la puissance d'invention conceptuelle. S'il en souligne les
difficultés d'interprétation, la passion pour son objet et l'excessive polarisation du
regard l'entraînent trop souvent à juger théoriciens et praticiens sans excessive
indulgence, selon leur approche, leur compréhension et leur utilisation d'une
œuvre canonisée. Il condamne bien hâtivement ceux qui se sont écartés,
sciemment ou non, de la vulgate dont il éclaire les ambiguïtés et les variations
pour mieux revendiquer l'exclusivité de l'exacte interprétation. Il est vrai que,
désormais, nul ne pourra évoquer Clausewitz sans se référer à la lecture de
Raymond Aron. Mais quand celui-ci extrait de son modèle les instruments d'une
critique décapante appliquée à la pensée et à la conduite de la guerre des
« autres », son assurance et son savoir théorique l'induisent à sous-estimer la
pression de réalités dont il parle pourtant fort pertinemment à la suite de
Clausewitz. Faute, sans doute, d'avoir pris la mesure, par l'action même, des
contraintes et incertitudes pesant sur l'entendement et limitant les degrés de
liberté du praticien immergé dans l'action *actuelle*, il dénonce des carences de
l'information et des erreurs de jugement que l'analyse récurrente du critique peut
aisément déceler, mais que la complexité même de l'agir collectif en milieu
conflictuel rend très probables. Oserais-je ajouter que le maître à penser laisse
trop transparaître son mépris pour l'intelligence et le savoir des militaires; qu'il
leur impute une méconnaissance de Clausewitz sur la nature et la portée de
laquelle il faudrait s'interroger? Je ne suis pas sûr que lui-même les ait lus avec le
souci de penser la pensée du praticien : celui-ci peut connaître la production
théorique de son temps sans éprouver le besoin de la commenter *ex cathedra;* se
borner à découper, dans un discours visant le général, le transhistorique, ce qui
lui est utile dans l'immédiat, dans l'actuel qui le presse de décider ou de préparer
des décisions prochaines.

théories et de pratiques objectivées. Elle n'a de sens que pragmatique, n'est reçue qu'à travers le filtre polarisé de l'entreprise en cours ou en préparation. Théories et doctrines répandues, pratiques d'hier manifestées ici et là, n'atteignent l'actant que dans la mesure où elles parlent son langage du moment : il les décode avec la grille de lecture que suggèrent, qu'imposent même sa perception des situations actuelles et ses calculs prévisionnels. Il ne reçoit et ne lit que l'utile – ce qu'il croit tel – et rejette le reste comme scories d'une construction intellectuelle dont les visées étrangères, pour lui anachroniques, pèsent peu devant les nécessités de l'histoire à faire.

Les discordances entre la lecture récurrente et la lecture actuelle des mêmes faits de conflit, l'écart entre le savoir cumulatif et ouvert du critique hors histoire et le savoir fini et polarisé de l'actant dans l'histoire, disculpent les stratèges postjominiens et postclausewitziens de la faute, contre une raison politique identifiée à quelque sens de l'histoire, que seraient leur méconnaissance de la fonction de la violence et son mauvais usage. Elle est trop liée à l'état de choses sociopolitique et culturel, dans son principe, ses instruments et ses modalités, pour ne pas contraindre le politique et le militaire à couler leur action dans un moule de conditionnements et de déterminations définissant très étroitement leurs degrés de libertés. Il ne dépend pas d'eux que les États-nations coexistent dans l'état de nature et que le principe de conflit régente leurs relations; que, depuis bientôt deux siècles, les facteurs se soient accumulés et leurs effets amplifiés pour que, le seuil critique de la guerre franchi, le processus de montée au paroxysme de violence échappe à leur contrôle. Ce n'est pas à la transgression, délibérée ou inconsciente, des principes d'une politique et d'une stratégie rationnelles qu'il faut imputer les erreurs de l'entendement et les fautes de jugement, ni à l'inobservation d'une règle du jeu par quelque perturbateur; mais à l'inexistence, à l'impossibilité même d'une règle dès lors que les peuples eux-mêmes étaient totalement impliqués et engagés dans le jeu de la violence. Non plus violence d'État, comme on la désigne communément – car si « l'État est le plus froid des monstres froids », selon Nietzsche, au moins préserve-t-il les peuples des coups de sang –, mais violence d'unités sociopolitiques et culturelles plus complexes résumant un peuple et un mythe, national ou autre. Comment conceptualiser ces entités, mélanges explosifs d'énergies physiques et psychiques sans précédent dans l'histoire? Mélanges d'autant plus détonants que ces énergies, valorisées par la croissance démographique et la puissance de l'information, travaillent dans un système mondial désormais fermé, lié par les relations de plus en plus nombreuses et étroites de dépendance mutuelle entre ses éléments. Effet de bourrage, dirait un sapeur...

Épiphanie de la règle du jeu politico-stratégique

L'état de nature est une chose, la règle du jeu une autre. Après Hobbes, Hegel – contemporain de Jomini et de Clausewitz qui l'ont sans doute ignoré – a noté que le passage de l'état de paix à celui de guerre révèle l'antinomie entre le droit des gens et celui des États : « Le principe fondamental du droit des gens en tant que droit universel qui doit, en soi et pour soi, s'imposer dans les relations entre les États, et par là est différent du contenu particulier des traités effectivement conclus, est que ces traités, puisque c'est sur eux que reposent les obligations des États les uns envers les autres, doivent être respectés. Mais comme le rapport des États entre eux a pour principe leur souveraineté respective, ils se trouvent, les uns par rapport aux autres, dans l'état de nature et leurs droits n'ont pas leur réalité dans une volonté générale constituant une puissance au-dessus d'eux, mais dans la volonté particulière de chacun d'eux. Cette distinction universelle du droit des gens reste donc au niveau du devoir-être. Il en résulte que, dans les relations réelles entre les États, on voit alterner des rapports conformes à ces traités et la suppression de ces rapports [1]. » C'est pourquoi, ajoute-t-il, « il n'y a pas de juge pour trancher les différends entre les États, mais tout au plus seulement des arbitres ou des médiateurs, lesquels, toutefois, ne peuvent intervenir que d'une manière contingente, en accord avec la volonté particulière de chacun des pays intéressés ».

La logique hégélienne conduit, ici, bien au-delà du droit. Elle dénonce indirectement l'utopie de Jomini souhaitant que « les guerres d'extermination soient bannies du code des nations » et la critique que Aron applique aux dérèglements de la violence. Car si la décision de guerre restaure l'état de nature en rompant avec l'état de droit consacré par les traités, une question n'a cessé de se poser, depuis des siècles : comment prolonger ce dernier dans l'état de nature lui-même, comment conserver quelques résidus utiles dans la guerre, en soumettant la violence à des règles de bon usage? Depuis les codes de bonne conduite guerrière des cités grecques, des conventions ont tenté de tempérer la violence : traitement des populations et des prisonniers, prohibition de certaines armes, etc. Si le retour à l'état de nature ne peut être interdit, entre les adversaires, par « une volonté générale constituant une puissance au-dessus d'eux », on trouva un substitut à cette « volonté générale » dans cette règle du jeu que j'ai constamment évoquée et qui, quand elle existe, traduit le consensus de la société internationale sur l'esprit et la fonction de la violence dans les relations entre ses membres. Règle de modération collective

1. Hegel, *Philosophie du droit*, § 333.

parce que, d'abord, règle d'automodération de chacun acceptée comme une contrainte surdéterminante dans le jeu des tensions et les états de conflit. Règle naturelle, paradoxalement, puisque, dans le retour à l'état de nature, elle n'y intervient pas à la suite d'une approche juridique et ne lui est pas surimposée comme un droit formulé : elle résume les patients acquis historiques devenus le *naturel*, souvent non dit, d'une communauté de culture et de civilisation. Elle exprime les sensibilités, les perceptions et réactions collectives identiques des sociétés inscrites dans cet espace devant les problèmes majeurs de leur coexistence et le principe de conflit. C'est pourquoi, fait de culture diffusant dans la nature de la société internationale et y introduisant un principe d'autorégulation qui interdit les excès de la violence collective, la règle du jeu s'impose non seulement dans la guerre, mais aussi dans les passages de l'état de paix à l'état de guerre et retour à la paix; dans les *transits* par tous les seuils critiques des états de conflit.

Jomini et Clausewitz corrigent donc la trop radicale dichotomie hégélienne entre les états de droit et de nature : en dénonçant les méfaits de la violence paroxystique et ses origines, ils mettent en évidence la fonction surdéterminante d'une règle capable de plier l'état de nature à la loi, non écrite, de la nature de tout système sociopolitique; loi qui interdit la lutte à mort entre ses éléments, sauf à compromettre sa régulation, donc sa survie. Sans doute ne formulent-ils pas ce concept. Toutefois, il se dessine en filigrane, *en creux*, quand Clausewitz théorise les deux formes de guerre, quand Jomini déplore l'irruption des énergies populaires échappant au contrôle des gouvernements. La règle du jeu politico-stratégique apparaît donc comme la manifestation de l'instinct de vie d'un système sociopolitique – système culturel – rongé par l'instinct de mort que manifestent les forces de transformations du XIXe siècle. Elle émerge aujourd'hui comme un concept médian et médiateur entre l'état de droit et l'état de nature. Sa nécessité s'impose après les conflits paroxystiques du XXe siècle, après de tragiques expériences confirmant ce que le Suisse et le Prussien n'avaient pu qu'entrevoir après 1815. Comment les politiques et militaires postérieurs, le nez sur ces expériences *in vivo*, auraient-ils pu tirer la leçon de ce qui n'était pas achevé, calculer et décider selon les règles d'une raison pratique, comme le voulait Aron?

Il fallait que la probabilité du passage à l'extrême des états de conflits – le duel à mort sans autre issue que la mort partagée des duellistes – fût perçue comme non nulle, avec l'installation de « la bombe » comme pièce majeure du jeu, pour que se révélât un vide redoutable dans l'arsenal des raisons politiques que les adversaires pouvaient invoquer pour accepter le passage à l'état de nature. Le besoin d'une règle explicite, dont les prescriptions devaient être à la mesure des enjeux de la partie nucléaire et de son issue nécessaire, s'imposa à la sensibilité collective et à l'entendement politico-stratégique. L'irruption du fait nucléaire parachevait l'expérience des guerres totales antérieures en permettant d'imaginer l'état de conflit limite, atteignant un degré de violence indépassable. La bombe a donc contraint les analystes, intellectuellement désarmés devant cette situation aberrante, à chercher son sens stratégique et politique, par similitude, dans les récents conflits paroxystiques. Elle en suggérait une figure parfaite et jamais réalisée jusqu'alors; figure plausible, qui serait enfin conforme au pur concept de lutte à mort dont la fin absolue pourrait s'accomplir dans l'élimination physique des antagonistes. La guerre nucléaire dite centrale compléterait le spectre des états de conflits, mais de manière ambiguë : fait de rupture, elle outrepasserait la borne supérieure du spectre, ses effets ne répondant à aucune fonction « pensable » de la violence, à aucune fin politique concevable; mais, aussi, fait de continuité historique, puisque l'analyse récurrente des guerres totales antérieures montrait que ce passage à la limite était *déjà* inscrit, nécessairement, dans la montée irréversible des états de conflit vers l'extrême du spectre.

Tout se passe donc comme si, grâce à la bombe, l'histoire de deux siècles de guerres devenait enfin lisible dans la totalisation de ses faits d'évolution; comme si le sens de cette évolution n'avait pas été décodable avant le moment d'accomplissement marqué par l'expansion maximale des capacités de violence du système interétatique. Capacités constamment accrues au cours de chaque guerre et par la prise en compte, par chacune, de l'héritage de la précédente; progression de leurs valeurs globales par accumulation des progrès partiels dans les divers domaines – sociopolitiques, techniques, etc. – déterminant les systèmes de forces militaires. Au critique de l'âge nucléaire, l'histoire des guerres modernes apparaît donc comme une somme d'expériences cumulatives de la violence; comme la manifestation d'une série convergente de capacités de violence dont la somme tendait invinciblement vers une valeur limite : celle dont l'effet s'identifierait au génocide imparable et, surtout, produit « d'un coup sans durée » – caractéristique qu'ignoraient les guerres antérieures à la bombe. Ce qui, selon Clausewitz, leur interdisait, avec d'autres facteurs de limitation, de coïncider avec le pur concept de guerre...

Faute de cette information cumulative, faute de pouvoir, comme l'analyste actuel, connaître le point d'accumulation de tous les progrès concourant à amplifier les capacités de violence, il est clair que les théoriciens et praticiens d'hier ne pouvaient mettre en perspective leur propre expérience. Ils percevaient l'état des capacités de violence alors disponibles comme l'un des moments répétitifs d'une évolution qu'ils se bornaient à constater sans s'interroger sur son sens : la fonction de la violence était perçue et utilisée politiquement dans le *hic* et *nunc* d'une problématique conflictuelle *locale*. En d'autres termes, c'est l'irrationalité politique de la guerre nucléaire paroxystique qui replace, dans leur vraie perspective historique, les guerres totales antérieures et qui en révèle, par récurrence, la déraison politique. La théorie stratégique de l'âge nucléaire fournit donc un outillage critique applicable, rétrospectivement, à tous les conflits antérieurs et à toutes les stratégies du passé. Révélant la nécessité d'une règle du jeu – qui n'est qu'une condition de pertinence entre la violence comme moyen et la politique comme fin –, la bombe les soumet au jugement de la règle. Réciproquement, l'analyse critique, récurrente et comparative des facteurs belligènes et des déterminations de toute nature qui, selon l'époque, ont imposé une règle ou, au contraire, l'ont évacuée de la pensée et de la pratique politico-stratégique, devrait éclairer à la fois les raisons et la nature de la règle à l'âge nucléaire. Ce n'est pas une rencontre fortuite, si les stratèges contemporains, s'efforçant de théoriser la fonction de la violence nucléaire et ses implications, s'accordent avec Jomini ou Clausewitz, soudain rajeunis, pour avoir regretté la belle époque de la règle du jeu : celle de Frédéric II et de Maurice de Saxe dont ils louaient la mesure...

Toutefois, si la rupture provoquée par la bombe a restauré la fonction surdéterminante de la règle, la mutation technique exige une transformation non moins radicale de cette dernière. J'ai dit ailleurs comment le concept de non-guerre nucléaire directe – les formes concrètes de la dissuasion étant combinées avec celles de la stratégie indirecte – inscrivait la nouvelle règle dans le spectre des états de conflits entre les puissances nucléaires, d'abord; comment la bombe assumait, enfin, la fonction d' « arbitres ou (de) médiateurs » supra-étatiques dont Hobbes et Hegel constataient la regrettable mais logique absence dans un système international voué à l'état de nature. Cette fonction, la bombe peut la revendiquer parce qu'elle n'intervient pas « d'une manière contingente, en accord avec la volonté particulière de chacun des pays intéressés » : elle s'impose également à tous *nolens volens* comme une réalité physique incontournable, avec sa charge de risques politiques également inacceptables; comme un pouvoir régalien dont les imprescriptibles interdits récusent les interprétations juridiques et idéologiques, et défient les velléités de transgression des plus audacieux. Avec la bombe posée, objective et intouchable, à l'horizon des crises internationales, Jomini et Clausewitz ont trouvé le moyen d'outre-tombe le plus efficace pour refréner les pulsions de violence collective et irrationnelle des peuples soulevés par les messianismes suicidaires; l'instrument, universellement reconnu et révéré, permettant de contrôler, par la soumission de tous à un principe de modération échappant au relativisme éthique, la montée en violence des états de conflits : la bombe dit et impose sa morale, relativisant toutes les morales reçues.

Ruse de la déraison guerrière qui restaure la raison politique dans le temps où le génie scientifique et technique des peuples autorisait à désespérer de leur instinct de vie. Mais raison dont l'efficace tient au *mythe de la bombe* sur la durée de laquelle on peut certes s'interroger quand on observe les efforts, obstinés et pernicieux, déployés ici et là pour tourner la règle et réintégrer la bombe, sous quelque forme apprivoisée, dans la panoplie des armes banales de la guerre – de l'état de nature. De même peut-on s'interroger sur la répugnance de certains à accepter ce fait brutal : pour des raisons techniques autant que politiques, la *manœuvre de la bombe* relève de la seule compétence des plus hautes instances d'État et se prête mal aux procédures procession-nelles de type démocratique. N'est-ce pas là, bien au contraire et compte tenu de ses inconvénients manifestes, une réponse au problème, sans solution depuis cent cinquante ans, posé par le bon usage de la violence d'État malgré les pressions d'opinions trop promptes ou à l'abandon ou au bellicisme? On conçoit que l'insertion de cette fonction de nature dictatoriale – au sens romain – dans le système institutionnel des démocraties fasse problème. Mais si, au XVIIIᵉ siècle, le prix du maintien de l'équilibre dans la coexistence conflictuelle et de la limitation des guerres était le consensus à une règle du jeu *dynastique*, le prix à payer aujourd'hui, pour la non-guerre nucléaire, est le consente-ment des peuples à une règle *étatique* dont le bon fonctionnement exige que soient écartés tous les facteurs de perturbation.

Plus exactement, et pour tempérer les conséquences de ces dérogations, disons que la logique stratégique de l'âge nucléaire n'impose ses exigences et contraintes que dans les phases critiques que sont les *crises* : en amont – en temps normal –, la définition des politiques étrangères et de défense procèdent du travail habituel des instances institutionnelles; en aval de la crise, la guerre consécutive à un éventuel échec de la dissuasion nucléaire mobiliserait nécessairement, comme par le passé, toutes les énergies nationales. Mais l'observation de la dynamique du système international, depuis l'entrée dans l'ère nucléaire, montre bien que les changements d'état des relations entre ses membres ne se bornent plus, comme auparavant, au passage de la paix à la guerre, et retour. La fonction de la violence armée est en effet beaucoup plus différenciée : elle opère sous des modes complexes pour instaurer des états conflictuels hybrides, irréductibles aux deux seuls états, très tranchés, de la paix et de la guerre *stricto sensu*. Là encore, l'analyse récurrente des crises préludant à la guerre dans les temps prénucléaires éclaire, par comparaison, les transformations subies par l'état de crise : il a conquis son autonomie, dans la théorie et la pratique, au regard des états de paix et de guerre. Plus généralement : parce que nous avons dû, depuis 1945, penser la crise comme un état de conflit spécifique et valorisé par l'interdiction de la guerre nucléaire, puis de la guerre directe entre puissances nucléaires, nous avons dû, par extension, penser la fonction de la violence armée hors de son champ opérationnel habituel : celui que définissaient les catégories classiques de paix et de guerre [1].

Théorie de la guerre et théorie stratégique

J'ai évoqué plus haut, sommairement, la structure dynamique du système interétatique, la dialectique des principes de coexistence et de conflit, le spectre des états de conflits engendrés par la résultante des tensions positives et négatives, etc. J'ai ainsi suggéré un corpus de concepts politico-stratégiques capable de résoudre les difficultés rencontrées pour rendre intelligibles la pluralité et la complexité des fonctions assumées désormais par la violence d'État dans le fonctionnement continu du système international. Le fait-guerre ne peut plus coïncider, aujourd'hui, avec la totalité des états de conflits qui s'inscrivent dans le continuum de l'échelle des degrés de violence. Sans doute avons-nous vu que ce spectre comporte des seuils critiques marquant un *changement d'état remarquable* dans la fonction politique attribuée à la violence : la décision de guerre avec l'ouverture des hostilités et la décision de paix, avec la suspension des armes, sont bien les deux seuils autour desquels s'articule l'ensemble du spectre. La guerre *stricto sensu* demeure donc l'état central et de référence dont l'intelligibilité – quant à ses origines et à son issue, et quant à ses modes – commande celle de tout le spectre. Toutefois, si jusqu'à maintenant la théorie de la guerre s'est tout naturellement imposée comme théorie de la violence, moyen de la politique étatique, si elle demeure nécessaire avec son acquis – son système de concepts spécifiques, de principes, règles et normes pratiques –, il est clair aujourd'hui qu'elle n'est plus suffisante : le seul fait, observable que des forces de violence *agissent* à la fois pour produire l'état de non-guerre directe – la dissuasion nucléaire – et les états de conflits complexes et hybrides – stratégies indirectes, guerres limitées, crises – témoigne des limites de la théorie de la guerre à laquelle devrait succéder une *théorie du conflit*, dans le sens donné ici à ce concept.

Celle-ci ne remettrait pas plus en question la validité de celle-là que la physique einsteinienne ne conteste celle de la newtonienne dans son espace local d'observation et d'expérience. En changeant

---

1. Sur ce point, je me permets de renvoyer le lecteur à « Éléments pour une théorie de la crise », in *Essais de stratégie théorique*, Cahiers de la F.E.D.N. 1982.

de centre de perspective, la nouvelle théorie, plus puissante, engloberait l'ancienne comme un cas particulier, comme une application locale. Du nouveau poste d'observation qu'impose le fait nucléaire, la nature et la fonction de la violence d'État changent de *dimensions*. Son champ opérationnel se dilate jusqu'à couvrir le spectre entier des états de conflits concevables selon les valeurs, faibles ou fortes, de la résultante des tensions. Cet « espace » élargi englobe l'espace local de la guerre puisque la violence, réelle ou virtuelle, ne cesse d'opérer comme l'un des facteurs de transformation des relations interétatiques dont la continuité n'est pas interrompue par le franchissement des seuils critiques. Le concept de conflit relativise donc celui de guerre, même si, comme je l'ai dit, l'état de guerre demeure le référent auquel il faut constamment rapporter les autres états du spectre. Par exemple, la logique de la dissuasion nucléaire et les concepts de non-guerre directe, de crise, de stratégie indirecte, etc., se fondent sur une théorie de la guerre nucléaire et de ses implications, pour autant qu'on puisse les modéliser dans l'imaginaire. Ils se fondent sur le concept de règle du jeu qui relève, lui aussi, de la théorie de la guerre, puisqu'il traduit le principe de pertinence entre la politique comme fin et la guerre comme moyen.

Ajoutons, en corollaire, que le concept de stratégie, classiquement lié à celui de guerre – l'exercice de la stratégie impliquant naguère l'ouverture des hostilités et son domaine s'identifiant aux opérations militaires –, s'est élargi lui aussi : la stratégie couvre désormais l'ensemble des actions collectives finalisées par des projets politiques; actions conçues, calculées et conduites par les éléments du système politique mondial dont les inter-relations obéissent au principe de coexistence conflictuelle. L'ancienne relation englobant-englobé entre le concept de guerre et celui de stratégie s'est donc inversée : la stratégie de guerre n'est plus qu'un mode particulier d'une stratégie militaire englobante, coextensive au spectre des états de conflits puisque la violence d'État virtuelle ou réelle, faible ou forte, assume en permanence une fonction dans la dynamique ininterrompue du système international. Au continuum du spectre correspond celui des *complexions stratégiques*, c'est-à-dire des façons (modes, formes, styles) selon lesquelles la stratégie générale militaire peut être calculée et pratiquée en combinant diversement ses buts et ses voies-et-moyens concevables en un lieu et un moment géohistoriques.

Ce renversement de perspective relativise, du même coup, les théories jominienne et clausewitzienne de la guerre. En adoptant de multiples modalités infraguerre, la fonction élargie de la violence suggère une *théorie de la stratégie* incluant celle de la guerre, sous réserve qu'elles soient compatibles puisque celle-ci demeure l'état conflictuel de référence. Cette extension de la pensée stratégique aux emplois de la violence armée dans les

situations anté- et postguerre devrait éclairer la nature des états de
conflit et les pratiques *aux bords* de la guerre, dans les phases
critiques, de *passages*, mal connues et mal maîtrisées par les
décideurs, que sont l'entrée en guerre et l'arrêt des hostilités.
Changements d'états pourtant déterminants; le premier, pour ce
que sera la nature de la guerre, son but et son niveau de violence;
le second, pour son issue et l'ordre de paix qu'elle instaurera.
Clausewitz cherche les raisons de l'ascension vers l'extrême de la
violence et celles de « la suspension de l'acte de guerre [1] » à
l'intérieur de la guerre elle-même, dans sa nature spécifique et
dans sa relation avec la fin politique. Jomini se borne à constater
empiriquement, la dégradation de la fonction de violence sous
l'effet de l'engagement total des peuples. Tous deux pressentent
que, en identifiant inconsidérément fin *de* la guerre et fin *dans* la
guerre, en posant la victoire décisive par la stratégie d'anéantissement comme règle du duel, les successeurs de Napoléon se
couperont toutes les voies de désescalade dans l'échelle des
tensions négatives quand s'amorcera la crise; celle-ci se nouant
vite et irréversiblement par le jeu des surenchères idéologiques,
diplomatiques et des mesures préparatoires à la guerre à but
absolu. Décidée et engagée dans cet esprit, comment pourrait-elle
régresser sur la voie de la guerre totale, s'autolimiter dans la
violence dès lors que chacun des duellistes ne conçoit d'autre issue
que la capitulation de l'autre? « Cette guerre inférieure, note
Clausewitz à propos des conflits à buts restreints, ne peut exister
qu'à la condition tacite que l'adversaire s'y conforme [2]. » Accord
d'automodération peu probable, en effet, dès lors que la guerre n'a
été décidée par chacun qu'avec l'espoir d'en finir avec l'autre. Si
un accord existe jusqu'en 1945, explicite même à travers les
théories de la guerre partagées par les adversaires, c'est bien
uniquement sur la nature du duel, sur le caractère nécessairement
total d'une guerre directe entre grandes puissances. Cela seul
intervient dans les calculs stratégiques qui décident et précipitent
le passage à l'état de guerre. Les évaluations politiques anticipant
l'après-guerre sont évacuées. Avant 1945, la règle du jeu est donc
un consensus sur l'absence de règle de limitation de la violence.
Carence qui ne déterminait pas seulement le domaine de la guerre
elle-même, mais aussi ses *bords* : son approche à travers la crise et
son issue, à travers la négociation pour un nouvel ordre de paix,
n'étaient pas pensées pour elles-mêmes, comme des états du
système international – des états de conflit – dont le traitement
spécifique aurait permis de moduler la violence et d'échapper au
déterminisme de la guerre totale.
    La bombe a levé, pour un temps, les difficultés contre lesquelles

1. *De la guerre*, livre I, ch. I, art. 12 à 19 et livre III, ch. XVI.
2. *De la guerre*, livre III, ch. XVI.

butaient Jomini et Clausewitz observant que l'évolution historique accoutumait dangereusement les esprits à réduire la fonction de la violence à son mode extrême. Ce qui, pour le premier, ne pouvait être qu'un vœu pieux sur le bon usage des forces populaires et, pour le second, une condition tacite d'automodération, est devenu règle explicite et incontournable. La bombe réintroduit la question de l'issue d'une guerre éventuelle (nucléaire) dans les évaluations préalables à la décision de guerre. Mieux, la vision anticipatrice du système sociopolitique postguerre s'est installée, dans la nouvelle théorie stratégique, comme une information d'amorçage : sur elle se fonde et d'elle découle la nouvelle problématique de la fonction de la violence dans la société des peuples. La guerre nucléaire et celles qui peuvent y conduire ne sauraient plus être découpées, dans le spectre des états de conflits, comme des états autonomes; états que, à l'instar de la guerre totale anténucléaire, le politique et le stratège se croiraient autorisés à traiter en eux-mêmes, en ne s'inquiétant que des conditions de la victoire. Ce regard neuf s'impose d'autant plus que les supputations sur les variétés imaginaires de guerre nucléaire, auxquelles le stratège s'exercera pour se préparer à la conduire et à la gagner, n'ont d'autre valeur que spéculative : dans l'état actuel des choses, les scénarios les plus différenciés de duels nucléaires, paroxystiques ou limités, se rejoignent dans la même conclusion : la même issue catastrophique les prive identiquement de fin politique rationnelle.

Dans ces conditions, puisque l'issue de toute guerre nucléaire serait nécessairement aberrante et indépendante de la volonté des belligérants, il est clair que la règle de modération, de rationalisation de la violence, ne peut intervenir à l'intérieur de la guerre même, et que la seule ressource consiste à l'imposer à l'extérieur de l'état de guerre; c'est-à-dire *avant* l'ouverture du premier feu nucléaire. Donc, non seulement dans les évaluations politiques et stratégiques pouvant conduire à la décision du premier feu nucléaire, mais, plus en amont encore, dans tous les états de conflits assez graves, aux yeux de l'un au moins des adversaires, pour lui suggérer de recourir à l'ultima ratio nucléaire. Ainsi, de proche en proche en remontant vers l'amont, la continuité du spectre des états de conflits et les risques de franchissement des seuils critiques – la décision de guerre directe, puis celle du feu nucléaire – incitent les puissances nucléaires à étendre l'empire de la règle à la totalité du spectre. Il ne s'agit plus seulement, comme à l'âge classique, de penser et de conduire la guerre directe, y compris la guerre nucléaire, de telle sorte que soient préservées les chances d'une paix négociée entre les belligérants; il s'agit désormais de penser et de traiter tous les états de conflits selon leur probabilité d'engendrer, par tous les processus concevables de changement d'état, l'état interdit de guerre nucléaire. Le centre d'intérêt de la théorie et de la pratique stratégiques s'est déplacé de la guerre vers ses approches : vers les conditions idéologiques, politiques, stratégiques, techniques, etc., de sa genèse; vers tous les états de conflit infraguerre directe et les états de crise désormais valorisés au regard de la guerre elle-même.

Écrivons cela autrement, en langage plus théorique. La guerre est une épreuve des volontés politiques par l'épreuve de force – le concept de force résumant non seulement les forces de violence physique, les armées, mais aussi toutes celles qui procèdent des ressources matérielles et morales des peuples belligérants. A ce duel est assigné un but stratégique qui n'est que le moyen de la fin politique. Les effets physiques des opérations visent donc essentiellement à produire un effet psychologique : modifier le champ mental du politique adverse de telle sorte que sa volonté de poursuivre la lutte cède à la nôtre, et qu'il consente à la conclusion politique que nous souhaitons. La guerre s'identifie donc à une triple dialectique des projets politiques transformés en buts stratégiques, des volontés et des forces, virtuelles et réelles, antagonistes. Ces *trois régions de la dialectique conflictuelle,* constamment reliées par des rapports de détermination réciproque, le politique et le stratège doivent non seulement les considérer dans la guerre elle-même, dans la violence-en-acte, mais aussi les anticiper dans la phase préparatoire à la décision de guerre ou de non-guerre quand une crise s'est nouée. Autrement dit, si les évaluations et calculs conduisent à refuser la guerre, ou à la différer, ou à suspendre l'épreuve de force quand elle semble mal engagée, comment faire pour signifier et imposer cette volonté de modération; pour induire l'adversaire, d'abord, à la percevoir et à la reconnaître comme véridique; ensuite, à consentir, lui aussi, à la même solution? Étant donné les incertitudes de chacun sur les projets et buts de l'autre, la continuité du spectre des états de conflits, la difficulté de contrôler le jeu de la violence durant les hostilités, et même de régresser dans le spectre quand la crise est ouverte, le consensus ne peut s'établir que par la *communication,* entre les parties, de leurs positions respectives dans les trois régions de la dialectique conflictuelle. Cela suppose donc la transmission d'un message qui doit être reçu, lu et interprété par le récepteur comme le souhaite l'émetteur; donc, un langage univoque, celui de la diplomatie ou de la stratégie déclaratoire. Mieux encore, le langage des dispositions militaires antéguerre, dans la crise, ou des opérations infraguerre : leur nature et leur violence modulée devraient signifier, dans la clarté des effets physiques actuels et virtuels, l'état de conflit que l'on entend ou refuser ou ne pas dépasser, et la règle du jeu qu'on souhaite observer.

Ces règles générales de conduite politique et stratégique étaient malaisément applicables, pour les raisons déjà dites, à l'ère classique, avant que la bombe imposât aux adversaires la présence incontestable et immanente du risque inacceptable. Sa seule existence transmet un message non ambigu sur le risque, dans un langage univoque, reçu et lisible par tous ; message dont le contenu affecte nécessairement les trois régions de la dialectique conflictuelle. Il dit clairement la faible probabilité d'un contrôle du duel nucléaire et d'une régression dans l'échelle de violence, et la forte probabilité d'une issue suicidaire, etc. Il induit les adversaires-partenaires à transférer cette volonté de contrôle de la violence-en-acte à la violence-en-puissance ; à traiter, en termes de *stratégie*, les états de conflits infraguerre directe ; à concevoir une manœuvre stratégique des crises et, plus généralement, *de tous les états de conflit*, qui traite ceux-ci en eux-mêmes et pour eux-mêmes, non comme des phases préparatoires à des guerres éventuelles. C'est dire que la stratégie des puissances nucléaires doit prêter la plus grande attention à la surveillance constante des états de conflit et aux risques des changements d'états. C'est dire aussi la fonction, désormais capitale dans la stratégie, des capacités militaires et des modes opérationnels – des piquets d'incendie – requis par la manœuvre des crises et, plus généralement, par la prévention et le traitement des états de conflit mineurs dont le développement doit être contrôlé conjointement par les États nucléaires ou, à défaut, unilatéralement. La stratégie militaire se dilate en *stratégie du conflit* dont elle est une composante.

Ainsi, la règle du jeu politico-stratégique n'est plus une notion implicite, reflétant quelque idée de l'homme et des sociétés, et surimposée comme une donnée culturelle aux évaluations politiques et aux calculs stratégiques. Ceux-ci n'en tenaient compte que par une sorte d'instinct de vie ou par un sens inné de l'économie de l'action. La bombe a fait émerger la règle des régions obscures de l'inconscient collectif dans la conscience claire des peuples, de leurs politiques et de leurs stratèges. La théorie stratégique doit désormais l'inclure dans son corpus de concepts. Concept majeur qui se fonde non seulement sur les conclusions de l'analyse de la guerre nucléaire – telle que nous pouvons l'imaginer dans l'état actuel des choses –, mais aussi sur la continuité du spectre des états de conflit et sur l'extension du champ de la stratégie à tous les états infraguerre. Concept dont les fondements, à la fois logiques et réels – les résultats probables d'un duel nucléaire –, et les implications pratiques devraient être assez clairs pour être intellectuellement reçus par tous les membres du système politique global, et singulièrement par les États nucléaires ; assez irréfutables, aussi, pour surdéterminer les conduites de chacun devant tous dans la pratique de leur coexistence conflictuelle [1].

1. Mon propos se borne aux avatars de la règle dans les temps modernes. Sa généalogie – les variations de son contenu, ses manifestations et occultations dans le cours de l'histoire, les obstacles à son application et les raisons des perturbateurs, etc. – éclairerait le phénomène, permettrait d'affiner le concept

Fonction de la violence

On objectera que l'universalité de la nouvelle règle se fonde sur un axiome dont rien n'assure qu'il soit reçu identiquement par tous : l'irrationalité de la guerre nucléaire paroxystique, qui ne peut être le moyen stratégique d'aucune fin politique pour aucun État. En admettant même que tous les membres de la société politique acceptent cet axiome aujourd'hui, qu'en sera-t-il demain? La fonction politique de la violence nucléaire ne pourrait-elle être réhabilitée dans une autre configuration historique de la

et de préciser les modalités de son intervention, comme contrainte majeur, dans les procédures décisionnelles. Il faudrait analyser les conditions sociologiques, politiques, culturelles, etc., de son installation, de son fonctionnement puis de son dépérissement, par exemple : dans les micro-états de l'Italie issue de la décomposition du Saint Empire; dans la chrétienté régulée par la théologie politique de saint Augustin et de saint Thomas; plus en amont encore, dans la Grèce du Vᵉ siècle av. J.-C., avant la coupure provoquée par la guerre du Péloponnèse, quand on marquait fortement la différence entre les conflits inter-cités et les guerres contre l'ennemi extérieur : « Il est pour moi évident qu'à ces deux vocables distincts de notre vocabulaire, guerre et discorde (ou dissension) – πολέμος et στάσις – répond aussi la réalité de deux choses qui ont trait à un double différend, dont double est le sujet. Ce double sujet, je dis que c'est la communauté de famille et de race, d'une part; de l'autre, la diversité de famille et de race. Or dans le cas de l'inimitié, là où existe la communauté de famille, c'est le mot de « discorde » que l'on emploie; dans le cas de la diversité, c'est celui de guerre... Donc d'une guerre de Grecs contre Barbares ou de Barbares contre Grecs, nous déclarerons qu'il y a de nature entre eux bataille et guerre, et ce sera le nom de guerre qu'il faudra donner à cette inimitié. Mais, de Grecs à l'égard de Grecs, en une semblable occurrence, nous déclarerons que, de nature, ils sont amis, mais qu'en un tel cas, la Grèce est malade, en dissentiment; et ce sera le nom de discorde qu'on devra donner à cette sorte d'inimitié » (Platon, *République*, 470). D'où la conséquence logique pour la conduite des hostilités : « ... à l'égard de gens de même race, on doit poursuivre la guerre et ne pas ruiner l'intérêt commun des Grecs pour satisfaire le ressentiment particulier d'une Cité, tandis que, à l'égard des Barbares, il faut la poursuivre jusqu'à leur perte. » (Platon, *Ménexène*, 242, d.) Dans *Problèmes de la guerre en Grèce ancienne*, Mouton et Co.1968, l'*Introduction* de Jean-Pierre Vernant et *Guerre et paix entre Cités* de Jacqueline de Romilly éclairent ce moment – origine, dans l'histoire et la philosophie politique, d'une généalogie de la règle telle qu'on peut la concevoir comme instrument de la théorie stratégique. Ils disent pourquoi et comment la guerre du Péloponnèse rompt avec la règle : « Une lutte idéologique vint donc doubler la rivalité matérielle, et la guerre entre cités put se servir de la guerre civile. Les liens de partis déterminèrent des appels à l'aide ou, comme l'on dit, des trahisons. Et les règles de la guerre y perdirent leur clarté »; ce qui « donna à la guerre un caractère nouveau, plus grave, plus proche de ce que nous appellerions une guerre totale. » (J. de Romilly, *op. cit.*) Ce que nota Thucydide : « Ce fut bien la plus grande crise qui émut la Grèce et une fraction du monde barbare : elle gagna, pour ainsi dire, la majeure partie de l'humanité. » (*Guerre du Péloponnèse*, I,1,1.) Dépérissement de la règle et extension de la violence : comment ne pas retrouver là, avec les réserves qu'appellent les parallèles historiques, un fait de mutation analogue à celui qui inquiète Jomini?

société des peuples? Ne pourrait-elle l'être aujourd'hui même, en dépit de ce que nous pensons communément de la bombe? Il suffirait – si l'on peut dire! – qu'un politique pensât la violence armée, y compris nucléaire, non plus en termes de politique immédiate, dont les projets s'inscrivent dans la continuité de l'actuelle dynamique du système international, mais comme le moyen pertinent d'une politique de rupture dont les finalités échappent aujourd'hui à notre imagination. L'histoire bifurquerait, comme en 1792, sous l'effet, entre autres facteurs de fracture, d'une autre perception de la violence, de sa fonction et de son bon usage. Violence dont le travail et le produit excéderaient alors ceux, habituels, d'un moyen de la politique banalisée pour engager les peuples dans une autre histoire.

Changeant de dimensions, la violence ne pourrait plus être interrogée dans le langage usuel de la stratégie et de la politique, mais dans celui du destin de l'espèce, de la philosophie de l'histoire – de la métastratégie et de la métapolitique. Changement de dimension que constate Jean Guitton lorsqu'il évoque les conséquences d'un éventuel duel nucléaire : « Or, à notre époque, le problème du suicide passe du plan individuel au plan collectif, et, pour la première fois dans l'histoire, l'espèce humaine prise dans son ensemble est librement capable d'un suicide réciproque. De sorte que sa survie ne tient pas seulement à un vouloir-vivre instinctif ou politique, à un instinct de vie (l'instinct, ici, ne suffit plus pour vivre), mais à un acte de raison réciproque, à une persuasion profonde que la vie est bonne pour l'espèce, que le désespoir de l'un ne peut ni ne doit entraîner la mort de tous. Cet acte de libre raison, de confiance dans l'homme et dans l'existence, auquel est suspendu dans un proche avenir la continuation de notre espèce, est au fond un acte de pensée portant sur les questions ultimes; tranchons le mot : un acte métaphysique. C'est pourquoi j'ai cru devoir créer un mot neuf, celui de *métastratégie*, pour signifier que désormais l'acte stratégique devient aussi un acte philosophique [1]. »

Hypothèse d'école, celle d'une guerre nucléaire paroxystique décidée délibérément pour changer la face du monde et rompre avec l'histoire ancienne de l'espèce. Mais exercice fructueux, ce passage à la limite : il renvoie à l'interrogation constante du stratège et du politique sur les fins dernières de leur art, sur celles de la violence. Nul n'y échappe, même si elle n'apparaît souvent qu'en filigrane, sous un aphorisme ou une boutade dissimulant mal l'embarras de quiconque agit quand il doit *avouer* le sens de son action. Sens : le but assigné qui motive l'action et fixe une direction aux efforts de tous. Sens : les principes et règles de conduite, l'économie de l'agir qui interdit de faire n'importe

---

1. Jean Guitton, *La Pensée et la guerre*, Desclée de Brouwer, 1969.

comment ce pour quoi l'action est décidée. Mais, parce qu'il s'agit d'un agir collectif impliquant des peuples entiers jouant leur destin, la question du sens porte bien au-delà des motifs et des nécessités pratiques qui opèrent dans l'espace et le temps locaux, dans le champ immédiat de la raison pratique : elle projette le politique et le stratège dans l'espace et le temps de l'histoire universelle, dans le champ d'une raison historique, anthropologique. Ils ne peuvent pas ne pas prolonger les questions d'ordre pragmatique sur le quoi faire avec la guerre et comment, par la question, d'ordre métaphysique, sur les causes finales de la guerre. Le *pour quoi* décider la guerre (pour quelle fin politique actuelle) se transforme en : *pourquoi* le recours à la violence s'avère-t-il si constamment et si universellement *nécessaire*?

A distance de son action, lui appliquant une critique enfin désintéressée, quel stratège échappe aux interrogations de la métastratégie et de la métapolitique? Il faudrait fracturer le for intérieur... Le plus éloigné de ces régions troubles, celui qui, comme Jomini, répugne à quitter le terrain, non des certitudes, mais au moins des incertitudes relevées et devenues familières, celui-là même devrait sauter le pas. S'interroger, durant toute une vie de professionnel, sur le comment de l'action de guerre, avec la double conscience du scientifique déchiffrant le sens de la chose politico-stratégique et du pilote gouvernant l'agir collectif, c'est être clair, *d'abord*, sur la finalité politique de la guerre – donc sur le premier *pour quoi* évoqué ci-dessus. Question constante dans l'histoire depuis Thucydide et Polybe : « La victoire militaire et la réduction de tous les peuples à l'obéissance ne sauraient en effet être considérées comme des fins ni par les chefs d'État ni par ceux qui portent des jugements à leur sujet. A moins d'être fou, on ne fait pas la guerre à autrui pour le seul plaisir de l'emporter dans les batailles rangées. On ne parcourt pas les mers uniquement pour faire des traversées et ce n'est pas seulement pour accroître ses connaissances que l'on veut acquérir la pratique d'un métier. Dans toutes les activités auxquelles ils s'adonnent, les hommes, tous tant qu'ils sont, ont en vue soit leur agrément, soit le bien, soit leur intérêt [1]. » Polybe dit ici la relativité des fins *dans* la guerre (la victoire) au regard des fins *de* la guerre. Toutefois il ne répond que partiellement à : pourquoi décide-t-on la guerre? Il ignore en effet le second terme de l'évaluation de l'*espérance politico-stratégique*, le coût de la guerre; plus exactement, le risque inhérent à toute entreprise en milieu conflictuel et dont l'évaluation, comparée au gain espéré – « soit l'agrément, soit le bien, soit l'intérêt » –, détermine logiquement la décision d'agir.

Jomini répond à la même question en évoquant « la politique de la guerre »; c'est-à-dire, « les combinaisons par lesquelles un

1. Polybe, *Histoire*, livre III, ch. 1,4.

homme d'État doit juger lorsqu'une guerre est convenable, opportune, ou même indispensable, et déterminer les diverses opérations qu'elle nécessitera pour atteindre son but [1]. » Suit l'inventaire des neuf fins politique qui, selon lui, motivent la décision de guerre : « Un État est amené à la guerre : pour revendiquer des droits ou les défendre; pour satisfaire à de grands intérêts publics, tels que ceux du commerce, de l'industrie et de tout ce qui concerne la prospérité des nations; pour soutenir des voisins dont l'existence est nécessaire à la sûreté de l'État ou au maintien de l'équilibre politique; pour remplir les stipulations d'alliances offensives et défensives; pour propager des doctrines, les comprimer ou les défendre; pour étendre son influence ou sa puissance, par des acquisitions nécessaires au salut de l'État; pour sauver l'indépendance nationale menacée; pour venger l'honneur outragé; par manie des conquêtes et par esprit d'invasion. » La préposition « pour » révèle une interrogation téléologique à horizon bas : Jomini définit et classe les causes finales de la guerre, les motifs sociopolitiques de la décision (pour quoi). La violence d'État est ramenée à sa fonction instrumentale dans diverses configurations du système international, dans divers états de conflit. Téléonomie plutôt que téléologie : les États existent, constitués en systèmes de forces, ils « sont des objets doués d'un projet qu'à la fois ils représentent dans leurs structures et accomplissent par leurs performances (telles que, par exemple, la création d'artefacts) [2] ». Les « pour » de l'inventaire jominien disent l'intention, le projet concret et immédiat de praticiens qui, dans le moment critique de la décision, n'ont nul besoin de relier leurs évaluations politiques et calculs stratégiques à une réflexion sur l'étiologie sociologique, voire anthropologique, du phénomène-guerre; ni, plus en amont encore, à quelque finalité transcendante – téléologie à horizon haut – qui dévoilerait les origines et le sens de la violence, dirait pourquoi elle est l'un des invariants des rapports sociopolitiques. Chez Jomini comme chez Polybe, nulle allusion au coût-risque de la guerre : les « combinaisons » se réduisent au premier terme de l'espérance politico-stratégique. Chez l'un et l'autre, la question des fins dernières de la violence n'affleure jamais dans le discours modestement positiviste. L'historien qui se veut « pragmatique » et le stratège opérationnel décident de borner leur enquête au comment d'une action, au pour quoi de sa fin prochaine qui borne le domaine de sa problématique, hors duquel l'interrogation sur le pourquoi des choses est aussi incongrue que dans les sciences de la nature. L'un et l'autre s'inclinent devant l'évidence naturelle de la guerre comme Hegel devant les montagnes : Es ist so... L'état de nature des peuples est posé comme un fait dont le simple constat

1. *Précis de l'art de la guerre*, I.
2. Jacques Monod, *Le Hasard et la nécessité*, p. 22, Éd. du Seuil, 1970.

de réalité, universelle et constante, suffit à justifier la pensée et la pratique politico-stratégiques.

Cependant, si Jomini écarte « les questions ultimes » sur la pulsion de violence collective, ne sont-elles pas implicites quand, se postant au croisement de la politique et de la guerre, il prêche la modération des ambitions à la première; à la seconde, le respect d'un optimum tant dans ses buts que dans le choix des voies-et-moyens capables de les atteindre économiquement? Quand il conseille de renoncer à la mobilisation totale des peuples, sous peine de détourner la guerre de ses fins originelles et de la priver de sens? Le pour quoi de la politique d'État et le comment de la pratique stratégique réintroduisent indirectement tous les pourquoi de la métastratégie et de la métapolitique. Quand Polybe dit que « détruire ce pourquoi une guerre est entreprise est un acte de folie, et d'une folie de la plus violente sorte [1] », quand Jomini dénonce « la guerre d'extermination » et les « guerres d'opinion » engagées, comme en 1792, par des « sociétés d'extravagants » exploitant des « passions exaltées par un paroxysme instantané » et les pulsions de « masses exaspérées [2] », ne s'accordent-ils pas avec les ambassadeurs athéniens déclarant à Sparte : « Prenez donc le temps de délibérer, car l'affaire est d'importance... Avant de vous engager, songez à tout l'imprévu que comporte une guerre. Quand elle se prolonge, c'est d'ordinaire le hasard qui finit par jouer le premier rôle. A ce point de vue, nous nous trouvons placés à égalité et c'est une aventure dont on ne sait à l'avantage de qui elle se terminera. Quand les hommes s'engagent dans les guerres, ils commencent par ce qu'ils n'auraient dû faire que plus tard. Ils passent à l'action et c'est seulement lorsqu'ils ont souffert qu'ils en viennent aux négociations [3]. »

Appel à la raison de la politique conjoncturelle, allusion à l'espérance politico-stratégique? Sans doute, mais aussi référence implicite à quelque fonction transhistorique des armes. Mais si la société des peuples n'est pas sortie de son état originel, si c'est là une servitude de l'humaine condition, on n'a jamais renoncé à l'obsédant pourquoi. Si les doctrines théologiques, philosophiques, morales, juridiques et sociologiques de la guerre se sont succédé d'âge en âge, ces réponses n'avouent-elles pas, par leur nombre même, l'impuissance devant l'interrogation téléologique? Dénoncer, comme Montaigne [4], les « mécaniques victoires » et les « si horribles hostilités et calamités si misérables »; nommer la guerre, comme Montaigne encore [5], « maladie humaine » ou, comme

1. Polybe, *Histoire*, 18,3.
2. *Précis de l'art de la guerre*, I, p. 7.
3. Thucydide, *La Guerre du Péloponnèse*, I, p. 78.
4. *Les Essais*, livre III, ch. VI.
5. *Ibid.*, livre I, ch. XXX. Notons que Montaigne est attentif à la règle du jeu : « Ne craignons point d'estimer qu'il y a quelque chose illicite contre les

Guibert, « fléau mais inévitable [1] »; dire, comme Jomini, que « la guerre est à jamais un mal nécessaire, non seulement pour élever ou sauver les États, mais encore pour garantir même le corps social de dissolution [2] », c'est plaquer des mots sur les *blancs* de notre savoir. Carence qu'on ne guérira pas en disant, en termes apparemment plus scientifiques, que la guerre manifeste un dysfonctionnement du système sociopolitique... Horreur du vide ou exorcisme du sacré? Gaston Bouthoul ne s'y est trompé quand, en fondant la polémologie, il a voulu substituer, à l'impossible étiologie des guerres, l'analyse de leurs fonctions dans la vie et les transformations du corps social.

Pourtant, ce constat d'ignorance sur les fins ultimes de la violence intervient, paradoxalement, comme un fait positif et une réalité contraignante dans l'inconscient collectif et dans l'entendement du politique et du stratège. Non comme un avertissement de la morale – qu'une autre morale locale peut toujours récuser – mais comme une prescription de la *raison pragmatique* : parce qu'ils ignorent vers quoi la violence, abandonnée à sa pente, conduirait l'histoire qu'ils font, le politique et le stratège devraient incliner à la prudence dans le jugement des états de conflit, et à la circonspection devant la décision de guerre et dans sa conduite. Aussi informulée qu'elle soit, cette incertitude doit s'ajouter à toutes celles, prochaines et prégnantes, qui affectent leur information et l'évaluation de leur espérance politico-stratégique. Elle ne peut qu'accentuer l'effet modérateur de la règle du jeu imposée par l'état socioculturel du moment; quoique non dite, être même l'une des raisons de la règle pour des hommes conscients de leurs responsabilités, non seulement dans le sort immédiat des peuples, mais aussi devant l'histoire de l'espèce. Incertitude de nature eschatologique qui, avec toutes celles de l'action actuelle, doit induire les décideurs à relativiser la fonction conjoncturelle de la violence; à ne la penser et à n'en user qu'en se référant constamment à l'état de coexistence conflictuelle dit de paix, issu d'une négociation : le premier effet, même précaire, d'une négociation ne serait-il pas d'interrompre, d'un commun accord, un processus d'expansion de la violence dont on ignore dans quelle catastrophe finale il pourrait exploser? Encore faut-il, pour négocier, être au moins deux – ce qui renvoie à l'état de nature. Cercle vicieux...

Si la guerre est un « drame terrible et passionné », faisons en sorte, songe Jomini, que les acteurs disent leur texte avec... la tête. C'est aussi ce que souffle la bombe; ce qu'elle impose encore, dans l'état actuel des choses.

---

ennemis mesmes; que l'intérêt commun ne doibt pas tous requérir de tout, contre l'intérêt privé. » (Livre III, ch. II.)

1. Guibert, *Défense du système de guerre moderne*, II.
2. *Précis de l'art de la guerre*, Avertissement.

CHAPITRE 6

LA VOLONTÉ DE SAVOIR

L'ébranlement

Est-il contradictoire de se dévouer au discours sur la stratégie quand on prétend refuser, comme Jomini, le statut dérisoire de « *Stubengelehrte* » pour revendiquer celui de « vrai soldat »? Reconnu comme chef d'école, devant sa gloire à l'écriture, il ne s'installe pas sans regrets, nous l'avons dit, dans la position ambiguë du théoricien de l'action... des autres. S'il fut assuré, très jeune, de l'utilité du dire accompagnant et soutenant le faire, comment s'est-il reconnu voué à prouver, par l'évidence d'une œuvre discursive de longue haleine, l'existence d'une corrélation entre la théorie et la pratique, dont la nécessité n'est pas toujours perçue par les acteurs? Pourquoi cède-t-il si aisément à cette vocation, comme à un devoir d'état? Sous quelles incitations et pressions, intérieures et extérieures, la conscience s'est-elle éveillée devant un vide à combler, d'abord, dans son propre savoir; ensuite, chez ceux-là mêmes qui doivent savoir *quelque chose* – mais quoi? – puisqu'ils transforment le réel et le réinventent. Pas d'œuvre sans présomption d'ignorance, sans volonté de savoir pour savoir faire, constamment renouvelée par l'expérience du faire.

Il faudrait retrouver, en amont de l'œuvre, l'ébranlement intérieur, le germe dont elle procède. Les origines et les circonstances de cette secousse mobilisant l'intelligence balbutiante ne sont pas indifférentes : l'objet du discours stratégique et son découpage dans la totalité simultanée des faits de conflit, l'outillage de méthodes et de langages choisi ou forgé pour l'approcher, le traquer, le décrire et pour bâtir une théorie, ne peuvent pas ne pas être conditionnés, voire fixés au moins dans la phase initiale du processus, par la nature et la puissance de l'interrogation originelle. Le discours sera marqué, dans le développement jamais achevé de sa problématique et de ses assertions, dans le choix de ses critères de validité et de pertinence, par les conditions de sa genèse. En d'autres termes : qui dit la stratégie, d'où et quand la dit-il? Avec et contre qui et quoi, parle-t-il sur cet objet historique qui existait avant lui et continuerait d'exister sans lui, mais qui, après son intervention, pourra être différent de ce qu'il serait sans elle? Est-il conscient que sa volonté de savoir n'est pas, ne peut pas être gratuite; qu'elle procède d'une intention, plus ou moins claire, de peser par le verbe sur l'action des autres?

Pour le théoricien comme pour le praticien, la stratégie qu'ils pensent ou décident ne commence pas avec cette pensée ou cette décision : elle n'émerge pas du néant, ne part pas de zéro, ne s'inscrit pas dans une histoire vide. Elle enchaîne sur une stratégie en cours, ajoute à une histoire cumulée, même quand elle innove et veut rompre avec l'état de choses. Aucune novation n'abolit tout l'héritage : rompre avec lui, c'est encore reconnaître son existence, ne serait-ce que pour y trouver des raisons de le récuser. De quel fonds de discours, sur le même objet, Jomini se sent-il légataire, qu'il l'accepte ou le refuse? Quelle grille de lecture applique-t-il à cette information pour cribler ce qui peut être encore utile à la compréhension des pratiques constituées, ou en instance de renouvellement?

Pour Jomini, comme pour Clausewitz, les origines de l'ébranlement se repèrent aisément : la fracture provoquée par le séisme de la Révolution et de l'Empire. Le second est un professionnel : l'effondrement de la Prusse, en 1806, et l'obsession de la revanche lui fournissent des motifs supplémentaires – passionnels – pour extraire, de l'analyse de la guerre, les principes et les règles de l'action efficace. La curiosité non moins passionnée du Suisse est plus libre, plus pure : n'a-t-il pas commencé, à dix-sept ans, par tenir un journal des campagnes contemporaines et lire Frédéric II? Aucune motivation patriotique, mais une seule question : comment fait-on pour faire? Comment agir pour que l'action soit conforme à sa visée? Question qui suppose que le singulier, le contingent, ne le sont qu'apparemment... Les opérations militaires proposent, à ses jeunes pouvoirs intellectuels, un thème d'exercice aussi *imposé* que, pour d'autres, telle science de la nature ou telle aventure de l'art. Plus, même : la guerre – et plus généralement la stratégie, dans son sens actuel – n'est pas un objet de pensée clair et distinct, intangible sous l'œil de l'observateur, stable et fixé dans ses éléments et ses déterminations. Produit de l'activité humaine, du travail des systèmes de forces antagonistes appliqué à la transformation d'un fragment du système international – le sous-système lié des belligérants –, la guerre peut être observée et analysée à travers les manifestations de ce travail : les opérations intellectuelles et matérielles spécifiques des forces de violence impliquées dans le duel; la *trace* concrète de ces opérations que sont leurs effets physiques et psychologiques enregistrés non seulement par le sous-système des duellistes mais aussi par le système sociopolitique englobant. Opérations et effets constituent l'objet-guerre en tant qu'il peut être objet de la pensée et du discours le restituant dans sa complexité dynamique. Chacune de ses *figures,* dans l'espace-temps géohistorique, est engendrée par le jeu de données de situation et de facteurs opératoires à la fois synchroniquement corrélés et soumis aux variations diachroniques de toute activité ou fait de société.

Pour Jomini, c'est ce constant croisement de la trame structurale et de la chaîne historique qui fait l'originalité de l'action collective finalisée qu'est la guerre, et qui justifie une problématique spécifique. La guerre est à la fois même et autre dans tous les lieux et moments de sa production par le sous-système des États antagonistes, au sein du système international englobant. Dualité qui fait problème : procédant d'une intention – d'un but – et d'une volonté rencontrant une autre intention soutenue par une autre volonté, l'action-guerre doit être non seulement calculée et conduite dans son espace et son temps propres, mais aussi préparée parce que collective et requérant la synergie de tous les éléments des systèmes composites des forces. Bien différents, en effet, l'entreprise collective et le faire individuel : les processus de création ne sont pas soumis, ici et là, aux mêmes contraintes. Les principales demeurent, pour la première, celles inhérentes à la complexité structurelle et à la pluralité fonctionnelle d'un système d'éléments et de fonctions interdépendants et en constante interaction; système dans lequel il faut réguler les flux d'information et les conversions d'énergie selon une économie spécifique déterminée par son but global.

Si la duplicité de la guerre, même et autre, opère chez le jeune Suisse avec la puissance d'une intuition séminale dont procédera tout son développement mental, ce n'est là qu'un truisme pour les hommes de métier. Toutefois, Jomini s'assure vite qu'ils n'en tirent pas toute la leçon; qu'elle n'est pas claire, à lire les disputes d'écoles divisées sur l'art et la science de la guerre, sur la validité et l'utilité du travail théorique. Les improvisations malheureuses ou le conservatisme stérilisant des praticiens, les hésitations de l'entendement ou les faux pas de l'imagination trahissent l'inconfort de l'homme de guerre et du système militaire – considéré dans son unité organisationnelle et fonctionnelle – devant une action qui est toujours future quand ils la préparent et la décident; future aussi quand ils l'engagent et la pilotent vers un but incertain que leur contestent l'adversaire et... le hasard. La continuelle projection du calcul dans un avenir aléatoire qu'il doit anticiper, aussi bien pour construire les systèmes de forces efficaces que pour conduire leurs opérations, incite à chercher, dans un savoir constitué sur la guerre en général – la guerre en soi – s'il existe quelques repères fixes et assez assurés pour guider l'analyse du problème concret, unique, que propose la réalité conflictuelle du lieu et du moment.

C'est pourquoi, pour Jomini, la guerre ne peut être pensée et dite pour la curiosité d'amateurs dégagés de l'action, ou pour la concupiscence de l'intellect. La volonté de savoir procède d'une obligation qui prend, à ses yeux, la valeur d'une règle morale, d'un impératif catégorique de la conscience personnelle et collective : le savoir sur la guerre étant instrumental, il est nécessaire au bon fonctionnement de l'ensemble du système militaire et à chaque « vrai soldat ». Devoir de savoir pour pouvoir, de dire pour faire. Mieux : pour apprendre comment faire et comment s'adapter, pour devenir capable de mieux faire, à une organisation sociale montée en système finalisé d'actants – les forces armées et, en amont, l'appareil d'État – qui hasarde trop, dans la guerre, pour se fier à ses capacités naturelles d'invention spontanée; pour ne pas craindre les dysfonctionnements propres à tout collectif hétérogène. Comme tous les analystes, Jomini pense d'instinct les problèmes, posés par l'économie de l'action et par l'organisation de l'instrument, dans l'esprit de ce qui sera beaucoup plus tard la systémique. Sans doute les concepts lui manquent-ils, et ses solutions ne sont-elles qu'intuitives. Cependant, tout se passe comme si, pour lui, existait un *système stratégique* : l'ensemble des instruments humains et physiques organisés pour l'agir conflictuel. Non pas un simple système à états transformant, selon un processus déterminé ou incertain, une succession d'entrées (informations, énergie) en une succession de sorties; ni même un système finalisé à régulations, capable de modifier les entrées en fonction de ses observations afin que les sorties soient plus proches du but. Mais un système finalisé, capable d'auto-organisation et d'auto-adaptation pour tenir compte de l'évolution de ses fins sous l'effet de son action même; capable de se transformer, dans sa structure fonctionnelle, par *apprentissage,* c'est-à-dire par observations, mesures et corrections d'écarts pilotant une action continue dans laquelle les fins et les moyens se réajustent constamment selon un processus cybernétique.

Jomini traverse trop de bouleversements, et trop précipités, pour ne pas concevoir le système stratégique comme un organisme vivant, en continuel renouvellement tant dans ses fins que dans les fonctions et la nature de ses composants : certains dépérissent et disparaissent; d'autres arrivent à maturité; d'autres encore, à l'état naissant, hésitent à s'affirmer. Système dont l'auto-organisation et l'auto-adaptation par apprentissage illustrent exemplairement l'évolution des systèmes sociaux. A cela près, qui est capital : le processus d'apprentissage du système stratégique est accéléré en temps de guerre, d'abord, par les effets de la violence destructrice qui ne cesse de modifier les appareils militaires; ensuite, par la dialectique des volontés qui pousse chacun des duellistes à tenter de surpasser les efforts d'invention et de renouvellement de l'autre. La paix, au contraire, incite à la relaxation et au conservatisme. Cette différence de tempo, imputable aux perceptions et aux pressions inégales de la nécessité d'auto-adaptation, justifie le théoricien. Elle valorise son discours : la création imaginaire tente d'anticiper l'action future, de préparer et d'amorcer, avec l'apprentissage par le verbe, le passage à l'apprentissage par l'action. *Le théoricien est un élément du système stratégique* : il doit aider le praticien à surveiller l'évolution des déterminations politiques, sociales, techniques, etc., de la guerre; à en évaluer les conséquences immédiates et à terme pour le rendement du système. Il enseigne à reconnaître et choisir, parmi les possibles, les éléments et les fonctions de ce système qui, selon toute probabilité, devraient s'avérer les plus pertinents pour l'économie et l'efficacité de l'action. Il doit ouvrir le système stratégique sur l'avenir, et dire comment améliorer les conditions et les modalités de son apprentissage, autant que l'autorise l'imagination prévisionnelle, voire prospective.

Pédagogie

Ces observations sur la nature du système stratégique et ses capacités d'apprentissage avant et durant l'action sont banales depuis Thucydide, Platon et Xénophon. Toutefois, n'est-il pas surprenant que le tout jeune Jomini, à peine fixé, par son intuition, sur la nature duale de la guerre composant l'invariant et le singulier, le logique et l'historique, s'installe sans plus attendre dans la chaire professorale? Il faudra bien, plus tard, qu'il s'explique sur son assertion et apporte la preuve que la théorie stratégique est possible, contre l'opinion de nombreux praticiens; au moins qu'il existe, dans l'ensemble des faits de stratégie, un sous-ensemble *tolérant* la théorie. En attendant, l'apprenti revendique une place parmi tous ceux qui, à l'intérieur du système militaire, sont à la fois sujets et objets de son continuel travail d'adaptation à l'époque – de son travail d'apprentissage.

Dès 1803, il intitule *Traité* son premier ouvrage. Qui dit traité dit systématisation du savoir et intention didactique, démarche assurée d'un esprit bardé de certitudes... Infatuation que, au même âge et bien qu'aussi sûr de soi, Guibert avait su voiler en publiant un *Essai*. D'ailleurs, Jomini prend vite la mesure de sa présomption : il détruit son livre; mais le suivant, l'œuvre majeure sans cesse polie, reprendra le titre de *Traité (des grandes opérations militaires)*. Aucun doute, sa volonté de savoir est indissociable de la vocation pédagogique : la stratégie n'est pas réductible à un discours sur l'action et à côté de l'action, à un exercice de la pensée autonome et trouvant en lui-même sa justification. En d'autres domaines de création, le faire peut être dit sans que le commentaire aide et prétende guider le créateur : quel peintre fut jamais enseigné par son critique, même génial comme Baudelaire devant les toiles de Delacroix? Rilke, prêchant l'exemple, détournait tout poète de lire la critique... Ce sont là postures et œuvres individuelles, duels de soi avec soi et avec un matériau choisi; non le matériau imposé par l'état de choses sociopolitiques et par le duel de projets et de volontés collectifs, qui font la spécificité de l'œuvre stratégique.

Pour Jomini comme pour tous les théoriciens, le discours stratégique est fonctionnel : il s'inscrit *dans* le processus d'apprentissage du système, l'énergie du verbe participant à l'auto-adaptation de ce dernier. Non seulement finalisé par l'action et trouvant en elle sa justification, le discours est un moment de l'action. Associés dans le travail global du système, le théoricien et le praticien interagissent l'un sur l'autre, s'interrogent et se vivifient, se nourrissent de leurs apports et de leurs critiques réciproques. Ambivalence : maître prétendant enseigner comment faire pour faire efficacement et économiquement, le théoricien est partie active à l'apprentissage du système; s'il en perçoit les nécessités, il en subit les contraintes et les influences. Le pédagogue est condamné à parler de l'intérieur d'un système stratégique local : son discours se construit par les tensions entre sa volonté d'atteindre la plus haute généralité – l'intemporel et l'universel – et sa vocation d'éclairer le travail sur soi du système avec lequel il ne saurait prendre la distance du scientifique devant un objet de la Nature. Aussi objectif qu'il se veuille, son discours obéit à sa *fonction d'utilité* : parce qu'il se déploie dans un lieu et un moment géohistoriques, parce qu'il opère au sein de l'action collective, il n'est jamais neutre, mais polarisé.

L'œuvre de Jomini ne renie jamais l'intention didactique. De là les nuances de la conceptualisation, les inférences qui se veulent aussi rigoureuses qu'un syllogisme, les assertions et les maximes soucieuses d'être fondées sur l'observation et l'induction autorisée. Le pédagogue ne quitte pas la main du chercheur, et cette double vocation l'oblige constamment à la preuve : il veut convaincre, emporter l'adhésion quand il compose le *Traité,* et le *Précis* « fut rédigé dans l'origine pour l'instruction d'un auguste prince [1] », le futur Alexandre II. Napoléon reconnaît les talents du maître à penser, tout en sachant les limites de la pensée sur l'action : « J'aurais dû faire expliquer ses guerres (de Frédéric II) à l'École polytechnique et aux Écoles militaires. Jomini aurait été excellent pour cela. Cet enseignement aurait fait naître d'excellentes idées dans ces jeunes têtes. Il est vrai que Jomini établit surtout des

---

1. *Précis de l'art de la guerre. Notice sur la théorie actuelle de la guerre et son utilité.*

principes. Le génie agit par inspiration. Ce qui est bon dans une circonstance est mauvais dans une autre, mais il faut considérer les principes comme des axes auxquels se rapporte une courbe. C'est déjà quelque chose que, dans telle ou telle occasion, on pense que l'on s'écarte des principes [1]. » Mais le magistère ne s'acquiert pas sans une patiente conquête de ses pouvoirs et de ses droits. Long et difficile combat pour un autodidacte; et qui, pour Jomini, confère tout son prix à un savoir estimé d'autant mieux fondé qu'il l'a arraché, parcelle après parcelle, aux idées reçues, aux théories et doctrines aussi floues qu'installées. Installées parce que floues? C'est là la question...

Mémoires d'intellect

Expérience édifiante, dans tous les sens du terme, la quête de sa vérité par un jeune homme prétendant naïvement à la maîtrise, assez lucide pour reconnaître bientôt les dimensions de l'entreprise et la faiblesse de ses moyens. Aussi, par souci pédagogique, juge-t-il utile le récit de son initiation : « Je serai forcé de parler un peu de moi et de mes œuvres; j'espère qu'on me le pardonnera, car il eût été difficile d'exposer ce que je pense de cette théorie, et la part que je puis y avoir prise, sans dire comment je l'ai conçue moi-même [2]. » Ici, le souvenir de Descartes s'impose : « Je serai bien aise de faire voir en ce discours quels sont les chemins que j'ai suivis, et d'y représenter ma vie comme un tableau [3]. » Ni l'un ni l'autre ne cèdent à l'exhibitionnisme ou à la complaisance pour les personnages, à leur tour installés, qu'ils sont devenus : ils entendent illustrer, par leur itinéraire intellectuel, par leurs années de voyage et d'apprentissage vers un savoir assuré, à la fois les exigences de la pensée rigoureuse et la nécessité de la méthode. A tous deux, le tracé de l'itinéraire, amorcé avec l'interrogation originelle sur leur volonté de savoir, porte témoignage non seulement pour leur vocation à la connaissance des choses dans leurs domaines propres, mais aussi que la vérité y peut être approchée, qui satisfasse leur fringale de certitudes.

Par le discours de l'itinéraire personnel, qui s'érige en « discours de la méthode », ils entendent faire la preuve – la preuve par l'évidence de l'expérience – de l'existence d'un savoir vrai, à la portée de l'entendement dès lors qu'on applique celui-ci à un objet bien défini dans la totalité du réel; à condition, aussi, que l'on se

1. *Observations sur les campagnes de Frédéric II*, dictées au général Gourgaud, à Sainte-Hélène.
2. *Précis de l'art de la guerre. Notice sur la théorie actuelle de la guerre et son utilité.*
3. Descartes, *Discours de la méthode.*

dote de l'outillage intellectuel adéquat à son objet. Tous deux, dans leur espace d'enquête, se sont tournés d'instinct, en toute humilité, vers leurs prédécesseurs avec l'espoir de trouver, dans la littérature théorique et doctrinale, des problématiques justifiées et aux énoncés assez clairs pour borner le champ d'investigation utile, des concepts précis, des propositions fondées sur l'évidence d'observations contrôlées ou d'axiomes admis universellement. C'est dire qu'ils ont procédé à l'inventaire de l'héritage, l'ont soumis à la critique, selon leurs critères de vérité pour le savoir ou d'utilité pour l'action. « Je jugeais qu'on ne pouvait avoir rien bâti qui fût solide sur des fondements si peu fermes », conclut Descartes. Et Jomini : « L'art de la guerre a existé de tout temps, et la stratégie surtout fut la même sous César comme sous Napoléon. » Voilà l'axiome : le même de la guerre. « Mais l'art, confiné dans la tête des grands capitaines, n'existait dans aucun écrit. Tous les livres ne donnaient que des fragments de systèmes, sortis de l'imagination de leurs auteurs, et renfermant ordinairement les détails les plus minutieux (pour ne pas dire les plus niais), sur les points les plus accessoires de la tactique, la seule partie de la guerre, peut-être, qu'il soit impossible de soumettre à des règles fixes. »

Il y a donc du même dans la guerre. Mais cet invariant postulé doit être recherché et vérifié par un découpage de la totalité qu'est l'objet-guerre afin de discriminer, dans cet ensemble complexe, le sous-ensemble des éléments déterminés et celui des contingents. La méthode n'est ici qu'implicite. Mais le postulat d'invariance partielle suffit à Jomini pour guider son inventaire et sa lecture critique, polarisée, des théories et doctrines antérieures et contemporaines. Il leur applique cette grille et conclut : il ne trouve nulle part de « système lié », mais des « ténèbres, des ébauches », aucune « idée satisfaisante des hautes branches de la science »; « partout, que des *systèmes* plus ou moins complets de la tactique des batailles, qui ne pouvaient donner qu'une idée imparfaite de la guerre, parce qu'ils se contredisaient tous d'une manière déplorable [1] ». Plus grave : il rencontre trop de scepticisme, comme chez Maurice de Saxe avouant que « les principes nous sont inconnus [2] »; ou chez Clausewitz qui « se montre par trop sceptique en fait de science militaire : son premier volume n'est qu'une déclamation contre toute théorie de la guerre, tandis que les deux volumes suivants, pleins de maximes théoriques, prouvent que l'auteur croit à l'efficacité de ses doctrines, s'il ne croit pas à celles des autres [3] ».

Scepticisme des uns, ignorance ou insuffisance des autres,

1. *Précis de l'art de la guerre. Notice sur la théorie actuelle,* etc.
2. Maurice de Saxe, *Mes rêveries.*
3. *Précis de la guerre. Notice sur la théorie actuelle,* etc.

théories et doctrines partielles et contradictoires, tout pousse Jomini à rejeter en bloc l'héritage intellectuel, à faire table rase, comme Descartes : négation radicale du savoir cumulé et repli sur le for intérieur. Coup d'état mental : il rompt délibérément la chaîne des discours qu'un autre perpétuerait, coupe les liens de parenté et se pose comme une origine et fondateur d'une nouvelle lignée. Il cherche en soi et par soi seul un levier pour fracturer la totalité complexe de la guerre, la clé de son intelligibilité. Il chasse les intermédiaires, refuse la médiation des docteurs, écarte tous les écrans pour se dresser devant son objet-à-dire et saisir directement la matière-à-analyser. Objet manifesté sous deux modalités : les guerres du passé, objets morts, embaumés dans la gloire ou déchirés par la critique, et sur lesquels l'information, indirecte et récurrente, procède de l'histoire militaire; les guerres actuelles, objets d'expérience immédiate et directe, mais fluides, insaisissables à travers une information floue. Au croisement de ces deux flux d'information hétérogènes jaillit l'illumination : ils transportent quelque chose de commun, de constant, qui résiste aux transformations naturelles de la chose guerrière et aux capacités inventives des hommes. Ce qu'il cherchait dans les discours traquant vainement le réel, il le trouve dans la réalité même. Jomini atteint sa cible, le moment décisif résolvant la longue crise intellectuelle. La phase obscure de son aventure intérieure s'achève et le sens caché de l'information accumulée sur la guerre se dévoile. Histoire d'une révélation et d'une initiation : « Je me rejetai alors sur les ouvrages d'histoire pour chercher, dans les combinaisons des grands capitaines, une solution que ces systèmes des écrivains ne me donnaient point. Déjà les relations de Frédéric le Grand avaient commencé à m'initier dans le secret qui lui avait fait remporter la victoire miraculeuse de Leuthen (Lissa). Je m'aperçus que ce secret consistait dans la manœuvre très simple de porter le gros de ses forces sur une seule aile de l'armée ennemie, et Lloyd vint bientôt me fortifier dans cette conviction. Ensuite, je retrouvai la même cause aux premiers succès de Napoléon en Italie, ce qui me donna l'idée qu'en appliquant par la stratégie, à tout l'échiquier d'une guerre, ce même principe que Frédéric avait appliqué aux batailles, ou aurait la clé de toute la science de la guerre. Je ne pus douter de cette vérité en relisant ensuite les campagnes de Turenne, de Marlborough, d'Eugène de Savoie et en les comparant à celles de Frédéric... Je compris alors que le maréchal de Saxe avait eu bien raison de dire qu'en 1750 il n'y avait point de principes posés sur l'art de la guerre, mais que beaucoup de ses lecteurs avaient aussi bien mal interprété sa préface en concluant qu'il avait pensé que ces principes n'existaient pas. Convaincu que j'avais saisi le vrai point de vue sous lequel il fallait envisager la théorie de la guerre, pour en découvrir les véritables règles et quitter le champ toujours incertain des systèmes personnels, je me mis à l'œuvre avec toute l'ardeur d'un néophyte [1]. »

L'esprit a ses pudeurs. Les confidences sont rares sur la nuit poétique, sur le travail de gestation et de parturition de l'œuvre. On ne voit guère que Lawrence d'Arabie pour avoir rapporté son itinéraire d'apprenti. La mauvaise conscience de l'autodidacte le pousse-t-elle, comme Jomini, à accumuler les preuves de sa familiarité avec les textes canoniques, à défaut de formation professionnelle? Sans doute, les hommes de métier – Guibert, Clausewitz, Fuller, Castex, Beaufre, etc. – ne se lancent pas dans la construction théorique sans fréquents rappels de la littérature. Références de pédagogues, alibis ou clins d'œil d'initiés aux initiés? Il s'agit d'abord, pour eux, de cadastrer le champ des explorations antérieures pour mieux marquer leur territoire; de repérer leur position et de signaler leurs nouvelles conquêtes par rapport aux avancées de leurs prédécesseurs; d'élaborer leur corpus de concepts et d'énoncés par des *transformations calculées* du matériel théorique stocké et banalisé, avec et contre lequel ils se sont formés. Jomini, lui, vient d'ailleurs et le proclame : fils de personne. Cela lui confère d'exceptionnels degrés de liberté intellectuelle, mais l'oblige aussi à rendre compte de l'usage qu'il en fait : comment prouver autrement que sa théorie est mieux fondée, plus cohérente, plus proche des réalités de la guerre que celles qu'il a rejetées par la critique la plus radicale? *La Notice sur la théorie actuelle de la guerre et son utilité,* ouverture du *Précis,* veut prouver l'originalité d'un processus de création *ex nihilo,* justifier les chemins singuliers de l'invention. Discours sur la genèse du discours et discours de la méthode avec lesquels Jomini tue le père, nie les autres héritiers, cautionne *sa* vérité conquise contre eux et sa prétention pédagogique. Voilà, nous dit-il, pourquoi et comment il faut faire table rase pour opérer avec un esprit libéré de toute entrave, pour approcher les choses de la guerre et les rendre intelligibles. Le résultat n'est-il pas assez probant pour convaincre les apprentis de l'efficacité de ma méthode, et de son universalité? Ma clef ouvre toutes les serrures...

Quoique Jomini s'abuse sur cette universalité, il a raison de nous mettre dans la confidence sur la genèse de l'œuvre. Ces mémoires d'un intellect ne sont pas une pièce rapportée sur la texture du discours, un appendice qu'on pourrait détacher sans altérer la substance de la théorie : ils font corps avec elle, la *constituent* comme un exposé des motifs et une déclaration de légitimité. *Prolégomènes à toute stratégie future,* à celle-là seule qu'on devra désormais penser, et de cette manière, pour être assuré d'une pratique efficace parce que selon « les règles ». Texte

_____

1. *Précis. Notice sur la théorie actuelle de la guerre.*

fondateur, en effet : la critique de l'état « actuel » de la théorie démontre *a contrario* la nécessité et « l'utilité » de celle-ci. Il en détermine les conditions de possibilité, les critères et le domaine de validité. Il formule les indispensables notions préliminaires – genre « hautes branches de la science », « genres didactique et historique », « théorie de principes et théorie de systèmes », « principes fondamentaux » et « maximes », « art écrit » et « art pratique », « science positive », « histoire critique », etc. – et les règles de méthode qui régiront le développement analytique.

C'est là une amorce d'épistémologie; épistémologie empirique, si les deux mots peuvent s'accorder. Entendons que, si l'amateur Jomini requiert les professionnels de penser plus rigoureusement leur action, il constate du même coup que la rigueur implique la pensée de cette pensée. Sa volonté de savoir, la double évidence de son ignorance et de l'inefficacité du savoir reçu l'induisent à s'interroger sur la valeur opératoire – la puissance et la finesse – de l'outillage intellectuel banalisé, et à le soumettre à une critique interne. Il observe que la pratique napoléonienne de la guerre rompt avec les pratiques antérieures; que les origines, la nature, les implications – le sens – de cette coupure praxéologique demeurent obscures à ceux-là mêmes qui la provoquent; qu'elles doivent être élucidées, mais qu'elles ne peuvent l'être et dites avec les concepts et les théories usuels; qu'il faut refuser cet acquis périmé, surmonter les obstacles et les blocages mentaux qu'il dresse devant quiconque veut penser le neuf et l'utiliser. Le jeune Jomini, spectateur d'une mutation de la guerre, perçoit simultanément les deux coupures, praxéologique et épistémologique. Il est placé dans la position inconfortable d'un chirurgien qui devrait inventer ses instruments dans le cours même d'une opération sur laquelle ne lui serait fourni qu'un diagnostic imparfait; information que son outillage affiné empiriquement, pour les besoins même de l'investigation, devrait accroître et préciser – et ainsi de suite... Aucune distance entre l'apprenti théoricien et les faits sur lesquels il essaie sa clef de déchiffrement, à mesure qu'ils se manifestent, et les ébauches de concepts, de principes et de règles auxquels il tente de plier leurs singularités.

Contre la plupart de ses pairs, Jomini ne théorise pas après coup, mais dans le temps réel de l'action. Il saisit la mutation sur le vif, tente d'en éclairer et dire le sens dans le moment même où il s'élabore. Sans doute l'homme de guerre, l'acteur engagé dans cette mutation doit-il, lui aussi, inventer sous sa pression; mais Jomini entend la vivre, la comprendre et l'inscrire dans une théorie générale – ce qui est d'un autre ordre. L'entreprise suppose, après le décret de table rase qui déblaie le champ mental des obstacles à une construction personnelle, que l'intellect se donne une base de départ, un point d'ancrage pour le développement de l'analyse; *au moins une certitude* à partir de laquelle elle pourra s'amorcer; une

donnée irréfutable, mais venant du Moi, conquise sur le scepticisme trop répandu ailleurs et sur sa propre négation des pseudo-
théories; une définition, une assertion, voire un axiome, universellement acceptables, éludant la prise de la contestation parce que
compatibles avec le réel observable. En bref, une évidence sur
laquelle la pensée stratégique puisse légitimement fonder ses
opérations.

C'est pourquoi Jomini établit, à la fois comme conclusion de sa
critique, comme première réponse assurée à ses interrogations et
comme preuve que l'entreprise théorique est non seulement
possible mais aussi fondée en raison, la proposition générale sur
« le secret » des « combinaisons des grands capitaines ». Il définit
un type de manœuvre stratégique auquel il attribue la valeur d'un
paradigme, d'un modèle transhistorique que les stratèges de
renom ont réalisé, consciemment ou non. Leurs victoires procèdent
nécessairement de l'application de ce « principe ». Induction
capitale. En généralisant les résultats des observations sur l'histoire militaire – de Frédéric II à Napoléon, puis en remontant le
temps –, elle conforte, par sa fécondité, la confiance de Jomini en
sa méthode et dans l'intuition initiale qui a fixé sa vocation : si la
guerre n'est pas science, il y a de la science dans la guerre
puisqu'elle manifeste au moins une régularité, une « combinaison »
stratégique constamment efficace, une corrélation répétée et
répétable entre ce type de manœuvre et la victoire. Restera à
chercher pourquoi et en quoi la guerre est science, pourquoi et en
quoi elle ne l'est pas et ne peut l'être. D'entrée de jeu, il pose donc,
dans son langage, l'éternel problème de la combinaison du
déterminé et du contingent dans l'action collective finalisée. C'est
là que l'attendaient ses critiques. C'est là que, aujourd'hui encore,
nous croisons son itinéraire...

Récit d'une double illumination – celle de la méthode et celle
du « principe » –, la *Notice* est une propédeutique, double elle
aussi : elle introduit l'*apprenti quelconque* à la dialectique de la
théorie et de la pratique. Elle l'initie à l'opération mentale
fondamentale consistant à résoudre leur dualité dans l'unité d'une
pensée sur et de l'action stratégique : le savoir sur l'agir et les
opérations, mentales et physiques, de l'agir efficace sont indissolublement liés, montés en système d'inter-relations constantes.
Reconnaître cette corrélation, en définir la nature et le fonctionnement sont les conditions nécessaires de la rationalité de l'action
et de la validité du discours. En dénonçant les décalages historiques entre les pratiques effectives et les théories reçues, la *Notice*
suggère le mécanisme dialectique associant pouvoir et savoir dans
et sur la guerre : l'un et l'autre ne peuvent progresser, dans leur
ordre, que par leurs apports et, surtout, par leurs critiques
mutuels. C'est par la mise en évidence des retards ou des avancées
de la théorie sur la pratique, par l'analyse critique de ces écarts et

de leurs causes – le travail du négatif – que l'une et l'autre
évoluent et inventent : les progrès de l'une appellent le rattrapage
de l'autre, et ainsi de suite par de continuels écarts et dépasse-
ments. Ainsi le système lié théorie-pratique se développe par un
processus de corrections d'écarts entre pouvoir et savoir. Mécanisme cybernétique sans lequel il n'y aurait pas de stratégie
construite, de *poétique stratégique,* mais improvisation, traitement
empirique de la contingence et paris sur d'heureux coups de
dés.

Lieu et moment du savoir

Si savoir et pouvoir sont *systémiquement* liés dans l'unité d'une
praxis – il s'agit de transformer un état de choses sociopolitique –,
si la volonté de savoir ne s'éveille et ne s'ordonne que par l'action,
le théoricien ne saurait se poster sur quelque Sinaï d'où il
prétendrait légiférer pour tous les lieux et tous les temps. Il parle
d'un lieu et dans un temps *locaux.* La critique, voire la négation
des pratiques et théories du passé, et l'appel aux ressources
personnelles ne doivent pas l'abuser : aussi universelle et intemporelle qu'elle se veuille, aussi *puissante* au regard de l'étendue et de
la complexité de l'objet-guerre, toute théorie est datée et localisée.
Elle s'enracine dans un tuf sociopolitique et se découpe dans un
fonds culturel sur lesquels le discours neuf s'enlève en couleurs
plus ou moins contrastées. Actuelle, ou projetée à l'horizon visible
à hauteur d'homme, l'action de guerre est toujours présente avec
ses déterminations d'époque : celles-ci pèsent à la fois sur la
critique des théories antérieures et sur celle qui s'ébauche. Ce que
Jomini a écarté, ou cru écarter, dans le langage et le stock d'idées
de son temps, ne peut masquer ce qu'il a conservé, sans en être
conscient : tout l'implicite du discours, dissimulé sous le manifesté, par quoi l'homme Jomini nous apparaît immergé dans les
phénomènes conflictuels du lieu et du moment. Ceux-ci polarisent
le travail de sa pensée et relativisent une théorie nécessairement
marquée par le milieu socioculturel dans lequel elle naît et se
construit.

Plus Jomini s'éloigne pour les générations de ses lecteurs, plus
ses attaches avec son époque s'éclairent; plus diverses aussi, les
lectures de l'œuvre. Chacun, lié comme lui à ses lieux et temps
propres, y cherche son bien en fonction de ses propres interrogations. Le Jomini utilisé au début du siècle n'est pas, ne peut être le
nôtre. Si nous avons dû, nous aussi, consulter les grands ancêtres,
nos questions ne pouvaient être les siennes : notre lecture critique
des auteurs cités dans la *Notice* s'écarte de la sienne, et nous tirons
d'autres leçons de leur analyse des guerres dont il extrait ses
principes et maximes. Notre volonté de savoir pour pouvoir se

porte sur d'autres aspects de l'objet-guerre. Les modèles et paradigmes, instruments pour le théoricien et le praticien de l'ère napoléonienne et ceux de la guerre totale, ont été dévalorisés par la nouvelle coupure, praxéologique et épistémologique, de l'âge nucléaire. Le blocage dissuasif induit l'analyste à constituer une nouvelle typologie des guerres et des stratégies; à prêter une grande attention aux stratégies à but restreint et à leurs modes indirects que Jomini et ses successeurs considéraient, jusqu'en 1945, comme des formes abâtardies des hautes « combinaisons » stratégiques. En revanche, nous comprenons ses réticences, et leurs raisons, devant le mauvais usage *politique* de la guerre, illustré par Napoléon.

Nous allons même au-delà de sa critique, seulement esquissée, quand nous posons l'existence et le respect de la règle du jeu comme l'un des axiomes sur lesquels se fonde la stratégie de dissuasion nucléaire. Ceux d'entre nous que forma l'étude de la guerre napoléonienne et des stratégies d'anéantissement qui en dérivèrent durant cent cinquante ans ont dû brûler ce qu'ils adoraient et, contre leur sensibilité intellectuelle, interroger les conflits à buts limités du XVIIIᵉ siècle pour affiner, sur ce paradigme méprisé, un concept de règle du jeu qui fût opératoire à l'âge nucléaire. Nous avons prêté moins d'attention que nos anciens au Guibert de l'*Essai général de tactique* pour porter la nôtre sur la *Défense du système de guerre moderne* qui dénonçait les risques d'irrationalité de « la guerre de grand style », de la guerre nationale et totale préconisée par l'*Essai* au mépris des intérêts communs subsistant nécessairement entre les belligérants. Après 1945, l'engouement de l'intelligentsia découvrant Clausewitz, à la suite de Lénine, ne fut pas fortuit. Il se fondait, le plus souvent, sur une lecture réduite à celle de l'aphorisme fameux : « La guerre est la poursuite *(Fortsetzung)* de la politique avec introduction *(Einmischung)* d'autres moyens. » De nombreux commentateurs, sans autre savoir sur la guerre et ses déterminations, trouvaient là une confirmation de leur défiance viscérale envers le militaire. Ils n'imaginaient pas que le chef de guerre a toujours reconnu la pertinence de la formule clausewitzienne; mais avec l'avantage, sur les rapsodes, de connaître aussi, par expérience, combien son application est malaisée dans la guerre réelle, que c'est là le problème majeur de sa conduite. Toutefois, après Hiroshima, ce simplisme même manifestait la peur légitime de voir abandonnée, à sa pente naturelle, une guerre qui pourrait tourner en génocide. Il rappelait aussi, à l'opinion et au politique mal informés sur la fonction de la violence dans l'histoire, l'obligation de penser la guerre avant qu'elle n'éclate, et de purger cette pensée de ses habituelles impuretés passionnelles. En bref, les néophytes engageaient opportunément à retrouver, derrière le Clausewitz radicalisant communément invoqué par les tenants de la guerre totale, celui qui n'avait cessé de rappeler qu'elle adoptait plus fréquemment des formes atténuées.

Jomini, lui aussi, fut victime d'une ambiguïté. Nous avons vu que, dans *De la politique de guerre*, il établit une typologie des buts de guerre – onze au total – dont il infère, en bonne logique, que « ces différentes espèces de guerre influent un peu sur la nature des opérations qu'elles exigent pour arriver au but proposé, sur la grandeur des efforts qu'il faut faire à cet effet [1]... ». Notons qu'il écrit : « ... influent un peu », laissant percer comme un regret de ne pouvoir ramener ces variétés de guerre à quelque unité d'ordre supérieur. Réduction d'autant plus malaisée que « chacune de ces guerres pourra être offensive ou défensive... Mais il y aura encore d'autres complications provenant de la situation respective des parties. » Suit une seconde typologie de « ces différentes combinaisons, qui appartiennent plus ou moins à la politique diplomatique », au nombre de neuf : « 1º) On fera la guerre seul contre une autre puissance. 2º) On la fera seul contre plusieurs États alliés entre eux. 3º) On la fera avec un puissant allié contre un ennemi seul. 4º) On sera la partie principale de la guerre ou auxiliaire seulement. 5º) Dans ce dernier cas, on interviendra dès le début de la guerre ou au milieu d'une lutte déjà plus ou moins engagée. 6º) Le théâtre pourra être transporté sur le pays ennemi, sur un territoire allié ou dans son propre pays. 7º) Si on fait la guerre d'invasion, elle peut être voisine ou lointaine, sage et mesurée ou extravagante. 8º) La guerre peut être nationale soit contre nous, soit contre l'ennemi. 9º) Enfin, il existe des guerres civiles et religieuses également dangereuses et déplorables [2]. »

Jomini veut n'omettre aucun des types de guerre, les classer et les ordonner en fonction de trois catégories de la pensée stratégique : les fins politiques de la guerre; les postures des duellistes (offensive ou défensive); les facteurs géopolitiques – « diplomatiques » – qui définissent leurs positions relatives et la nature de leur sous-système au sein du système international englobant. Combinatoire qui se prétend exhaustive, au moins dans son énoncé, car les articles suivants, qui se proposent de développer ses implications, révèlent qu'elle ne couvre pas la totalité des combinaisons concevables et font apparaître de nouveaux concepts : « guerres de convenance », « guerres d'intervention », « guerres d'opinion ». Jomini voudrait constituer une taxinomie qui reflète l'esprit du XVIIIᵉ siècle et des classificateurs comme Linné ou Jussieu. Mais il est mal armé pour construire une matrice à trois dimensions – fins politiques, postures stratégiques, positions géopolitiques; pour croiser les trois typologies élémentaires et systématiser les résul-

1. *Précis de l'art de la guerre*, I.
2. *Ibid.*

tats de cette triple combinatoire : « La classification qui offrirait le plus grand nombre de liaisons et de rapports mériterait sans doute d'être préférée. Mais peut-on se flatter de la saisir [1] ? »

En outre, et c'est l'obstacle majeur, notre analyste est pris entre deux exigences antinomiques : d'une part, il veut bâtir un tableau complet et ordonné des « espèces de guerre » observables en son temps, comme l'indiquent les exemples historiques illustrant sa classification. D'autre part, il est asservi à son propos initial : réduire ces multiples modalités à un facteur commun; résoudre leurs différences par la mise en évidence d'un « principe directeur » dont l'observation permettra au praticien de se tirer d'affaire dans tous les cas d'espèce. Ce principe, nous l'avons vu, c'est le paradigme de la manœuvre efficace, le « secret » de victoire des grands capitaines, dont l'intuition a amorcé toute sa construction théorique. C'est bien là l'invariant, le « point central » – selon la formule de Napoléon – autour duquel s'organise sa recherche. Or ce noyau dur, qu'il dit constant sous les variations de la guerre concrète, ressortit à la *stratégie opérationnelle*, c'est-à-dire, au domaine des opérations des armées en campagne – à quoi la guerre, dans sa totalité, ne saurait se réduire. Il pose, en règle de conduite des opérations, que la « mise en action des forces présente deux combinaisons principales : l'une qui est le fond du principe stratégique même, c'est d'obtenir, par la mobilité et la rapidité, l'avantage de porter successivement le gros de ses forces sur des fractions seulement de la ligne ennemie; la seconde, c'est de porter ses coups dans la direction la plus décisive, c'est-à-dire dans celle où l'on peut faire le plus de mal à l'ennemi sans s'exposer soi-même à des chances désastreuses, comme par exemple de se voir enlever ses communications. Toute la science des grandes combinaisons de la guerre se réduit à ces deux vérités fondamentales [2]. »

Mais construire « la théorie des grandes combinaisons spéculatives de la guerre » sur cette « vérité » qui ne vaut que pour la manœuvre des armées engagées dans les guerres de type classique, c'est écarter, de l'édifice théorique, d'autres « espèces de guerre »; celles qui, quoique figurant à son inventaire, engagent des moyens d'une autre nature et adoptent d'autres modes opérationnels que les « guerres de grand style » entre les États. Jomini confesse cette carence quand il évoque les « guerres civiles et de religion ». Il croit s'en tirer par une pirouette : « Vouloir donner des maximes pour ces sortes de guerres serait absurde [3]. » Or ces conflits, qu'il est tenté de considérer comme des cas aberrants, relèvent de ce que, depuis 1945, on nomme la guerre révolutionnaire (fin

1. D'Alembert, Préface à *l'Encyclopédie*.
2. *Résumé stratégique présenté à Son Altesse Impériale, le 20 mars 1837*.
3. *Précis de l'art de la guerre*, article 9.

politique) et la stratégie dite de subversion. Le messianisme conquérant de mythes transnationaux comme le marxisme-léninisme, la quête d'identité des peuples colonisés et les déchirements internes des sociétés en mal de croissance, ont montré leur irréductibilité aux modèles conflictuels et stratégiques classiques. Ce sont là des « sortes de guerres » dont, contrairement au jugement hâtif de Jomini, les concepts spécifiques et la théorie ont pu être élaborés, comme l'ont montré les travaux de l'école française dans les années 60-65. Travaux certes inégaux; mais les meilleurs même, conduits avec la rigueur requise par l'analyse théorique, subirent la critique de démolition des partisans de toute obédience, moins soucieux du savoir stratégique que d'écarter le militaire du domaine sociopolitique où il devait pénétrer, pourtant, pour trouver les axiomes nécessaires à sa construction théorique.

Parce qu'il ne tend pas ses filets assez haut, parce qu'il choisit, pour amorcer sa quête du sens de la guerre, un principe qui n'est pertinent que dans le domaine restreint et subordonné de la stratégie opérationnelle, Jomini ne peut avoir de prise intellectuelle assurée et totale sur les autres déterminations de l'objet-guerre; en particulier, sur toutes les corrélations de la stratégie militaire, dans ses buts et ses voies-et-moyens, avec la dynamique et les états instantanés du système sociopolitique englobant. Son axiomatique étant trop locale et de trop faible portée, les inférences n'atteignent et ne dévoilent que partiellement l'objet-guerre. Sa théorie n'est pas assez *puissante* pour couvrir, dans sa totalité, le champ des multiples déterminations de cet objet; pour éclairer la complexité organisationnelle et l'unité fonctionnelle du *système politico-stratégique* intégrant le politique et le militaire, et au sein duquel se conçoit et se calcule l'action des forces armées – qui ne sont pas les seules forces impliquées dans la guerre. De là les trous et l'inconsistance de son discours sur la « politique de guerre », le caractère purement descriptif de sa typologie : faute de définitions et d'axiomes suffisamment généraux ou complémentaires sur la nature des corrélations entre la politique et la guerre, et sur la guerre elle-même – comme ceux posés par Clausewitz dans le premier chapitre de *Vom Kriege* –, Jomini ne parvient ni à organiser son catalogue, au demeurant incomplet, ni à soumettre la diversité de ses concepts à quelque raison d'ordre supérieur : les cas d'espèce débordent du corset théorique étriqué.

C'est là que se révèlent le plus crûment les attaches de la théorie avec le lieu et le moment de sa genèse. Comme Clausewitz, il n'échappe pas à la fascination de Napoléon. L'un et l'autre l'admirent, non sans quelque jalousie de critiques pour l'auteur génial dont les pouvoirs s'embarrassent peu de théorie et créent *naturellement,* comme par une surabondance de vie cherchant qui dévorer. Il leur propose l'archétype de cette race de politiques et de stratèges qui rajeunissent les ambitions et renouvellent les thèmes de leur art au point que, rétrospectivement, les projets, les méthodes, les savoir-faire, les langages des précesseurs ne sont plus que balbutiements de primitifs annonçant le grand classique. De telles puissances mentales font le vide autour d'elles : aucune œuvre *ne tient* devant les leurs. Leur irruption dans un champ de création où, pourtant, les talents ne manquent pas, les offusquent, les annulent même par la virtuosité érigée en système; par l'accord maintenu, contre toute chance, entre le projet et la réalisation; par l'efficace ajustement de l'ensemble et du détail – par une puissance d'invention qui fait date dans l'histoire de leur art et inaugure des temps nouveaux.

Tout reste donc à expliquer après de telles décharges de la volonté de création qui ne modifient rien de moins que ce que l'homme quelconque pensait de soi et de l'ordre universel : catastrophe, bifurcation de l'histoire... Expliquer pour soi, d'abord, pour le plaisir sans égal de réduire le mystère de cette poétique à ses composantes claires. Pour autrui, ensuite, puisqu'une apparition, si improbable et néanmoins manifestée, ne laisse souvent qu'un sillage de souvenirs fabuleux où le mythe finit par occulter le vraisemblable, absorber le logique et substituer, aux calculs de l'intellect, la toute-puissance gratuite d'une complicité divine. Enfin, comment résister à la tentation d'extraire, de quelques lueurs sur le cas le plus singulier, les lois de fonctionnement du cerveau quelconque aux prises avec le problème le plus général dont l'énoncé, songent nos docteurs, doit pouvoir s'écrire en langage univoque? Ne suffirait-il pas de systématiser ce qu'on peut inférer des observations sur la trajectoire, avec ses points singuliers, d'une action aussi exemplaire dans son économie et son rendement; d'extraire, de la trace de faits et d'événements discontinus et aléatoires, le principe d'une action continue et rationnelle? Tentation et question qui définissent le théoricien...

Même si Jomini et Clausewitz s'installent en deux postes d'observation différents devant la structure fonctionnelle unifiée que constituent l'appareil d'État et l'appareil militaire, ils recueillent une même information, dans un même lieu et un même moment. Certes, le *partage des terres,* entre les deux chercheurs, n'est pas sans implications épistémologiques – sur lesquelles je reviendrai. Mais importent seulement, ici, les directions privilégiées du regard sur l'objet-à-dire, les tropismes intellectuels, les lignes de force du champ mental qui attirent et trient les fragments du réel selon leur *gravité,* pour les recomposer en une figure personnelle – le réel réfracté par un esprit. Or, à nous, qui pouvons survoler les XVIIIᵉ et XIXᵉ siècles, Jomini paraît plus relié au premier que Clausewitz, même si tous deux doivent beaucoup à Montesquieu, entre autres. Dans la mesure où, pour eux, la politique s'entend comme politique d'État et des États européens, et doit se référer à l'idée fondamentale d'équilibre d'un système régulé, comme elle le fut avant la fracture révolutionnaire, la guerre ne peut être, pour Jomini, qu'un complément de la diplomatie – de la « politique diplomatique » selon son expression. Les forces de violence armée ne peuvent être que des forces additionnelles ou des substituts temporaires et pondérés, aux forces naturelles, dans les transactions entre États que résume le verbe diplomatique; non le moyen de transformations radicales bouleversant les systèmes politiques dans la totalité de leurs éléments idéologiques, sociaux, culturels, etc.

Sans doute, comme tout homme de guerre, Jomini connaît la relation de fin à moyen entre politique et guerre. Mais la fonction instrumentale de celle-ci ne va pas, dans sa perspective, jusqu'à remettre en cause l'état normal et accepté par tous, l'équilibre stationnaire, du système interétatique. Tout se passe pour lui comme si le rôle de la violence guerrière ne devait être que marginal au regard du rôle fondamental, parce que constant et régulateur, de la diplomatie; comme sont marginaux les enjeux de litige occasionnels devant les grands intérêts communs, devant les conditions de coexistence des adversaires-partenaires. C'est là l'implicite, le non-dit du discours jominien, son idéologie sous-jacente. Il inventorie scrupuleusement les « espèces de guerre », mais assortit sa typologie de jugements critiques et de mises en garde sur les guerres d'opinion, les guerres civiles et de religion qui donnent à penser qu'il les considère comme des formes aberrantes de la dynamique conflictuelle. Pour lui, les oscillations du système interétatique doivent peu l'écarter d'une position médiane. Dans ces conditions, comment n'inclinerait-il pas à poser la politique, non pas, évidemment, comme une détermination de la guerre invariable dans ses modalités, mais comme une donnée de fait dont les variations, de faible amplitude puisque amorties par la règle de coexistence, ne devraient affecter que faiblement la stratégie militaire opérationnelle? Le critique de Frédéric II et de Napoléon ne conçoit qu'un seul but de guerre dans tous les cas de figure politique : la victoire. Pour lui, comme pour ses contemporains, le concept de victoire est clair; c'est le résultat incontestable de la bataille dite décisive, notion centrale dans la pensée jominienne : elle traduit, en un lieu précis qui éternisera une toponymie, l'acmé de la guerre, le moment culminant de l'épreuve de vérité – point singulier sur la trajectoire de l'histoire. La bataille et la victoire sont l'affaire du chef militaire, l'invariant de ses calculs; à charge pour le politique, ensuite – et ensuite seulement – de ne pas les détourner de leur sens, de ne pas les dévoyer de leur fin raisonnable : soutenir une diplomatie réglée dans un système autorégulé. En bref, Jomini définit bien les « espèces de guerre » en fonction des diverses fins politiques avec, toutefois, la contrainte de compatibilité avec l'équilibre du système interétatique. Mais chacune de ces fins est fixée *ne varietur* pour la durée de la guerre, et le but stratégique ne peut être que la victoire. L'idée n'apparaît pas que les fins initiales puissent changer dans le cours du conflit, par effet de rétroaction des opérations qui peuvent se prolonger, avec des résultats indécis, la victoire s'éloignant jusqu'à s'avérer improbable − ce qui contraint à réviser et le but stratégique et la fin politique originelle.

C'est donc dans l'esprit du XVIIIe siècle que Jomini tire la leçon de la guerre du XIXe. Ses critères de jugement comparatif sur la qualité des pratiques guerrières supposent une continuité non brisée entre les deux époques. Écartant comme aberrante, hors jeu, l'exploitation politique des victoires napoléoniennes, il peut considérer celles-ci en et pour elles-mêmes. Procédure parenthétique qui efface la fracture politique Révolution-Empire, et qui lui semble autorisée parce qu'il est peu probable, selon lui, qu'elle se répète dans l'avenir. Cela l'autorise aussi à chercher, en rétablissant la continuité par-dessus cet événement sans passé et sans futur, les régularités, les invariants des transformations de la guerre; cela dans la guerre elle-même, dans un *art militaire* posé, par décret de la problématique, comme un objet de pensée autonome.

Ainsi, tout en se gardant de réduire la guerre dans sa totalité aux opérations militaires, Jomini découpe consciemment celles-ci dans celle-là. Non seulement par principe méthodologique − dont il faudra examiner les conséquences pour la validité et la pertinence de la théorie −, mais aussi par une sensibilité intellectuelle qui reflète celle de ses prédécesseurs et de la plupart de ses contemporains : pour tous, les campagnes et les batailles constituent la trace visible, inaltérable, du phénomène-guerre. En elles se résument non seulement le jeu des forces armées, mais aussi le duel des puissances totales des antagonistes. La volonté de savoir de Jomini prolonge, ici, celle des encyclopédistes et s'accordera avec l'esprit positif de la seconde révolution industrielle. La curiosité est générale pour les mécanismes du faire, le montage et le fonctionnement des systèmes physiques appliqués à fabriquer des objets concrets. Les *techniques* des « arts et métiers », de la production et de la transformation de tels objets relèvent d'un savoir pragmatique − d'un savoir-faire − qu'on ne considère plus comme de second ordre. Or les forces armées convertissent de l'énergie, effectuent un travail finalisé et producteur d'effets de transformation. Leurs *opérations* − les bien nommées − relèvent, elles aussi, de techniques spécifiques. Ces manières d'agir pour faire, ces procédures de calcul et de conduite des opérations doivent être connues et ordonnées afin que, dans chaque situation de guerre réelle, la probabilité de l'effet résultant, la victoire, soit aussi élevée que possible. Que ces techniques évoluent, s'affinent et se compliquent avec la nature et la qualité des instruments − les systèmes de forces – et avec l'état de chose socioculturel, elles n'en conservent pas moins, dit Jomini, leur spécificité, un noyau constant de principes et de règles qui tiennent aux fonctions assumées par les divers éléments du système des forces, à la nature du travail et à sa finalité : la victoire. L'art du stratège ne consistera donc pas à réinventer ces principes, mais à trouver comment les appliquer, dans chaque guerre particulière, afin que la victoire, décisive si possible, soit acquise de la manière la plus économique : « On ne saurait m'accuser de vouloir faire de cet art une mécanique à rouages déterminés, ni de prétendre au contraire que la lecture d'un seul chapitre de principes puisse donner, au premier venu, le talent de conduire une armée. Dans tous les arts comme dans toutes les situations de la vie, le *savoir* et le *savoir-faire* sont deux choses tout à fait différentes, et si l'on réussit souvent par le dernier seulement, ce n'est jamais que la réunion des deux qui constitue un homme supérieur et assure un succès complet. Cependant, pour ne pas être accusé de pédantisme, je me hâte d'avouer que, par *savoir,* je n'entend point une vaste érudition : il ne s'agit pas de *savoir beaucoup,* mais de *savoir bien*; de savoir surtout ce qui se rapporte à la mission qui nous est donnée [1]. »

Évolution et stabilité

Dès lors qu'elle a défini étroitement sa problématique et découpé le sous-ensemble opérations militaires dans l'ensemble guerre, avec toutes ses déterminations sociopolitiques, dès lors que, parmi les hautes « combinaisons spéculatives » d'un art ayant pour seule fin la victoire, elle a isolé le principe de celles qui firent les grands capitaines, la théorie jominienne accédait à un haut degré de généralité. Mais cela, seulement dans son champ de validité; celui de la stratégie militaire opérationnelle – ce qui induit à distinguer *puissance* et *généralité* quand on évoque la valeur d'une théorie. On imaginerait volontiers que la longévité de l'auteur – il meurt trente-huit ans après Clausewitz – aurait pu, dû même, le conduire à réviser ses propositions originelles, voire son axiomatique. Or la dernière édition du *Précis* reprend celle de 1830. Les *Appendices* de 1849 ne changent rien sur le fond, et le tout n'est qu'une reprise condensée, complétée et plus rigoureuse du *Traité des grandes opérations militaires.*

Il est vrai que, entre 1815 et les années quarante, les armements n'évoluent pas : le fusil à pierre, modèle 1777, légèrement modifié en 1816, reste en service dans l'armée française jusqu'en 1841, quand apparaît la capsule à percussion. En Prusse, le fusil Dreyse,

---

1. *Précis de l'art de la guerre. Notice sur la théorie actuelle de la guerre.*

à percussion centrale et se chargeant par la culasse, entre en service, lui aussi, en 1841. Puis l'évolution s'accélère pour les armes d'infanterie et d'artillerie, avec l'introduction des âmes rayées, de la percussion centrale et du chargement par la culasse. Progrès inégaux ici et là : au cours de la guerre de 1870, le fusil Chassepot (1866) surclassera techniquement le Dreyse; mais le canon français en bronze, rayé et se chargeant encore par la bouche (1858), sera très inférieur au canon Krupp (1864) en acier, rayé et chargé par la culasse. Les transmissions télégraphiques par fil, apparues lors de la guerre de Crimée (1854), se généralisent ensuite. Enfin, l'utilisation du chemin de fer pour les transports de concentration, inaugurée par les forces françaises au début de la guerre d'Italie (1859), se systématise lors des campagnes de 1866 et de 1870. Il est même utilisé pour les transports stratégiques, de théâtre à théâtre, au cours de la guerre de Sécession américaine (1861-1865).

Toutes ces transformations concourent à accroître la puissance et la précision du feu, la mobilité stratégique et les capacités logistiques; à faciliter aussi l'exercice du commandement. Si l'on ajoute que les forces engagées, toujours plus lourdes, trouvent, avec Moltke, la solution à l'organisation et à la manœuvre d'armées que Napoléon avait esquissée en 1812, on s'étonne que Jomini n'éprouve pas le besoin de corriger sa théorie. Il n'ignore pas le progrès technique, se tient exactement informé sur les nouveaux matériels et leurs performances, mais porte un jugement très nuancé sur les conséquences de leur généralisation. Après la guerre de Crimée (1854-1855), à laquelle il assiste, il écrit dans son *Deuxième appendice au Précis de l'art de la guerre* : « A la fin de 1851, me trouvant à Paris, un illustre personnage me fit l'honneur de me demander si je ne pensais pas que le perfectionnement des armes à feu amènerait de grandes modifications dans la manière de faire la guerre. Je répondis que cela exercerait probablement une certaine influence sur les détails de tactique, mais que, dans les grandes opérations stratégiques et dans les grandes combinaisons de batailles, on assurerait toujours la victoire par les principes qui avaient fait triompher les grands capitaines de tous les siècles : Alexandre, César, aussi bien que Frédéric et Napoléon. Les événements héroïques qui viennent de se passer autour de Sébastopol sont loin d'avoir apporté le moindre changement dans mon opinion. » Cela posé, Jomini traite de « l'effet meurtrier des nouvelles armes à feu » et des « changements qui pourraient en résulter dans la tactique de l'infanterie ». Dans ses *Observations sur l'influence des nouvelles inventions dans les combinaisons de la guerre,* rédigées en 1866 [1], il utilise

1. Publiées dans leur forme définitive sous le titre : *Troisième appendice au Précis de l'art de la guerre du général Jomini relatif aux modifications nécessitées par les nouvelles inventions et par la dernière guerre de Bohême.*

plus les lumières de sa théorie fixée pour éclairer la récente campagne de Bohême que les « observations » faites sur celle-ci pour remettre en question les fondements théoriques.

Nous serions tentés de mettre au compte de la myopie de l'intelligence et du durcissement de l'esprit critique, très naturels – Jomini a soixante-douze ans en 1851, quatre-vingt-six en 1866 –, d'imputer à l'assurance d'un maître aveuglé par l'encens, l'obstination avec laquelle il défend ses positions et propositions de jeunesse. Nous pourrions tirer un trait sous le Grand Œuvre qui a su arracher une figure plausible et intelligible à un phénomène – guerre protéiforme; nous persuader que, comme celui des sciences sociales et politiques, le discours stratégique procède d'un lieu et d'un moment; qu'il ne vaut que par et pour ce lieu et moment, et qu'il n'est plus, bientôt, qu'un texte fossile abandonné aux curieux. Enfin, après ce coup de chapeau concédé au maître embaumé, passer à l'ordre du jour sur lequel Jomini n'aurait plus rien à dire : les guerres totales des sociétés industrielles et scientifiques, les guerres révolutionnaires, les stratégies complexes de l'âge nucléai-re... Est-ce aussi simple? Si, comme nous y invite Barrès, « il ne faut pas prendre aisément son parti d'être en désaccord avec le génie », gardons-nous de traiter comme une faiblesse l'inaltérable accord de Jomini avec son œuvre. Sans doute, son orgueil d'expert reconnu ne lui dissimule pas que son savoir, sur un objet comme la guerre, ne peut être que lacunaire, et sa théorie provisoire : un état local et transitoire d'une théorie en chantier, toujours inachevée, qui ne cesse de se constituer, depuis l'Antiquité, par strates de théories fragmentaires se complétant et se corrigeant par le lent travail des expériences et des analyses cumulées. Toutefois, chacun de ces fragments-moments d'une théorisation progressive se constitue dans son unité et son identité d'œuvre individuelle : celle-ci procède de la pression de ses interrogations et de son axiomatique particulière, de ses règles de cohérence et de pertinence, de la virulence de son autocritique. Comment une œuvre de la volonté autant que de l'inquiétude devant les choses, et dont la solidité tient aux exigences que s'impose l'intellect, se laisserait-elle entamer sans protester quand elle cherche encore celles qui s'élèvent à sa hauteur?

Observons que, dans l'histoire de la pensée stratégique, une œuvre théorique majeure change rarement de cap : elle accumule, le plus souvent, d'infinies variations sur un thème constant, lui-même développé d'intuitions et d'hypothèses, d'illuminations intellectuelles qui ont trop profondément marqué le chercheur, en le révélant à lui-même, pour qu'il les abandonne sans motif grave, sans qu'un événement intellectuellement révolutionnaire, très rare par définition, ne l'y contraigne. Non que les prestiges de la mode ou le souci de la gloriole n'affectent jamais le théoricien, aussi sensible que quiconque à l'air du temps. Mais le cas de

Guibert, brûlant en 1779 ce qu'il adorait en 1770 – avec d'excellentes raisons –, est exceptionnel. Les œuvres théoriques, qui ont marqué dans la généalogie de la stratégie, témoignent d'une surprenante stabilité alors que les choses bougent autour d'elles. Cela ne signifie pas qu'un maître n'ait parfois changé son centre de perspective devant un objet de pensée, le phénomène-guerre, dont l'opacité et l'évolution suggèrent des approches transdisciplinaires, des méthodes d'analyse et des langages empruntant, à de multiples branches du savoir, des boîtes à outils composites s'enrichissant de concepts importés. Mais la critique et le perfectionnement consciencieux de l'instrument mental n'appellent pas obligatoirement le changement de partition : bien au contraire, et à moins d'être convaincu d'erreur dans l'intuition initiale, l'esprit s'obstine à se prouver sa clairvoyance. Comment la mieux vérifier qu'en transposant les habituelles interrogations dans les langages d'autres disciplines, en forçant les analogies, en utilisant méthodes et concepts venus d'ailleurs? Jomini se fait historien pour contrôler la validité du traitement de l'information directe fournie par les guerres contemporaines. Il ne s'agit pas d'une escapade d'amateur : sa lecture historique est subordonnée à la théorie en devenir, qui l'appelle et l'oriente. De même, il demande au critique, qui dénonce ses insuffisances ou son archaïsme, de se placer au même centre d'observation et d'adopter la même problématique, la même axiomatique... sauf à parler d'autre chose! La critique et son objet doivent être homogènes. Dénoncer comme faiblesse la stabilité d'une théorie devant l'irruption des faits nouveaux n'a point de sens dès lors que cette fixité tient, au contraire, à sa puissance, à sa capacité de les absorber et d'en rendre compte sans devoir changer ses fondements.

Les attaches de la théorie jominienne avec le lieu et le moment de sa genèse et le milieu de son développement, sa stabilité – imputée par la critique récurrente aux blocages d'un esprit indifférent aux changements d'état des choses – suggèrent deux leçons à qui entre en stratégie, assez lucide pour se reconnaître condamné, par son objet même, à balbutier. Deux leçons d'ordre épistémologique, difficiles à entendre si l'on en juge aux discours tenus, ici et là, sur la stratégie de l'âge nucléaire. La première porte sur les fondements, sur les axiomes choisis pour amorcer l'analyse de l'objet-stratégie et qui détermineront la totalité des inférences – concepts, principes, règles, ensemble d'énoncés – constituant la théorie avant de gouverner la pratique. Cette axiomatique rassemble donc diverses assertions qui, dans la totalité de l'information recueillie et interprétée sur les faits de conflit, de guerre, de stratégie tels qu'on peut les observer, portent sur certains facteurs ou données de fait sociologiques, techniques, etc.; sur certaines corrélations entre eux, auxquels l'analyste accorde une valeur ou un sens particulier. A ses yeux, ces facteurs et corrélations privilégiés déterminent la nature et l'évolution de son objet, dans le présent et jusqu'à l'horizon qu'il a retenu. Par exemple, dire aujourd'hui que l'arme nucléaire n'est pas une arme comme les autres est un axiome pour de nombreux analystes.

Aussi évidents qu'ils soient pour le théoricien, qui doit être clair sur les raisons de son choix, ces axiomes procèdent de l'observation d'un matériel d'information surabondant, complexe et fluide. Il est indéniable que le regard, la sensibilité intellectuelle, les critères d'élection et le langage de l'observateur, immergé dans la dynamique conflictuelle de son temps, ne sont pas neutres, pas innocents : le champ mental n'est pas vierge, indifférent, mais peu ou prou polarisé. Une sorte de relation d'incertitude, imputable aux attaches de l'analyste avec le lieu et le moment de son enquête et à la mobilité de son objet, interdit de tenir ces propositions fondatrices pour scientifiquement vraies; d'espérer qu'elles seront unanimement reçues comme des évidences, comme d'incontestables clartés sur l'objet-guerre ou stratégie; de croire qu'elles accèdent aux valeurs de vérité et d'universalité – ou de haute généralité – communément requises pour apprécier la solidité d'un édifice théorique. Là où je dis axiomes, d'autres diront intuitions ou présupposés, pour souligner la précarité des raisons motivant mes choix. Disons donc que ces formules assertoriques *fonctionnent* comme des axiomes dans la démarche théorétique, et que leur choix doit être tenu pour provisoire – leur validité étant évidemment remise en question avec les changements majeurs de l'état de choses.

Nous avons vu quel axiome choisit Jomini, qui dit clairement son origine et comment il fonctionne dans sa théorie. Pourquoi, aussi, le choisissant dans l'ordre subordonné d'une stratégie opérationnelle liée aux déterminations locales – singulièrement, socioculturelles et techniques –, il s'expose au reproche, qui ne lui fut pas ménagé, de théoriser non seulement le fragmentaire – un élément de la totalité guerre –, mais aussi le temporaire... En d'autres termes, son axiomatique n'ayant pas visé assez haut – en amont – dans les déterminations de l'objet-guerre, serait logiquement frappée de précarité. Sa faible puissance vouerait la théorie à une rapide obsolescence pour peu que, par exemple, l'évolution des armements s'accélérât au point de provoquer, dans les voies-et-moyens de la stratégie, une rupture assez grave pour mettre en question le but invariant que lui attribue Jomini : la victoire dans la bataille décisive, élément majeur de son axiomatique. C'est là une des leçons que suggérait le Suisse du XIXe siècle aux stratèges français de l'âge nucléaire quand ils durent choisir les axiomes nécessaires pour amorcer leur réflexion théorique et déboucher, ensuite, sur une pratique efficace. J'ai dit ailleurs [1] la méthode utilisée, avec ses axiomes ou invariants retenus comme les moins contestables. D'abord, le fait nucléaire et ses implications, donnée de fait technique mais retentissant, en amont, sur les évaluations de l'espérance politico-stratégique, elles-mêmes déterminantes pour définir le but stratégique; ensuite, second axiome, l'autonomie de décision politique. Retenant en quelque sorte la leçon *négative* donnée par Jomini, nous réduisions le risque d'obsolescence de la théorie, à l'horizon de vingt ans au moins : en posant des axiomes d'ordre politique, donc très en amont dans l'ensemble des déterminations de toute stratégie et de très haut indice de généralité, nous pouvions logiquement en inférer les buts stratégiques *nécessaires* dans le lieu et le moment français. Buts assez stables dans l'avenir prévisible sous réserve, bien entendu, que de nouvelles mutations politiques et techniques *de mêmes dimensions* ne suggèrent l'abandon de l'autonomie de décision et ne dévalorisent le fait nucléaire.

La seconde leçon proposée par Jomini, *positive* celle-là, et corollaire de la précédente, intéresse également la stabilité de la théorie. Plus exactement, elle porte sur les critères permettant d'apprécier la pertinence des critiques qui dénoncent son vieillissement sous l'impact des facteurs d'évolution affectant la guerre – la stratégie – dans telle ou telle de ses déterminations politiques, économiques, culturelles, sociales et techniques. Jomini peut se défendre d'être un fixiste obstiné : les choses changent durant son existence; pas assez vite ni assez profondément, toutefois, et il a raison, pour que tous les fondements, principes et « maximes » de sa théorie soient périmés quand il quitte la scène. Le vieillissement est sensible, mais l'édifice tient encore debout. Rien de tel, apparemment, aujourd'hui : notre pléthorique littérature véhicule une information, en particulier technologique, aggravant l'inconfort des experts devant un objet-conflit et des théories constamment soumis aux secousses affectant les paramètres du calcul stratégique. Spéculant sur les conséquences à terme de ces transformations accélérées, la jubilation des éternels contestataires de la stratégie française manifeste leurs espérances non dissimulées : voir celle-ci contrainte, enfin, de se soumettre à la dure réalité de faits imparables et qui devraient, inéluctablement, déstabiliser une théorie au demeurant non fondée dès l'origine...

Ces critiques oublient une règle d'épistémologie et un critère d'évaluation stratégique que Jomini rappelle fort justement pour défendre ses positions : la variation de l'une des déterminations de la stratégie n'affecte pas nécessairement celle-ci dans son intégralité. Fascinés que nous sommes, aujourd'hui, par un progrès

---

1. Cf. *Essais de stratégie théorique. Une méthode de stratégie militaire prospective.* Cahiers de la Fondation pour les études de défense nationale, 1982.

technique foudroyant, réduisant trop souvent la problématique stratégique à la comparaison des panoplies, obsédés par la « balance » et la « corrélation » des forces, résumant les polarités conflictuelles dans des tableaux comparatifs et des disputes sur les équilibres numériques, nous oublions qu'une stratégie, comme toute action, se définit d'*abord* par son but, lui-même déterminé par un projet politique exprimant la *volonté* d'une collectivité; que la définition de ses voies-et-moyens – les systèmes de forces et leurs concepts opérationnels – procède logiquement de ce but. Certes, l'état actuel et prévisible des voies-et-moyens rétroagit sur le but : celui-ci ne saurait être défini et posé comme une idée pure, dans une totale ignorance des instruments et opérations capables de l'accomplir dans le lieu et le moment. Toutefois, cette relation circulaire de détermination réciproque n'abolit pas la prééminence de la fin au regard de ses moyens : seule sa finalité donne son sens à l'action. Ce principe posé, s'il est clair qu'une variation qualitative ou quantitative des panoplies ne saurait être sans conséquences pour la stratégie, l'évaluation de son impact fait problème, et la réponse n'est pas aussi immédiate qu'elle le semble à lire la littérature contemporaine. En d'autres termes, il s'agit de déterminer, dans l'ensemble de la structure politico-stratégique – du projet politique en amont à la tactique d'arme en aval –, les niveaux ou étages de décision et d'opérations qui seront affectés, et dans quelle mesure, par l'apparition d'une arme nouvelle ou par une variation de l'efficacité des systèmes existants. Selon le cas, seule la tactique des unités élémentaires devra évoluer, ou celle de la combinaison des armes. Si la novation est plus *puissante*, elle affectera les opérations sur terre, sur mer ou dans les airs, voire l'ensemble de la stratégie opérationnelle sur un théâtre; c'est-à-dire le système des voies-et-moyens d'une stratégie, mais sans que son but fixé jusqu'alors soit remis en question. On conçoit qu'il faudrait une transformation majeure d'une exceptionnelle puissance, peu fréquente par définition, et modifiant profondément la nature, l'organisation, les tactiques et les stratégies opérationnelles des systèmes de forces existant, pour induire le politique à redéfinir son but stratégique, en plus ou en moins, voire le projet politique que sert ce but [1].

Jomini ne dit rien d'autre dans le *Second appendice au Précis*. Il utilise cette méthode pour évaluer les conséquences du « perfectionnement des armes à feu ». Il rappelle l'existence de divers étages de calculs, de décisions et d'opérations dans la structure du système stratégique de son temps : tactique d'infanterie, « tactique des batailles », « grandes combinaisons de la guerre ». Il faut

1. Je me permets de renvoyer, pour cette méthode d'analyse, à mes *Essais de stratégie théorique, annexe : la structure stratégique*, Cahiers de la Fondation pour les études de défense nationale, 1982.

imputer, aujourd'hui, à la méconnaissance de cette structure et du rapport de détermination réciproque entre but et voies-et-moyens, la myopie de bons esprits devant une évolution technique précipitée et une course aux armements dont les aspects spectaculaires se prêtent admirablement à une bruyante exploitation par les médias. Les facteurs techniques finissent par occuper tout le terrain de l'authentique stratégie et par la réduire à des inventaires comparés de panoplies. La matérialité d'*objets* fascinants par leur complication « scientifique » et leurs performances, leurs effets physiques mesurables et observables par tous et de partout, les scénarios de guerre-fiction qu'autorise leur merveilleux, leur introduction dans le discours politique et les stratégies déclaratoires exploitant leurs capacités affichées ou anticipées comme moyen de *stratégies de persuasion* – la peur d'un emploi réel permet de peser aussi bien sur la volonté d'alliés réticents que sur celle de l'adversaire –, tout concourt à occulter les autres déterminations de la stratégie militaire. De pseudo-théories se font et se défont, engendrées et emportées par l'enthousiasme devant les innovations techniques et tactiques. Les authentiques sont contestées par une critique oubliant, encore une fois, que toute stratégie militaire se détermine d'abord par son but, lui-même inféré de la politique d'État, elle-même surdéterminée par des données de fait – dont la règle du jeu spécifique de l'ère nucléaire – avec lesquelles les meilleurs projets doivent compter. La critique semble ignorer que ces réalités, sur lesquelles se fonde l'unité de la stratégie et de la politique qui l'englobe, interviennent *aussi* comme des facteurs d'inertie dont les effets marginalisent ceux de nombreux facteurs d'évolution; que la simple prudence intellectuelle conseille de les bien discriminer et peser quand il s'agit d'évaluer ce qui *peut* changer, dans une stratégie, et ce qui *doit* se conserver sous les coups de l'évolution, technique ou autre.

Le « vrai » stratège et la « vraie » théorie sont donc *à la fois* fixistes et évolutionnistes. Mais, comme Jomini et son discours, ils doivent s'attendre à être les accusés d'un parti ou de l'autre. Que n'a-t-on pas dit sur le conservatisme aveugle de la stratégie française, sur le dépérissement de la dissuasion nucléaire en général. Invoquant des progrès techniques indéniables, les évolutionnistes radicaux apprécient mal, ou viscéralement, leurs implications au lieu de les soumettre à la logique spécifique de la structure politico-stratégique. N'a-t-on pas présenté la doctrine Rogers de l'Air-Land Battle comme une « nouvelle stratégie » alors que son but – dissuasion misant sur le rapport des forces et défense en cas d'échec – n'a pas et ne pouvait varier dans l'état actuel des choses; alors que le changement ne porte que sur ses voies-et-moyens?

Relisons Jomini...

CHAPITRE 7

LE CHANTIER STRATÉGIQUE

Acteurs et actants

Quelqu'un, toujours, récapitule à la fin d'une phase d'histoire : un dernier regard par-dessus l'épaule, avant la prise d'élan pour forcer l'avenir, les yeux ouverts et l'intellect armé. Regards, derrière et devant, de qui se sait posté sur une ligne de changement de pente, en un moment de rupture dans l'évolution des choses; mais qui ne peut aborder le futur et tenter de le pré-dire que dans le langage appris et usité hier. Hystérésis qu'il ne suffit pas de reconnaître pour l'annuler. Le nouveau langage, nécessaire, n'est pas donné : il doit être conquis sur l'ancien, par sa critique de pertinence qui doit encore l'utiliser puisque seul disponible. Obstacle épistémologique malaisément contournable : l'invention n'opère pas *ex nihilo*, mais s'arrache, par petites avancées, de la gangue du déjà dit. Les réticences et demi-mots de Jomini, devant l'irrépressible dérive vers la guerre totale, étonneraient ses successeurs fascinés par l'art militaire « de grand style » – selon la formule de Guibert – indissociable, pour eux, de l'engagement radical des peuples. Ce qui, pour Jomini, demeurait un avenir pressenti mais flou, que la volonté des acteurs pouvait encore redresser, est notre présent irrécusable, engendré par la force des choses. Écart qui révèle la fonction, dans l'invention stratégique, des paradigmes et modèles : leur choix éclaire les lignes de forces du champ mental et le sens de l'œuvre.

Paradigme : ici, un ensemble plus ou moins cohérent de références idéologiques ou culturelles auxquelles est conférée une valeur rectrice ou d'exemplarité; un filtre polarisant l'information, une pente intellectuelle qui oriente le travail de l'entendement. Il procède moins du choix délibéré et raisonné d'une grille de lecture que des tropismes de l'esprit devant le réel, de la perception du savoir constitué et de la sensibilité à l'héritage.

Référentiel échappant à la critique, il conditionne aveuglément, détermine même les énoncés des problématiques et le choix des axiomes fondateurs, colore les inférences et sous-tend les édifices théoriques. Modèle : un ensemble structuré de caractéristiques, de concepts et d'énoncés relativement formalisés, retenus parmi les possibles pour représenter, en la simplifiant selon les règles figuratives ou discursives choisies, une réalité trop complexe pour être appréhendée dans la totalité simultanée de ses déterminations et l'ensemble de ses facteurs d'évolution; une reconstruction méthodique du réel à partir de ses éléments significatifs et de leurs liaisons, destinée à faciliter son approche et son intelligibilité, à guider les évaluations et calculs du praticien. Si un modèle stratégique est un instrument d'analyse et de prévision, si la modélisation est elle-même une opération intellectuelle finalisée, consciente de ses règles de validité – le nécessaire homomorphisme du modèle et du réel –, le paradigme n'est pas construit : il manifeste les pressions du milieu culturel, sociologique, politique dans lequel baignent l'analyste et l'acteur qui s'y réfèrent, souvent inconsciemment. Il intervient comme une structure pré-formée de l'espace mental et reflète peu ou prou, dans le domaine politico-stratégique, l'déologie dominante de l'époque.

Notions triviales. Mais elles éclairent les difficultés que rencontre Jomini pour accorder sa vision de la politique, qui tient à sa sensibilité d'attardé du XVIIIe siècle, et le modèle de stratégie opérationnelle qu'il construit sur son expérience du XIXe. Comment réconcilier un paradigme qui suggère, comme nécessaire, la règle de modération politique dictée par les contraintes de coexistence conflictuelle – l'équilibre homéostatique du système européen – et le modèle stratégique préconisant la victoire décisive et l'anéantissement des forces adverses? Ses successeurs, jusqu'en 1945, résoudront cette contradiction – nous l'avons vu – en abandonnant le paradigme jominien, en occultant la fin politique de la guerre. Ils agiront stratégiquement comme s'ils l'avaient évacuée de leurs évaluations prévisionnelles sur la situation postguerre. Si Jomini est conscient de l'antinomie entre son paradigme et son modèle, et ne parvient pas à la résoudre, s'il tente de la tourner en appelant les États à la retenue dans la mobilisation et l'engagement des forces populaires, il ne pressent pas que ce conseil demeurera un vœu pieux. Son analyse prospective s'avère ici défaillante parce qu'il obéit aux suggestions d'un autre paradigme, corollaire du précédent et qui, lui aussi, n'a cessé d'affecter la théorie jusqu'à nos jours.

Jomini classe pertinemment les « espèces de guerre » en fonction de leur première détermination : les fins politiques. Mais il ne prête attention qu'à la politique extérieure, bien qu'elle ne soit qu'une composante d'une entreprise collective résumant affaires

« du dedans » et « du dehors [1] ». Réduction consciente : sa théorie mentionne bien les conflits internes, mais les refoule sur ses marges. Autre réduction : politique s'identifie, pour lui, à politique d'État; à celle des seuls États souverains, définis par un espace d'autorité – un territoire borné par des frontières – et se reconnaissant un même statut qu'ils manifestent, à travers le réseau de communication diplomatique, dans le langage codé des chancelleries. Pensée et conduite par des appareils de pouvoirs centralisés, cette politique extérieure échappe à l'initiative et au contrôle des peuples. En outre, elle est commerce entre des variétés peu différenciées de gouvernements monarchiques installés, dans la coexistence conflictuelle, depuis la constitution de l'Europe dynastique. Pour Jomini, le seul système politique concevable, dans l'espace européen qui intéresse sa théorie, est le système interétatique, interdynastique. Les pôles de conception des projets politiques, entre lesquels transite l'information nécessaire à chacun, les centres de calcul, de décision et de conduite des affaires sont et ne peuvent être que les gouvernements légitimés par l'histoire. Structure d'éléments politiques homogènes dont l'ensemble des caractéristiques invariantes induit, logiquement, des systèmes stratégiques également homogènes : ils n'existent, sous la forme de forces armées régulières, que pour servir la politique d'État. Dans la théorie jominienne, les États sont les seuls acteurs stratégiques existants – et concevables – au moins en Europe.

C'est à ce paradigme, importé de l'histoire européenne prérévolutionnaire, que Jomini se réfère implicitement pour bâtir sa théorie de la guerre postrévolutionnaire. Tout ce qui peut entamer le statut étatique de la politique et de la guerre lui semble une anomalie, un accident – un *désordre*. Une perturbation, temporaire par définition, de la nature des choses sociopolitiques et de la dynamique régulée de leurs transformations. Son analyse des états de conflits reconnaît ce statut comme un invariant des relations entre politique (extérieure) et stratégie militaire : pour modéliser celle-ci, il pose en axiome que le système politico-stratégique qui la détermine ne peut être qu'un système homogène de pouvoirs légitimes et d'appareils militaires réguliers. Les États possèdent le monopole de la violence licite et légale – violence organisée d'État – et les forces armées, dénommées impériales ou royales, sont seules mandatées pour signifier et exercer ce droit régalien à la violence.

Sans doute Jomini doit-il constater que l'histoire de son temps

1. Guibert est le seul théoricien de l'époque qui ait reconnu, dans son *Traité de la force publique considérée dans tous ses rapports* (1790), la double fonction des forces de violence organisée dans le maintien de l'ordre interne, intra-étatique, et dans les relations inter-étatiques; le seul qui ait pensé l'organisation des « forces du dedans » et des « forces du dehors » comme un système militaire unifié et multifonctionnel.

abonde en « partis » et « irréguliers », perturbateurs de l'ordre inter- et intraétatique. Unités sociopolitiques occasionnelles, certes, et de faible poids devant les pouvoirs centraux. Mais leur revendication d'identité s'appuie sur la violence armée, sur des forces insurrectionnelles soutenues, à l'occasion, par les gouvernements étrangers qui les utilisent comme vecteurs de leur politique extérieure. C'est dans cette perspective de perturbations malaisément contrôlables et affectant le fonctionnement réglé du système interdynastique, que la théorie jominienne replace non seulement les guerres d'opinion et civiles – les « guerres intestines » – mais aussi les soulèvements des peuples prenant les armes contre un envahisseur pour pallier les carences de leurs pouvoirs d'État. Le théoricien doit bien admettre la réalité de ces actions de violence collective. Mais, spontanées, hors règles, elles ne constituent pas pour autant en authentiques systèmes stratégiques, « les masses » mobilisées par l' « esprit de parti », par des « dogmes religieux » ou des « dogmes politiques » qui « excitent toujours les passions violentes » et « rendent les guerres haineuses, cruelles et terribles [1] ». Pour Jomini, ces fauteurs de désordre ne bénéficient pas d'un authentique statut politique bien qu'ils soient capables, par la virulence de « doctrines qu'un parti voudra imposer à ses voisins par propagande, ou de doctrines que l'on voudra combattre et comprimer », d'engendrer l'instabilité dans un système européen fermé, dont tous les membres sont solidarisés par le sentiment d'appartenance à une même classe politique et par la crainte que soient bouleversées les conditions naturelles de leur équilibre conflictuel. Ces perturbateurs ne peuvent être les *sujets* d'une authentique stratégie militaire méritant d'être pensée comme telle : corps étrangers, introduits par effraction dans le système homéostatique des États, ils doivent nécessairement en être expulsés. Leur élimination par les armes, nécessaire pour restaurer l'ordre intra- et interétatique, les voue donc à être les *objets* de la stratégie des membres à part entière de la société des États.

C'est pourquoi les actions perturbatrices d'un « parti » « amènent en tout cas l'intervention [2] » des États également intéressés au rétablissement des conditions normales de leur propre équilibre stationnaire; ou de ceux qui entendent exploiter, à leur profit, le désordre provoqué chez l'adversaire miné de l'intérieur. Toutefois, là encore, le respect de la règle du jeu interétatique fixe des bornes à l'intervention : elle ne se conçoit qu'en termes de politique extérieure à fin modérée et de stratégie militaire à but limité. Elle ne doit, en aucun cas, soutenir le perturbateur interne de l'État adverse au point de compromettre la stabilité institutionnelle de ce

1. *Précis de l'art de la guerre,* p. 7.
2. *Ibid.*

dernier, de le menacer dans son identité et sa souveraineté, dans son statut intangible de membre nécessaire et reconnu de la société des États.

La conjonction est aujourd'hui banale, de deux perturbateurs, interne et externe, alliés de circonstance dans une entreprise révolutionnaire s'appuyant sur une stratégie de guerre subversive pour transformer radicalement le statut sociopolitique d'un État attaqué simultanément de l'intérieur et de l'extérieur. Notions étrangères, non à l'observateur Jomini, mais au théoricien qui ne sait comment théoriser des faits patents. S'il doit bien constater que des partis et des peuples veulent s'émanciper et qu'ils exigent, au besoin par les armes, leur reconnaissance par les pouvoirs installés, cette violence non étatique, irrationnelle par ses origines – dogmes, doctrines, passions – autant que par ses modes non conformes, lui semble contraire à la raison du système politique européen consacré par les siècles et auquel il ne conçoit pas de substitut raisonnable. Parce qu'il considère comme une dégénérescence la transformation de la politique dynastique en politique nationale, parce que sa pensée se réfère aux deux paradigmes corrélés, mais anachroniques, de la société interétatique et de la règle du jeu, sa théorie de la guerre logiquement surdéterminée par ce qui fonctionne comme une axiomatique implicite, retarde sur son objet. Toutefois – ceci est épistémologiquement remarquable – elle ne peut se construire qu'en tenant, comme seuls acteurs du « drame » qu'est la guerre, l'ensemble dénombrable des êtres sociopolitiques identifiés et de même nature que sont les États : système fermé d'éléments homogènes. L'organisation et le fonctionnement régulé d'un tel système, posé comme nécessaire, ne sauraient tolérer, sauf à être dénaturés, l'immixtion d'éléments allogènes, d'acteurs exotiques récusant ses principes constitutifs. Axiome de fermeture qui n'est pas un simple expédient, mais l'une des conditions de possibilité de la théorie stratégique telle que Jomini la conçoit.

Ces observations sur la nature et le fonctionnement du système européen, utilisé comme référentiel par Jomini, suggèrent d'introduire, dans la boîte à outils du théoricien, deux concepts différents mais complémentaires : l'acteur et l'actant de la stratégie. En refusant, aux perturbateurs extra-étatiques de toute origine, un authentique statut politique et stratégique, en les réduisant à la classe d'objets de la politique et de la guerre des États, Jomini soulève la question générale du statut, devant la guerre – aujourd'hui, devant la stratégie – de l'*être collectif quelconque* revendiquant le droit à la violence armée pour accomplir son dessein; de celui, aussi, qui s'immisce dans le jeu des États pour contester leur emploi de la violence ou pour peser sur leur stratégie militaire. Si les partis et les masses populaires de son temps ne sont pas d'authentiques acteurs de la guerre telle que la définit sa théorie, puisqu'ils ne sont pas sujets d'une politique reconnue par la société des États, ils interviennent néanmoins, dans l'action de guerre de ces derniers, comme des facteurs de leurs décisions : ces agissants comptent nécessairement dans leurs évaluations politiques et leurs calculs stratégiques puisqu'ils manifestent une volonté collective et manœuvrent des forces capables d'effets physiques. Nommons *actants* ces agissants qui récusent le monopole de la violence revendiqué par les États et lui attribuent d'autres fonctions sociales; qui modifient nécessairement la triple dialectique des projets, des volontés et des forces reliant chacun de ces États à chacun et à tous. Certes, la théorie jominienne ne fait pas la distinction entre acteurs et actants de la guerre, mais elle est implicite. C'est seulement notre lecture, avec notre grille d'aujourd'hui, qui suggère ces deux concepts pour éclairer les embarras d'un discours pris entre sa fidélité aux deux paradigmes qui le constituent et l'objectivité devant une réalité conflictuelle qui récuse, en partie, leurs postulations. C'est parce que Jomini pose en axiome une différence de statut politique entre les deux classes d'agissants qui coopèrent pour former les guerres concrètes – l'actant n'est ni un être politique ni un acteur stratégique authentique – que ses inférences théoriques demeurent cohérentes avec les prémisses. Mais le coût de cette cohérence est élevé : sa théorie ne couvre pas totalement ce qui, pour nous, est la réalité du système politico-stratégique; qui aurait dû l'être pour lui s'il n'avait pas été lié par l'héritage du XVIIIe siècle.

Notre rapport à Jomini apparaît, ici, exemplaire des filiations entre les discours théoriques : la lecture critique d'une théorie ancienne, qui pourrait sembler muette sur l'objet-guerre de notre temps, induit à la critique des nôtres et à nous interroger sur la validité de notre outillage conceptuel. A la lumière de notre expérience théorique et pratique des conflits actuels, nous sentons bien que Jomini se fourvoyait en refusant le statut d'êtres politiques aux perturbateurs du système interétatique. Cette critique rétrospective suggère donc, non seulement de redresser son interprétation de la réalité, mais aussi de tirer parti de la distinction que son erreur même suggère entre les deux classes d'opérateurs stratégiques, les acteurs et les actants. En termes d'épistémologie, nous saisissons là, sur le vif, comment un progrès de la conceptualisation, suggéré par un état antérieur et imparfait de la théorie, peut faire avancer celle-ci. En important les concepts d'acteur et d'actant, mais en leur attribuant un sens plus précis et mieux adapté à notre problématique, nous pouvons lever certaines des difficultés que nous rencontrons pour construire une théorie moins locale que celle de Jomini; théorie qu'exige notre perception d'un système politico-stratégique dont nous acceptons la complexité, celle-là même que les paradigmes jominiens récusaient.

Pour nous, le concept d'acteur s'applique à toutes les unités collectives de dimensions variables, avec ou sans support territorial, qui se constituent comme *êtres politiques* en affirmant leur identité, leur altérité et leur autonomie de décision au sein de la société universelle; attributs qu'ils traduisent dans un projet plus ou moins ambitieux et par l'action dont ils doivent être capables pour l'accomplir; action sans quoi leur dessein, privé de sens, se réduirait au pur imaginaire, voire à l'utopie. Action de nature stratégique puisque la rencontre de leurs projets avec ceux des autres unités socio-politiques engendre des états de conflit. Chacun de ces acteurs collectifs s'inscrit donc comme un sous-système dans le système global de tous les acteurs coexistant dans l'espace mondial; comme un centre autonome d'évaluations politiques et de calculs stratégiques; comme un pôle de décision et de conduite de l'action dans le système global multipolaire. Cette action s'identifie aux opérations des divers moyens, humains et matériels, conçus, réalisés et engagés par l'acteur dont ils sont les exécutants : les actants. Chaque actant se définit donc comme un des opérateurs de l'action collective; comme un producteur des effets physiques et psychologiques requis pour atteindre le but stratégique et la fin politique définis par l'acteur. Il est un effecteur dont la fonction instrumentale spécifique s'intègre dans l'ensemble organisé des fonctions nécessaires à ces fins; un élément de la structure fonctionnelle traduisant en actes le projet et la volonté de l'acteur. Ainsi, pas d'acteur sans actants, et pas d'actant sans rattachement à un acteur. Tout acteur politico-stratégique se constitue donc en un *système d'actants* qui s'identifient aux systèmes de forces de toute nature – économiques, culturelles et militaires – solidarisés par une finalité qui détermine, à la fois, leurs fonctions élémentaires, la structure de leurs relations et les règles de leur synergie assurant l'économie de l'action collective.

Appliquons cette grille au discours de Jomini : les seuls acteurs concevables – les États – ont nécessairement, pour seuls actants, les forces armées régulières incluant « un système de réserves nationales bien organisé[1] ». Parallèlement interviennent des actants irréguliers, les forces spontanées de « partis » soutenant leur propre querelle hors du système étatique, ou contre lui. Les seules « forces irrégulières » compatibles avec ce système sont celles qui se lèvent devant un envahisseur, mais que le pouvoir central – l'acteur État – récupère et qui, « appuyées de bonnes troupes... sont un auxiliaire de la plus haute importance[2] ». Que l'idéologie des Lumières pèse ici sur sa théorie, qu'elle suggère des concepts d'acteurs et d'actants inadéquats au réel politico-stratégique alors à l'état naissant et cristallisé depuis, comment sa

1. *Précis de l'art de la guerre*, p. 13.
2. *Ibid.*, p. 12.

volonté de rigueur et d'exhaustion s'en accommoderait-elle sans protestation intime? Jomini se montre ailleurs trop exigeant et trop systématique pour tolérer, sans inconfort intellectuel, que la réalité lui donne à observer ce fait inclassable, cette aberration : il existe, dans l'espace européen, des actants usant de la violence et se constituant en systèmes de forces pour s'introduire par effraction dans le système fermé des États; des opérateurs hors système, anarchiques, qui se posent indûment en moyens d'acteurs authentiques alors que leurs opérations procèdent de desseins atypiques qui ne s'inscrivent pas dans le jeu multipolaire des projets dynastiques, seuls légitimes. Comment, sans contradiction, leur refuser le statut d'acteur et, simultanément, leur reconnaître une fonction stratégique puisque les États doivent non seulement constater leur existence, mais aussi modifier leurs propres relations politiques et leurs stratégies en fonction de leurs effets perturbateurs?

Forts de notre capital d'observations historiques accumulées depuis la mise en forme du discours jominien, nous dénonçons cette contradiction comme si nos théories et pratiques l'avaient résolue; comme si nous étions mieux immunisés contre les influences pernicieuses des vieilles conceptions. Le paradigme de la politique interétatique n'a-t-il pas traversé l'histoire, du XVIIIᵉ siècle à nos jours, sans autre altération que celle substituant le concept d'État-nation à celui d'État dynastique? Je veux dire : si des bouleversements sont intervenus, amplifiés depuis 1945, dans le système sociopolitique mondial, si nous les observons et les répertorions – pour autant que nous sachions les lire et les dire –, sommes-nous mieux outillés que Jomini, devant les novations de son temps, pour les classer avec leurs attributs, pour déterminer leurs origines et implications, pour établir des corrélations entre leurs facteurs d'évolution, etc. –, en bref : pour en faire la théorie qu'attend le praticien d'aujourd'hui? Ne sommes-nous pas tributaires d'une perception et d'une interprétation, d'une grille de lecture de l'état des choses politico-stratégique, héritées des temps classiques? Si cela est vrai, devons-nous imputer cette problématique anachronique à notre aveuglement devant la réalité ou à notre impuissance, ou encore à la nature même d'un objet dont l'hypercomplexité et la fluidité défieraient la puissance d'analyse et de calcul prévisionnel de notre outillage? Si nous relevons les défaillances de l'œuvre de Jomini de toute notre hauteur d'héritiers enrichis par l'histoire, cette critique récurrente ne serait-elle pas utile, d'abord, parce qu'elle convie à l'humilité en rappelant la précarité des théories et les vertus décapantes de l'épistémologie? Décidément, Jomini ne cesse pas d'être pédagogue...

Précisément, en utilisant les concepts liés d'acteurs et d'actants, l'approche du phénomène-conflit et du système global des unités sociopolitiques actuelles devrait révéler les origines et les implica-

tions, pour notre pratique, du malaise de la théorie contemporaine.
Rien n'est plus banal que de dénoncer les transformations qui,
depuis 1945, ont affecté le milieu sociopolitique, économique et
culturel dans lequel sont immergés les projets, les volontés et le jeu
des forces étatiques : de toute évidence, la structure des relations
de coexistence conflictuelle entre les États-nations n'est plus ce
qu'elle était, même si les germes de mutation étaient déjà
perceptibles avant le second conflit mondial. Parmi les facteurs de
métamorphose, le plus significatif est sans doute l'émergence de
nouveaux acteurs et actants qui se sont affirmés dans le champ
politico-stratégique jusqu'alors réservé aux classiques adversaires
– partenaires étatiques. De dimensions souvent réduites dans leurs
projets et dans leurs voies-et-moyens, certains d'entre eux existaient déjà; mais ils se sont multipliés. Surtout, leur poids n'a
cessé de croître dans la dynamique d'un système que l'on nomme
encore international bien que l'immixtion de ces acteurs exotiques
en ait profondément altéré la nature et modifié le fonctionnement.
Ils n'appartiennent pas à la classe reconnue des États-nations,
familière aux théoriciens classiques; pourtant, leurs desseins, leurs
volontés, leurs opérations croisent sans cesse et contrarient ceux
des États, interfèrent dans le réseau de leurs relations. Ils prennent
fréquemment la parole pour les défier ou leur faire la leçon,
comme s'ils appartenaient à la même classe. La société des
États-nations peut leur dénier le statut *politique* de membre
régulier : ces allogènes n'en sont pas moins d'authentiques acteurs
et actants *stratégiques* identifiables à leurs opérations et aux
effets de perturbation qu'ils provoquent. L'ensemble constitue une
population d'acteurs et d'actants hétérogène et fluctuante qui ne
peut plus être réduite à son noyau d'États de type classique.
    D'abord, les États eux-mêmes ont amplifié l'évolution amorcée
au temps de Jomini : l'État-nation est un acteur plus complexe que
l'État dynastique et ses pouvoirs de décision, seraient-ils les plus
centralisés, ne bénéficient pas de degrés de liberté équivalents. La
participation institutionnalisée des peuples, les intérêts croisés des
multiples groupes d'appartenance des citoyens font, de la définition des politiques et de la conduite des stratégies, une affaire
collective soumise au poids croissant des opinions : la prolifération
des pôles intérieurs de projets et d'action impose ses contraintes
aux décideurs centraux mandatés. Cette pluralité des sous-
systèmes constituant l'État-nation peut se révéler facteur de
puissance ou de vulnérabilité, de synergie ou de dysfonctionnement, selon leur consensus ou dissensus devant les « affaires du
dehors ». En outre, l'intégration de plus en plus nouée des facteurs
économiques, culturels et militaires de la puissance nationale
induit la multiplication et la différenciation fonctionnelle de plus
en plus fine des actants d'une *stratégie intégrale* unifiant les
politiques intérieure et extérieure, et qui interdit de penser la

stratégie militaire comme étant reliée uniquement à la seconde : elle est *aussi* une expression de la première, et retentit sur elle de maintes façons. Enfin, l'évolution accélérée des techniques interfère avec la contribution croissante des divers secteurs d'activité pour transformer l'actant qu'est l'appareil militaire avec son infrastructure – système encore simple au temps de Jomini – en une lourde structure d'éléments très différenciés; en un système d'effecteurs à la fois en parallèle (les trois armées et leurs services communs) et emboîtés (démultiplication des étages de décision) dont les fins, l'organisation, l'information et le travail doivent se plier à des règles d'économie et de synergie, à une logique relationnelle et fonctionnelle de plus en plus compliquées. L'unité du système État-nation procède donc non seulement de son identité affirmée et de son altérité reconnue au sein du système mondial et que manifestent son projet et sa volonté politiques, mais aussi de la stratégie intégrale qui la traduit en actes. C'est par cette unité d'action vers l'extérieur, dans la coexistence conflictuelle, que se maintiennent les conditions de l'équilibre homéostatique, toujours précaire, d'une structure interne extrêmement composite d'actants dont l'hétérogénéité ne cesse d'affecter les intentions, le vouloir et les décisions d'un acteur reconnu, par convention, comme unitaire. En d'autres termes, c'est par son action stratégique que l'État-nation peut encore se poser dans sa singularité et son unité.

Cela dit, si la classe des États-nations subsiste et peut être, en première approximation, considérée comme un système invariant, persévérant dans son être et obéissant à ses règles spécifiques, elle est en réalité constamment traversée par une population d'acteurs et d'actants allogènes dont les projets, les volontés, les forces, les opérations croisent les siens à trois niveaux : celui du système lui-même, celui de chacun des États membres et celui des groupements, permanents ou occasionnels, de plusieurs. L'observation quotidienne de l'espace politico-stratégique mondial permet en effet d'identifier ces autres classes : les *Églises,* les religions sans structure ecclésiale et les sectes, collectifs transnationaux ou qui se veulent tels; les *partis,* tenants d'idéologies à vocation universelle ou locale; les organisations *syndicales* et *groupes de pression* professionnels, économiques ou financiers; les *ethnies* trans- ou intranationale, avec ou sans support territorial, et dont l'identité se double parfois d'une confession ou d'un fonds culturel spécifiques; les grandes *entreprises économiques,* sociétés commerciales ou de production, de structure multi- ou transnationale et dont les intérêts traversent ou servent ceux des États; les *organisations internationales* (O.N.U. et Conseil de sécurité, Cour de la Haye, O.U.A., Unesco, etc.) qui, fortes d'un mandat universel ou régional leur conférant un statut supraétatique d'autorité morale définissant des règles de jeu, ne possèdent pas les moyens militaires capables de les imposer, sauf dans les situations, rares eu égard au nombre des crises et conflits locaux, où les grandes puissances estiment de leur intérêt, temporairement commun, que ces turbulences soient contrôlées (Casques bleus, observateurs, etc.); *les regroupements régionaux et les systèmes d'alliances* (O.T.A.N., Pacte de Varsovie, etc.) diversement intégrés; les *groupuscules* animés par la négation radicale d'un ordre national ou international établi, certains pratiquant le terrorisme. Enfin, à ces acteurs collectifs, il faut ajouter *les puissantes individualités* dont le génie d'anticipation et d'invention, la force du caractère et la persévérance trouvent, dans les situations d'exception, l'occasion de faire bifurquer l'histoire contre le cours naturel des choses, et malgré la précarité des forces que leur volonté et leur charisme parviennent à mobiliser.

Taxinomie indicative, trop catégorielle : elle s'enrichit et se nuance de variétés métissées avec la fantaisie de l'imagination idéologique, avec les conjonctions ou les divergences circonstancielles des intérêts économiques, culturels et militaires qu'engendre et transforme, en enjeux de conflits, la combinatoire des activités humaines. Il n'est, aujourd'hui, d'unité collective crispée sur son identité, affichant valeurs ou intérêts propres, qui ne se pose et ne s'installe comme *autre* dans l'espace mondial de la coexistence conflictuelle; qui ne hausse la voix pour être entendue jusqu'aux antipodes et reconnue dans sa légitimité d'acteur à part entière. A quoi aident les vecteurs d'information à grand champ d'influence immédiate qui confèrent, à des manifestations souvent discontinues et localisées, une capacité de perturbation hors de proportion avec les dimensions réduites ou le flou de leurs desseins, avec la faiblesse de leurs forces quand ils recourent aux armes; mais capacité d'action considérable, quoique aux effets souvent différés, quand ils misent sur les forces économiques ou idéologiques.

Notre univers politico-stratégique est donc fort éloigné de celui qu'observaient Jomini et Clausewitz, déjà fort embarrassés pour intégrer les « forces irrégulières » de leur temps dans leurs théories. Aujourd'hui, la population d'acteurs et d'actants mêlés n'est plus dénombrable : à tout moment peut émerger un acteur exotique jusqu'alors muet, en état d'hibernation, mais dont les capacités latentes d'intervention peuvent toujours exploser. Certains, comme les groupes terroristes protéiformes, changent de nature, de dessein, d'actants et de modes d'action avec la conjoncture. Privés d'assise territoriale, d'autres – mouvements révolutionnaires, ethnies revendiquant l'indépendance, religions militant pour un retour aux sources, etc. – trouvent, dans l'absence des repères que sont les frontières pour leurs adversaires, la raison d'une ubiquité qui leur permet, en projetant leur action aléatoirement, selon l'occasion, d'exploiter l'effet de surprise désarçonnant

les acteurs réguliers. La force armée n'est pas l'actant systématique, ni le plus efficace, des stratégies plus ou moins spontanées de
ces acteurs qu'on aurait tort d'assimiler à de simples figurants de
la politique : eux aussi font l'histoire. L'action et la guerre
psychologiques se jouent de la distinction juridique entre paix et
guerre, et des souverainetés : l'Église et les syndicats polonais ont
sans doute été perçus, à Moscou, non seulement comme des
acteurs, mais aussi comme des actants dans la mesure où,
contestant l'ordre sociopolitique local, ils provoquaient, dans le
monolithe du Pacte de Varsovie, une fêlure qui, sans graves
conséquences stratégiques immédiates, pourrait se manifester
comme une dangereuse vulnérabilité en cas de crise grave.
L'immixtion des pacifistes dans la querelle des euromissiles a servi
la stratégie de persuasion de l'U.R.S.S. misant sur la fragilité de
l'opinion occidentale devant le risque nucléaire. On n'en finirait
pas de relever les mouvements d'opinion qui, de l'Appel de
Stockholm à ceux qui ont divisé les vieilles nations contre
elles-mêmes lors des guerres de décolonisation, ont pesé sur l'issue
des conflits ou compromis de précaires équilibres inter-étatiques;
les états de conflit qui, sans franchir le seuil critique du recours
aux armes « régulières », multiplient les variétés infra-guerre de
violence sporadique, atomisée. Ils manifestent l'émergence, souvent fugace, d'opérateurs, d'actants exotiques auxquels les États
installés doivent bien consentir le statut d'acteurs puisqu'ils sont
contraints de les introduire avec leurs projets et leurs actions,
quoique hors règles, dans leurs évaluations politiques et calculs
stratégiques, serait-ce temporairement et marginalement.
   Le théoricien et le praticien contemporains sont donc immergés
dans un *univers politico-stratégique* complexe et instable où les
turbulences se multiplient avec la prolifération de centres de
décision hétérogènes. Au réseau multipolaire des États-nations
s'est surimposé celui, également multipolaire, d'acteurs et d'actants stratégiques inconstants, endo- et exo-étatiques. Transformation, sans précédent par ses implications, du matériau proposé aux
pouvoirs de création du politique et du stratège militaire. Sans
doute les acteurs allogènes ont-ils toujours existé – et Jomini les
décèle en son temps. Sans doute aussi le système international
stricto sensu, classique, peut demeurer un système de référence
auquel ses acteurs peuvent encore rapporter le jeu des allogènes. Il
peut encore fournir certains critères de jugement de la violence
armée – légitime ou non, licite ou non, rationnelle ou non, etc. Il
n'en est pas moins profondément altéré, dans la structure et la
dynamique de ses relations internes, par l'existence, l'hétérogénéité et le fonctionnement, encore plus indéterminé que le sien,
des acteurs intra-, extra- et transétatiques.
   Amplifiée depuis notre entrée dans l'âge nucléaire – corrélation
non fortuite –, l'inflation des acteurs *de facto* n'est pas sans

conséquence pour la théorie et la pratique stratégiques. Observons d'abord que leurs interférences, avec le jeu classique des acteurs étatiques, conforte l'assertion selon laquelle la relation séculaire entre guerre et stratégie militaire s'est inversée, la première n'étant plus qu'un cas particulier de la seconde : le spectre des états de conflit s'est considérablement étendu avec l'insertion, dans la bande de l'infraguerre, de variétés conflictuelles floues et non dénombrables, et de violence anarchique. Ce fait milite, comme je l'ai dit, pour l'extension des anciennes théories de la guerre en théorie plus générale du conflit dont la guerre ne serait plus qu'un mode parmi d'autres : bien des modes explicites de la violence armée, organisée ou non, mais non étatique et servant les desseins politiques d'acteurs infra- ou transnationaux, échappent à la classique théorie de la guerre. Cela dit, comment penser et conduire la stratégie militaire dans ce *milieu conflictuel* hétérogène et fluctuant où l'analyse retrouve malaisément ses repères habituels? Où classer et comment traiter le terrorisme, les coups d'État et révolutions soutenus par des perturbateurs externes, par des États intervenant ouvertement ou non? Selon quelles catégories la politique et la stratégie étatiques peuvent-elles penser les affects, sur leurs desseins et calculs, des pressions de l'opinion, des interventions de groupes économiques et idéologiques?

Sans doute, certaines des actions exotiques s'inscrivent-elles dans la stratégie indirecte, donc calculée, des États; mais beaucoup échappent à leur initiative ou à leur contrôle, et traversent, sans trajectoire calculable, leurs politiques et leurs stratégies concertées. Conflits intérieurs et crises régionales, initiés par l'imprévisible explosion de litiges soudains réveillés, secouent soudainement l'ordre local en trompant les prévisions des États et induisent, dans le système métastable des acteurs réguliers et chez chacun d'entre eux, des réactions nécessairement improvisées qui rompent de précaires équilibres. L'effervescence des acteurs exotiques est facteur d'instabilité endémique et d'états de conflit imprévisibles dans leur genèse, leur localisation et leurs développements. Inconstantes dans leurs buts et leurs modes opérationnels, conjoncturelles et évanescentes, *les stratégies sauvages* s'immiscent, avec leurs règles du jeu particulières et leurs effets contingents, dans celles des États-nations classiques qui doivent désormais compter avec des incertitudes aggravées et se résigner, plus encore que dans le passé, à des solutions empiriques. Les *complexions stratégiques* sont de plus en plus nombreuses et aléatoires, que peuvent former toutes les oppositions et convergences d'intérêts concevables, tous les états de conflits possibles engendrés par toutes les combinaisons non improbables d'acteurs et d'actants hétérogènes.

Le théoricien ne peut qu'avouer son impuissance à résoudre cette nébuleuse d'acteurs et d'actants dans laquelle les seuls astres repérés, permanents et de trajectoire identifiée, les États-nations, sont sans cesse affectés par les turbulences d'une poussière d'éléments légers floculant aléatoirement dans l'espace-temps géohistorique. Il était déjà malaisé de penser le système régulier des N corps étatiques, de tracer le réseau actuel de leurs relations de coexistence conflictuelle, de définir leurs interactions stratégiques, de déterminer les facteurs d'évolution probables de chacun et de leur ensemble. Mais comme penser, c'est-à-dire reconnaître, analyser, interpréter les figures fugaces, sans cesse déformées, que dessinent les combinaisons instantanées du système des États-nations homogènes et du non-système des acteurs allogènes? Comment anticiper, avec une probabilité non nulle de prévision utile, les configurations futures? *Cette question peut-elle même avoir un sens?* Sans doute, les instruments raffinés d'observation, de recueil et de traitement en temps réel de l'information, sur les changements manifestes de l'*état du monde,* existent aujourd'hui. Ils permettent de tenir à jour les tableaux de bord des centres d'évaluation politique et de calcul stratégique des États. Mais ce matériau brut est livré dans ses états instantanés successifs : quels outils d'analyse et de prévision seront assez puissants pour discriminer, dans la masse des faits et événements conflictuels, dans l'indistinction de causes et d'effets emmêlés, les vrais facteurs des variations et le sens des changements d'état d'un ensemble fluctuant d'éléments dont certains n'émergent de l'obscurité que pour y retourner bientôt?

Quelle que soit leur imperfection, nous usons de *concepts utiles* pour décrire, dans son organisation et ses mécanismes, la structure des relations tissées entre les pôles politiques définis, réguliers, que sont les États-nations; pour décrire leurs interactions de coexistence conflictuelle, le spectre des états de conflit et la gamme des stratégies militaires qu'ils induisent. Mais quels concepts couvriront les phénomènes hybrides manifestant les interventions des acteurs allogènes, les états de conflits flous résultant de leur croisement avec la politique et la stratégie des acteurs réguliers? Le concept classique de crise a été transformé pour s'adapter aux nouveaux états de conflit engendrés entre les États réguliers, par le blocage nucléaire; mais est-il pertinent pour dire, par exemple, la situation créée par l'intrusion d'acteurs exotiques, pacifistes et partis contestataires, dans la querelle des euromissiles? Les acteurs exotiques ne constituent pas un authentique système, faute d'une finalité politique et d'un but stratégique communs; faute, surtout, d'une règle du jeu commune, et même d'une existence permanente de chacun. On ne peut relever de corrélations répétitives – structurelles – entre les déterminations politiques et stratégiques des États-nations et celles de leurs perturbateurs occasionnels. Les interactions entre éléments homogènes et hétérogènes étant éminemment contingentes, aléatoires dans leur nature, leur fréquence et leurs résultats, on ne peut ni les penser comme un système global, ni les approcher à travers un modèle assez représentatif pour donner à voir un réseau dont les nœuds ne cessent de se défaire et les mailles de se déformer. L'indiscernable et le fluctuant résistent à la quête du sens et défient les grilles de lecture. Image floue d'un ensemble non dénombrable de transformations sans invariants...

Encore que notre volonté de savoir s'en accommode mal, rien que de trivial dans ces observations : pas de théorie analytique, descriptive, sans régularités, sans un noyau dur d'invariants sous les variations du réel le plus... irrégulier; sans une forte probabilité de réapparition des mêmes liaisons entre les mêmes déterminations des entreprises politico-stratégiques concrètes, entre les mêmes paramètres de la décision puisqu'une stratégie peut s'identifier à la série des décisions prises, tout au long de son développement, sur ses buts et ses voies-et-moyens et sur leurs conditions optimales d'adéquation. C'est dire que, s'il fallait renoncer à toute théorie positive du pseudo-système constitué par l'ensemble des acteurs et actants, réguliers et exotiques, si les analystes devaient reconnaître que cet objet n'est qu'un *agrégat* insaisissable à partir d'un niveau fondamental de description, les praticiens des stratégies nationales – qui se veulent fixes dans un milieu en perpétuel mouvement – devraient renoncer à repérer les corrélations et régularités, amers indispensables au guidage de leurs prévisions, au pilotage d'une action qui est toujours future quand ils la décident. Ils observent que la prolifération des acteurs et actants fragmente le champ politico-stratégique mondial en une multiplicité de sous-systèmes irréguliers et contingents, plaqués sur le système interétatique permanent. Sous-sytèmes asymétriques et isolés dans lesquels chacun des États-nations est temporairement impliqué avec certains des acteurs allogènes; variété de système stratégique dont la configuration aléatoire et le fonctionnement local sont trop singuliers pour autoriser à induire quelque loi de composition et d'interaction avec le système interétatique.

En bref, pas de théorie prescriptive assez générale, semble-t-il, pour guider la pratique stratégique de chacun des États-nations *à la fois* devant chacun des autres, et devant chacun des acteurs exotiques : à l'indéterminé, à l'aléatoire et au hasard objectif, qui entament déjà la rationalité des décisions propres au système interétatique, se surimposent de multiples facteurs exogènes d'incertitudes affectant ses flux d'information et le travail de ses forces spécifiques, actuelles et virtuelles. La constitution, la durée de vie et le fonctionnement aléatoire des sous-systèmes instables, hétérogènes et sans commune règle du jeu, troublent nécessairement la perception, par chacun des acteurs étatiques, du jeu de chaque autre devant lui : jeu faussé de ces systèmes désormais dénaturés, non par leurs habituels dysfonctionnement internes, mais par des corps étrangers qu'ils sont aussi incapables d'évacuer de leur pratique que d'intégrer dans une théorie hypergénérale de la coexistence conflictuelle; dans une théorie stratégique unitaire – si toutefois cette notion a un sens, et peut en avoir un pour l'entendement œuvrant sur un chantier stratégique où règne un désordre qui n'est que l'autre nom de la complexité.

C'est en effet la complexité de l'univers politico-stratégique de l'âge nucléaire, complexité de degré supérieur à celle de l'univers classique, qui fait problème. Qui doit d'abord être reconnue...

La nouvelle complexité

Plus que les théories scientifiques et parce qu'elle s'attaque à des processus de création dont le matériau – *l'univers politico-stratégique* – manifeste d'incessantes variations, la théorie stratégique est en chantier depuis qu'on s'avisa que la guerre ne pouvait être abandonnée à l'improvisation. Chantier intellectuel toujours ouvert où transite et se stocke le profus matériel d'observation fourni par les faits, événements, phénomènes de conflit; où il est analysé et reconstitué dans un discours interprétatif grâce à un outillage mental soumis à la critique interne et révisé pour s'adapter à la nature de cette information, à ses conditions de recueil et de lecture. Le chantier stratégique : un savoir en continuel remaniement dans un champ mental collectif; lieu d'un incessant travail de transformation portant simultanément sur l'information affluante et sur les opérateurs de son traitement. Espace où la complexité dynamique de l'univers politico-stratégique brut n'est accueillie que pour être disséquée selon une grille de lecture, puis réorganisée selon des règles de composition promettant l'intelligibilité de portions toujours plus vastes du réel et une meilleure utilisation de ce savoir par les acteurs.

Chantier surchargé, désordonné, changeant comme la vie même des êtres sociopolitiques, et enregistrant le jeu croisé des acteurs : d'immenses zones obscures, émergent des archipels de savoir moins inorganique sur certaines déterminations des actions collectives; îles que des instruments éprouvés tentent de trianguler... De cet ensemble lacunaire et fluctuant d'objets stratégiques qu'il faut localiser et dire avec leurs liaisons les plus caractéristiques, dont il faut identifier les facteurs d'évolution avec leurs corrélations répétées, comment extraire quelque structure sous-jacente au désordre et aux variations contingentes; quelques invariants sur lesquels asseoir un de ces modèles d'action, à la fois analytiques et prescriptifs, qu'attend le praticien? C'est bien sur l'inextricable complexité dynamique de l'objet-stratégie, immergé dans celle de l'univers sociopolitique, qu'achoppe la problématique : la prolifération et l'hétérogénéité des acteurs et actants, les incessantes variations de leurs interactions dans tous les domaines de leurs activités, illustrent exemplairement cette difficulté. Comment traiter le complexe évolutif sans risquer de le soumettre à une réduction dénaturante? Bien que le chantier stratégique, sur lequel travaille Jomini, soit fort éloigné du nôtre et que le degré de complexité de son information et de ses opérations soit sans commune mesure avec celui qui, aujourd'hui, défie la puissance de notre outillage, ne pouvons-nous pas lui emprunter, comme à un modèle d'analyse et avec les précautions d'usage, quelque indication de méthode?

La théorie jominienne intègre mal, nous l'avons vu, les acteurs exotiques que révèle la dérive des conflits étatiques vers l'irréversible engagement des peuples. Encore ne couvre-t-elle que la guerre, état de conflit bien découpé dans le spectre : la triple dialectique des projets, des forces et des volontés opère entre les deux bornes, reconnues par les parties, que définissent les passages de l'état juridique de paix à celui de guerre, et retour. Droit international et droit des gens, fixant le bon usage de la violence d'État, autorisent le théoricien d'alors à n'opérer que sur les faits de guerre s'inscrivant dans ce cadre. Les acteurs allogènes sont hors jeu : ils le sont identiquement pour les États qui se reconnaissent comme les seuls acteurs autorisés, également intéressés à les traiter comme perturbateurs des ordres établis, interne et externe. La prétention à l'universalité des théories de la guerre de Jomini et Clausewitz n'apparaît pas excessive dès lors que tous les « vrais » acteurs sont parties d'un système homogène dont la pérennité leur paraît assurée. Jomini est donc fondé à traiter « les guerres intestines », par exemple, comme des états de conflit non signifiants au regard du seul type justifiant la théorie : la guerre entre États. C'est là son axiome : il pose comme stable, figé dans une structure invariante, un état de choses historique – l'Europe du XIXe siècle – et il en tire un article de méthode au moins implicite.

Il construit donc la théorie de la guerre interétatique, unique emploi légitime et légal, *régulier*, de la violence armée. Il en infère logiquement la seule stratégie militaire opérationnelle compatible avec ce mode de guerre : les « hautes combinaisons » de la stratégie ne peuvent être que celles des armées régulières et, seules, dignes d'être objet de théorie. Toutefois, cet objet n'étant défini que par découpage dans l'ensemble des « espèces de guerre » observables, la théorie ne peut, sauf à être accusée d'irréalisme et d'incomplétude, nier l'existence d'*actants* marginaux intra- et extra-étatiques, les partis ou les populations insurgées contre un envahisseur. Il doit bien examiner pourquoi et comment l'immixtion de ces perturbateurs dans le champ de la pratique est génératrice des variétés de guerre réelles, quoique aberrantes au regard de la stricte théorie; comment il peut isoler, nommer, conceptualiser ces guerres atypiques, définir leurs déterminations, leurs buts et voies-et-moyens, sans compromettre la validité du discours, sans entamer sa cohérence et sa pertinence. Ç'est dire que, prisonnier du paradigme d'une société régulée des États qui, dans sa méthode, opère comme un axiome, il ne peut localiser ces objets irréguliers et les traiter qu'à travers les altérations que son pur concept de guerre subit, de leur fait, dans la réalité conflictuelle. Altérations se répercutant logiquement dans le domaine subordonné de la stratégie opérationnelle : si le modèle des « hautes combinaisons », science et art des « grands généraux », doit enregistrer des écarts à la normale, s'il doit être corrigé, ce ne peut être que sur des points secondaires, sans que sa validité soit fondamentalement remise en cause. Exemple : la stratégie opérationnelle modélisée étant celle des armées étatiques, Jomini se bornera à dire que celles-ci doivent compter, dans la guerre concrète, avec des « forces irrégulières » qui multiplieront les contraintes du stratège régulier dans le montage et l'exécution des opérations visant la victoire décisive... contre les seules forces régulières adverses. Système stratégique fonctionnant sous contraintes...

Méthode en deux phases : analyse objective de la réalité conflictuelle engendrée par le jeu complexe d'acteurs réguliers et irréguliers; reconstitution de cette réalité dans un édifice théorique fermé, bâti sur une axiomatique étroite, restrictive et plus ou moins consciente, mais qui est l'indispensable clé de décryptement de cette fluide complexité. Jomini décompose l'ensemble flou des guerres concrètes de son temps pour le recomposer, ensuite, dans un modèle discursif dont les simplifications mêmes éclairent, indirectement, ce qu'il écarte de son champ d'application : paradoxalement, le modèle limitatif, ses conditions de possibilité et son domaine de validité révèlent la nature et les origines de la multiplicité, les raisons de son irréductibilité. Il vise la théorie la plus générale; mais il ne peut atteindre sa cible qu'en épurant d'abord le matériau, en définissant les conditions d'existence et l'espace limité de la généralisation, de l'universel; en négligeant les singularités qui gênent son approche et offusquent ce qui le constitue.

Jomini découpe donc et borne, dans la totalité du concret, un espace de pertinence et de cohérence de la théorie. Opération qu'effectuent le paradigme et les axiomes réduisant la politique à la politique extérieure, interétatique, et qui impliquent un type de guerre également interétatique. Opération d'esprit cartésien : elle suppose une unité invisible sous la multiplicité visible; un invisible simple sous le visible compliqué; un espace de déterminations claires, de régularités, dans l'espace globale de l'indéterminé. Mais, cette opération réductrice effectuée – nécessaire pour apprivoiser la complexité –, il récupère les singularités, les actants

exotiques que la procédure parenthétique a provisoirement évacués, par commodité méthodologique. Il les rattache après coup à
sa théorie, sur ses bords, dans ses marges, comme des correctifs,
des modulations du discours central – des astéroïdes autour du
noyau dur d'invariants. Ce faisant, Jomini suggère, sans doute
innocemment, la question épistémologique à partir de laquelle
peuvent se développer une théorie stratégique et sa critique
interne : quelle axiomatique choisir, parmi les concevables, ou
accepter implicitement comme la transformée d'un paradigme,
pour fonder et amorcer le discours, pour déterminer son domaine
et ses conditions de validité? Quels objets de pensée stratégique
induit-elle à cribler, et pourquoi, dans la totalité de ceux que
propose l'observation du réel conflictuel? Quels éléments discri-
minés cette axiomatique autorise-t-elle à inscrire dans un ensemble borné à l'intérieur duquel elle opère comme un principe, à la
fois explicatif et structurant, de leur multiplicité? Problème des
limites et de la puissance de la théorie...

Comme toujours, si un théoricien comme Jomini a quelque
chose à dire qui soit utile aujourd'hui, il faut le chercher dans les
obstacles qu'a rencontrés son entreprise d'élucidation; dans leur
perception et dans les voies empruntées pour les lever ou les
tourner. Comme lui, nous butons contre l'obstacle épistémologique
dressé par un héritage séculaire : nous aussi sommes intellectuellement imprégnés par le paradigme d'une politique étatique qui,
pour être devenue nationale, n'a guère changé de nature et
découpe identiquement l'ensemble des déterminations de la stratégie militaire. D'instinct, nous pensons en termes de relations
internationales : elles ont leurs théoriciens et leurs praticiens, les
gouvernements d'États souverains. Ceux-ci commercent entre eux
par les voies et les voix d'une diplomatie dont les finalités, dans la
communication entre acteurs, n'ont pas été fondamentalement
transformées par des moyens d'information à plus grand rendement n'ayant affecté que sa pratique. Diplomatie soutenue par la
violence d'État, par les appareils militaires réguliers. Système
multipolaire d'acteurs et d'actants homogènes, dénombrés et
reconnus selon les critères d'un droit établi et d'un statut régulier
qui procèdent directement du paradigme politique gouvernant la
pensée stratégique d'un Jomini et d'un Clausewitz. Mais paradigme invalidé, pour nous, par une réalité sociopolitique beaucoup
plus différenciée depuis le second conflit mondial, par l'émergence
d'acteurs et d'actants aussi exotiques, aux yeux des actuels États
souverains, que l'étaient les « partis » et les « forces irrégulières »
pour ceux du XIXᵉ siècle.

État de choses reconnu : chaque jour apporte son lot d'informations sur des conflits sporadiques et les stratégies sauvages
émergeant dans l'espace des classiques relations internationales et
interférant dans les réseaux de communication, dans le maillage

reliant des centres fixes et dénombrés. Si le système multipolaire
des États-nations est constamment secoué par des intrus qui
déchirent le maillage régulier pour y introduire des centres de
décision étrangers, s'il doit, d'abord, enregistrer ces perturbations
et les identifier, force est bien, aux États, d'en évaluer les
conséquences; de modifier peu ou prou leurs projets et leurs
conduites, chacun devant chacun et devant tous, en fonction de
ces *affects aléatoires qui les informent inégalement et différemment dans le même instant.* Ces variations indéterminées des états
de conflit les contraignent, logiquement, à inventer des solutions
empiriques à des problèmes politiques et stratégiques contingents,
à un état de crise endémique qui se traite nécessairement au coup
par coup. L'intrication du système international et des multiples
sous-systèmes locaux, constitués temporairement par tels acteurs
étatiques et tels perturbateurs, les combinaisons imprévisibles de
l'homogène et de l'hétérogène, et leurs variations aveugles,
accroissent, en nombre et en diversité, les incertitudes des
analystes et décideurs. Elles réduisent le domaine du calcul
rationnel dans les procédures décisionnelles, exigent des appareils
militaires aptes à répondre promptement aux sollicitations de
l'événement. Ainsi, au système mondial classique, déjà compliqué
avec le nombre croissant des sous-systèmes ouverts – les États
souverains –, s'est substitué, par un processus d'évolution irréversible et incontrôlable, un système global encore plus complexe
avec la multiplicité et la différenciation accrues de ses intercon-
nections. Système instable, englobant le sous-système régulier des
acteurs étatiques et l'agrégat – le non-système – des acteurs
exotiques. Système dont les variétés plus nombreuses et plus
indéterminées de configurations politico-stratégiques possibles
échappent aux classiques évaluations probabilistes et défient les
hypothèses d'évolution. Système dont l'entropie, qui ne cesse de
croître avec les indéterminations et l'équiprobabilité de plus en
plus nombreuses complexions stratégiques, se paie en dégradation
de l'information (même si celle-ci bénéficie de moyens d'acquisition et de traitement en temps réel) nécessaire aux calculs
prévisionnels du praticien. L'inflation des indéterminations et *la
fonction croissante de désordre* qu'elles assument, dans la théorie
et la pratique, semblent bien l'invariant surdéterminant des
transformations affectant l'univers politico-stratégique.

C'est donc la complexité de cet univers qui renouvelle les
problèmes posés au politique et au stratège militaire se référant
encore au paradigme du système interétatique. C'est cette nouvelle complexité, dont le degré a augmenté au point qu'elle a
changé de nature et de dimensions, qu'ils doivent reconnaître et
démêler; dont ils devraient anticiper les évolutions probables, à la
fois locales et globales, afin de construire leurs politiques et leurs
stratégies actuelles et futures. En bref, si la théorie demeure

nécessaire à la pratique, il faudrait d'abord définir plus précisément cette complexité, avec ses implications, en surmontant ou contournant un obstacle épistémologique : la tentation de réduction au simple, héritée de la théorie classique. La nouvelle complexité s'installe, dans la pensée stratégique, non plus comme une contrainte occasionnelle qui serait imputable à quelque accident de l'histoire multipliant les acteurs sans altérer leur statut, mais comme l'une des catégories de la pensée stratégique.

En effet, elle se définit quantitativement par le nombre des éléments-acteurs constituant la totalité simultanée de l'ensemble global. Évaluation synchronique doublée, dans la diachronie, d'un autre facteur de complexité : si le nombre des acteurs s'est accru, cette multiplicité n'est jamais définie puisque les perturbateurs exotiques se manifestent d'une manière erratique, par impulsions. A cette double complexité, quantitative et dynamique, de l'ensemble global s'ajoute sa complexité structurelle : les liaisons spécifiques des États, au sein de leur système propre, et leurs interactions – qui résument leurs positions relatives, leurs facteurs de puissance et de vulnérabilités, la dialectique de leurs projets politiques, de leurs volontés et de leurs stratégies –, tous les flux d'information, les échanges et conversions d'énergies, tous les mécanismes de ces structures fonctionnelles en travail l'une sur l'autre ne cessent d'interférer avec les fonctions atypiques et non structurées de l'agrégat des acteurs exotiques. Et, là encore, la diachronie mélange les cartes et les redistribue... C'est dire l'infinité des combinaisons de pôles politiques et de complexions stratégiques possibles avec ces liaisons fluctuantes.

La complexité floue, donnée majeure des calculs, décisions et opérations, est principe d'une nouvelle *morphogenèse politico-stratégique*, d'une production stochastique de configurations politiques et de variétés stratégiques nécessairement instables : à première vue, leur génération, dépérissement et disparition ne révèlent aucune corrélation répétable entre des facteurs repérables – aucun invariant. La nébuleuse échappe à l'organisation structurale et à la prise du discours systémique : ensemble flou et mobile dans le flou ; chaos, tohu-bohu, bruit de fond dévorant l'information claire. Tout se passe comme si l'histoire n'avait ébauché ses architectures, tâtonné vers quelque sens, à travers la montée en puissance de la violence et une dissipation croissante d'énergie, que pour mieux manifester aujourd'hui, en un moment singulier parmi les singuliers, l'impossibilité d'une construction rationnelle et son défaut de sens. La violence armée, ultime recours d'acteurs proliférant et globalement inorganisés, échappe à l'entendement et à la maîtrise des actants se référant aux vieux paradigmes. Serait-elle le révélateur, par la multiplication de ses modes singuliers, du travail privé de sens des sociétés déréglées, d'une création collective abandonnée aux improvisations de... l'inorganique? Les temps seraient-ils venus d'admettre que le polemos héraclitéen opère sans l'intelligence et contre la *volonté poétique* des acteurs? Faut-il consentir à ce que, dans le nuage politico-stratégique, de l'intelligible et de l'organisé – de l'ordre – ne naissent, dans certaines régions métastables, que des variations aveugles – des crises – dont certains effets aléatoires se conservent, s'entretiennent, se propagent et se prolongent pour cristalliser, sans raison, en changements d'état remarquables, la violence armée ne servant que d'innocent catalyseur à la réaction du hasard et d'une inconnaissable nécessité? Le stratège doit-il suivre Nietzsche, selon lequel « nous ne connaissons pas les motifs de l'action... nous ne connaissons pas l'action que nous accomplissons... nous ne savons pas ce qu'il en adviendra [1] »?

Ces vaticinations ne nous exonèrent pas du devoir, serait-il inutile, de savoir et de vouloir contre l'incohérence des faits de transformation sociopolitique; de penser la stratégie, intelligence de l'action et conduite calculée de la politique, comme une capacité de réorganisation du désordre – un facteur de néguentropie. Ses théoriciens ont œuvré, d'instinct, pour aider à l'accouchement d'un sens de l'histoire par des praticiens informés et *maîtres des forces*. Aussi étrangers qu'ils soient à la dimension métahistorique, les Jomini ont voulu dire comment instaurer un ordre politico-stratégique, fût-il provisoire – et europeo-centriste. Ils ont cru en la possibilité de réintroduire un peu de raison dans le déraisonnable guerrier; de borner l'espace de l'irrationnel et de préserver un espace où la pensée politique et stratégique, volontariste, pût construire quelque chose de solide; de trianguler une île d'ordre et d'intelligibilité dans l'océan du désordre et du non-sens.

Avec l'outrecuidance d'héritiers abusifs, nous considérons, comme un maladroit accommodement avec la réalité, ce que fait Jomini quand il construit une théorie insuffisamment puissante pour couvrir le spectre des « espèces de guerre » et se borne à modéliser la guerre interétatique. Toutefois cela nous donne un repère méthodologique. Sans doute pouvons-nous supposer qu'il ne prend pas son parti de la complexité visible et que, pour contourner l'obstacle épistémologique, il tente de la réduire commodément au simple : ce détournement de la réalité au profit de la théorie est, en effet, l'une des conditions de possibilité de la sienne. Mais nous pouvons tout aussi bien transformer en article de méthode ce que notre critique récurrente présente comme l'expédient d'un esprit mal outillé. C'est là qu'achoppe la stratégie de l'âge nucléaire : elle doit accepter, en tant que telle, la nouvelle complexité, celle de l'ensemble global des acteurs et actants, avec

1. Nietzsche, *la Volonté de puissance*, III, p. 42.

ses sous-ensembles de dénombrables homogènes et de non-dénombrables hétérogènes; ne pas se bercer d'illusions en espérant que, pour la décrire et l'interpréter, il suffirait de la ramener au simple ou à un degré de complication inférieur, et cela sans dénaturer son objet. L'analyste le moins soucieux d'épistémologie sent bien que ses outils banalisés, ceux qui se constituèrent pour définir le système international classique et pour le travailler stratégiquement, sont non compatibles, incongrus, avec la nature du matériau d'œuvre. Le réseau maillé des liaisons d'interaction entre les acteurs et actants réguliers était déjà perçu et traité comme un objet complexe; mais complexité faible au regard de la nouvelle qui s'avère d'une autre dimension dès lors qu'elle est aussi d'ordre structurel. On ne peut plus voir, dans le noyau des États-nations, l'invisible simple que voilerait, comme une apparence dissimulant quelque essence à portée du discours, la complexité des phénomènes conflictuels observables. Les structures du sous-sytème interétatique classique et du système global actuel ne peuvent être isomorphes. La nouvelle complexité est d'essence : elle s'érige en objet même de l'entreprise théorétique, et *la stratégique* devient l'art de la traiter, de *faire avec*. Le stratège doit changer d'outils dès lors que l'univers politico-stratégique lui parle, non plus dans le langage classique de l'espace local, de l'analyse exhaustive, de la causalité linéaire, du déterminisme simple et de la mécanique rationnelle, mais dans celui de l'espace ouvert et lacunaire, de la combinatoire, des probabilités, de la causalité circulaire, de l'indéterminé, de l'énergétique et de l'information. Par analogie avec l'histoire et la philosophie des sciences, disons – en gros – que son paradigme s'est déplacé de la famille Galilée, Descartes, Newton, Lagrange et Laplace, à celle de Pascal, Leibniz, Bernouilli, Euler, Fourier, Carnot, Boltzmann et Brillouin. Il doit résoudre le conflit épistémologique, essentiel à son objet, entre le haut degré d'indétermination de son matériau et le déterminisme imposé à la fois par la visée téléologique, qui inscrit son action dans la matrice sociopolitique, et par les critères d'économie, les conditions de rationalité de cette action.

Faire avec... L'entendement bute, en fin de course, contre cette surdétermination. Le stratège est embarqué. Il doit trancher dans la complexité, *se* débrouiller – qui signifie *la* débrouiller. Jomini ne cesse de le rappeler à temps et contretemps, contre son œuvre même : « La guerre dans son ensemble n'est point une science, mais un art. Si la stratégie surtout peut être soumise à des maximes dogmatiques qui approchent les axiomes des sciences positives, il n'en est pas de même de l'ensemble des opérations d'une guerre... Les passions qui agiteront les masses appelées à se heurter, les qualités guerrières de ces masses, le caractère, l'énergie et le talent de leurs chefs, l'esprit plus ou moins martial, non seulement des nations, mais encore des époques : en un mot, tout ce que l'on peut nommer la poésie et la métaphysique de la guerre, influera éternellement sur ses résultats [1]... Quant à ce *savoir-faire* et à l'esprit juste et pénétrant qui distinguent l'homme pratique de celui qui ne sait que ce que les autres lui ont appris, j'avoue qu'aucun livre ne saurait les inoculer dans le cerveau de ceux qui en seraient privés [2]. » C'est avouer que, si la complexité excède les capacités d'analyse du théoricien et de prévision du praticien, si le savoir n'a pour fin que le savoir-faire, celui-ci suppose la nécessaire réduction du complexe à ses éléments utiles au faire, dans l'espace et le temps de telle action contingente. Nécessité pragmatique qui, en retour, retentirait logiquement sur la théorie. Propos scandaleux pour l'esprit scientifique positif, statutairement peut-on dire, qui n'accepte pas qu'on traite la complexité avec cette désinvolture; qui ne cesse de dénoncer, au nom de l'objectivité, l'observation et le discours polarisés par l'intentionalité de la pratique; qui exige que le Tout soit maintenu sous le regard et que la décision intègre toutes les données de fait, traite toute l'information sur un univers politico-stratégique saisi non seulement dans ses complexions instantanées, mais aussi dans ses figures d'avenir prévisibles.

Le discours des relations internationales et celui des sciences sociales dénoncent, aujourd'hui, sous des vocables peu flatteurs – constructivisme rationnel, déterminisme intentionnel – les théories stratégiques de notre temps. Elles seraient élaborées au mépris des indéterminations qui caractérisent les liaisons d'interaction entre des acteurs, systèmes sociopolitiques complexes et ouverts dont l'évolution, locale ou globale, défie le calcul prévisionnel. Outre ces indétermination et imprévisibilité foncières, nos modèles stratégiques, évacuant les dimensions sociales, économiques, idéologiques, psychologiques au profit des seuls impératifs techniques et opérationnels spécifiques de l'action militaire, seraient plaqués sur une réalité sociopolitique qu'ils simplifieraient et dénatureraient, avec tous les risques de dérèglement dans la pratique que comporte cette réduction théorique. Modèles normatifs oubliant, selon eux, que l'information est toujours imparfaite, les procédures décisionnelles non linéaires et déductives, mais circulaires; qu'elles enregistrent les effets de rétroaction des sous-systèmes sur leur système, des moyens sur les fins, des résultats de l'action sur les décisions ultérieures, le tout se développant dans un processus sans solution de continuité. Modèles oubliant que la décision ne procède pas d'un centre monocéphale – ni même autocéphale! – mais de l'interaction des divers groupes sociaux impliqués, directement ou non, dans la conduite des affaires.

---

1. *Précis de l'art de la guerre.* Conclusion.
2. *Ibid. Résumé stratégique présenté à Son Altesse Impériale*, le 20 mars 1837.

Si les difficultés de l'agir, et ses succès plus encore que ses erreurs, ne lui avaient enseigné l'humilité, le soldat rétorquerait qu'il sait cela depuis... le néolithique. Les exigences et contraintes de l'agir lui ont enseigné expérimentalement que, en guerre, en stratégie, le savoir-faire se conquiert sur les incertitudes; donc, par le traitement de la complexité fluctuante. Que celle-ci ait évolué en degré et structure, au fil des siècles, ne change rien à ce fait constant : le stratège calcule, décide, dans une nuée d'indéterminations dont il n'ignore ni les multiples origines ni la capricieuse combinatoire... Il a toujours reconnu les dimensions non militaires de son action, même s'il n'en évalue pas toujours correctement les implications. Regrettons que la méconnaissance de l'histoire militaire, trop fréquente chez les experts ès relations internationales et ès sciences sociales, leur ait interdit de constater, à travers les calculs des décideurs et à travers leurs critiques, que leur chantier stratégique accueillait et traitait bien des données de situation autres qu'étroitement militaires...

Que ce travail sur la complexité ait été imparfait, non méthodique, que les théories de la guerre aient été trop souvent identifiées à celles de la conduite des opérations, que rares aient été les Guibert, Jomini, Clausewitz ayant inscrit le phénomène-guerre dans son englobant socioculturel et politique, ce n'est que trop évident. Pouvait-il en être autrement? Au-delà d'un certain degré et d'une certaine accélération, le complexe et le fluctuant ne sont-ils pas hors de prise? Si les reconnaître ne livre pas automatiquement les clés de leur maîtrise, ce peut être par manque de rigueur, mais aussi par incompatibilité foncière entre nos instruments et cette réalité. Comme Einstein devant la complexité de l'univers physique, devons-nous peut-être nous émerveiller qu'un peu de stratégie soit possible malgré celle de l'univers sociopolitique. A la décharge des modélisations réductrices d'hier et d'aujourd'hui, contre l'accusation de dissociation abusive entre le champ borné des théories stratégiques et leur vaste contexte, comment ne pas invoquer l'incapacité des nombreux discours sur les relations internationales à résumer leurs problématiques et à organiser leurs assertions dans des théories unitaires, hypergénérales? Font-elles jamais autre chose que de multiplier leurs postes d'observation et de découper, dans la totalité simultanée du réel et dans la continuité de ses processus de transformation, des fragments à la portée de leur regard et à la mesure de leurs outils d'analyse; que de juxtaposer des micro-théories régionales résultant d'approches multidimensionnelles et de multiméthodes échappant à l'intégration?

Certes, aux discours classiques sur les systèmes interétatiques reliant des décideurs unitaires et rationnels ont succédé de plus subtiles théories du conflit et des modèles raffinés de procédures décisionnelles – cybernétiques, organisationnels et bureaucrati-

ques, rationalisants et réducteurs des incertitudes, sociopsycholo-
giques, etc. – utilisant la théorie des jeux à somme nulle, mixtes ou
de coordination, et systématisant la systémique... Multiméthodes
et multilangages qui tentent de s'associer pour répondre aux
questions fondamentales : qui agit, pour quoi et comment? Analyses fractionnelles qui ne s'attaquent qu'à des cantons découpés
dans la réalité complexe des activités collectives, et à l'intérieur
desquels leur efficacité d'opérateurs... opère. Validité et opérationalité locales, limitées à des espaces de conceptualisation et de
rationalisation laissant de côté, au-delà de leurs frontières, un
résidu considérable de données de fait et de relations qui
définissent l'objet global au même titre que celles de ses déterminations s'étant prêtées à l'analyse sectorielle. Résidu trop emmêlé,
trop fluctuant, d'éléments trop erratiques, indifférenciés et aux
liaisons trop contingentes pour que quelque règle, structure ou
système, quelque représentation rationnelle introduise de l'ordre
dans le flou, du probable dans l'indéterminé de leurs combinaisons. Nulle liaison entre les cantons explorés, entre les îles de
rationalité que les méthodes et langages isolent dans la totalité
dynamique, et qui demeurent juxtaposés. Aucun chemin pour
aller du local au global, pour assembler les espaces réglés et les
espaces d'irrégularités dans une structure ordonnée par quelque
principe supérieur d'organisation; pour les unifier, par quelque
règle de fonctionnement, dans un *système des relations globales*
incluant le classique système des relations internationales. Or nous
savons que, comme tout organisme, cet univers politico-stratégique ne s'identifie pas à un ensemble d'éléments génériques et
indépendants, mais à l'ensemble de leurs relations, de leurs
arrangements et combinaisons : à l'ensemble des parties qu'ils
découpent [1]. C'est dire que l'intégration des éléments d'une telle
complexité n'est en rien une juxtaposition. Par analogie, ni une
authentique théorie unitaire de l'univers politico-stratégique, couvrant toutes les complexions concevables à partir des interactions
possibles entre tous les acteurs et actants hétérogènes, ni une
théorie générale de la stratégie militaire résumant toutes les
variétés que peuvent engendrer tous les croisements de toutes ses
déterminations, ne sauraient se constituer en sommant les résultats
des analyses sectorielles et des microthéories locales. Il faudrait
savoir les intégrer, les soumettre à un *point de vue d'architecture*;
condition qui invite à s'interroger sur la possibilité même d'une telle
théorie intégrant les éléments de la complexité et, dans l'attente
d'une réponse encourageante, à se résigner... aux expédients.

Sachant ce qu'il en est de ces louables ambitions et que, faute
de pouvoir dominer la complexité, il doit se satisfaire de théories

---

1. Disons, autrement, qu'il ne se définit pas par la somme de ses éléments,
mais par cet ensemble des parties dont le cardinal P (E) est d'une puissance bien
supérieure à celui de la somme, et bien différent.

lacunaires, le stratège militaire accepte avec bonne conscience l'accusation de réductionnisme simpliste dès lors que, malgré cet expédient – ou grâce à lui? – il parvient à se faire, de son action, *une figure assez approchée pour être utile au praticien.* Il a toujours confessé le défaut originel de son discours. Il sait que ses avancées théoriques ne procèdent que par fragmentation de son objet de pensée, par partitions du réel conflictuel. Il sait que les multiples déterminations de la stratégie militaire – sociologiques et organisationnelles, idéologiques et psychologiques, politiques et économiques, techniques et opérationnelles, spatio-temporelles, etc. – sont interdépendantes, interconnectées, interagissantes; que toutes ces variables sont liées. Il sait aussi que ces multiples dimensions de l'action ne peuvent être observées d'un poste unique d'où seraient déchiffrables la totalité simultanée des liaisons structurelles entre les systèmes croisés d'acteurs et d'actants, et la complexité des corrélations entre les multiples paramètres de la décision. Il s'avoue incapable de reconstituer, dans une théorie unitaire, le treillis des parties de l'ensemble des déterminations, exogènes et endogènes, de l'action; de penser le simplexe de l'ensemble de leurs combinaisons possibles; d'épuiser, dans un discours exhaustif et cohérent, la totalisation totalisante des effets d'interaction entre tous les éléments du système.

Toutefois, il constate que, depuis que se rencontrent des unités sociopolitiques dans un même espace de coexistence conflictuelle et qu'elles y engagent des forces armées, ce système se définit, en premier lieu, par celui des acteurs *politiquement* interconnectés par leurs projets. En second lieu, chacun des acteurs se définit *stratégiquement* par son système d'actants collectifs – les systèmes de forces – qui, pour le but stratégique commun, doivent assumer diverses *fonctions élémentaires*, toutes nécessaires pour produire les effets physiques et psychologiques dont la résultante devrait s'identifier au but [1]. C'est dire que la nature collective des actants et le partage des compétences fonctionnelles impliquent leur organisation en parties reliées, en sous-systèmes définis à la fois par leurs fonctions spécifiques et par leurs liaisons synergiques sans lesquelles la finalité commune ne saurait être accomplie. Autrement dit, parce que collectifs et finalisés, les systèmes d'actants, et singulièrement les appareils militaires et leurs sou-

---

1. Ces fonctions élémentaires, assumées conjointement, caractérisent le système militaire, déterminent son organisation et l'emploi des forces : *agression* [production, sur le système adverse, des effets de destruction spécifiques des types d'armement]; *protection* [prévention, réduction ou annulation de ces mêmes effets produits par l'adversaire]; *mobilité* [utilisation de l'espace, selon les milieux – terre, mer, air, espace]; *durée* [entretien, renouvellement et soutien – logistique – des moyens humains et matériels]; *information* [recueil et traitement, sur les systèmes adverses, alliés, et sur le système propre]; *commandement* [calculs et procédures décisionnelles]; *communication* [liaisons et transmissions internes et externes au système].

tiens, sont de *réelles structures organisationnelles et fonctionnelles* au sein desquelles se définissent et s'opèrent, selon des principes d'organisation et des règles de fonctionnement *invariants*, les transformations élémentaires dont la résultante doit coïncider avec le but stratégique fixé par l'acteur politique.

Les approches systémique et structuraliste ne sont donc pas de simples langages interprétatifs d'une complexité dont ils faciliteraient la lecture et la modélisation, et que le théoricien adopterait pour leur commodité. Le système et la structure sont constitutifs de la réalité des actants, et singulièrement des forces armées : elle *est* système de systèmes par l'interconnection de ses éléments, et structure par l'invariance de caractéristiques fondamentales. Donnée de fait familière au militaire et au politique : de toute éternité, ils ont pensé et dû construire l'organisation et le fonctionnement du collectif différencié — les moyens humains et matériels et leurs action — comme un système de système et comme une structure de propriétés invariantes que les avatars de l'histoire et l'évolution des déterminations concrètes n'ont pas évacuées de la théorie et de la pratique stratégiques. La difficulté, à la fois épistémologique et praxéologique, contre laquelle ils n'ont cessé de buter, réside, précisément, dans la *composition* du logique, qui régit le système et la structure, avec l'historique que le contingent ne cesse de plaquer sur leur architecture : l'historique module le logique.

Ces observations, sur la nature du système des actants auquel s'identifie tout acteur, suggèrent une méthode extensive pour traiter la complexité du système politico-stratégique global. Sans la perdre de vue — comment le pourrait-il? —, le théoricien peut se résigner à la fragmenter, à la décomposer en parties pour appliquer, à chacune, une problématique, des méthodes d'analyse et des concepts locaux : l'articulation systémique et structurale de son objet — un collectif de collectifs — l'y autorise sous réserve, bien entendu, de veiller à ce que les microthéories demeurent compatibles entre elles; à ce que leurs concepts et leurs énoncés soient cohérents à l'échelle du système global et respectent les invariances de sa structure. Le théoricien traitera donc isolément et successivement chacune des parties de l'ensemble systémique et structural — chacun des sous-systèmes composant le système global — *comme si* elle était indépendante de l'ensemble; comme un espace d'analyse des déterminations internes, de conceptualisation et de rationalité locales tenu provisoirement pour insensible aux affects de facteurs extérieurs. Sous-sytème clos, par convention de méthode : ses éléments sont structurellement corrélés; la finalité qui lui est assignée détermine ses voies-et-moyens spécifiques, compte tenu des réactions adverses au même niveau systémique; le calcul décisionnel, formulé en langage probabiliste, tient compte des boucles de rétroaction des moyens sur la fin à l'intérieur de cet espace d'action borné.

Objection à ce traitement par parties de la complexité : découper dans le Tout des sous-systèmes dotés d'une autonomie locale, c'est leur supposer indûment une rationalité *uniquement* interne; que celle-ci ne se fonde que sur la relation de pertinence entre la finalité de chaque sous-système et ses voies-et-moyens spécifiques : par exemple, entre le but stratégique et les forces armées. Aussi, après avoir analysé les *déterminations internes* qui définissent la structure organisationnelle et fonctionnelle du sous-système, on réintroduira les autres facteurs de sa complexité, provisoirement évacués : les *déterminations externes*, celles qui procèdent des autres dimensions – sociales, économiques, idéologiques, etc. – d'une action ne cessant d'être immergée dans l'ensemble des activités humaines et affectée par l'évolution du matériau d'œuvre sur lequel travaille le stratège. On examinera donc la *sensibilité* des microthéories, étroitement stratégiques, aux affects du global sur le local. Plus exactement, pour chaque sous-système, on croisera l'ensemble de ses déterminations internes et celui des externes.

Considérons, par exemple, l'ensemble mondial des acteurs et actants dont on constate l'irréductible hétérogénéité. Nous pouvons y découper le sous-système homogène des États-nations dont l'identité se définit par des fins politiques et par une structure organisationnelle et fonctionnelle spécifiques. Dans l'univers politico-stratégique, ce sous-système se caractérise par des *interactions fortes* et par des modes de stratégie militaire qui lui sont propres. Cependant, son autonomie interne est affectée par l'immixtion des acteurs exotiques, et le théoricien ne peut tenir compte de la complexité globale qu'en évaluant la sensibilité du sous-système interétatique à ces perturbations exogènes, et en montrant au praticien leurs influences sur ses calculs stratégiques. En prolongeant la méthode, rien n'interdit de découper, dans le système des États-nations, le sous-système de ceux que relient les implications du fait nucléaire. En généralisant, on peut introduire dans la théorie le concept des *classes de puissances* définies par les capacités d'action, les interactions fortes ou faibles, les sphères d'influences des divers acteurs et actants. Mais, là encore, on analysera le croisement des déterminations internes à ces sous-systèmes avec leurs déterminations extérieures.

Bien entendu, et cela intéresse plus directement mon propos, cette procédure de décomposition et de recomposition du complexe s'applique à la stratégie générale militaire. Découpée dans la stratégie intégrale et isolée provisoirement de ses déterminations externes, sociales, idéologiques, économiques, etc., on postulera son autonomie interne que justifient l'organisation, les fonctions et les modes d'action spécifiques des forces collectives de violence. Elle peut revendiquer un espace de rationalité propre, défini par les conditions de l'accord entre sa finalité, le but stratégique, et ses voies-et-moyens, l'appareil des forces armées et de leurs soutiens. Elle peut faire l'objet d'une théorie locale fondée sur la structure de ces déterminations internes : celles-ci permettront d'inférer les règles du transit des flux d'information et de l'impulsion des décisions entre les actants, les conversions d'énergie et d'effets physiques en psychologiques, les boucles récursives entre les éléments de l'appareil militaire, les règles du calcul prévisionnel, les procédures décisionnelles, etc. Puis, retour du simple (?) au complexe, on injectera les déterminations externes dans cet espace de rationalité locale : on cherchera les corrélations et leurs implications probables entre, d'une part, les types de projet politique, d'idéologie, de psychologie collective, d'organisation sociale et économique, d'évolution technique, d'états de conflit reliant telles classes d'adversaires et d'alliés, etc., et d'autre part, les divers éléments de la stratégie militaire; déterminations affectant non seulement le but, en amont, mais aussi, en aval, la nature et l'organisation des systèmes de forces, leurs modes opérationnels, les tactiques, etc., puisque c'est la totalité de la stratégie militaire qui est immergée en permanence dans le Tout de l'univers politico-stratégique.

A quelque niveau que le théoricien s'installe pour dire cet univers, son entreprise est plus facile à esquisser dans sa méthode et ses directions de recherche qu'à mener à bien jusqu'à une théorie générale de la stratégie, jusqu'à une *stratégique* : la combinatoire terme à terme de toutes les déterminations internes et externes défie la puissance d'analyse et de restitution d'un discours unitaire épuisant son objet. Toutefois, la méthode indique les seules voies possibles pour réconcilier, avec la complexité, les capacités limitées d'un outillage intellectuel constitué pour opérer plutôt dans le successif et le discontinu que dans le simultané et le continu. Nous sommes condamnés à passer d'un poste local d'observation et de travail à un autre; à extraire, de la totalité d'un objet ne cessant de varier, les fragments d'un puzzle qu'on ne peut espérer reconstituer, afin de retrouver le sens du Tout, que par des arrangements plus souvent juxtaposés que systémiquement reliés. Théorie nécessairement lacunaire. *Préthéorie* plutôt, puisque assemblage de microthéories, produit d'approches multidimensionnelles incapables de se référer à un niveau fondamental de description et d'intelligibilité. Cela dit, si le théoricien se garde d'oublier qu'il opère sur le complexe et s'il est attentif aux conséquences, pour la validité de son discours, de sa réduction méthodique au simple, s'il considère cette opération comme un expédient méthodologique aux résultats provisoires dont il corrigera ensuite les *effets d'aberration* sur son objet, ses microthéories seront utiles et leur puissance heuristique assurée. Après tout, les sciences de la Nature n'ont pas progressé autrement qu'en découpant et isolant des êtres scientifiques dans la totalité de l'univers physique : parties de l'ensemble des phénomènes observables, leur identité et leur unité sont manifestées par des corrélations répétables entre un certain nombre de paramètres. Ces sciences s'efforcent ensuite d'intégrer ces divers objets, espaces d'intelligibilité et de rationalité locales, dans des structures de plus en plus vastes, dans des théories de plus en plus englobantes mais qui laissent subsister les lois simples des systèmes isolés. Le principe de localité et le concept de système isolé sont bien à la base de la méthode scientifique : ne pouvant étudier à la fois toutes les interactions composant l'univers concret, on cherche à rendre négligeables la plupart d'entre elles par les conditions de l'observation et de l'expérimentation interprétées à l'intérieur d'un domaine borné. A la limite, on peut concevoir un système isolé échappant aux interactions avec le Reste, et dont on établira les lois intrinsèques. Ce sont ces systèmes locaux, découpés dans le Tout, par méthode, qui fournissent les concepts scientifiques avec lesquels on tente de reconstituer de proche en proche, et par extension, la réalité unique de l'Univers.

Répétons qu'il faut se garder d'identifier les objets inertes des sciences de la Nature avec ceux, en perpétuelle transformation, de l'univers politico-stratégique : les liens de causalité linéaire entre les phénomènes et les corrélations répétables entre les objets de la Nature diffèrent essentiellement des relations circulaires de causalité mutuelle, des interactions continues entre les éléments de la structure politico-stratégique. Mais cette différence même conforte la méthode de partition du Tout complexe : paradoxalement, on ne peut comprendre la circularité qu'en coupant le cercle cause-effet, en interrompant le processus et en segmentant le continu en des points d'observation judicieusement choisis. C'est le choix des *frontières* entre les régions d'analyse, donc des lieux et moments de coupure, qui définit les espaces de rationalité locale. La chaîne logique entre fin et moyen – relation constituante de toute action et gouvernant son développement – détermine l'organisation fonctionnelle des actants collectifs, des systèmes de forces, en sous-systèmes articulés et emboîtés. Ce rapport de détermination réciproque fin-moyen transite dans toute leur structure, dont il constitue l'invariant fondamental, et se manifeste concrètement en chacun des lieux et moments où se pose le problème d'une *décision*. C'est à l'interface entre un système d'actants englobant et ses sous-systèmes englobés que la décision opère sous la forme d'une réponse à une question de pertinence locale : quelle finalité pour ceux-ci, qui soit moyen de la fin fixée à celui-là, et quels voies-et-moyens spécifiques?

C'est donc à chacune de ces articulations, où sont évalués puis décidés les facteurs de l'agir collectif, que peut être rationnellement opérée la partition – non la réduction – de la complexité en régions d'analyse que des microthéories peuvent provisoirement isoler. C'est ainsi que la décision du politique, tranformant son projet en buts stratégiques, instaure la stratégie militaire dans son autonomie d'action distincte, par la nature des forces, des autres composantes des entreprises collectives; dans sa singularité de système de transformations dont l'analyse révèle une structure de caractéristiques invariantes. Ensuite, dans l'espace englobant de la stratégie générale militaire, des découpages en chaîne, opérés aux lieux des procédures décisionnelles induites par la définition des buts stratégiques, définiront les espaces de théorie locale des stratégies opérationnelles et des moyens, avec leurs interactions; et ainsi de suite, vers l'aval, jusqu'aux microthéories de la tactique. Notons que l'on peut organiser autrement ces opérations de fragmentation : comme la décomposition verticale du système des actants en sous-systèmes ordonnés selon l'arbre des finalités, à laquelle correspond la décomposition isomorphe selon l'arbre des voies-et-moyens. Chaque nœud de l'un est relié horizontalement, dans chaque espace de sous-système, au nœud homologue de l'autre : relation bi-univoque.

La localisation des interfaces entre les sous-systèmes emboîtés est méthodologiquement capitale : leur ensemble constitue le *lieu* des décisions prises dans l'ensemble du système politico-stratégique. Celui-ci s'identifiant au système des transformations calculées qui s'opèrent, selon les lois propres à l'action stratégique, par le travail des actants, c'est à ces synapses que se concentrent et sont traités les flux d'information ascendants et descendants, et que s'effectue la mesure des échanges énergétiques; que se mesurent aussi les résultats des opérations consécutives aux décisions antérieures; que se ferment les boucles de rétroaction de ces effets sur les fins initiales, et qui induisent à les corriger ainsi que leurs voies-et-moyens. C'est dire que chaque sous-système d'actants opère comme un échangeur d'information et un convertisseur d'énergies en travail, comme un *pilote* et un *moteur*. C'est donc sur leurs frontières que les microthéories, afférentes aux espaces stratégiques qu'elles bornent, doivent éprouver la compatibilité de leurs énoncés, de leurs concepts, etc., et s'ajuster afin d'assurer la cohérence de la théorie générale du système politico-stratégique.

Comment le stratégiste, qui se veut complet et rigoureux, serait-il satisfait d'un traitement aussi fragmenté de la complexité? Mais que faire d'autre quand le praticien exige du théoricien qu'il... théorise utilement? La critique contemporaine n'a cessé de dénoncer le rationalisme naïf, le constructivisme volontariste, le réductionnisme unidimensionnel, etc.; surtout, la volonté d'autonomie d'une stratégie militaire se complaisant dans la construction de modèles et de scénarios simplificateurs plaqués sur une réalité complexe qu'ils prétendent soumettre à leurs schémas... irréalistes.

Certes, le risque n'est pas nul que le moyen, la stratégie militaire, se déconnecte de ses fins politiques et de ses déterminations externes; qu'elle trouve, en elle-même, ses propres finalités; que s'inverse sa relation avec la politique, dans toutes ses dimensions, et que celle-ci se soumette, sans capacité de réaction, à la dynamique stratégique. Aberration qu'illustrerait exemplairement, dit-on, la stratégie nucléaire : ses prétentions à l'autonomie, voire à une fonction surdéterminante, n'auraient cessé de s'affirmer au point d'ordonner, autour de ses seules déterminations internes et, plus précisément, techniques, non seulement la politique extérieure, mais de trop nombreux domaines d'activités chez les peuples et États impliqués.

Observons, d'abord, que la relation de détermination linéaire entre politique et guerre, formulée dans le fameux aphorisme clausewitzien, rend mal compte de la réalité de notre temps – mais Clausewitz ne possédait pas l'outillage systémique qui lui aurait permis de dire les bouclages récursifs de l'action. L'extension de la stratégie militaire à des modes de non-guerre, sa complexité structurelle, son intrusion dans notre existence quotidienne et ses liens permanents avec nos activités ordinaires, tout concourt à instaurer, entre le stratégique et le politique – celui-ci résumant le système des relations de coexistence conflictuelle entre le Même et l'Autre – une relation circulaire de détermination réciproque et de continuelle interaction. Rien de plus logique, donc, que les variations des états de conflit et de la stratégie militaire, avec sa structure organisationnelle et fonctionnelle invariante, rétroagissent en permanence sur la politique; plus généralement, sur toutes les déterminations extérieures, sociologiques, idéologiques, techniques, économiques, etc., de la stratégie. Ensuite, la critique fait bon marché de l'obligation de théoriser : dès lors que la théorie est outil de décision, comment, *sous la pression d'une décision nécessaire*, penser la stratégie nucléaire autrement qu'en recourant à l'expédient méthodologique évoqué plus haut puisque, à partir de fins politiques en amont, *il faut* définir des buts concevables, dont l'interdiction dissuasive? Comment, ensuite, ne pas en inférer des voies-et-moyens pertinents en fonction de l'évolution des données techniques, des hypothèses sur les réactions adverses, des probabilités pondérant ces hypothèses, etc.? Évaluations nécessairement entachées d'incertitudes puisque l'on veut produire des effets psychologiques sans effets physiques réels, donc vérifiables –, ce qui valorise la méthode des modèles probabilistes de dissuasion qui, paradoxalement, sont construits pour que leur lecture interdise leur concrétisation. Ici, le théoricien est, plus que personne, conscient de spéculer sur l'incertain et que ses calculs probabilistes sont marqués de subjectivité. Il reconnaît bien volontiers les conditions et limites de validité de ses microthéories nucléaires, les risques de l'effet de miroir – le postulat de rationalité des acteurs – et que son découpage, dans le Tout politico-stratégique, l'oblige à soumettre ses modèles partiels à l'épreuve de sensibilité aux variations des déterminations externes de la stratégie nucléaire.

Le stratège doit en prendre son parti : théoricien ou praticien, il est l'homme de l'incertain et du précaire, et les sciences de l'action ne peuvent être que sciences molles... Les théories de stratégies nucléaires prêtent à équivoque : les scénarios de duels balistico-nucléaires étant plus aisément quantifiables – en calcul probabiliste – que ceux des duels classiques, l'habillage de la formalisation peut faire illusion sur les capacités de rationalisation des modèles; donner à croire que le théoricien, prenant la partie pour le Tout, s'assure d'atteindre « la vérité » de la *stratégie* nucléaire alors qu'il ne construit que des scénarios *tactico-techniques*. Il sait bien que ceux-ci, dans leur espace borné de rationalisation, évacuent les paramètres politiques, sociologiques, psychologiques, etc., qui, en amont, interviendront dans les *décisions* des duellistes nucléaires, imposées par les états de conflit concrets. La micro-théorie du duel nucléaire comme celle du processus d'escalade décrit par Herman Kahn – que n'a-t-on dit sur son pseudo-rationalisme! – ne valent que dans l'espace borné de leur logique interne et s'inscrivent dans celui des complexes déterminations externes. La critique se trompe donc de cible quand elle dénonce leur pseudo-scientificité. Le théoricien de la stratégie nucléaire sait que, comme celui des stratégies classiques, son discours est toujours réfutable – « falsifiable », dirait le lecteur de Karl Popper – puisqu'il suffit, pour invalider ses assertions, de changer d'axiomes fondateurs; de refuser celui de la rationalité partagée des acteurs ou celui de la valeur prohibitive du risque nucléaire, par exemple. Il admet qu'il devra changer de modèle si *l'observation* du comportement ou de la stratégie déclaratoire des adversaires *prouve* la fausseté de ses axiomes. Mieux : le stratège sait, a toujours su, qu'aucune théorie ne peut prétendre à quelque vérité scientifique; que son statut épistémologique n'autorise pas à la dissocier de la pratique qui, seule, sera son épreuve, non de vérité mais de cohérence et de pertinence locales. Pratique et théorie ne cessant de se déterminer circulairement, chacune informant l'autre, et les deux se corrigeant mutuellement, la stratégie n'est intelligible que comme praxis.

Poétique stratégique

Jomini n'est pas loin sur ces sentiers défrichés dans la nouvelle complexité. A objet flou, discours bégayant. Plus tâtonnant que le traitement jominien de la complexité de son époque. Pourtant, sa belle obstination rassure : bien qu'armé de précautions et bien

qu'il ait constamment rappelé les limites de validité de son
discours, la critique ne l'a pas épargné. Elle a lu, comme
prétendant à la scientificité, des énoncés et assertions dont Jomini
ressentait, non sans malaise, qu'ils laissaient échapper une part
importante de la réalité : celle-là qui émergeait des grandes
marées de l'histoire noyant à jamais les espaces clairs de la
politique régulée. Mais il n'a cessé d'insister sur cette caractéristique : la théorie stratégique est *théorie de et pour la pratique*; un
outil qui ne se constitue que pour l'agir, se justifie par sa valeur
d'utilité pour le faire, et se juge par son efficacité instrumentale
dans des opérations intellectuelles débouchant sur des décisions.
Bien entendu, cette finalité pragmatique n'exonère pas le théoricien de l'obligation de coller aux réalités : elles ne manqueront
jamais de se rappeler à lui, tôt ou tard, s'il s'aventurait dans
l'imaginaire incontrôlé.

De là l'épistémologie stratégique, indispensable. Les acquis des
sciences humaines et sociales interviennent comme instruments de
la critique interne de nos théories, et pour rappeler les risques
d'une abusive réduction de la complexité au simple. Encore faut-il
que cette critique n'oublie pas que, dans sa quête de la vérité
toujours provisoire des choses, le stratège ne cesse d'être engagé
dans une action collective finalisée, en milieu conflictuel; qu'il la
pense d'abord comme la projection de buts dans l'avenir, mais
aussi comme la suite d'une action engagée et en cours de
développement; que la décision actuelle n'annule pas les séquelles
du passé et qu'elle en subit l'hystérésis même si elle marque une
bifurcation dans les processus transformant les systèmes politico-
stratégiques. Ce sont la constante pression des décisions à prendre
et l'obligation d'inventer *in vivo* des manœuvres contre-aléatoires
pour prévenir les conséquences probables des incertitudes du
calcul prévisionnel, qui contraignent le stratège à se satisfaire d'un
savoir lacunaire et de théories locales, sauf à choisir judicieusement le fragment et la localité. Son discours, qui cherche la
cohérence et la rigueur dans son espace de validité, est tributaire
de la logique et du langage probabilistes. Ses assertions, ainsi
modulées, ne sont pertinentes, dans les secteurs choisis de la
complexité – les secteurs utiles – que si elles ne contredisent pas
les principes de cohérence globale de la structure politico-
stratégique.

Entre les théories lacunaires et datées, que construit le stratège
immergé dans l'histoire qu'il fait, et celles, idéales, que lui oppose
le critique extérieur invoquant la complexité du réel et ses
conditions de représentation et d'intelligibilité, l'écart est irréductible : pour chacun, l'autre est ailleurs. Les contraintes de rationalité ne sont pas les mêmes. Le mot n'a pas le même sens ici et
là : la raison dans l'action n'est pas celle de la connaissance. Les
critères du jugement, établis sur l'analyse exhaustive des traces

historiques d'actions échues ou sur l'hypothèse d'un agir dont seraient connues toutes les déterminations, ne sont pas pertinents pour apprécier la raison pratique qui gouverne un processus de création se développant dans un lieu et un moment, dans le brouillard des incertitudes et par une succession de paris sur le possible. Le stratège n'interroge l'histoire que pour rassembler les éléments d'un savoir qui n'a de sens que pour un savoir-faire, dont les exigences et contraintes sont d'un autre ordre que celles de la connaissance objective trouvant en elle-même sa propre fin. Même écart, ici et là, dans les perceptions et les traitements de la complexité, qu'entre le tableau à faire pour le peintre, qui opère en choisissant et éliminant parmi les combinaisons possibles, et le tableau fait pour son critique qui l'approche en se référant à des possibles équiprobables, qui le connaît selon des critères de jugement extérieurs au système de transformations pilotées qu'est toute œuvre en genèse. Les deux entendements n'instrumentent pas dans le même temps : celui du faire est prospectif; celui du dire-le-fait, rétrospectif. Le processus de création découpe son champ opératoire dans la totalité du matériau d'œuvre, puise dans le réservoir d'informations de son langage spécifique. Il soumet la complexité naturelle de son matériau à des règles de décomposition et de réorganisation, à des *opérations techniques* choisies parmi les possibles pour l'informer et le former. Il arrache l'ordre calculé de l'œuvre au désordre de l'information brute fournie par le matériau originel dont les résistances mêmes, qu'il oppose à ces transformations, stimulent l'invention. Ce sont là posture et travail du *singulier*, qui ne sont possibles que par le filtrage de son savoir utile dans le savoir *commun* sur le tout complexe. Singulier opérant, qui ne trouve « sa vérité » que dans la mise au monde d'un artefact, dans une nouvelle forme modifiant l'état de choses. C'est ce travail d'ouvrier œuvrant que le théoricien tente de reconstituer.

Si des théories, comme celle de Jomini, ont échappé à l'usure du temps, c'est d'abord pour avoir su traiter la complexité du matériau stratégique en triant et réorganisant, dans un discours lacunaire mais cohérent, des fragments du savoir commun et banalisé. Découpages variant avec les théoriciens : ils opèrent en des postes d'observation et d'analyse différents, choisis parce qu'ils leur promettent ou le champ de vision le plus vaste sur l'ensemble de l'univers politico-stratégique, ou la plus grande clarté sur l'une de ses régions. Ambitions antinomiques : ce que Clausewitz atteint en généralité en se postant très en amont, à l'articulation politique-guerre, Jomini le gagne en précision en s'installant en aval, à l'interface du but de guerre et des voies-et-moyens de la stratégie opérationnelle. Cependant, si tous deux pénètrent dans la complexité par des entrées différentes, ils se soumettent également au critère d'utilité et d'efficacité d'une théorie qui se veut celle d'un processus de création par quoi l'état de chose sociopolitique peut être informé et transformé par l'énergie et le travail des forces de violence. Quand Napoléon dit : « La guerre, c'est la pensée dans le fait », et Valéry : « L'œuvre de l'esprit n'existe qu'en acte », ils se soucient plus de « l'action qui fait » que de « la chose faite [1] ». Postures de créateurs pour qui les opérations de l'esprit ont pour fin de produire quelque chose : fonction *poétique*. Le stratège-théoricien s'installe, lui aussi, dans cette dimension de l'*ars operandi* et *inveniendi* : sauf à n'être rien, son discours est *déjà* un faire.

C'est pourquoi le débat n'est jamais tranché sur la nature de ce faire, sur le travail de l'entendement s'interrogeant sur la manière dont, dans une action collective inscrite dans un lieu et un moment, l'historique *se fixe* sur le logique : comment théorie et pratique doivent-elles *composer* les facteurs contingents de l'agir avec ses déterminations internes, avec la nécessité de la structure politico-stratégique ? La théorie classique de la guerre a constamment tenté de dire, dans le langage de l'époque, les parts respectives de l'art – ensemble des techniques et procédés utilisés pour produire un nouvel état de choses – et de la science résumant les propriétés invariantes, la structure des opérations intellectuelles et physiques. Jomini en appelle constamment aux « principes régulateurs », aux « règles fixes », au « petit nombre de principes fondamentaux dont on ne saurait s'écarter sans danger », aux « maximes d'application dérivant de ces principes ». Il évoque les « hautes branches de la science » ou « l'ensemble des combinaisons de la science », et demande des « définitions plus rationnelles ». Cependant, comme il a distingué entre savoir et savoir-faire, il corrige ce positivisme en invoquant « le génie naturel (qui) saura sans doute, par des inspirations heureuses, appliquer les principes aussi bien que pourrait le faire la théorie la plus étudiée ». Il conseille donc d'écarter « la fausse idée que la guerre est une science positive dont toutes les opérations peuvent être réduites à des calculs infaillibles [2] ».

En d'autres termes, à défaut de lois de la guerre, de déterminations rigoureuses de sa conduite en toutes circonstances, la guerre connaît des principes, moins absolus que les lois et tolérant des degrés de liberté au jugement appliqué avec tact à la réalité complexe de l'action [3]. En outre, si ces principes consacrent l'existence de régularités dans la complexité fluctuante, celles-ci ne se manifestent qu'à l'intérieur d'un espace de rationalité borné : celui de la conduite des opérations, de la stratégie opérationnelle.

1. Paul Valéry, *Première Leçon du cours de poétique, Collège de France*, 1937.
2. *Précis de l'art de la guerre. Notice sur la théorie actuelle de la guerre et son utilité.*
3. Napoléon; « La guerre est une affaire de tact ».

Hors de cette partie découpée dans la structure politico-stratégique et dès qu'interviennent les multiples déterminations externes de la stratégie *stricto sensu,* « les principes régulateurs » eux-mêmes s'effacent devant les singularités de situations et de faits contingents : « ... si les principes de stratégie sont immuables, il n'en est pas de même des vérités de la politique de la guerre, qui subissent des modifications par l'état moral des peuples, les localités, les hommes qui sont à la tête des armées et des États. Ce sont ces nuances diverses qui ont accrédité l'erreur grossière qu'il n'y a pas de règles fixes à la guerre. Nous espérons prouver que la science militaire a des principes qu'on ne saurait violer sans être battu, lorsqu'on a affaire à un ennemi habile : c'est la partie politique et morale de la guerre qui seule offre des différences qu'on ne saurait soumettre à aucun calcul positif, mais qui sont susceptibles d'être soumises néanmoins à des calculs de probabilités [1] ». Apparemment, Jomini rencontre ici Clausewitz qui, pourtant, « se montre par trop sceptique en fait de science militaire [2] ». Le Prussien, lui aussi, évoque « les probabilités de la vie réelle (qui) prennent la place de l'extrême et de l'absolu du concept [3] ».

Conjonction fortuite : ils ne parlent pas du même lieu. Clausewitz dit « la nature de la guerre » considérée dans sa totalité de phénomène sociopolitique; la définit « dans son essence », le duel, et par les caractères de cet « acte de violence », qui tiennent à sa relation avec la politique. C'est pourquoi, écartant provisoirement de son propos la réflexion sur le domaine des opérations intellectuelles et physiques à travers lesquelles le duel et l'acte de violence se traduisent en action, en faire, il tranche autrement que Jomini la question : « Art de la guerre ou science de la guerre. » Il écrit : « Le domaine de la création, de la production, est celui de l'art, mais lorsqu'on vise à l'investigation et au savoir, c'est la science qui est souveraine. Il ressort de tout cela qu'il est plus juste de dire art de la guerre que science de la guerre »; mais la correction vient aussitôt : « Mais nous n'hésiterons pas à affirmer que la guerre n'est ni un art, ni une science au véritable sens du terme, et c'est justement en partant de là qu'on commit une erreur qui fit assimiler la guerre à d'autres arts ou à d'autres sciences, ce qui donna lieu à une foule d'analogies erronées... Nous disons donc que la guerre n'appartient pas au domaine des arts et des sciences, mais à celui de l'existence sociale. Elle est un conflit de grands intérêts réglé par le sang, et c'est seulement en cela qu'elle diffère des autres conflits. Il vaudrait mieux la comparer, plutôt qu'à un art quelconque, au commerce qui est aussi un conflit d'intérêts et d'activités humaines; elle ressemble *encore plus* à la politique, qui

1. *Précis de l'art de la guerre,* 2.
2. *Ibid. Notice sur la théorie actuelle de la guerre.*
3. Clausewitz, *Vom Kriege,* I, 1, 10.

peut être considérée à son tour, du moins en partie, comme une sorte de commerce sur une grande échelle. De plus, la politique est la matrice dans laquelle la guerre se développe; ses linéaments déjà formés rudimentairement s'y cachent comme les propriétés des créatures vivantes dans leurs embryons [1] ».

Texte révélateur, qui illustre mon propos sur le traitement de la complexité. Si Clausewitz et Jomini ne nous parlent pas du même site, leurs discours sont extérieurs mais non étrangers l'un à l'autre, quoi qu'ils en pensent. Notre problématique actuelle d'une complexité structurelle beaucoup plus marquée que celle de leur temps, permet de rétablir entre eux un accord de complémentarité que leur interdisait la distance entre leurs positions de théoriciens au sein de la structure politico-stratégique. Il est normal que, de son point de vue, le plus élevé, d'où il embrasse le tout de cette structure, Clausewitz soit d'emblée au contact de son enveloppe sociopolitique; que, observé de là, le Tout de la guerre soit perçu comme ressortissant au domaine de l' « existence sociale », comme « une forme des rapports humains ». Il saisit le phénomène à ses origines : il procède de la relation de coexistence conflictuelle entre les êtres sociopolitiques, les *acteurs,* se définissant par leurs projets (fins politiques), par leur volonté de l'accomplir et la polarité de ces volontés. Jomini se poste, lui, au-dessous de l'interface entre fin *de* la guerre et fins *dans* la guerre, où se tient Clausewitz : l'espace de théorisation jominien est inclus, englobé, dans l'espace clausewitzien. Le Suisse concentre son attention sur « l'art de la guerre, indépendamment des parties que nous venons d'exposer succinctement » – c'est-à-dire « la politique de la guerre », « la politique militaire et la philosophie de la guerre » qui résument les déterminations extérieures [2]. Cet art « se compose encore... de cinq branches principales : la stratégie, la grande tactique, la logistique, la tactique de détail et l'art de l'ingénieur. Nous ne traiterons que les trois premières... nous suivrons l'ordre dans lequel les combinaisons qu'une armée peut avoir à faire se présentent à ses chefs au moment où la guerre se déclare [3]. »

Jomini évacue donc provisoirement ce qui, en amont, à l'interface clausewitzien, relève de la pensée et des évaluations des *acteurs* placés devant le problème de la décision *politique* du recours à la guerre. « Nous supposons donc l'armée entrant en campagne », dit-il : c'est au seul travail des *actants* qu'il s'intéresse alors, à leurs calculs et à leurs opérations, aux modes de production des effets de transformation demandés aux systèmes de forces engagés par les duellistes. Sans doute ce travail et ces calculs supposent-ils que le militaire ait convenu, avec le politique,

1. Clausewitz, *Vom Kriege II*, III.
2. *Précis de l'art de la guerre*, I et II.
3. *Ibid.* III, *De la stratégie.*

« de la nature de la guerre qu'il fera », du choix du « théâtre et de ses entreprises » et de « la base d'opérations la plus convenable »; que, à l'interface politique-guerre, la fin politique soit pertinemment transformée en but de guerre. Mais Jomini adopte cette transformée comme une donnée, comme une détermination externe à partir de laquelle s'ouvre enfin le champ de la pratique, avec les seules déterminations internes qui intéressent sa théorie.

Comme Clausewitz est justifié, *dans son domaine*, de penser la guerre en termes de relations sociopolitiques déterminant la décision de guerre et son but, Jomini l'est autant, dans le sien, de la penser comme art et science des voies-et-moyens capables d'atteindre ce but : à la question clausewitzienne, posée aux acteurs, sur les fins et la nature du Tout de la guerre, Jomini enchaîne avec celle du comment la faire, posée aux actants. C'est à l'intérieur du domaine clausewitzien de « l'existence sociale », de « la matrice politique » où se constitue cette « forme des rapports humains » qu'est la guerre, qu'interviennent les actants, opérateurs d'une décision initiale qui échappe à leur compétence mais qui, sans eux, n'aurait pas de sens.

Sans doute, les interactions entre les acteurs ne cessent de déterminer le calcul et les opérations de leurs actants : « Les relations politiques entre nations et gouvernements ont-elles jamais cessé avec les notes diplomatiques? La guerre n'est-elle pas simplement une autre manière d'écrire et de parler pour exprimer leur pensée? Il est vrai qu'elle a sa propre grammaire, mais non sa propre logique [1]. » Arrêtons-nous sur cette formule que les analystes non militaires invoquent fréquemment pour dénoncer les tentations d'indépendance du stratège, et pour lui rappeler la subordination des moyens à la fin. Elle semble, en effet, autoriser ces analystes à considérer le système des actants comme une *boîte noire* dont il leur importerait peu, comme au politique, de connaître les règles de fonctionnement – la logique interne –, mais seulement de vérifier que la sortie (but et voies-et-moyens de la stratégie militaire) n'est pas contradictoire (logique) avec l'entrée (fin politique). Il est vrai qu'existe un lexique de modes et formes de guerre, un glossaire des combinaisons opérationnelles possibles avec les éléments, organisationnels et fonctionnels, des systèmes militaires existants. Il est vrai que les capacités d'action de ces éléments peuvent être assimilées aux charges sémantiques des mots dont l'assemblage ne produit du sens que par une combinatoire formelle assujettie aux règles spécifiques (syntaxe) du langage. Vrai aussi que, à une même fin politique *de* la guerre peuvent s'accorder logiquement plusieurs fins *dans* la guerre (buts); plusieurs chemins pour les atteindre (stratégie opération-

1. Clausewitz, *De la guerre*, VIII, p. 6.

nelle); plusieurs combinaisons de voies-et-moyens, diverses organisations de praxèmes constituant autant de formes du langage de
la violence, qui *signifient* la même fin politique – comme diverses
combinaisons formelles sémantiques et syntaxiques (grammaticales) peuvent porter un même sens. Comme le rappelle justement
Clausewitz, toutes les variétés formelles de la guerre concevables
doivent se soumettre à la surdétermination, à la nécessité politique : la relation logique de fin à moyen détermine le choix des
seuls pertinents parmi les modes et formes possibles, du seul
assemblage légal des praxèmes offerts par la grammaire de la
guerre.

Toutefois, n'oublions pas le site d'où cette distinction est
formulée entre logique et grammaire. Du lieu des acteurs décidant
la guerre selon leurs raisons et la pilotant selon leur logique, il faut
bien passer à celui des opérateurs de la décision – les actants.
Certes, les acteurs politiques peuvent commercer entre eux, à leur
niveau, en se souciant uniquement, dans leur communication, des
entrées et sorties de leurs boîtes noires (les systèmes militaires)
respectives : ne comptent *entre eux,* dans leurs évaluations, que les
rapports de puissance militaire globale – de capacités d'action ou
d'influence – ou les résultats effectifs d'une épreuve de force
transformée en épreuve des volontés politiques. A la limite, peu
leur importent le *signifiant,* ce qui se passe à l'intérieur du
système des actants, les flux d'information et conversions d'énergie dont il est le siège. Cette indifférence supposerait que la
structure d'organisation et de fonctions des actants, les chemins
opérationnels qu'ils peuvent adopter et les variétés stratégiques
qu'ils peuvent produire ne soulèvent que des problèmes subordonnés de technique – de grammaire – dont les solutions seraient
quasiment automatiques. Or ce système ne saurait fonctionner
sans principes, règles et critères d'économie, etc. *spécifiques de sa
nature.* La technique ne peut occulter ce que je ne cesse de
souligner : le système d'actants est un collectif de collectivités, de
sous-systèmes composites entre lesquels la fin politique globale se
décompose en fins et moyens locaux; au sein desquels se distribuent les fonctions élémentaires nécessaires à la production d'une
résultante des effets de violence. C'est dire qu'il existe une des
caractéristiques invariantes du système d'actants qui le constitue
en structure, sous-jacente à toutes les variétés de la guerre, à sa
grammaire : pour chaque partie du système des forces opérantes,
pour chacun des sous-systèmes de l'organisation militaire, se pose
aussi, comme à l'interface politique-guerre, le problème *logique*
de l'accord entre sa finalité locale et ses voies-et-moyens spécifiques; se pose aussi celui, complémentaire et non moins logique, de
l'intégration de ces fins et moyens locaux, de leur cohérence
globale avec le but de guerre (ou but stratégique) en amont.

Je ne m'attarde sur ce terrain épistémologique, révérence

gardée pour Jomini et Clausewitz, que pour éclairer les dommages provoqués, dans notre pensée stratégique, par l'adoption exclusive de l'une ou l'autre de leurs thèses, quand leur complémentarité s'impose plus que jamais. Le stratège qui attendrait du politique la définition d'une « mission » claire, fixée *ne varietur,* après quoi il serait libre d'opérer selon les seules raisons internes du système militaire, serait aussi peu conscient de la réalité des choses que le politique ou le critique extérieur qui voudraient ignorer que ce système n'est pas un tout indifférencié, et qu'il suffirait de l'informer à son entrée (but de guerre ou stratégique) pour que son travail d'effecteur s'effectuât sans autre problème que celui du choix de la combinaison d'opérations pertinente. Or, il suffit de pénétrer dans un système militaire quelconque pour le voir comme une organisation fonctionnelle différenciée, pour observer que cette complexité même engendre, entre l'entrée et la sortie, une dégradation de l'information et des transformations énergétiques; que cet écart probable, entre la visée du politique et le résultat militaire, doit être imputé à la nature collective des actants. C'est dire que la conversion de la fin politique en but de guerre n'achève pas la procédure des transformations logiques de la fin en moyen. Cette opération s'impose également, avec tous les risques d'écart locaux, aux multiples actants reliés dans l'appareil militaire global : chacun, à son niveau d'organisation sous-systémique, doit *décider,* selon les critères propres à son niveau, les voies-et-moyens accordés à la fin qui l'informe de l'amont (à l'entrée). En d'autres termes, s'il est incontestable, comme l'affirme Clausewitz, que la surdétermination politique de l'action militaire *(der Zweck)* diffuse nécessairement et logiquement, après conversion en but de guerre *(das Ziel),* jusqu'au dernier opérateur-actant (le combattant individuel), elle ne le peut qu'en empruntant le réseau des interconnexions définissant le système des opérateurs militaires; qu'en se pliant à la raison des déterminations internes de ce collectif (règles d'organisation et de fonctionnement); en se soumettant à des principes d'économie spécifiques gouvernant la circulation de l'information et les conversions énergétiques entre tous ses éléments; en composant avec la logique de la structure d'invariants caractéristiques du système des forces de violence.

C'est bien ce que dit Jomini quand il évoque « la science de la guerre ». Contrairement à ce qu'il croit, il ne réfute pas Clausewitz. Et ce dernier ne le réfute pas quand il dénie, à la guerre, le statut d'art ou de science. Mais le discours du premier invite, d'abord, à lire celui du second en se plaçant, comme celui-ci et comme tout acteur, au lieu de la structure politico-stratégique d'où l'on domine le Tout indifférencié de la guerre et d'où elle est légitimement perçue comme grammaire de variétés pratiques. Il invite ensuite à fracturer ce Tout et à démonter le système des actants militaires, opérateurs parmi d'autres (économiques, culturels) du projet et de la volonté politiques; à décomposer le complexe d'actants selon ses articulations et mécanismes logiques – ce qui justifierait les assertions de Jomini sur les principes, règles, etc., s'il introduisait, dans son espace d'analyse, celui de la stratégie *strictosensu,* les facteurs de probabilités qu'il réserve indûment aux déterminations externes de la guerre.

Ce n'est donc pas par goût immodéré du syncrétisme que j'associe les discours du Suisse et du Prussien, mais parce que la logique du politique, dans le sens clausewitzien, n'est opératoire, dans la guerre, qu'en composant avec la logique du stratégique, dans le sens jominien. Composer est le mot : la poétique collective n'est intelligible et rationnelle, pour le théoricien comme pour le praticien, que s'ils pensent le Tout insécable d'un matériau politique et militaire sur lequel acteurs et actants opèrent conjointement pour transformer un état de choses conflictuel. Action commune s'inscrivant dans une structure d'opérations intellectuelles et physiques qui compose deux ordres de rationalité : celle des acteurs, qui pensent leur coexistence conflictuelle en termes de fins et de volonté politiques; celle de leurs actants, qui convertissent cette raison supérieure en celle des actions de violence collective utiles, voire nécessaires, et dont les conditions de rationalité propres et les résultats rétroagissent sur les acteurs – sur leurs projets et volontés, en quoi les actions militaires se convertissent à leur tour. Politique et guerre : groupe de transformations du matériau sociopolitique dont l'invariant est la relation de pertinence, d'accord logique entre fin et voies-et-moyens.

Les discours croisés de Jomini et de Clausewitz portent sur la guerre. Ce qu'ils suggèrent l'un à côté de l'autre peut-il être étendu à notre actuelle stratégie militaire? Résumant les divers modes d'usage, en guerre et hors guerre, d'une violence physique servant une politique qui n'est plus le privilège d'acteurs étatiques, elle implique, au-delà des armées, des collectivités toujours plus nombreuses et variées qu'elle mobilise ou affecte à travers des modes d'activités de plus en plus diversifiés. Extension dans l'étendue sociétale, à laquelle s'ajoute la prégnance d'un appareil militaire opérant des prélèvement croissants sur la substance des acteurs; d'un système d'actants dont la complexité structurelle croît avec la différenciation fonctionnelle de ses éléments, avec les flux d'information et d'énergie transitant dans un réseau de liaisons internes dont les mailles et les nœuds se multiplient. C'est dire que la stratégie militaire, action collective désormais permanente et de plus en plus connectée avec les autres modes, économique et culturel, de l'existence sociopolitique des acteurs, est de plus en plus déterminée par ces facteurs extérieurs. C'est dire aussi que, en retour, elle détermine en permanence cette existence, et non plus, comme auparavant, à la seule occasion des guerres. Les relations logiques de fin à moyen ne cessent donc de se démultiplier et de se croiser, au sein de chacune des unités sociopolitiques installées dans la coexistence conflictuelle; entre les systèmes de forces collectives de toute nature parmi lesquelles les forces de violence organisée interviennent autant par leurs seules virtualités, et leurs *capacités d'influence,* que par leurs actions réelles.

En d'autres termes, si les systèmes de forces armées conservent leur spécificité, comme leurs homologues économiques et culturelles, si l'action des uns et des autres obéit à sa propre logique interne, il devient de plus en plus malaisé, *du point de vue des acteurs politiques comme de celui des actants,* de les dissocier : la poétique sociopolitique *compose* en jouant des divers registres, selon la nature et les dimensions des projets, selon les états de conflit engendrés par la coexistence des acteurs qui se perçoivent comme adversaires-partenaires; qui modulent l'usage, réel ou virtuel, de la violence armée en fonction de leurs intérêts à la fois divergents et concordants. C'est pourquoi, en dépit de leur nature *extra-ordinaire,* mais ausi parce qu'elles travaillent aujourd'hui autant par leurs virtualités – par leur *valeur fiduciaire* – que par leur actualisation, les forces naguère extraordinaires de la violence armée sont aussi banalisées que les forces ordinaires, économiques et culturelles, engagées en tout instant par les acteurs politiques. Le spectre des états de conflit est continu – comme je l'ai dit précédemment – pour les acteurs maîtrisant la gamme complète des forces capables de servir projets et volontés aussi bien dans la non-guerre que dans la guerre : de même que, pour eux, le saut du seuil critique de la non-guerre à la guerre ne suspend pas le jeu des forces économiques et culturelles, le retour de la guerre à la non-guerre n'interrompt pas celui de la stratégie militaire.

En d'autres termes, le continuel croisement des projets et volontés politiques au sein du système des acteurs se traduit, pour chacun devant chacun et devant tous, par une combinatoire ininterrompue des fins et des voies-et-moyens relevant *simultanément* de l'économique, du culturel et du militaire. Combinatoire qui n'est ni leur somme, ni la totalisation de leurs résultats spécifiques, mais autre chose et beaucoup plus : l'ensemble des arrangements et combinaisons des facteurs de puissance et de vulnérabilités, des ressources énergétiques, des forces virtuelles et actives, sur lesquels une entité politique peut miser pour persévérer dans son être et pour exister dans la société des peuples – et nous retrouvons ici la complexité évoquée plus haut. C'est pourquoi, de préférence au concept de stratégie totale défini par le général Beaufre, j'ai proposé naguère celui de *stratégie intégrale* : il me semblait plus pertinent pour dire la manœuvre stratégique utilisant toutes les énergies, toutes les forces au travail, dans tous les secteurs d'activité des êtres sociopolitiques; cela afin de préserver leur identité dans la coexistence conflictuelle du Même et de l'Autre et d'accomplir leurs multiples fins politiques, les unes constantes, les autres contingentes, malgré l'opposition et avec le concours des adversaires-partenaires. La stratégie intégrale s'identifie donc aux choix successifs des combinaisons les plus pertinentes des stratégies économique, culturelle et militaire.

Si leur spécificité ne s'évapore pas dans la stratégie intégrale, ces forces hétérogènes ne se bornent donc pas à servir *isolément* les buts, invariants ou conjoncturels, de leur stratégie propre. Ces buts sont structurellement reliés, interconnectés : chacun ne justifie et ne se définit que dans sa relation avec la finalité politique globale dont il est l'un des moyens. Autrement dit, la stratégie intégrale combine moins ses stratégies composantes en les considérant comme des systèmes constitués et compartimentés, qu'en choisissant et prélevant, dans la gamme de leurs buts et de leurs voies-et-moyens, ceux-là seuls dont telle combinaison locale et temporaire permettra d'accomplir, avec le meilleur rendement, telle fin politique constante ou conjoncturelle. Le classique principe de l'économie des forces, familier au militaire, se dilate donc à la dimension de la stratégie intégrale. Il gouverne désormais le choix, le dosage et la distribution, dans l'espace et le temps de la coexistence conflictuelle du Même et de l'Autre, des systèmes de forces hétérogènes dont disposent les acteurs politiques : principe de l'*économie des actants* – dont l'application est d'autant plus délicate que ces diverses forces ne travaillent pas dans le même temps opérationnel.

On voit que le concept englobant de stratégie intégrale n'implique pas la formulation de stratégies économiques et culturelles aussi systémiquement constituées que doit l'être la stratégie militaire autour de buts collectifs explicites et politiquement déterminés : il s'agit d'activités naturelles et ordinaires qui, sauf dans les sociétés totalitaires, expriment des volontés de création singulières et s'accommodant mal d'une centralisation étatique. Il suffit donc que le politique, expression de l'être et des intérêts collectifs, soit capable de décider et de conduire, en telle conjoncture conflictuelle, des actions économiques et culturelles plus ou moins ponctuelles et prolongées; opérations calculées pour contribuer, avec la composante militaire, à influencer le champ mental des autres acteurs du système mondial et à transformer ainsi l'état de leur système.

Ainsi, à l'extension du concept de stratégie militaire hors du champ de la guerre *stricto sensu,* répondent aujourd'hui une perception plus conflictuelle et une conception plus stratégique – la pensée d'une manœuvre collective finalisée – des activités ordinaires des peuples et des acteurs sociopolitiques. Phénomène de *contamination stratégique* dont on ne peut sous-estimer les dangers pour les relations entre les membres de la société universelle : toutes les activités humaines, en effet, deviennent moyens d'épreuves de volontés politiques à travers les épreuves de forces qu'elles autorisent. Toutefois, on s'abuserait à penser comme on y incline souvent, qu'il s'agit là d'un phénomène de militarisation du système sociopolitique : dans la mesure même où les forces économiques et culturelles *signifient,* plus essentiellement que les forces militaires, l'être collectif et son identité, la puissance et les vulnérabilités réelles, la substance et la volonté créatrice – la capacité poétique – des acteurs, ceux-ci devraient être moins tentés par l'*ultima ratio* des armes. Les ressources de la stratégie indirecte, celles des actants non militaires, offrent, à la stratégie intégrale, une gamme de combinaisons de buts et de voies-et-moyens qui permettent de réduire, dans la montée en puissance des états de conflit, la probabilité du franchissement du seuil de la non-guerre à la guerre.

Si la stratégie peut se définir comme l'ensemble des opérations intellectuelles et physiques requises pour concevoir, calculer, préparer et conduire des actions collectives finalisées en milieu conflictuel, la stratégie intégrale résume toutes celles par lesquelles une unité sociopolitique *quelconque* traduit ses projets – sa volonté de persévérer dans son être et sa volonté de création collective – qu'elle nourrit de sa substance actuelle et de son histoire. Pour une unité sociopolitique, être et exister, c'est se projeter dans l'avenir, se vouloir sujet et non objet de l'histoire, se penser et agir en stratège intégral; se poser en permanence, et pour tous ses modes d'existence, comme une *entreprise politico-stratégique* toujours recommencée, vouée à produire, consommer, échanger, à détruire lorsque nécessaire, pour conserver et transformer, conformément à ses intérêts constants et conjoncturels, l'état de la société globale des entreprises. Travail indéfiniment repris du positif *et* du négatif combinés, dans lequel le politique et le stratégique sont indissolublement liés comme l'avers et le revers d'une monnaie. L'un ne se conçoit pas sans l'autre, noués qu'ils sont par l'invariant de la détermination réciproque de fin à moyen, par une poétique collective dans laquelle l'un ne cesse de s'ajuster à l'autre; mieux : à se transmuer en l'autre dans un cycle ininterrompu d'informations et de décisions circulant, avec leurs effets récurrents, de l'un à l'autre. La « faculté intelligente » n'est pas l'apanage du politique comme le dit Clausewitz : l'entendement et le jugement stratégiques répondent aux interrogations du politique et l'obligent à réviser l'économie de ses finalités, voire leur nécessité, dans tous les domaines de l'activité collective.

Tout se passe comme si le développement de l'entreprise politico-stratégique, dont on sait qu'il ne procède pas linéairement du politique au stratégique, ne pouvait même plus s'analyser en termes de cybernétique, de causalité circulaire avec ses bouclages récursifs du moyen sur la fin; mais comme si l'être politique des acteurs ne pouvait se trouver qu'à travers l'expérience stratégique de leurs actants; comme si les projets mêmes, au lieu d'être posés comme la formulation d'une intention et d'une volonté *a priori,* ne pouvaient émerger, dans la conscience collective des acteurs, que de l'action engagée et de son développement, de l'épreuve des forces de toute nature par quoi se manifeste l'identité dans la pluralité et la coexistence conflictuelle. Mais aussi comme si, en retour, l'épreuve stratégique des forces devait trouver les règles de son économie dans la réalité prégnante des facteurs de puissance et de vulnérabilités des acteurs, et dans la raison politique imposée par les conditions de coexistence et de survie des adversaires-partenaires. Tout se passe donc comme si le politique et le stratégique se pensaient et opéraient comme des facteurs de maïeutique et de régulation mutuelle au sein d'une entreprise collective de création politico-stratégique dont les fins, par-delà la défense ou la promotion d'intérêts concrets conjoncturels, seraient la pérennité de l'espèce et des identités locales, ou d'une « certaine idée de l'homme », dans le conflit continuel des différences. Régulation, donc risques moindres de dysfonctionnement, de désaccord entre politique et stratégique dès lors qu'on saurait se garder d'abandonner chacun à sa logique spécifique, celle des acteurs et celle des actants; dès lors que l'on serait capable de transposer tel problème local de la pratique conflictuelle du langage politique, dans lequel il peut se formuler, dans celui de la stratégie, ou vice versa; dès lors qu'on saurait appliquer le principe d'équivalence entre les deux langages.

Sur le chantier de l'entreprise politico-stratégique, l'ouvrier est d'abord *traducteur ;* au point que acteurs et actants sont fréquemment tentés d'échanger leurs fonctions bien que, sociologiquement, ils pensent et opèrent dans les domaines de compétences partagés par les frontières statutaires tracées par l'histoire – au moins dans les États démocratiques. On pourrait poser que la politique est stratégie en puissance, et que la stratégie intégrale s'identifie à la politique en acte, si cette formule n'installait l'acteur et ses actants dans des temporalités différentes – le futur pour le premier, le présent pour le second – alors que, *dans la pratique,* ils œuvrent dans le même présent, pour le même avenir, et que leurs calculs ne cessent de se croiser; alors que la pensée téléologique du premier n'a de sens que par la pensée opératoire du second et que, réciproquement, les opérations actuelles et prévisionnelles de ce dernier affectent et renouvellent constamment le projet et la volonté du politique dont il modifie les vues d'avenir. Mélange des rôles dont témoigne, aujourd'hui, une diplomatie consciente, plus que naguère, d'être porteuse de la double parole, politique et stratégique : par exemple, les discussions sur la limitation des armements sont des actions stratégiques dans la mesure où, par-delà le projet, politique, de réduire les risques de conflit armé et les prélèvements sur les richesses – sur les activités ordinaires –, elles permettent aux acteurs de donner à voir certains *signes* de puissance et de vulnérabilités, de se mesurer à travers leurs lectures respectives et, sans épreuve de force réelle, de peser sur les projets, la volonté et l'action adverses. Les négociateurs parlent les deux langages de l'acteur et de l'actant, passant sans cesse de l'un à l'autre.

Tout cela n'est pas sans conséquences. Dans l'ordre de la pratique, le concept d'entreprise politico-stratégique réduit au non-sens le dire de la politique-rhétorique affichant des projets dont la séduction idéologique ne pourrait être soumise à l'*épreuve d'existence* qu'est la transposition en stratégique : « J'ordonne ou je me tais », dit Napoléon renvoyant à leurs *chimères* – collages de concepts vides de contenu réel – les constructions des belles âmes considérant le stratégique comme une dégradation du politique. Aujourd'hui, l'extension du concept de stratégie militaire et la contamination stratégique, consécutive, des activités collectives ordinaires agissent comme les révélateurs de l'unité de l'entreprise politico-stratégique. Double développement de l'*esprit stratégique* qui confère, à la stratégie militaire, le statut de *stratégie mère* dans la stratégie intégrale. Statut manifesté, entre autre traits, par les emprunts de concepts, de méthodes d'analyse et de critères d'économie pratique, etc., par les activités collectives ordinaires reconnaissant ainsi qu'elles produisent, consomment, échangent, dans un système de systèmes sociopolitiques régi par le principe de coexistence conflictuelle.

Dans l'ordre de la théorie, il est clair que l'entreprise politico-stratégique soulève d'énormes difficultés. Quel poste d'observation, de lecture, d'analyse et d'interprétation choisir pour dominer sa complexité? Quels invariants, concepts, principes et règles d'action extraire d'une stratégie intégrale manœuvrant des forces aussi hétérogènes que les ordinaires et les violentes, alors que seule sa composante militaire est constituée autour d'invariants et que les autres – économique, culturelle – se définissent, historiquement et localement, à partir de quelque idée de l'homme, individuel et social, déterminant leur engagement au service des fins collectives? Les déterminations internes et externes de la stratégie intégrale ne cessant de varier, ainsi que leurs combinaisons, comment concevoir l'idée même d'une structure de propriétés caractéristiques, de liaisons entre tous les éléments du système des systèmes de forces hétérogènes qu'elle manœuvre? Là encore, on ne peut guère approcher la totalité simultanée des paramètres de l'action combinée, non plus que la totalisation totalisante des produits de ses calculs et opérations qu'en les fragmentant et en essayant, ensuite, de recoller ces espaces de rationalité locale en choisissant quelques articulations, quelques interfaces significatives. Et, là aussi, le noyau dur constitué par la stratégie militaire fournira des repères utiles dans la mesure même où le spectre des états de conflits, engendrés par la coexistence des entreprises politico-stratégiques, s'ordonne autour du seuil critique, le passage de l'état de non-guerre à l'état de guerre.

Dans l'état actuel de notre boîte à outils, aucune théorie ne semble donc assez puissante pour saisir le tout de l'entreprise politico-stratégique dans un discours à la fois descriptif et normatif; capable de dire une action qui opère simultanément, et non plus selon une relation de causalité intelligible, dans les deux dimensions du politique et du stratégique. Disons seulement qu'un même fait de conflit peut être interprété selon ces deux langages, à partir de deux postes d'observation qui en fourniront chacun une lecture pertinente, un sens. Le politique dit les raisons de son émergence dans le système des relations entre les acteurs, les variations des états de conflits qu'il provoque, ses affects sur les projets et les volontés de chacun devant chacun – les modifications qu'il introduit dans la conception et la conduite générale de l'entreprise. Le stratégique pense et utilise ce fait de conflit comme information affectant l'action engagée, modifiant les échanges et conversions énergétiques au sein de son propre système d'actants et avec les actants homologues. Sans doute le praticien doit-il accorder ces deux lectures, ces deux sens attribués légitimement au même fait, à la même information sur la dynamique du système mondial des acteurs-actants; et cela, dans le mouvement même qui transforme chacun, en lui-même d'abord, devant les autres ensuite. Raccordement, ou transposition d'un langage dans l'autre, toujours aléatoire pour chaque acteur et son système d'actants : les fins dernières et conjoncturelles de chaque entreprise ainsi que sa conduite, dans l'ensemble global, seront déterminées par la dimension, la grille de lecture – politique ou stratégique – que les centres de décisions privilégient devant les faits de coexistence conflictuelle; par leur souci et leur capacité de traduire pertinemment leur jugement dans l'autre langage. C'est dire le poids déterminant, pour chaque entreprise, de ses *incertitudes sur les positions* des autres qui privilégient ou le politique ou le stratégique devant la même information; sur leurs transpositions opérées ou non, et comment, d'un langage dans l'autre – et cela dans la continuité d'une stratégie intégrale composant actions ponctuelles et de longue haleine, forces ordinaires et forces de violence.

Sur le chantier stratégique, toutes les énergies sont donc désormais converties, toutes les forces engagées et toutes les informations traitées pour la conception et le développement d'une action multiforme et protéiforme que théoricien et praticien sont contraints de penser et calculer *à la fois* dans la dimension de la totalité politico-stratégique et dans le détail des opérations locales. Bousculés par le temps et dérivant dans les brumes de la complexité, comment ne seraient-ils pas tenter, comme Jomini, de s'amarrer à quelques *îles de moindre incertitude* : le système classique des relations interétatiques et la stratégie militaire? Malgré la confusion et les transformations provoquées par le fait nucléaire et ses implications, celle-ci propose, aux acteurs et actants, quelques outils utiles à l'intelligence et au calcul de l'agir; éléments primitifs de ce que pourrait être une stratégique, autre nom de la politique.

Le chantier, où travaillèrent Jomini, Clausewitz et tant d'autres, demeure ouvert...

TABLE DES MATIÈRES

Première partie
GÉNÉALOGIE DE LA STRATÉGIE MILITAIRE

Deuxième Partie
GUIBERT (1743-1790)

Cet ouvrage a été réalisé sur
Système Cameron
par la SOCIÉTÉ NOUVELLE FIRMIN-DIDOT
Mesnil-sur-l'Estrée
pour le compte des Éditions Fayard
le 26 août 1985

Imprimé en France
Dépôt légal : août 1985
N° d'édition : 7170 – N° d'impression : 2569
35-10-7395-01
ISBN 2-213-01621-6

35-7395-3